het eiland van de vorige dag

D1178675

Vertaald door Yond Boeke en Patty Krone

Umberto Eco

het eiland van de vorige dag

1995 Uitgeverij Bert Bakker Amsterdam

De vertalers ontvingen voor deze vertaling
een werkbeurs van de Stichting Fonds voor de Letteren

Eerste druk januari 1995
Tweede druk januari 1995
Derde druk mei 1995
Vierde druk mei 1995

© 1994 R.C.S. Libri & Grandi Opere S.p.A.
© 1995 Nederlandse vertaling Uitgeverij Bert Bakker,
Yond Boeke en Patty Krone
De Nederlandse vertaling kwam tot stand met medewerking
van Maarten Franssen
Oorspronkelijke titel *L'isola del giorno prima*
Omslagontwerp Gerard Hadders
Omslagillustratie Frank Dam
ISBN 90 351 1468 x (geb.)
ISBN 90 351 1448 5 (pap.)

Is the Pacifique Sea my Home?

John Donne, *Hymne to God my God*

Dwaas! tot wie spreek ik? Ongelukkige! En waartoe?
Van mijn smart vertel ik
de zinneloze kust
de stomme kiezel, de dove wind…
Ach, niets anders antwoordt [mij]
dan het ruiselen der golven!

Giovan Battista Marino, 'Eco', *La Lira*, xix

1

daphne

*'En toch verheug ik mij in mijn deemoedigheid en schep ik,
daar ik tot een dergelijk privilege ben veroordeeld,
bijkans behagen in mijn gruwelijke redding:
ik ben het enige wezen van onze soort dat,
naar ik meen sinds mensenheugenis,
schipbreuk heeft geleden op een verlaten schip.'*

Aldus schrijft, met bloemrijke gekunsteldheid, Roberto de La Grive, vermoedelijk rond juli of augustus 1643.

Hoeveel dagen dobberde hij al niet rond op de golven, vastgebonden op een plank, overdag met zijn gelaat naar beneden om niet verblind te worden door de zon, zijn nek onnatuurlijk geheven om geen water binnen te krijgen, verzengd door zout, ongetwijfeld koortsig? De brieven vermelden het niet en wekken de indruk dat het een eeuwigheid was, maar het zullen hooguit twee dagen zijn geweest, want anders had hij (zoals hij zich beeldrijk beklaagt) Phoebus' gesel niet overleefd – hij die zichzelf als zo ziekelijk beschrijft en door zijn lichamelijke gebrek noodgedwongen een nachtdier is.

Hij verloor allengs alle besef van tijd, maar ik geloof dat de zee meteen nadat de storm hem over de regeling van de *Amarilli* had doen slaan, weer rustig geworden was, en dat hij op het vlot dat de zeeman hem gewezen had, door de passaatwinden voortgestuwd over de kalme watervlakte – in dat jaargetijde waarin het ten zuiden van de evenaar zeer zacht winterweer was – slechts een paar mijl was meegevoerd, totdat de stromingen hem in de baai hadden doen belanden.

Het was nacht, hij was ingedommeld en was zich er niet van bewust geweest dat hij het schip naderde, totdat de plank met een schok tegen de voorsteven van de *Daphne* botste.

En toen hij – in het licht van de volle maan – zag dat hij onder een boegspriet dreef, recht onder een scheepsgaljoen waaraan, niet ver van de ankerketting, een touwladdertje hing (de jacobsladder, zou Pater Caspar gezegd hebben!), was hij binnen de kortste keren weer klaarwakker. Het was waarschijnlijk de moed der wanhoop: hij ging na of hij nog genoeg lucht had om te schreeuwen (maar zijn keel was droog en branderig), of om zich te bevrijden uit de touwen die bonte striemen op zijn lichaam hadden achtergelaten, zodat hij kon trachten naar boven te klimmen. Ik geloof dat een stervende op dergelijke momenten een Hercules wordt die de slangen in zijn wieg wurgt. Roberto's verslag van de gebeurtenis is verward, maar aangenomen moet worden dat hij zich, daar hij uiteindelijk op het voordek belandde, op een of andere manier aan de ladder heeft vastgegrepen. Misschien is hij beetje bij beetje omhooggeklommen, voortdurend de uitputting nabij, heeft hij zich over de regeling laten vallen, is langs het touwwerk geschuurd, heeft gezien dat de deur van de bak openstond... En een aandrift moet hem in het duister naar dat vat hebben geleid en hem ertoe hebben aangezet zich aan de rand ervan op te trekken, waarbij hij op een kroes stuitte die aan een kettinkje hing. En hij heeft gedronken zoveel hij kon, waarna hij, misschien wel in de meest letterlijke betekenis van het woord, voldaan in elkaar zakte, want dat water bevatte ongetwijfeld dermate veel verdronken insekten dat het tegelijkertijd eten en drinken voor hem was.

Hij moet vierentwintig uur geslapen hebben, een schatting die lijkt te kloppen aangezien het nacht was toen hij als herboren ontwaakte. Het was dus wéér nacht, en niet nóg nacht.

Hij dacht dat het nog nacht was, want als er inmiddels een dag verstreken was, had iemand hem toch moeten vinden. Het maanlicht dat vanaf de overloop binnendrong verlichtte de ruimte die, te oordelen naar het fornuis waarboven een koperen ketel hing, de kombuis was.

Het vertrek had twee deuren, de ene leidde naar de boegspriet, de andere naar de overloop. En door die laatste had hij naar buiten gekeken en had, zo duidelijk alsof het dag was, het keurig geordende want gezien, de gangspil, de masten met de gestreken zeilen, een paar kanonnen bij de geschutpoorten en de omtrekken van het kajuitdek. Hij had wat gestommeld, maar er had zich geen levende ziel geroerd. Hij had over de regeling gekeken en had aan stuurboord, ongeveer een mijl van het schip verwijderd, het profiel van het Eiland ontwaard, met op de kust palmen die bewogen in de bries.

Het land vormde een soort inham die omzoomd was met zand dat wit oplichtte in de bleke duisternis; maar Roberto kon, zoals elke schipbreukeling overkomt, niet zeggen of het een eiland was of vasteland.

Hij was naar het andere boord gewankeld en had – ditmaal ver weg, als het ware óp de horizon – de pieken van een tweede profiel ontwaard, eveneens begrensd door twee kapen. Verder niets dan zee, waardoor de indruk werd gewekt dat het schip op een ree lag waarop het was binnengelopen via de brede vaargeul die de twee stukken land scheidde. Roberto was tot de slotsom gekomen dat er, als het niet twee eilanden waren, zeker sprake was van één eiland dat uitzicht bood op een groter land. Ik geloof niet dat hij nog andere onderstellingen opperde, aangezien hij nooit gehoord had van een baai die zo weids was dat iemand die zich in het midden ervan bevond niet langer de indruk had door één enkele kust omsloten te zijn. En zo had hij, omdat hij niet wist hoe onmetelijk uitgestrekt het vasteland kan zijn, de spijker op de kop geslagen.

Wat kan een schipbreukeling zich beter wensen: hij zat hoog en droog, met het vasteland op armlengte. Maar Roberto kon niet zwemmen en zou er al snel achter komen dat er helemaal geen sloep aan boord was, en dat de plank waarop hij was gearriveerd inmiddels met de stroom was weggedreven. Waardoor zijn opluchting dat hij aan de dood ontsnapt was nu gepaard ging met ontzetting over die drievoudige verlatenheid: van de zee, van het nabijgelegen Eiland en van het schip. Is daar iemand, heeft hij vermoedelijk getracht te roepen in alle talen die hij kende, waarbij hij tot de ontdekking kwam dat hij zeer verzwakt was. Stilte. Alsof iedereen op het schip dood was. En nooit had hij, die zo gul was met vergelijkingen, zich zo letterlijk uitgedrukt. Althans bijna nooit – en dat 'bijna', daar wil ik het over hebben, al weet ik niet waar te beginnen.

Hoewel, ik ben al begonnen. Een man aan het eind van zijn krachten zwerft over de zee, en de zachtmoedige wateren werpen hem op een schip dat uitgestorven lijkt. Uitgestorven alsof de bemanning het nog maar net verlaten heeft, want als Roberto met moeite naar de kombuis is teruggekeerd, vindt hij er een lamp met een vuurslag, alsof de kok die daar had neergezet alvorens naar bed te gaan. Maar naast het fornuis bevinden zich boven elkaar twee lege kooien. Roberto ontsteekt de lamp, kijkt om zich heen en ziet een grote hoeveelheid leeftocht: gedroogde vis en nauwelijks uitgeslagen beschuit die hij alleen even met een mes hoeft af te schrapen. De vis is bremzout, maar er is water te over.

Hij moet snel weer op krachten zijn gekomen, of was dat al toen hij erover schreef, want hij weidt – op zeer verheven toon – uit over de geneugten van zijn feestmaal: nooit aanschouwde de Olympus eendere banketten, zoet ambrozijn dat mij bereikt vanuit de peilloze Pontus, monster wiens sterven mijn leven is... Maar dit soort dingen schrijft Roberto aan de Dame van zijn hart:

Zon van mijn schaduw, licht van mijn nacht, waarom heeft de hemel mij niet terneergedrukt in de storm die hij zo hardvochtig had opgewekt? Waarom is mijn lichaam aan de vraatzuchtige zee ontrukt, als mijn ziel vervolgens op gruwelijke wijze schipbreuk moest lijden in deze schrale, nog onfortuinlijkere verlatenheid?

Wellicht zult u, mocht de barmhartige hemel mij geen hulp zenden, de brief die ik u nu schrijf nooit lezen, en zal ik, door het licht van deze zeeën als een toorts verteerd, mijzelf voor uw ogen verduisteren als een Selene die zich, helaas, te veel in het licht van haar Zon heeft gebaad en die, naarmate haar reis haar voorbij de uiterste kromming van onze planeet voert, de hulp van de stralen van het hemellichaam dat haar soeverein is moet ontberen en gaandeweg versmalt, eerst tot de beeltenis van de sikkel die haar leven fnuikt, om vervolgens, als een immer kwijnender glans, geheel en al op te lossen in dat uitgestrekte hemelsblauwe schild waarin de vernuftige natuur van haar geheimen heldendaden en verholen zinnebeelden maakt. Beroofd van uw blik ben ik blind, omdat u mij niet ziet, stom omdat u niet tot mij spreekt, geheugenloos omdat u zich mij niet herinnert.

En alléén leef ik, vurige dofheid en duistere vlam, vaag drogbeeld dat mijn geest, die in deze onfortuinlijke strijd van tegenstellingen nog altijd eender is, aan de uwe zou willen aanbieden. Als ik niet het leven laat in deze houten burcht, in dit drijvende bastion, gevangene van de zee die mij beschermt tegen de zee, gestraft door 's hemels goedertierenheid, weggeborgen in deze peilloze sarcofaag die blootstaat aan alle zonnen, in dit onderaardse luchtgewelf, in deze onneembare gevangenis die mij aan alle zijden een uitweg biedt, wanhoop ik u ooit nog te zien.

Mevrouw, ik schrijf u als om u, bij wijze van onwaardig eerbetoon, de verwelkte roos van mijn hartzeer aan te bieden. En toch verheug ik mij in mijn deemoedigheid en schep ik, daar ik tot een dergelijk privilege ben veroordeeld, bijkans behagen in mijn gruwelijke redding: ik ben het enige wezen van onze soort dat, naar ik meen sinds mensenheugenis, schipbreuk heeft geleden op een verlaten schip.

Is het echt mogelijk? Te oordelen naar de datum op deze eerste brief begint Roberto meteen na zijn aankomst te schrijven, zodra hij in de hut van de schipper papier en pen vindt, en nog voordat hij de rest van het schip gaat verkennen. En toch moet er enige tijd verstreken zijn voordat hij weer op krachten was, aangezien hij aanvankelijk meer weg had van een gewond dier dan van een mens. Of wellicht is het een kleine, door liefde ingegeven kunstgreep, tracht hij vóór alles uit te vinden waar hij terecht is gekomen en schrijft hij pas later, terwijl hij doet alsof het eerder is. Maar waarom dan, aangezien hij weet, veronderstelt, vreest dat deze brieven nooit zullen aankomen en hij ze alleen schrijft om zichzelf te kwellen (kwellende vertroosting, zou hij zeggen, maar laten we proberen ons niet mee te laten slepen)? Het is al moeilijk genoeg de handelingen en gevoelens na te gaan van een personage dat ongetwijfeld brandt van ware liefde, maar van wie niet duidelijk is of hij uitdrukking geeft aan wat hij voelt of aan wat de regelen der hoofse taal hem voorschrijven – maar aan de andere kant, wat weten we eigenlijk van het verschil tussen gevoelde en geuite hartstocht, en welke komt eerst? Hij schreef dus voor zichzelf, het was geen letterkunst, hij zat daar werkelijk te schrijven als een jongeling die een onmogelijke droom najaagt, de bladzijde bevochtigend met zijn tranen, niet om de afwezigheid van de ander – die toen ze er wél was ook al louter beeld was – maar uit genegenheid voor zichzelf, verliefd op de liefde...

Genoeg stof voor een roman, maar, nogmaals, waar te beginnen?

Volgens mij heeft hij deze eerste brief later geschreven en heeft hij eerst rondgekeken – en wat hij gezien heeft zal hij in de volgende brieven vertellen. Maar ook hier blijft de vraag hoe we het dagboek moeten vertalen van iemand die met behulp van heldere metaforen datgene zichtbaar wil maken wat hij, als hij met zijn zieke ogen door de nacht waart, ternauwernood ziet.

Roberto zal zeggen dat hij last van zijn ogen heeft sinds er tijdens het beleg van Casale een kogel langs zijn slaap is geschampt. En misschien is dat ook wel zo, maar elders oppert hij dat ze steeds slechter zijn geworden door de pest. Roberto was beslist teer van gestel en voor zover ik kan nagaan ook hypochondrisch – zij het in lichte mate; zijn lichtschuwheid was waarschijnlijk deels te wijten aan zwarte gal en deels aan een zekere geprikkeldheid, die wellicht versterkt was door de toebereidselen van de heer d'Igby.

Zeker is dat hij, of hij nu lichtschuw was of niet, tijdens de reis op de *Amarilli* steeds benedendeks was gebleven, aangezien hij die afwijking moest voorwenden om de geheime verrichtingen in het ruim in de gaten te kunnen houden. Een aantal maanden helemaal in het donker, of bij kaarslicht – en daarna de tijd op het wrakstuk, verblind door de equatoriale of tropenzon, of wat het dan ook was. Als hij dus, al dan niet ziek, op de *Daphne* belandt, haat hij het licht; hij brengt de eerste nacht in de kombuis door, knapt op en waagt zich de tweede nacht aan een eerste inspectie, en vervolgens gaat alles bijna vanzelf. De dag jaagt hem angst aan. Niet alleen zijn ogen, maar ook de verbrandingen die hij waarschijnlijk op zijn rug heeft gehad verdragen het daglicht niet, en hij verschuilt zich. De mooie maan die hij in die nachten beschrijft, montert hem op; overdag is de hemel zoals overal elders, 's nachts echter ontdekt hij nieuwe sterrenbeelden (heldendaden en verholen zinnebeelden namelijk), is het alsof hij zich in het theater bevindt: hij raakt ervan overtuigd dat dit vooralsnog, en misschien wel tot aan zijn dood, zijn leven zal zijn, herschept zijn Dame op papier om haar niet te verliezen, en is zich ervan bewust dat hij niet veel meer verloren heeft dan hij niet al verloren had.

Zo vlucht hij in zijn nachtelijk waken als in een baarmoeder, en besluit eens te meer de zon te ontvluchten. Misschien had hij gelezen over die herrezen doden uit Hongarije, uit Lijfland of uit Walachije, die van zonsondergang tot zonsopgang rusteloos ronddolen en zich vervolgens bij het hanegekraai in hun graven verschuilen: wellicht trok die rol hem aan...

Roberto is waarschijnlijk de tweede avond met zijn inventarisatie begonnen. Hij had inmiddels zoveel geschreeuwd dat hij zeker wist dat er niemand op het schip was. Maar, en daar was hij bang voor, hij zou lijken kunnen tegenkomen, of een of andere aanwijzing die de afwezigheid daarvan rechtvaardigde. Hij had zich behoedzaam op pad begeven, en uit zijn brieven valt moeilijk op te maken in welke richting: over het schip, de verschillende gedeelten ervan en de voorwerpen aan boord laat hij zich in vage bewoordingen uit. Sommige daarvan zijn hem vertrouwd omdat hij ze door de scheepsgezellen heeft horen benoemen; andere zijn hem onbekend, en die beschrijft hij zoals ze zich aan hem voordoen. Maar ook de hem bekende voorwerpen had hij waarschijnlijk door de een in het Frans, door de ander in het Hollands en door weer een ander in het Engels horen benoemen – teken dat het scheepsvolk op de *Amarilli* bestaan moet hebben uit al het uitschot der zeven zeeën. Zo zegt hij soms *staffe* – zoals doctor Byrd hem geleerd moet hebben – voor hoekmaat; het valt moeilijk te begrijpen hoe hij zich nu eens op het kajuitdek of op het achterdek kan bevinden, en dan weer op de achtergaljaard, wat hetzelfde is, maar dan verfranst; hij gebruikt *sabords*, en daar heb ik niets op tegen, want het doet me denken aan de boeken over de zeevaart die we als kind lazen; hij heeft het over *parocchetto*, dat voor ons Italianen de fok is, maar aangezien *perruche* bij de Fransen het bovenkruiszeil aan de bezaansmast is, weten we niet waarop hij doelt als hij zegt dat hij onder de *parrucchetta* zat. Om nog maar te zwijgen van het feit dat hij de bezaansmast soms ook *artimone* noemt, naar het Frans; en wat zou hij toch bedoelen als hij *mizzana* schrijft, dat voor de Fransen de fok is (maar helaas niet voor de Engelsen, die, zoals het hoort, met *mizzen-mast* de bezaansmast aanduiden)? En als hij het heeft over *gronda*, doelt hij waarschijnlijk op dat wat wij een spuigat zouden noemen. Ik neem dus maar een besluit: ik zal trachten zijn bedoelingen te achterhalen, en vervolgens díe termen gebruiken die ons het meest vertrouwd zijn. Als ik ernaast zit, niets aan te doen: het verhaal blijft hetzelfde.

Dit gezegd hebbend, kunnen we vaststellen dat Roberto die tweede nacht, na in de kombuis een voorraad voedsel te hebben gevonden, op een of andere wijze in de maneschijn het dek is overgestoken.

Met de boeg en de gewelfde flanken die hij de nacht ervoor vagelijk had gezien in zijn achterhoofd, en afgaande op het ranke dek, de vorm van het achterschip en de smalle en bolle achterkant, kwam Roberto, toen hij het schip met de *Amarilli* vergeleek, tot de slotsom dat ook de *Daphne* een Hollandse fluit was, of *fluyt*, of *flûte*, of *fluste*, of *flyboat*, of *fliebote*, zoals de verschillende benamingen luidden voor dit soort koopvaarders van gemiddelde diepgang, die in de regel waren uitgerust met een tiental kanonnen om in het geval van een aanval van kapers ten minste de schijn op te kunnen houden; schepen van een zodanige omvang dat ze door een dozijn zeelieden bemand konden worden en bovendien nog een heleboel reizigers konden bergen, mits werd afgezien van het – toch al gebrekkige – gerief, en die zo waren volgestouwd met kooien dat je erover struikelde – en met, grote sterfte ten gevolge van allerlei pestilente dampen als er niet genoeg putsen waren. Een fluit dus, maar groter dan de *Amarilli*, met een dek dat bijna geheel uit tralieluik bestond, alsof de schipper eropuit was elke al te onstuimige breker binnen te halen.

Hoe het ook zij, het kwam goed uit dat de *Daphne* een fluit was, want daardoor wist Roberto hoe het schip was ingedeeld en werd zijn inspectie vergemakkelijkt. Midden op het dek bijvoorbeeld had de grote sloep moeten liggen waar de gehele bemanning in paste: en dat deze er niet was deed vermoeden dat de bemanning zich elders bevond. Maar dat stelde Roberto niet gerust: een schip wordt nooit door de voltallige bemanning verlaten en overgeleverd aan de zee, ook al ligt het in een rustige baai met gestreken zeilen voor anker.

Die avond had hij zich meteen naar het achterschip begeven en omzichtig de deur van de kajuit geopend, alsof hij iemand om toestemming moest vragen... Het kompas naast de kolderstok had hem verteld dat het kanaal tussen de twee stukken land van het zuiden naar het noorden liep. Daarna was hij terechtgekomen in hetgeen we tegenwoordig de officiersmess zouden noemen, een L-vormige ruimte, en was hij via een volgende deur in de hut van de schipper gekomen, met een groot raam in de spiegel en zijdeuren die op de galerijen uitkwamen. Op de *Amarilli* was de hut waar de schipper sliep niet afgeschut geweest van de mess, maar hier kreeg je de indruk dat getracht was ruimte te besparen om plaats te maken voor iets anders. En terwijl er links van de mess twee hutten voor twee zeelieden lagen, was er rechts inderdaad nog een vertrek getimmerd, bijna ruimer dan dat van de schipper, met achterin een bescheiden kooi, maar verder ingericht als werkruimte.

De tafel was bezaaid met kaarten, in Roberto's ogen meer dan men op een schip bij het varen nodig had. Het leek wel de werkkamer van een geleerde: bij de kaarten lagen links en rechts verschillende verrekijkers, een mooi koperen noctilabium dat een vaalrood schijnsel afgaf, als ware het zelf een lichtbron; op het tafelblad was een armillarium bevestigd en lagen nog meer papieren vol berekeningen, en een perkament met cirkelvormige tekeningen in zwart en rood die hij herkende als een afbeelding van de maansverduisteringen van Regiomontanus, omdat hij kopieën ervan (maar dan van slechtere makelij) op de *Amarilli* had gezien.

Hij was teruggegaan naar de mess; als je de galerij inliep, kon je het Eiland zien, kon je – schreef Roberto – met lynxogen de verstildheid ervan gewaarworden. Kortom, het Eiland lag er nog steeds.

Hij was waarschijnlijk bijna naakt op het schip aangekomen: ik denk dat hij zich, smerig als hij was van het zeezout, allereerst in de kombuis gewassen heeft, zonder zich af te vragen of dat het enige water aan boord was, en dat hij vervolgens in een kist een mooi uniform van de schipper heeft gevonden, dat deze bewaarde voor de ontscheping bij de eindbestemming. Misschien heeft hij zelfs lopen pronken in zijn groot tenue; en toen hij de laarzen aantrok moet hij zich weer in zijn element hebben gevoeld. Pas dan kan een eerlijk man, passend gekleed – en niet een uitgeteerde schipbreukeling – officieel bezit nemen van een verlaten schip en de handeling die Roberto verrichtte niet langer ervaren als een overtreding, maar als een recht: hij zocht de tafel af en ontdekte, naast de ganzeveer en de inktpot, het opengeslagen en zo te zien halverwege overhaast in de steek gelaten scheepsjournaal. Uit de eerste bladzijde kon hij meteen de naam van het schip opmaken, maar verder was het een onbegrijpelijke opsomming van *anker, passer, sterrekyker* en *roer*; en hij had weinig aan de wetenschap dat de schipper een Vlaming was. Op de laatste regel stond evenwel de datum van enkele weken daarvoor, en na een aantal onbegrijpelijke woorden viel zijn oog op een onderstreepte zin in het Latijn: *pestis, quae dicitur bubonica.*

Ziedaar, een spoor, een eerste verklaring. Aan boord van het schip was een pestilentie uitgebroken. Dit bericht verontrustte Roberto niet: hij had de pest dertien jaar geleden al gehad, en iedereen weet dat wie die ziekte gehad heeft een soort genade heeft verworven, alsof die slang niet ten tweeden male zou durven binnendringen in de lendenen van degene die haar een eerste keer bedwongen heeft.

Overigens verhelderde die aanwijzing niet bijster veel en leidde slechts tot nieuwe zorgen. Goed, ze waren allemaal dood. Maar dan zouden de lijken van de laatst overgeblevenen toch her en der op het dek te vinden moeten zijn, aangenomen dat zij de eersten een barmhartig zeemansgraf hadden bereid.

Vast stond dat de sloep weg was: ze – of in elk geval de laatsten – hadden het schip dus verlaten. Wat maakt een schip vol pestlijders tot een plek van onoverkomelijke dreiging? Ratten wellicht? Roberto meende in het buitenissige handschrift van de schipper het woord *rottenest* (grote rat, rioolrat?) te herkennen – en hij had zich meteen omgedraaid en de lamp hoog gehouden, beducht om iets langs de wanden te zien glijden en het gepiep te horen dat hem op de *Amarilli* al de stuipen op het lijf had gejaagd. Met een huivering herinnerde hij zich dat er, toen hij op een avond op het punt stond in te slapen, een harig wezen langs zijn aangezicht was gestreken en dat zijn angstkreet doctor Byrd had doen toesnellen. Iedereen had hem uitgelachen: ook zonder de pest zitten er op een schip evenveel ratten als er vogels in een bos zitten, en als je de zeeën wilt bevaren, moet je maar aan hun aanwezigheid wennen.

Maar van ratten geen spoor, tenminste niet in de kajuit. Misschien hadden ze zich verzameld in de durk, met hun in het donker rood oplichtende ogen, in afwachting van vers vlees. Roberto hield zichzelf voor dat áls ze er waren, hij dat maar beter meteen kon weten. Als het gewone ratten waren, in gewone aantallen, kon hij ermee leven. En wat konden het trouwens anders zijn? Hij vroeg het zich af, maar wilde zijn eigen vraag niet beantwoorden.

Roberto vond een vuurroer, een lang rapier en een scherp mes. Hij was soldaat geweest: het roer was een *caliver* – zoals de Engelsen zeiden – dat zonder forquet aangelegd kon worden. Hij vergewiste zich ervan dat de vuurslag in orde was, meer om zich zekerder te voelen dan omdat hij voornemens was de ratten met kogels uiteen te jagen – hij had namelijk ook het mes tussen zijn riem gestoken, dat bij ratten niet veel uithaalt.

Hij had besloten de scheepsromp van de voor- tot de achtersteven te doorzoeken. Hij was teruggekeerd naar het kombuisje en was via een trapje dat achter de boegspriet naar beneden voerde in de provisiekamer (ook wel bottelarij, geloof ik) terechtgekomen, waar voor een lange zeereis leeftocht lag opgetast. En aangezien ze die onmogelijk de hele reis lang goed hadden kunnen houden, moest de bemanning onlangs in een gastvrij land nieuwe voorraden hebben ingeslagen.

Zo waren er manden met niet lang geleden gerookte vis, pyramiden van kokosnoten, en tonnen vol knollen die onbekende vormen hadden, maar er wel uitzagen alsof ze eetbaar waren en lang goed bleven. En verder het soort vruchten dat Roberto aan boord van de *Amarilli* had zien verschijnen toen ze voor het eerst tropische landen hadden aangedaan, bestand tegen alle weersgesteldheden, vol stekels en schubben maar met een doordringende geur die de belofte van welbeschermde vlezigheid en verborgen suikerzoet sap in zich sloot. En zakken met naar tufsteen ruikend grijs meel, waarmee waarschijnlijk ook de broden waren gebakken waarvan de smaak deed denken aan die zouteloze wortelknollen die de Indianen in de Nieuwe Wereld patates noemden, en dat gemaakt moest zijn van een voortbrengsel van de eilanden.

Achterin ontwaarde hij ook een tiental vaatjes met een tap. Hij tapte wat uit het eerste, en het was water dat nog niet muf riekte, sterker nog, het was pas opgevangen en met zwavel behandeld om het langer te kunnen bewaren. Veel was het niet, maar hij berekende dat hij het, aangezien hij zijn dorst ook met vruchten kon lessen, lang op het schip zou kunnen uithouden. Desondanks verontrustten deze ontdekkingen, waaruit hij toch kon opmaken dat hij op het schip niet van de honger zou omkomen, hem nog meer – hetgeen overigens veel voorkomt bij zwartgallige geesten, die in het minste goede geluk een voorbode zien van naderend onheil.

Schipbreuk lijden op een verlaten schip is al een eigenaardig toeval, maar het zou in de lijn der verwachtingen, en der zeevaarthistoriën, hebben gelegen als het schip door de bemanning en door God als onbruikbaar wrak was achtergelaten, dus zonder natuurlijke of kunstelijke voorwerpen die het tot een begerenswaardig onderkomen maakten: maar dat hij het zó aantrof, ingericht als voor een welkome en langverwachte gast, als een verleidelijk aanbod, daar zat een luchtje aan. Het deed Roberto denken aan de sprookjes die zijn grootmoeder hem vertelde, en aan andere, in fraaier proza, die gelezen werden in de Parijse salons, waarin in het bos verdwaalde prinsessen een burcht binnengaan en daar weelderig ingerichte kamers met bedden en baldakijnen aantreffen, en kasten vol rijke gewaden, of zelfs feestelijk gedekte tafels... En je wist dat de laatste zaal de duivelse onthulling zou bevatten van de boze geest die de valstrik had gespannen.

Hij had tegen een kokosnoot onder in de stapel aan gestoten en had het evenwicht van het geheel verstoord; de borstelige vormen waren als een landverschuiving naar beneden gestort, en leken wel ratten die stilletjes op de grond hadden zitten wachten (of vleermuizen die omgekeerd aan de balken van een zoldering hingen) en nu op het punt stonden langs zijn lichaam omhoog te klimmen en zijn bezwete gelaat te besnuffelen.

Hij moest zich ervan vergewissen dat het geen tovenarij was: Roberto had op reis geleerd wat je met die overzeese vruchten moest doen. Zijn mes als bijl gebruikend kliefde hij een noot in één keer doormidden, dronk het koele vocht op, verbrijzelde vervolgens de schaal en knabbelde aan het manna dat onder de bast schuilging. Het was allemaal zo aangenaam en heerlijk dat zijn indruk dat het een valstrik betrof nog werd versterkt. Misschien, hield hij zichzelf voor, was hij reeds ten prooi aan een zinsbegoocheling, proefde hij kokosnoten maar zette hij zijn tanden in knaagdieren, en was hij reeds bezig hun wezen op te zuigen: binnenkort zouden zijn handen dun, klauwachtig en krom worden, zou zijn lichaam bedekt raken met een zurige donslaag, zijn rug zich in een boog krommen en zou hij worden opgenomen in de sinistere apotheose van de harige bewoners van die boot op de Acheron.

Maar ter afsluiting van de eerste nacht moet de verkenner door een andere gruwelijke voorbode zijn verrast. Alsof het geraas van de vallende kokosnoten slapende schepsels had gewekt, hoorde hij achter het tussenschot dat de bottelarij van de rest van het benedendek scheidde niet zozeer gepiep, als wel gekwetter, gekwinkeleer en gescharrel van poten. Er was dus wel degelijk sprake van een valstrik: nachtelijke schepsels hielden een bijeenkomst in een of ander hol.

Roberto vroeg zich af of hij dat armageddon meteen het hoofd moest bieden, met het vuurroer in de aanslag. Zijn hart bonsde, hij beschuldigde zichzelf van lafheid, hield zichzelf voor dat hij vroeger of later, die nacht of een volgende, hoe dan ook met Hen zou moeten afrekenen. Hij zocht uitvluchten, ging weer terug naar het dek en zag tot zijn grote vreugde dat de wasbleke dageraad reeds aan het tot dan toe door maneschijn beroerde metaal van de kanonnen likte. De dag brak aan, zei hij opgelucht tegen zichzelf, en het was zijn plicht het daglicht te ontvluchten.

Als een herrezen dode uit Hongarije spoedde hij zich over het bovendek terug naar de kajuit, ging de hut binnen die nu de zijne was, verschanste de ingang, sloot de toegang tot de galerij, legde zijn wapens binnen handbereik en maakte zich op om te gaan slapen teneinde de Zon niet te hoeven zien, beulin die met de bijl harer stralen de schimmen de hals afsnijdt.

Hij droomde onrustig van zijn schipbreuk, en hij droomde erover als een geletterd man die er ook in zijn dromen – met náme in zijn dromen – op moet toezien dat zijn zinswendingen het beeld verfraaien en zijn waarnemingen het verlevendigen, dat geheimzinnige verbanden het verrijken, overwegingen het verdiepen, bijklanken het verheffen, toespelingen het verhullen en omkeringen het verfijnen.

Ik stel me zo voor dat het aantal schepen dat toentertijd op die zeeën schipbreuk leed, groter was dan het aantal dat naar de haven terugkeerde; maar voor wie het de eerste keer overkwam, moest een dergelijke ervaring een bron van steeds terugkerende nachtmerries zijn die bij degenen die neigden tot mooischrijverij alras de schilderachtigheid van een Laatste Oordeel kregen.

Al sinds de avond tevoren was de lucht als het ware ten prooi aan een verkoudheid en leek het van tranen zwangere hemeloog al niet meer in staat de aanblik van de golvende watervlakte te verdragen. Het penseel van de natuur had de lijn van de horizon reeds van haar kleur ontdaan en schetste verten vol onbestemde streken.

Roberto, wiens ingewanden de op handen zijnde wervelstorm reeds voorspelden, werpt zich op zijn kooi, die inmiddels gewiegd wordt door een cyclopenmin, dommelt in, heeft onrustige dromen waarover hij droomt in bovengenoemde droom, en cosmopoeia van verbijsteringen komen samen in zijn schoot. Hij ontwaakt door het bacchanaal van donderslagen en het gebrul van de zeelieden, dan golft het water zijn kooi binnen; doctor Byrd holt voorbij en roept hem toe dat hij bovendeks moet gaan en zich goed moet vasthouden aan alles wat maar enigszins steviger vastzit dan hijzelf.

Op het dek niets dan verwarring, gekerm en lichamen die, als door een goddelijke hand opgetild, in zee worden gesmeten. Even klampt Roberto zich vast aan de schoot van het bezaanszeil (meen ik te begrijpen), totdat dit door bliksemflitsen aan flarden wordt gereten; de bezaansroede begint te wedijveren met de baan der sterren en Roberto wordt tegen de bezaansmast geslingerd. Een behulpzame zeeman die zichzelf aan de mast heeft vastgebonden, waar hij geen plaats voor hem kan maken, werpt hem een touw toe en schreeuwt dat hij zichzelf op een deur moet binden die uit haar hengsels is gerukt en vanaf de kajuit helemaal daarnaar toe is geblazen, en gelukkig voor Roberto glijdt de deur, met hem als pluimstrijker, vervolgens tegen het scheepsboord, want in de tussentijd breekt de mast doormidden, stort de bezaanssteng loodrecht naar beneden en splijt het hoofd van de man die hem geholpen had.

Door een bres in het boord ziet Roberto, of droomt hij dat hij gezien heeft, cycladen van schimmen opeengehoopt onder bliksemflitsen dwalend over de golvende velden glijden, hetgeen me een al te grote concessie lijkt aan zijn voorliefde voor gekunstelde frasen. Maar hoe het ook zij, de *Amarilli* helt over naar de kant van de schipbreukeling die op het punt staat schipbreuk te lijden, en Roberto glijdt met plank en al een afgrond in waarboven hij, terwijl hij naar beneden schuift, de Zee gewaarwordt die ongehinderd opstijgt en ravijnen verbeeldt; met de onmacht zijner ogen ziet hij ingestorte pyramiden verrijzen, en hij wordt tot een waterkomeet die langs de baan van die werveling van vochtige hemelen snelt. Terwijl elke vloedgolf blinkt van glinsterende onbestendigheid, krult zich hier een nevel en gorgelt daar een draaikolk die een fontein doet opspuiten. Betoveringen van dol geworden meteoren vormen een tegenmelodie voor de woelige, door donderslagen verscheurde lucht, in de hemel wisselen verre lichtschijnsels en plotse duisternis elkaar af, en Roberto beweert dat hij tussen verglijdende voren, die de schuimkoppen doen veranderen in hemelboden, bruisende Alpen heeft gezien, en een met bloemen getooide Ceres te midden van oplichtende saffieren en van tijd tot tijd met loeiend geraas neerstortende opalen, alsof haar tellurische dochter Proserpina haar vruchtendragende moeder heeft verbannen en het heft in handen heeft genomen.

En terwijl er wilde dieren loeiend om hem heen dwalen en het zilveren zout kolkt in stormige ademnood, houdt Roberto opeens op met het bewonderen van het schouwspel; hij wordt er een nietig onderdeel van, valt in onmacht en is zich nergens meer van bewust. Pas later zal hij – in zijn dromen – veronderstellen dat de plank zich, door een barmhartige beschikking of omdat zulks drijvende voorwerpen eigen is, naar deze gigue voegt, en na neerwaarts te zijn gegaan natuurlijk ook weer omhoogklimt, tot bedaren komt in een langzame sarabande – want door de toorn der elementen worden ook alle regelen van de hoffelijke danssuite overhoopgehaald – en hem in steeds wijder wordende cirkels wegvoert van het midden van de kolk, waar de onfortuinlijke *Amarilli*, haar boegspriet naar de hemel gericht, in de diepte verdwijnt, gelijk een draaitol in de handen van de zonen van Aeolus. En mét haar alle levende zielen in haar ruim, de jood die voorbestemd was om in het Hemelse Jeruzalem het aardse Jeruzalem te vinden dat hij nooit zou bereiken, de Maltezer ridder die voor altijd van het eiland Escondida gescheiden zou blijven, doctor Byrd met zijn acolieten en – eindelijk door de milde natuur bevrijd van de zegeningen der geneeskunst – die arme, eeuwig zwerende hond, waarover ik nog niet heb kunnen vertellen omdat Roberto daar pas later over zal schrijven.

Maar goed, ik neem aan dat Roberto in zijn slaap dermate door die droom en de storm getergd werd dat deze maar van zeer korte duur was, en dat daarop waarschijnlijk een strijdlustig ontwaken volgde. De wetenschap dat het buiten dag was voor lief nemend vatte hij, gesterkt omdat er door de grote ondoorschijnende ramen van de bak maar weinig licht binnendrong, en erop vertrouwend dat hij langs een of ander binnentrappetje naar het benedendek zou kunnen afdalen, dan ook moed, pakte zijn wapens en ging beducht doch onverschrokken op zoek naar de oorzaak van de nachtelijke geluiden.

Of liever, hij gaat niet meteen. Ik vraag verschoning, maar het is Roberto zelf die zich in zijn relaas aan zijn Dame tegenspreekt – teken dat hij alles wat hem overkomen is niet uit-en-ter-na vertelt, maar de brief tracht op te bouwen als een verhaal, of liever, als het probeersel van iets dat een brief en een verhaal zou kunnen worden; en hij schrijft zonder nog te besluiten wat hij later zal kiezen, hij schetst als het ware de stukken van zijn schaakbord zonder meteen vast te stellen welke hij zal verplaatsen en hoe hij ze zal opstellen.

In één brief zegt hij dat hij benedendeks op onderzoek is uitgegaan. Maar in een andere schrijft hij dat hij, zodra hij gewekt was door het ochtendgloren, in de verte opeens een concerto hoorde. De klanken waren beslist van het Eiland afkomstig. Eerst stelde Roberto zich een troep inlanders voor die zich in lange canoa's persten om het schip te enteren, en hij klemde het vuurroer stevig vast; daarna klonk het concerto hem minder krijgszuchtig in de oren.

Het was zonsopgang, de zon scheen nog niet op de ruiten: hij begaf zich naar de galerij, rook de zeelucht, deed het venster een klein stukje open en tuurde met half toegeknepen ogen naar de kust.

Op de *Amarilli*, waar hij overdag niet bovendeks kwam, had Roberto de reizigers horen vertellen over dageraden die gloeiden alsof de zon ongeduldig het moment afwachtte dat ze de wereld zou verzengen, terwijl hij nu zonder te tranen pasteltinten zag: een hemel die schuimde van donkere wolken met een rafelig, paarlemoeren randje, terwijl een ingeving, een herinnering aan roze, verrees achter het Eiland dat diepblauw leek ingekleurd op ruw papier.

Maar aan dat welhaast noordelijke palet had hij genoeg om te begrijpen dat het profiel dat hem 's nachts effen had toegeschenen, gevormd werd door de omtrekken van een beboste heuvel die steil afliep naar een met bomen met een lange stam begroeide kuststrook, om uit te komen bij de palmen die het witte strand bekroonden.

Langzaam aan werd het zand lichter, en aan de rand ervan werd een soort grote opgezette spinnen zichtbaar die zich met hun geraamte-achtige ledematen door het water bewogen. Roberto had uit de verte de indruk dat het 'wandelende planten' waren, maar toen werd de weerschijn van het zand te fel en moest hij zijn blik afwenden.

Hij ontdekte dat zijn gezichtsvermogen weliswaar afnam, maar dat zijn gehoor hem niet kon bedriegen, en hij vertrouwde dus op zijn oren, deed het venster weer bijna helemaal dicht en luisterde naar de geluiden die hem vanaf het land bereikten.

Hoewel hij gewend was aan de zonsopgangen in de heuvels bij hem thuis, begreep hij dat hij voor het eerst in zijn leven de vogels werkelijk hoorde zingen, en dat hij er in elk geval nooit zoveel had gehoord, noch zoveel verschillende.

Bij duizenden begroetten ze de opkomende zon: hij meende tussen het gekrijs van papegaaien de nachtegaal te herkennen, en de merel, de leeuwerik, ontallijke zwaluwen en zelfs het doordringende geluid van de sprinkhaan en de krekel, en hij vroeg zich af of hij werkelijk díe diersoorten hoorde, of hun verwanten onder de tegenvoeters... Het Eiland lag ver weg, en toch had hij de indruk dat die klanken een geur van oranjebloeisem en basilicum meevoerden, alsof de lucht in de gehele baai doortrokken was van reukwater – en trouwens, d'Igby had hem verteld hoe hij op een van zijn reizen ontdekt had dat hij zich in de nabijheid van land bevond doordat er op de wind meegevoerde geurdeeltjes overdreven...

Maar terwijl hij al snuivend luisterde naar die onzichtbare menigte – als keek hij door de tinnen van een kasteel of door de schietgaten van een bastion naar een leger dat zich met veel misbaar in een boog opstelde tussen de glooiing van de heuvel, de tegenoverliggende vlakte en de rivier die de muren beschermde – werd hij bevangen door het gevoel dat hij wat hij zich luisterend voorstelde al eens gezien had, voelde hij zich belegerd door de onmetelijkheid die hem omsloot, en greep hij bijna onwillekeurig naar het vuurroer. Hij was in Casale, en voor hem strekte zich het Spaanse leger uit, met het geknars van bagagewagens, het wapengekletter, de tenorstemmen van de Castilianen, het geschreeuw van de Napolitanen, het barse gebrom van de landsknechten, en op de achtergrond het gedempte geluid van een enkele trompet en de doffe knallen van een enkel schot uit een haakbus, klok, pof, taa-poem, als klapbussen bij een patroonsfeest.

Bijna alsof zijn leven zich tussen twee belegeringen had afgespeeld – de een het evenbeeld van de ander, met als enige verschil dat nu, bij het sluiten van die cirkel van twee overvolle lustra, ook de rivier te breed en te cirkelvormig was, zodat hij geen enkele uitweg had – herbeleefde Roberto de dagen van Casale.

2

aandachtige *b*edenkingen
op de voorvallende
gelegenheden in
Montferrat

Roberto is weinig mededeelzaam over de zestien jaar van zijn leven vóór die zomer van 1630. Hij stipt alleen die gebeurtenissen uit zijn verleden aan die zijns inziens op een of andere wijze verband houden met zijn verblijf op de *Daphne*, en de kroniekschrijver van Roberto's weerspannige relaas moet dan ook tussen de regels van diens betoog door lezen. Afgaande op zijn hebbelijkheden lijkt hij het soort auteur dat zijn lezer slechts beknopte aanwijzingen geeft teneinde hem zo lang mogelijk in het ongewisse te laten omtrent de persoon van de moordenaar. En dus steel ik aanwijzingen, als een spion.

Het geslacht Pozzo di San Patrizio was van lage adel en bezat het enorme landgoed La Griva aan de rand van het grondgebied van de stad Alessandria (dat toentertijd deel uitmaakte van het hertogdom Milaan en dus Spaans gebied was), maar beschouwde zich staatkundig gezien, of qua temperament, als vazal van de markies van Montferrat. Vader Pozzo di San Patrizio – die Frans sprak met zijn vrouw, plat met zijn boeren en Italiaans met vreemdelingen – sprak Roberto steeds anders aan, naar gelang hij hem bijvoorbeeld een nieuwe rapierstoot leerde of te paard met hem door de velden reed, vloekend op de vogels die zijn oogst verwoestten. De rest van zijn tijd bracht de jongen vriendeloos door; als hij verveeld door de wijngaarden zwierf, fantaseerde hij over verre landen, als hij op zwaluwen joeg over valkerij, als hij met de honden speelde over gevechten met draken en als hij de vertrekken van hun kasteeltje of versterkte hoeve – of wat het dan ook was – verkende over verborgen schatten. Deze geestesomzwervingen werden aangewakkerd door de bestofte ridderromans en heldendichten die hij in de zuidertoren vond.

Ongeletterd was hij dus niet, en hij had zelfs een huisleraar, zij het niet het gehele jaar. Een karmeliet die naar men zei in het Oosten had rondgereisd, waar hij – fluisterde zijn moeder terwijl ze zich kruiste – naar boze tongen beweerden mohammedaan was geworden, kwam eens per jaar met een dienaar en vier met boeken en andere papierwaren beladen muilezeltjes naar het landgoed en bleef daar drie maanden te gast. Wat hij zijn pupil leerde weet ik niet, maar toen Roberto eenmaal in Parijs was, wist hij zich uitstekend te redden, en bovendien maakte hij zich de dingen die hij hoorde snel eigen.

Van deze karmeliet weten we maar één ding, en het is niet toevallig dat Roberto daarvan melding maakt. Op een dag had de oude Pozzo zich bij het schoonmaken van een rapier gesneden, en of het wapen nu geroest was, of dat hij een gevoelig gedeelte van zijn hand of vingers had verwond, de wond bezorgde hem heftige pijnen. Toen had de karmeliet het wapen opgepakt, had het bestrooid met wat poeder dat hij in een doosje bewaarde, en meteen had de oude Pozzo bezworen dat de pijn al minder werd. In ieder geval begon de wond de volgende dag reeds te helen.

De karmeliet was ingenomen met de algemene verbijstering en had gezegd dat het geheim van die stof hem was onthuld door een Arabier, en dat het een heel wat krachtiger medicament was dan dat wat de christelijke spagyristen *unguentum armarium* noemden. Toen ze hem vroegen waarom het poeder op het lemmer moest worden gestrooid en niet op de wond die ermee was toegebracht, had hij geantwoord dat de natuur nu eenmaal zo werkt en dat een van haar sterkste krachten de algehele sympathie is, die de werking over een afstand bestuurt. En hij had daaraan toegevoegd dat ze, als ze moeite hadden dat te geloven, maar aan een magneet moesten denken, hetgeen een steen is die ijzervijlsel aantrekt, of aan de grote ijzerbergen die het noorden van onze planeet bedekken en de naald van het kompas naar zich toe trekken. Zo trok ook dit wapenpoeder, na zich stevig op het rapier te hebben vastgezet, die virtuten van het ijzer naar zich toe die het rapier in de wond had achtergelaten en die de genezing ervan in de weg stonden.

Iedereen die in zijn jeugd van iets dergelijks getuige is geweest, zal dat de rest van zijn leven met zich meedragen, en we zullen al snel zien hoezeer het lot van Roberto bepaald is door zijn grote belangstelling voor de aantrekkingskracht van poeders en zalven.

Overigens is dit niet het meest bepalende moment uit Roberto's jeugd geweest. Dat is een ander, en het is niet zozeer een moment als wel een soort refrein waar de jongen met gemengde gevoelens aan terugdacht. Het schijnt namelijk dat zijn vader – die zonder meer aan zijn zoon verknocht was, ook al bejegende hij hem met de stugge zwijgzaamheid die de mensen uit die streek eigen was – hem soms, en met name in de eerste vijf jaar van zijn leven, in de hoogte tilde en hem trots toebulderde: 'Jij bent mijn eerstgeborene!' Daar is, het zij gezegd, niets vreemds aan, of het moest de pekelzonde van de overtolligheid zijn, aangezien Roberto enig kind was. Ware het niet dat Roberto zich, toen hij opgroeide, begon te herinneren (of zichzelf wijsmaakte te herinneren) dat de uitdrukking op het gelaat van zijn moeder tijdens zulke uitingen van vadertrots het midden hield tussen verontrustheid en blijdschap, alsof zijn vader die woorden weliswaar terecht zei, maar het horen ervan een reeds bezonken smart in haar deed herleven. Roberto's verbeelding had eindeloos om de toon van die uitroep heen gedanst, en hij was tot de slotsom gekomen dat zijn vader die woorden niet uitsprak alsof ze een voor de hand liggende bewering waren, maar alsof het een ongehoorde investituur betrof, waarbij hij dat 'jij' benadrukte alsof hij bedoelde: 'Jij, en niet een ander, bent mijn eerstgeboren zoon'.

Niet een ander, of niet die andere? In Roberto's brieven duikt steeds weer als een dwanggedachte de verwijzing naar een Ander op, en dat denkbeeld schijnt toentertijd bij hem te hebben post gevat. Hij was ervan overtuigd geraakt (en waar kon een jongen, verloren tussen kasteeltorens vol vleermuizen, tussen wijngaarden, hagedissen en paarden, te verlegen om met de aan hem ondergeschikte boerenzonen van zijn leeftijd om te gaan, en die, als hij niet naar de verhalen van zijn grootmoeder luisterde, wel die van de karmeliet aanhoorde, anders over dromen?) dat er ergens een andere broer rondliep, een bastaard die, daar zijn vader hem verstoten had, wel een slechte inborst moest hebben. Roberto was eerst te jong en later te preuts om zich af te vragen of deze broer een broer van vaders- of van moederskant was (en in beide gevallen zou de blaam van een vroegere, onvergeeflijke misstap een van zijn ouders treffen): het was een broer, en op een of andere (wellicht bovennatuurlijke) manier was hij, Roberto, er natuurlijk schuldig aan dat die broer verstoten was, en moest deze hem, de uitverkorene, dus wel haten.

De schim van deze broer die hem vijandig gezind was (maar die hij desondanks toch had willen leren kennen, om hem te koesteren en zelf gekoesterd te worden) had zijn kindernachten verstoord; later, toen hij opgroeide, bladerde hij in de bibliotheek oude boekdelen door op zoek naar, weet ik het, een verborgen portret, een akte van de pastoor, een onthullende bekentenis. Hij dwaalde over de vlieringen en opende oude kisten vol kleren van zijn overgrootouders, verroeste penningen of een Moorse dolk, en betastte met verbaasde vingers fijne kamizooltjes die beslist door een klein kindje waren gedragen, maar God weet of dat jaren of eeuwen daarvoor was geweest.

Toen hij ouder werd had hij deze verloren broer ook een naam gegeven, Ferrante, en was hij begonnen hem kleine vergrijpen toe te dichten waarvan hijzelf ten onrechte beschuldigd werd, zoals het stelen van zoetigheid of het onrechtmatig losmaken van een kettinghond. Doordat hij onzichtbaar was, handelde Ferrante achter zijn rug om, en hij verschuilde zich weer achter Ferrante. Dat ging zo ver dat de gewoonte om zijn niet-bestaande broer te beschuldigen van hetgeen hij, Roberto, niet gedaan kon hebben, omsloeg in de gewoonte hem ook datgene in de schoenen te schuiven wat Roberto wél had gedaan en waar hij spijt van had.

Niet dat Roberto de anderen voorloog, maar hij zag, terwijl hij de straf voor zijn overtredingen zwijgend, met opgekropte tranen onderging, kans zichzelf van zijn eigen onschuld te overtuigen en zich het slachtoffer van machtsmisbruik te voelen.

Zo had Roberto bijvoorbeeld op een keer, om een net door de smid afgegeven nieuwe bijl uit te proberen en deels ook uit wrok over een of ander onrecht dat hem, naar hij meende, was aangedaan, een vruchtboompje omgehakt dat zijn vader niet lang daarvoor met hooggespannen verwachtingen ten aanzien van de komende jaargetijden had geplant. Toen de ernst van die stommiteit tot hem was doorgedrongen, had Roberto zich de meest gruwelijke gevolgen voorgesteld – hij zou op zijn minst verkocht worden aan de Turken, die hem levenslang op hun galeien zouden laten roeien – en besloot hij een vluchtpoging te wagen en zijn leven te eindigen als bandiet in de heuvels. Op zoek naar een rechtvaardiging had hij zichzelf al snel wijsgemaakt dat de boom natuurlijk door Ferrante was omgehakt.

Maar toen zijn vader het delict had ontdekt, had deze alle jongens van het landgoed bijeengeroepen en gezegd dat de schuldige maar beter alles kon opbiechten, omdat zijn woede anders iederéén zou treffen. Roberto was overvallen door grootmoedigheid, ingegeven door medelijden: als hij Ferrante beschuldigde, zou de arme jongen wederom verstoten worden; in wezen haalde de ongelukkige zulke streken uit doordat hij als kind in de steek was gelaten, gekwetst door de aanblik van zijn ouders die een ander met liefkozingen overlaadden… Hij had een stap naar voren gedaan en bevend van angst en trots gezegd dat hij niet wilde dat iemand anders in zijn plaats beschuldigd zou worden. De bewering was opgevat als een bekentenis, ook al was het dat niet. Zijn vader had aan zijn snor draaiend en naar zijn moeder kijkend met veel bars keelgeschraap gezegd dat het zonder meer een ernstig vergrijp betrof en dat straf onvermijdelijk was, maar dat hij het zeer kon waarderen dat de jonge 'heer van La Griva' de eer van het geslacht hoog hield en dat een heer van stand zich immer zo dient te gedragen, al is hij pas acht. Daarna had hij beslist dat Roberto half augustus niet mee mocht naar zijn neven in San Salvatore, hetgeen zeker een zware straf was (in San Salvatore woonde Quirino, een wijnbouwer die Roberto in een duizelingwekkend hoge vijgeboom kon hijsen), maar toch beduidend minder zwaar dan de galeien van de Sultan.

Ons lijkt het verhaal eenvoudig: de vader is trots een spruit te hebben die niet liegt, kijkt met nauw verholen voldoening naar de moeder en deelt om de schijn op te houden een lichte straf uit. Maar de gebeurtenis speelde Roberto nog lang door het hoofd en hij kwam tot de slotsom dat zijn vader en moeder natuurlijk wel vermoed hadden dat Ferrante de schuldige was, dat ze in hun nopjes waren met de heldhaftige broederdienst van hun lievelingszoon en opgelucht dat ze het huisgeheim niet hoefden prijs te geven.

Misschien laat ik me wel door al te beknopte aanwijzingen meeslepen, maar het geval wil dat de aanwezigheid van deze afwezige broer in dit verhaal een voorname rol zal spelen. Sporen van dit spel uit zijn kindertijd vinden we terug in Roberto's gedrag op latere leeftijd – of liever, bij Roberto zoals we die aantreffen op de *Daphne*, in een hachelijke toestand die, eerlijk gezegd, iedereen zorgen zou hebben gebaard.

Hoe dan ook, ik dwaal af; we moeten nog nagaan hoe Roberto bij het beleg van Casale terechtkomt. En hier moet ik mijn fantasie de vrije loop laten en me voorstellen hoe dat gebeurd kan zijn.

Het duurde meestal even voordat berichten La Griva bereikten, maar het was al minstens twee jaar bekend dat de opvolging van de hertog van Mantua in Montferrat tot veel moeilijkheden leidde, en er had al een halfslachtig beleg plaatsgevonden. Kort gezegd – en het is een verhaal dat anderen al eens verteld hebben, zij het onvollediger dan ik – in december 1627 stierf hertog Vincenzo II van Mantua en was er rond het sterfbed van deze zwijnjak, die geen kinderen had weten te verwekken, een ballet opgevoerd voor vier pretendenten, hun agenten en hun beschermheren. Winnaar is de markies van Saint-Charmont, die erin slaagt Vincenzo ervan te overtuigen dat de nalatenschap toekomt aan een neef van de Franse tak, Charles de Gonzague, hertog van Nevers. Al rochelend maakt, of gedoogt, de oude Vincenzo dat Nevers inderhaast trouwt met zijn kleindochter Maria Gonzaga, blaast dan zijn laatste adem uit en laat hem het hertogdom na.

Nu was Nevers een Fransman, en hoorde bij het hertogdom dat hij erfde ook het markizaat Montferrat met de hoofdstad Casale, de aanzienlijkste vesting van Noord-Italië. Doordat het tussen het door Spanje geregeerde Milaan en het grondgebied van Savoye in lag, beheerste Montferrat de bovenloop van de Po, het verkeer tussen de Alpen en het Zuiden, de weg van Milaan naar Genua, en lag het als een buffer tussen Frankrijk en Spanje – aangezien geen van beide mogendheden die andere buffer kon vertrouwen, te weten het hertogdom van Savoye waar Carlo Emanuele I een spelletje speelde dat je met enige lankmoedigheid zou kunnen omschrijven als leep. Als

Montferrat naar Nevers ging, was het of het naar Richelieu zou gaan; en het was dus duidelijk dat Spanje er de voorkeur aan gaf dat het naar iemand anders ging, bijvoorbeeld de hertog van Guastalla. Nog afgezien daarvan kon ook de hertog van Savoye enig recht op de titel doen gelden. Maar omdat er een testament was en Nevers daarin werd aangewezen, konden de andere pretendenten alleen maar hopen dat de keizer van het Heilige Roomse Rijk, waar de hertog van Mantua formeel een vazal van was, de opvolging niet zou bevestigen.

De Spanjaarden waren echter ongeduldig, en nog voordat de keizer zijn beslissing had genomen, was Casale al een eerste keer belegerd, door Gonzalo de Cordoba, en nu, voor de tweede keer, door een indrukwekkende Spaanse en keizerlijke krijgsmacht onder aanvoering van Spinola. Het Franse garnizoen maakte zich op voor de verdediging, in afwachting van een Frans hulpleger dat in het noorden nog in gevecht was gewikkeld en waarvan God alleen wist of het op tijd zou komen.

Zo stonden de zaken er min of meer voor toen de oude Pozzo half april de jongsten onder zijn bedienden en de wakkersten van zijn boeren voor het kasteel bijeenriep, alle wapenen die op het landgoed voorhanden waren uitdeelde, Roberto riep en de volgende toespraak hield, die hij de nacht daarvoor moest hebben voorbereid: 'Mensen, luister. Ons landgoed, La Griva, is altijd schatplichtig geweest aan de markies van Montferrat, die sinds kort als het ware ook de hertog van Mantua is, wat nu de heer van Nevers is geworden, en wie me wil wijsmaken dat Nevers Mantovaan noch Montferraan is kan een schop onder z'n hol krijgen, want jullie zijn een stelletje stomme botmuilen die van dit soort dingen geen snars verstand hebben, en dus kunnen jullie maar beter jullie mond houden en het aan jullie heer overlaten, want die weet tenminste wat eer is. Maar omdat jullie je eer aan je achterlappen vegen, wil ik jullie wel vertellen dat de keizerlijken, als ze Casale binnenvallen, niet bepaald zachtzinnig zullen zijn, en dat jullie wijngaarden naar de verdommenis gaan, om van jullie vrouwen nog maar te zwijgen. En dus gaan we Casale verdedigen. Ik dwing niemand. Als er een of andere lanterfant is die er anders over denkt, laat hij dat dan meteen zeggen, dan knoop ik hem op aan die eik daar.' Niemand van de aanwezigen kon nog de etsen van Callot hebben gezien waarop mensen zoals zij bij trossen aan andere eiken bungelden, maar er moet iets in de lucht hebben gehangen, want alle musketten, pieken en knuppels met daarop vastgebonden sikkels gingen de lucht in en iedereen brulde: 'Leve Casale, weg met de keizerlijken!' Als uit één mond.

'Mijn zoon,' zei Pozzo tegen Roberto terwijl ze te paard door de heuvels reden, met hun legertje dat hen te voet volgde, 'die Nevers is geen zak waard, en toen Vincenzo II hem het hertogdom naliet werkte niet alleen zijn jongeheer niet meer, maar ook zijn hersenen niet, die het trouwens daarvoor ook al niet best deden. Maar goed, hij heeft het hem nagelaten en niet dat hondsvot van een Guastalla, en de Pozzo's zijn al sinds mensenheugenis vazallen van de rechtmatige heren van Montferrat. We gaan dus naar Casale en laten ons desnoods afslachten, want je kunt potdomme niet aan iemands kant staan zolang de zaken goed lopen en hem dan laten vallen als hij tot aan zijn nek in de drek zit. Maar als ze ons niet afslachten is dat natuurlijk mooi meegenomen, dus kijk uit je doppen.'

De tocht van die vrijwilligers, van de grens van het grondgebied van Alessandria tot aan Casale, was zonder meer een van de langste uit de geschiedenis. Op de redenering van de oude Pozzo viel op zich niets af te dingen. 'Ik ken de Spanjolen,' had hij gezegd, 'en die nemen er graag hun gemak van. Daarom zullen ze Casale via de zuidelijke vlakte naderen, omdat hun trossen, geschut en andere bolderwagens daar gemakkelijker langs kunnen. Als wij dus vlak voor Mirabello westwaarts afbuigen en de weg door de heuvels nemen, doen we er weliswaar een dag of twee langer over, maar stuiten we niet op moeilijkheden en zijn we er eerder dan zij.'

Ongelukkigerwijs hield Spinola er waar het belegeringen betrof nogal bizarre opvattingen op na, en terwijl hij ten zuidoosten van Casale begon Valenza en Occimiano te laten bezetten, had hij een paar weken daarvoor de hertog van Lerma, Ottavio Sforza en de graaf van Gemburg met ongeveer zevenduizend voetknechten naar het gebied ten westen van de stad gestuurd om te pogen meteen de sterktes Rosignano, Pontestura en San Giorgio in te nemen en zo mogelijke hulptroepen van het Franse leger de pas af te snijden, terwijl de gouverneur van Alessandria, don Geronimo Augustín, met nog eens vijfduizend manschappen in een tangbeweging vanuit het noorden in zuidelijke richting de Po overtrok. En die stonden allemaal opgesteld langs de route waarvan Pozzo geloofde dat die volslagen uitgestorven zou zijn. Toen onze edelman daarvan door wat boeren op de hoogte was gebracht, kon hij geen andere weg meer nemen, omdat er in het oosten zo langzamerhand meer keizerlijken zaten dan in het westen.

Pozzo zei eenvoudigweg: 'We gaan voor niemand door de bocht. Ik ken deze streken beter dan zij en we schieten er als windhonden doorheen.' Hetgeen betekende dat ze een enorme hoop bochten en omwegen maakten. Zoveel, dat ze zelfs de Fransen van Pontestura tegen het lijf liepen die zich in de tussentijd hadden overgegeven en die, op voorwaarde dat ze niet teruggingen naar Casale, toestemming hadden gekregen af te zakken naar Finale, van waaruit ze over zee Frankrijk konden bereiken. De mannen van La Griva kwamen hen tegen in de buurt van Otteglia, en het scheelde maar een haar of ze hadden elkaar beschoten, omdat ze er allebei van overtuigd waren dat de andere groep de vijand was, en Pozzo vernam van hun bevelhebber dat er bij de overgave onder andere was bedongen dat het graan van Pontestura aan de Spanjaarden zou worden verkocht en dat die het geld naar de inwoners van Casale zouden zenden.

'De Spanjolen zijn echte heren, mijn zoon,' zei Pozzo, 'mensen waar je met plezier tegen vecht. Gelukkig zijn de tijden van Karel de Grote en de Moren voorbij, met hun oorlogen waarin iedereen elkaar in het wilde weg afslachtte. Dit zijn oorlogen tussen christenen, godsakkerju! Zij hebben nu hun handen vol in Rosignano, wij gaan achter hen langs, glippen tussen Rosignano en Pontestura door en zijn binnen drie dagen in Casale.'

Pozzo sprak deze woorden eind april en arriveerde op 24 mei met de zijnen onder Casale. In Roberto's herinnering was het een prachtige tocht, waarop ze de gebaande wegen en paden voortdurend verlieten om af te steken door de velden. 'Het is niet anders,' zei Pozzo, 'in oorlogstijd gaat alles naar de verdommenis, als wíj de oogst niet naar de knoppen helpen, doen zíj het wel.' Om te overleven deden ze zich te goed in wijngaarden, boomgaarden en kippenhokken: het is niet anders, zei Pozzo, dit was allemaal Montferraans grondgebied en dat moest zijn verdedigers voeden. Een boer uit Mombello die protesteerde liet hij dertig stokslagen geven, en hij voegde hem toe dat als er niet een beetje discipline is, oorlogen door de tegenpartij worden gewonnen.

Roberto begon de oorlog een prachtbelevenis te vinden; ze hoorden stichtelijke verhalen van reizigers, zoals dat over die gewonde en in San Giorgio gevangengenomen Franse ruiter die zich erover had beklaagd dat een soldaat hem had beroofd van een portrait dat hem erg dierbaar was; toen dit de hertog van Lerma ter ore was gekomen, had hij ervoor gezorgd dat de Fransman het portrait had teruggekregen, had hij hem verzorgd en hem daarna met een paard naar Casale teruggestuurd. Overigens had de oude Pozzo kans gezien zó in kringetjes rond te draaien dat ze elk gevoel voor richting verloren hadden, zodat zijn bende nog niets van de echte oorlog had gezien.

En dus waren ze erg opgelucht, en vol verwachting, als mensen die naar een feest willen waar ze lang naar hebben uitgekeken, toen ze op een mooie dag vanaf de top van een heuvel aan hun voeten en voor hun ogen de stad zagen liggen. Aan de noordzijde, aan hun linkerhand, werd ze begrensd door de brede streep van de Po waarin, recht voor het kasteel, in de lengterichting twee flinke eilanden lagen; aan de zuidkant liep de stad puntig toe en eindigde in het stervormige bouwwerk van de citadel. Hoewel Casale binnen de muren rijk was aan wachttorens en klokketorens, zag het er aan de buitenkant waarlijk onneembaar uit: overal verrezen bastions, als even zovele tanden op een zaag, zodat het geheel op zo'n draak leek die je wel in boeken ziet.

Het was werkelijk een schitterend schouwspel. Rond de hele stad sleepten soldaten in bontgekleurde uitrustingen met belegeringswerktuigen, dwars door groepen met banieren getooide tenten en ruiters met hoofddeksels vol pluimen. Af en toe zag je tussen het groen van de bossen of het geel van de velden een plotse blikkering die pijn deed aan je ogen: dat waren edellieden met zilveren cuirassen die met de zon speelden, en waar ze heen gingen was niet duidelijk; wie weet voltigeerden ze zomaar wat, uit effectbejag.

Hoewel iedereen het een mooi schouwspel vond, kon het Pozzo

minder bekoren, want hij zei: 'Mensen, nu zijn we echt de klos.' En tegen Roberto, die vroeg wat hij bedoelde, zei hij, hem een tik tegen zijn achterhoofd verkopend: 'Doe niet zo onnozel, dat zijn de keizerlijken, je denkt toch zeker niet dat de Casalezen met zovelen zijn en dat die een beetje buiten de muren kuieren. De Casalezen en de Fransen zitten binnen strobalen op te stapelen en doen het in hun broek omdat ze nog niet eens met z'n tweeduizenden zijn, terwijl die daar minstens met z'n honderdduizenden zijn, kijk ook maar eens naar de heuvels hiertegenover.' Hij overdreef, het leger van Spinola telde slechts achttienduizend voetknechten en zesduizend ruiters, maar dat waren er genoeg, en ze rukten op.

'Wat moeten we doen, vader?' vroeg Roberto. 'Wat we doen moeten,' zei zijn vader, 'is opletten waar de lutheranen uithangen, en daar niet langs gaan: in primis begrijp je geen sakkerment van wat ze zeggen, in secundis maken ze je eerst af en vragen dan pas wie je bent. Hou goed in de gaten waar Spanjolen zitten: jullie hebben al gehoord dat dat mensen zijn met wie te praten valt. Maar het moeten wel Spanjolen van goede komaf zijn. Bij dit soort gelegenheden is het de opvoeding die telt.'

Ze ontdekten een doorgang langs een kampement met de banieren van Hunne Allerchristelijkste Majesteiten, waar meer cuirassen blonken dan elders, en daalden, zich Gode aanbevelend, naar beneden af. In alle verwarring konden ze een heel eind oprukken te midden van de vijand, want toentertijd had slechts een aantal keurkorpsen, zoals de musketiers, een uniform en begreep je verder nooit wie tot de jouwen behoorden. Maar op een gegeven moment, uitgerekend toen ze alleen nog maar een stuk niemandsland over hoefden te steken, stuitten ze op een voorpost en werden ze tegengehouden door een officier die hoffelijk vroeg wie ze waren en waar ze heen gingen, terwijl achter hem een handjevol oplettende soldaten stond.

'Heer,' zei Pozzo, 'wees zo genadig ons door te laten, daar wij ons op de juiste plek moeten opstellen om u te kunnen beschieten.' De officier nam zijn hoed af, boog en groette met zo'n weidse zwaai dat het stof tot op twee meter voor hem werd weggevaagd, en zei: 'Señor, no es menor gloria vencer al enemigo con la cortesía y la paz que con las armas en la guerra.' Daarna, in vlekkeloos Italiaans: 'U mag door, heer; als een kwart van de onzen de helft van uw moed heeft, zullen we winnen. Moge de hemel mij het genoegen verschaffen u op het slagveld weder te zien, en mij de eer vergunnen u te doden.'

'Fisti orb d'an fisti secc,' mompelde Pozzo, hetgeen in de taal van zijn streek ook vandaag nog een uitdrukking is waarmee men zo ongeveer wenst dat zijn gespreksgenoot eerst van zijn gezichtsvermogen wordt beroofd en meteen daarop wordt getroffen door worg. Maar hardop zei hij, puttend uit alle taalvaardigheid en rederijkkunst die hij in zich had: 'Yo tambien!' Hij zwaaide met zijn hoed, gaf zijn paard even de sporen – echter niet zoveel als paste bij de spanning van het moment, aangezien hij de zijnen de tijd moest geven hem te voet te volgen – en reed op de muren toe.

'Je kunt zeggen wat je wilt, maar heren zijn het,' zei hij omkijkend naar zijn zoon, en het was maar goed dat hij zijn hoofd afwendde, want daardoor kon hij een vanaf het bastion afgevuurd haakbusschot ontwijken. 'Ne tirez pas, cornichons, on est des amis, Nevers, Nevers!' schreeuwde hij terwijl hij zijn handen hief, en daarna tegen Roberto: 'Zie je, die mensen weten niet wat dankbaarheid is. Niet om het een of ander, maar geef mij de Spanjolen maar.'

Ze reden de stad binnen. Iemand had de garnizoenscommandant, de heer van Toiras, een voormalige wapenbroeder van de oude Pozzo, waarschijnlijk meteen op hun aankomst geattendeerd. Uitgebreide omhelzingen, en een eerste wandeling over de bastions.

'Beste vriend,' zei Toiras, 'volgens de Parijse registers heb ik de beschikking over vijf regimenten voetvolk van tien compagnieën elk, in totaal dus tienduizend voetknechten. Maar de heer van La Grange heeft slechts vijfhonderd man, Monchat tweehonderdvijftig, en alles bij elkaar kan ik rekenen op zeventienhonderd man voetvolk. Voorts beschik ik over zes compagnieën lichte ruiters, vierhonderd man in totaal, maar wel goed geëquipeerd. De Kardinaal weet dat ik over minder mannen beschik dan eigenlijk zou moeten, maar blijft volhouden dat ik er achtendertighonderd heb. Ik schrijf hem om aan te tonen dat zulks niet het geval is, en Zijne Eminentie doet net of hij het niet snapt. Ik heb zo goed en zo kwaad als het ging een regiment Italianen bijeengebracht, Corsicanen en Montferranen, maar dat zijn slechte soldaten, als ik zo vrij mag zijn; moet u zich voorstellen dat ik de officieren heb moeten bevelen hun edelknapen in een aparte compagnie in te delen. Uw manschappen zullen bij het Italiaanse regiment worden ingelijfd, dat onder bevel staat van kapitein Bassiani, een goed soldaat. We zullen daar ook de jonge La Grive heen sturen, zodat hij, als hij ten strijde trekt, de bevelen tenminste begrijpt. En u, waarde vriend, lijf ik in bij een groep dappere edellieden die zich, net als u, uit vrije wil bij ons hebben aangesloten, en deel uitmaken van mijn gevolg. U kent de streek en kunt me met raad terzijde staan.'

Jean de Saint-Bonnet, heer van Toiras, was lang en donker, met hemelsblauwe ogen, in de volle rijpheid van zijn vijfenveertig levensjaren, driftig maar edelmoedig en verzoeningsgezind; hij had een bruuske manier van doen maar was al met al vriendelijk, ook tegen zijn soldaten. Hij had zich in de oorlog tegen de Engelsen onderscheiden als verdediger van het Ile-de-Ré, maar Richelieu en het hof hadden, schijnt het, niet veel met hem op. Onder zijn vrienden deed het verhaal de ronde over een gesprek dat hij had gevoerd met kanselier Marillac, die hem minachtend had toegevoegd dat er in Frankrijk wel tweeduizend edellieden te vinden waren die het karwei bij het Ile-de-Ré minstens zo goed hadden kunnen klaren als hij, waarop hij had geantwoord dat er wel vierduizend te vinden waren die de grootzegels beter konden bewaren dan Marillac. Zijn officieren schreven hem nog een ander bon-mot toe (dat volgens anderen echter afkomstig was van een Schotse kapitein): tijdens een krijgsraad in La Rochelle had Père Joseph, de beroemde éminence grise die zich liet voorstaan op zijn grote strategische inzicht, zijn vinger op een kaart gezet en gezegd: 'We steken hier over', waarop Toiras koeltjes had geantwoord: 'Eerwaarde vader, uw vinger is helaas geen brug.'

'Ziehier de situatie, cher ami,' vervolgde Toiras, over het glacis stappend en naar het landschap wijzend. 'Het schouwtoneel is luisterrijk en de spelers zijn de crème de la crème uit twee rijken en vele vorstendommen: we hebben zelfs een Florentijns regiment tegenover ons, onder bevel van een Medici. Op Casale, dat wil zeggen, de stad, kunnen we bouwen: het kasteel van waaruit wij de kant van de rivier controleren, is een fraaie burcht en wordt beschermd door een fraaie vestinggracht, en op de muren hebben we een borstwering opgeworpen, zodat de verdedigers hun werk goed kunnen doen. De citadel telt zestig kanonnen, en bastions volgens de regelen der kunst. Ze zijn hier en daar zwak, maar ik heb ze versterkt met ravelijnen en batterijen. Allemaal goed en wel voor het afslaan van een frontale bestorming, maar Spinola gaat al langer mee: kijk maar eens naar die drukte daar beneden, ze zijn mijngalerijen aan het graven, en als ze eenmaal hier onder zitten zal het net zijn of we de poorten hebben opengezet. Om de werkzaamheden een halt toe te roepen zullen we ons in het open veld moeten begeven, maar daar zijn we in het nadeel. En zodra de vijand die kanonnen meer naar voren heeft gebracht, zullen ze beginnen de stad te beschieten en dan krijgen we te maken met de luim van de burgers van Casale, van wie ik geen al te hoge pet op heb. Maar anderzijds begrijp ik hen wel: ze hangen meer aan het behoud van hun stad dan aan de heer van Nevers, en ze zijn er nog niet zo zeker van dat het een goede zaak is voor de Franse leliën te sterven. Het is zaak ze te doen inzien dat ze onder Savoye of de Spanjolen hun vrijheid kwijt zouden raken, en dat Casale niet langer een hoofdstad zou zijn maar een doodgewone vestingstad zou worden, net als Susa, dat door Savoye elk moment voor wat schamele daalders van de hand kan worden gedaan. Voor de rest blijft het schipperen, anders zou het geen Italiaanse comedie zijn. Gisteren ben ik met vierhonderd manschappen naar Frassineto gegaan waar zich keizerlijken aan het verzamelen waren, en die hebben zich teruggetrokken. Maar terwijl ik daar bezig was, hebben Napolitanen zich op die heuvel daar geïnstalleerd, precies aan de andere kant. Ik heb die een paar uur door het geschut laten bestoken en heb er geloof ik een flinke slachting aangericht, maar ze zijn niet weggegaan. Wie heeft er vandaag gewonnen? Ik zweer bij God dat ik het niet weet, en Spinola weet het evenmin. Maar wat we morgen doen weet ik wel. Ziet u die stulpjes daar in de vlakte? Als we die in handen zouden hebben, zouden we veel vijandelijke stellingen onder schot kunnen houden. Een spion heeft me gezegd dat ze verlaten zijn, en dat is een goede reden om te vrezen dat iemand zich daar verborgen houdt – mijn beste jongeheer, trek niet zo'n verontwaardigd gezicht en onthoud, stelling nummer één, dat een bekwaam bevelhebber een slag wint door zijn spionnen goed te gebruiken en, stelling nummer twee, dat een spion, omdat hij een verrader is, er geen enkele moeite mee heeft degene te verraden die hem betaalt om de zijnen te verraden. Hoe het ook zij, morgen zal het voetvolk die huizen gaan innemen. Je kunt de troepen beter aan de strijd blootstellen dan ze binnen de muren te laten wegteren, en bovendien is het een goede oefening. Niet zo ongeduldig, jongeheer, morgen bent u nog niet aan de beurt; maar overmorgen moet het regiment van Bassiani de Po oversteken. Ziet u die muren daarginds? Die maken deel uit van een schans die we waren begonnen te bouwen voordat de anderen arriveerden. Mijn officieren zijn het niet met me eens, maar ik ben van mening dat we er goed aan doen die weer te bezetten voordat de keizerlijken dat doen. We moeten hen op de vlakte onder schot houden en hen zo hinderen dat het graven van de galerijen vertraging oploopt. Kortom, er valt voor iedereen eer te behalen. Maar nu gaan we eerst eten. Het beleg begint pas, en er zijn nog voldoende voorraden. Ratten eten we later wel.'

3

het schouwtoneel der *aardse schepselen*

Ontkomen aan het beleg van Casale, waar hij uiteindelijk toch geen ratten had hoeven eten, om te belanden op de *Daphne*, waar de ratten hém wellicht zouden opeten... Nadat hij enige tijd bezorgd bij deze fraaie tegenstelling had stilgestaan, had Roberto zich opgemaakt om de plekken te verkennen waarvandaan hij de avond tevoren die onduidelijke geluiden had horen komen.

Hij had besloten in het achterschip naar beneden te gaan en wist dat hij daar, als alles hetzelfde was als op de *Amarilli*, aan beide kanten een twaalftal kanonnen zou aantreffen, en de strozakken of hangmakken van de matrozen. Hij was uit de stuurplecht afgedaald in het eronder liggende vertrek waar de roerpen doorheen liep, die traag krakend heen en weer bewoog, en waar zich een deur bevond die uitkwam op het benedendek. Hij was echter via een luik verder naar beneden afgedaald, naar de plek waar doorgaans de reserveproviand bewaard wordt, alsof hij, alvorens zijn onbekende vijand tegemoet te treden, met die dieper gelegen gebieden vertrouwd wilde raken. Hij had er kooien voor een dozijn mannen aangetroffen, dusdanig ingedeeld dat de ruimte ten volle benut werd. Het merendeel van het scheepsvolk had dus daar beneden geslapen, alsof de rest van het schip bestemd was geweest voor andere doeleinden. De kooien zagen er netjes uit. Als er al een besmettelijke ziekte had gewoed, waren die blijkbaar telkens wanneer er iemand stierf door de overlevenden weer keurig opgemaakt, als om de anderen te zeggen dat er niets gebeurd was... Maar wie beweerde eigenlijk dat de scheepslieden allemaal gestorven waren? Ook nu had dit denkbeeld hem niet gerustgesteld: als een voltallige bemanning door de pest wordt uitgeroeid is dat een natuurverschijnsel, en volgens sommige godgeleerden zelfs door de voorzienigheid beschikt; maar een gebeurtenis die diezelfde bemanning op de vlucht deed slaan terwijl het schip zo onnatuurlijk netjes achterbleef, was veel verontrustender.

Misschien lag de verklaring benedendeks en diende hij zich te vermannen. Roberto was weer naar boven gegaan en had de deur naar de gevreesde plek geopend.

Toen begreep hij de bedoeling van die enorme tralieluiken die in het dek waren uitgespaard. Ze veranderden het benedendek als het ware in het schip van een kerk die verlicht werd door het inmiddels volle daglicht dat schuins door het traliewerk naar binnen viel en het door de weerschijn van de kanonnen amberkleurige licht kruiste dat door de geschutpoorten scheen.

Eerst werd Roberto niets anders gewaar dan messcherpe bundels zonlicht waarin hij oneindig veel lichaampjes zag ronddwarrelen, en toen hij die zag moest hij onwillekeurig denken (en o, hoe verloor hij zich, om zijn Dame te verrukken, in een spel van geleerde herinneringen, in plaats van zich te beperken tot een simpel verslag) aan de woorden waarmee de Kanunnik van Digne hem in een kerk had gewezen op de watervallen van licht die de duisternis overstroomden en waarin een enorme hoeveelheid monaden danste, en zaden, onoplosbare naturen, druppels manlijke wierook die spontaan uiteenspatten, eskadrons van primordiale atomen die verwikkeld waren in worstelingen, gevechten en schermutselingen, waarbij ze ontelbare malen op elkaar botsten en weer uiteengingen – een duidelijke weergave van de samenstelling van ons heelal, dat uit niets anders bestaat dan uit in de ijlte krioelende oerlichamen.

Meteen daarna had hij, als om hem te bevestigen dat de schepping uitsluitend bestaat bij de gratie van die dans der atomen, de indruk dat hij zich in een tuin bevond en bedacht hij zich dat hij, vanaf het moment dat hij daar beneden naar binnen was gegaan, bestookt was door een enorme hoop geuren die heel wat sterker waren dan die welke hem eerder vanaf de kust hadden bereikt.

Een tuin, een overdekte moestuin: dat was het wat de verdwenen manschappen van de *Daphne* op die plek hadden aangelegd, teneinde bloemen en planten van de eilanden die ze verkenden mee naar huis te kunnen nemen; een plek waar zon, wind en regen vrij toegang hadden, zodat de planten in leven bleven. De vraag of het schip die groene buit op zijn maandenlange reis goed had kunnen houden zonder dat de eerste storm alles met zout had vergiftigd, kon Roberto niet beantwoorden, maar dat die natuur nog in leven was, wees er beslist op dat de voorraad – net als die van het voedsel – kort geleden was aangelegd.

Bloemen, struiken, boompjes waren met kluit en al overgebracht en neergezet in manden en ter plekke in elkaar gezette kisten. Veel bakken waren echter verrot en de aarde was eronderuit gezakt, waardoor er tussen de bakken een laag vochtige losse grond was ontstaan waarin de scheuten van een aantal planten al wortel hadden geschoten; het leek wel een Eden dat uit de planken van de *Daphne* ontsproot.

De zon was nog niet zo fel dat ze pijn deed aan Roberto's ogen, maar fel genoeg om de kleuren van het gebladerte goed te doen uitkomen en de eerste bloemen te doen ontluiken. Roberto's blik bleef rusten op twee bladeren die er op het eerste gezicht hadden uitgezien als de staart van een kreeft waaruit witte bloemen voortsproten, en daarna op een ander, lichtgroen blad waarop een ivoorkleurig toefje borstbeziën de indruk van een bloem wekte. Door een walgelijke stankgolf werd zijn aandacht gevestigd op een geel oor waarin een maïskolfje leek te zijn gestoken; daarnaast hingen slingers van sneeuwwitte porceleinen schelpen met een rozerode punt, en een tros die bestond uit omgekeerde trompetten of klokjes die licht naar mos roken. Hij zag een citroengele bloem waarvan hij, in de loop der dagen, de veranderlijkheid zou ontdekken, want 's middags zou zij abrikokkleurig worden en bij het ondergaan van de zon dieprood, en een andere met een saffraangeel hart dat aan de randen verbleekte tot lelieblank. Hij ontdekte ruwe vruchten die hij niet had durven aanraken als een ervan, die uit rijpheid op de grond was gevallen en was opengebarsten, er van binnen niet had uitgezien als een granaatappel. Toen durfde hij ook andere te proeven, en hij beoordeelde ze meer met de tong waarmee men spreekt dan met die waarmee men proeft, aangezien hij één ervan omschrijft als een bundel vol honing met in de overvloed van haar steel gestold manna, een juweel van smaragden bezet met piepkleine robijntjes. Als ik vervolgens tussen de regels door lees, durf ik te beweren dat hij iets ontdekt had dat sterk op een vijg leek.

Hij kende geen van die bloemen of vruchten, ze leken allemaal ontsproten aan de verbeelding van een schilder die de wetten van de natuur met voeten had willen treden om overtuigende onwaarschijnlijkheden, uiteengereten heerlijkheden en smakelijke leugens te verzinnen: zoals die met een wittig dons bedekte bloemkroon die uitmondde in een pluimpje paarse veren, of nee, een verbleekte primula waaruit een vuig aanhangsel stak, of een masker dat een grijs gelaat met boksbaard bedekte. Wie kon een dergelijke struik verzonnen hebben, met bladeren die aan de ene kant donkergroen waren, met wilde roodgele motieven, en aan de andere kant gevlamd, omsloten door bladeren van een lichter groen die vlezig en schelpvormig waren, zodat ze nog water van de laatste regenbui bevatten?

De plek maakte zo'n diepe indruk op Roberto dat hij zich niet afvroeg van welke regenbui de bladeren de resten bevatten – aangezien het al minstens drie dagen in het geheel niet geregend had. De geuren die hem bedwelmden, maakten dat hij alle tovenarij als gewoon ervoer.

Het was in zijn ogen gewoon dat een slap neerhangende vrucht naar schimmelkaas rook, en dat een soort violette granaatappel met onderin een gat, als je hem heen en weer schudde, klonk alsof er dansende zaden in zaten, alsof het geen bloem betrof maar een speelgoedje; evenmin verbaasde hij zich over een spitse bloem die van onderen hard en rond was. Roberto had nog nooit een palm gezien die huilde als een treurwilg, en daar stond hij nu voor: met een heleboel wortels als trippelende pootjes, waarop een stam verrees die als het ware ontsproot uit een struik, terwijl het gebladerte van die voor geween geboren plant onmachtig doorboog onder het gewicht van haar eigen bloeisem. Roberto had ook nog nooit een struik gezien met zulke grote, stevige bladeren, die fier omhoog bleven staan dankzij een hoofdnerf die wel van ijzer leek, en die ook gebruikt konden worden als borden en dienbladen, terwijl daarnaast weer andere bladeren groeiden in de vorm van buigzame lepels.

43

Niet wetend of hij door een kunstelijk bos of door een in het binnenste der aarde verborgen aards paradijs liep, zwierf Roberto door dat Eden dat hem in geurige vervoering bracht.

Wanneer hij zijn Dame er later over vertelt, zal hij reppen van landelijke waanzin, luimen der tuinen, lommerrijk Lydië, van zoete drift dol geworden ceders (ceders?)... Of hij zal het beeld oproepen van een drijvende spelonk, rijk aan bedrieglijke automata waarin, omringd door gruwzaam ineengedraaide kabels, dweepzieke waterkers oprees, goddeloze wortelspruiten van een woest woud... Hij zal schrijven over amfioen voor de zinnen, over een rondgang van rottende, in troebele aftreksels uiteenvallende elementen die hem hadden meegevoerd naar de tegenvoeters van de rede.

Zijn indruk dat er tussen de bloemen en planten gevederde stemmen opklonken had hij aanvankelijk toegeschreven aan het gezang dat hem vanaf het Eiland bereikte: maar plotsklaps vloog er een vleermuis voorbij die bijna zijn aangezicht raakte en hem kippevel bezorgde, en meteen daarna moest hij een stap opzij doen om een giervalk te ontwijken die zich op zijn prooi had gestort en deze met één tik van zijn snavel tegen de grond smeet.

Toen hij het benedendek had betreden, had hij de vogels van het Eiland nog vagelijk in de verte gehoord, naar zijn overtuiging door de openingen in het traliewerk, maar nu hoorde Roberto die klanken heel wat dichterbij. Ze konden niet van de oever komen: en dus zongen er andere vogels, niet ver weg, voorbij de planten, ergens bij de boeg, in de buurt van de proviandkamer waar hij de vorige nacht geluiden had gehoord.

Terwijl hij verderliep scheen het hem toe dat de moestuin ophield aan de voet van een lange stam die door het bovendek heen stak; maar toen begreep hij dat hij min of meer in het midden van het schip was beland, waar de grote mast als een zenuwbaan doorliep tot op de kiel. Tegen die tijd liepen mensenwerk en natuur echter al dermate door elkaar dat de verwarring van onze held te rechtvaardigen valt. Niet in de laatste plaats omdat zijn neusgaten op die plek een mengeling van geuren begonnen waar te nemen, aardachtige schimmels en de stank van beesten, alsof hij geleidelijk aan van een moestuin in een stal terechtkwam.

En toen hij langs de stam van de grote mast in de richting van de voorsteven liep, zag hij de volière.

Hij wist niet hoe hij die verzameling kooien van bamboe, waar stevige takken doorheen waren gestoken bij wijze van zitstok, anders zou moeten noemen; ze werden bevolkt door vliegende dieren, gespitst op de dageraad waarvan ze slechts een armzalig straaltje licht te zien kregen, en op het met uiteenlopende stemmen beantwoorden van de roep van hun gelijken die in vrijheid op het Eiland zongen. De kooien, die op de grond stonden of aan het traliewerk in het bovendek hingen, waren in dit tweede kerkschip als even zovele druippegels en druipkegels, en schiepen een tweede wondergrot waarin de fladderende dieren hun kooien heen en weer deden schommelen, terwijl deze op hun beurt de zonnestralen kruisten, zodat er een geflikker van kleuren, een stofhagel van regenbogen ontstond.

Roberto mocht de vogels tot op die dag dan nooit werkelijk hebben horen zingen, hij kon evenmin zeggen dat hij er ooit zoveel, en in zoveel verschillende soorten, gezien had, zodat hij zich afvroeg of ze van nature zo waren, of dat de hand van een kunstenaar ze had geschilderd en had uitgedost voor een pantomime, of om een militaire parade na te apen, elke voetknecht en elke ruiter met zijn eigen banier.

Hij was een uiterst onbeholpen Adam en had geen namen voor de dingen, behalve voor de vogels van zijn eigen halfrond; kijk, een reiger, hield hij zichzelf voor, een kraanvogel, een kwartel... Maar het was of hij een zwaan een gans noemde.

Vóór hem spreidden prelaten met een brede kardinaalrode staart en een alambiekvormige snavel hun grasgroene vleugels, waarbij ze hun purperen keel deden opzwellen, hun azuren borst ontblootten en bijna als mensen psalmodieerden; verderop stelden verscheidene eskadrons zich op als voor een groot toernooi en bestormden de benepen koepels die hun strijdperk omsloten, met duifgrijze flitsen en rode en gele sabelhouwen, als oriflammen die door een vaandeldrager omhoog worden geworpen en in de vlucht weer worden opgevangen. Korzelige ruiters met lange, zenuwachtige benen in een te enge ruimte hinnikten verontwaardigd kra-kra-kra, waarbij ze zich soms op één voet in evenwicht hielden, wantrouwend om zich heen keken en de kuif op hun uitgestrekte kop lieten trillen... In een voor hem op maat gemaakte kooi zat eenzaam een vlagkapitein in een hemelsblauwe mantel, zijn justaucorps vermiljoen als zijn ogen, met op zijn helm een kam van leliën, te koeren als een duif. In een kooitje ernaast zaten drie voetknechten op de grond, zonder vleugels, op en neer hippende bolletjes bemodderde wol met een muizesnoetje, aan de onderkant besnord met een lange, kromme, van neusgaten voorziene snavel, waarmee de monstertjes al snuffelend de wormen oppeuzelden die ze op hun pad vonden... In een kooi die zich ontrolde als een darm, stapte, in ganzenpas gevolgd door een paar jongen, aarzelend een kleine ooievaar rond met wortelkleurige benen, een zeegroene borst, zwarte vleugels en een pauwblauwe snavel, die toen ze niet verder kon nijdig kraste, waarna ze eerst hardnekkig trachtte dat wat ze voor een warboel van wijnranken hield stuk te trekken, om vervolgens een pas achteruit te doen en op haar schreden terug te keren, tezamen met haar borelingen, die niet meer wisten of ze vóór haar uit of achter haar aan moesten lopen.

Roberto werd heen en weer geslingerd tussen opwinding over zijn ontdekking, medelijden met die gevangenen en het verlangen de kooien te openen en zijn kerkschip overspoeld te zien door de herauten van dat luchtleger, en hen zo te redden van het beleg waartoe ze door de *Daphne*, die op haar beurt weer belegerd werd door hun gelijken daar buiten, waren veroordeeld. Hij nam aan dat ze uitgehongerd waren en zag dat er in de kooien slechts kleine beetjes voer lagen, en dat de bakjes en de borden die water hadden moeten bevatten leeg waren. Maar naast de kooien ontdekte hij zakken graan en repen vis, die gedroogd waren door degene die deze vangst naar Europa wilde meenemen, want een schip bezeilt de zeeën in het zuiden aan de andere kant van de aarde niet zonder getuigenissen van die werelden mee terug te nemen naar de hoven of de academiën.

Toen hij verderliep, stuitte hij op een omheining van planken waarbinnen een dozijn dieren scharrelde die volgens hem tot de hoenderachtigen behoorden, ook al had hij thuis nooit hoenders met een dergelijk verenkleed gezien. Ook zij leken uitgehongerd, maar de hennen hadden zes eieren gelegd (en vierden deze gebeurtenis net als hun vriendinnen overal elders op de wereld).

Roberto raapte er meteen een op, maakte er met de punt van zijn mes een gat in en dronk het leeg, zoals hij als kind placht te doen. Vervolgens stopte hij de overige in zijn hemd en gaf de moeders en de zeer vruchtbare vaders, die hem zwaar fronsend aanstaarden en met hun lellen zwaaiden, bij wijze van genoegdoening water en voer; en hetzelfde deed hij bij de andere kooien, waarbij hij zich afvroeg welke voorzienigheid had beschikt dat hij uitgerekend op het moment dat de dieren aan het eind van hun krachten waren op de *Daphne* was beland. Hij was namelijk al twee nachten op het schip, en iemand had de volières op zijn hoogst de dag voor zijn aankomst nog verzorgd. Hij voelde zich als een gast die te laat op een feest komt, en wel op het moment dat de laatste gasten nét zijn vertrokken, maar de tafels nog niet zijn afgeruimd.

Overigens, zei hij bij zichzelf, lijdt het geen twijfel dat er hier iemand geweest is die er nu niet meer is. Of dat nu één of tien dagen voor mijn aankomst was, verandert niets aan mijn lot, maakt het hooguit ironieker: als ik een dag eerder schipbreuk had geleden, had ik me bij de scheepsgezellen van de *Daphne* kunnen voegen, wáár ze ook heen zijn gegaan. Of misschien niet, had ik met hen kunnen sterven, als ze dood zijn. Hij slaakte een zucht (het had tenminste niets met ratten te maken) en bedacht dat hij in elk geval ook nog kippen tot zijn beschikking had. Hij overdacht zijn voornemen om de edelste tweevoeters vrij te laten, maar kwam tot de slotsom dat ook die, als zijn ballingschap lang zou duren, wellicht eetbaar zouden blijken. Ook de *hidalgos* bij Casale waren mooi en bontgekleurd, dacht hij, en toch schoten we erop, en als het beleg langer had geduurd, hadden we ze zelfs opgegeten. Wie soldaat is geweest in de Dertigjarige Oorlog (zoals ik die noem, maar degenen die daar toen middenin zaten noemden hem niet zo, en wellicht begrepen ze ook niet dat het één enkele, lange oorlog betrof waarin iemand af en toe een vredesverdrag tekende) heeft geleerd hardvochtig te zijn.

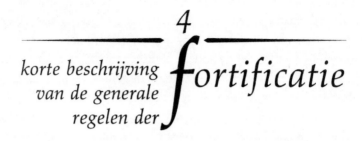

4
korte beschrijving van de generale regelen der *fortificatie*

Waarom roept Roberto Casale in herinnering als hij zijn eerste dagen op het schip wil beschrijven? Natuurlijk was er enige overeenkomst tussen het ene 'beleg' en het andere, maar van een man uit zijn tijd menen we meer te mogen verwachten. Zo zou de gelijkenis hem toch minder moeten boeien dan de verschillen, die immers rijk zijn aan subtiele tegenstellingen: Casale was hij uit vrije wil binnengegaan, opdat anderen dat niet zouden doen, en op de *Daphne* was hij ongewild beland, en daar wilde hij alleen maar van af. Eerder denk ik dat hij, terwijl hij een schemerige geschiedenis beleefde, teruggreep naar een wedervaren vol opwindende handelingen in de volle zon, opdat de in zijn herinnering herleefde glansrijke dagen van het beleg een tegenwicht zouden vormen voor zijn schimmige omzwervingen. En wellicht is er nog iets anders. In het eerste gedeelte van zijn leven had Roberto slechts twee momenten gekend waarin hij iets geleerd had over de wereld en de wijzen om die te bewonen, en dan doel ik op die paar maanden van het beleg en zijn laatste jaren in Parijs: nu beleefde hij zijn derde leertijd – wellicht de laatste, aan het eind waarvan zijn rijpheid zou samenvallen met zijn ontbinding – en probeerde hij te gissen naar de geheime boodschap die daarin besloten lag, door het verleden te beschouwen als weergave van het heden.

Het beleg van Casale werd aanvankelijk gekenmerkt door een reeks uitvallen. Roberto vertelt het aan zijn Dame en neemt daarbij een andere gedaante aan, alsof hij wil zeggen dat hij dan wel niet in staat was geweest de vesting te nemen van haar ongerepte, door de gloed van zijn twee zonnen aangetaste maar niet gesmolten sneeuw, maar dat hij in de gloed van een andere zon wel degelijk in staat was geweest zich te meten met degenen die zijn Montferraanse citadel belegerden.

De ochtend na de aankomst van de mannen van La Griva had Toiras een aantal officieren op pad gestuurd, karabijn over de schouder, om te zien wat de Napolitanen aan het opstellen waren op de heuvel die ze de vorige dag veroverd hadden. De officieren waren te dichtbij gekomen, er waren over en weer schoten gelost, en een jonge luitenant van het regiment van Pompadour was gedood. Zijn kameraden hadden hem mee teruggenomen binnen de muren en Roberto had voor het eerst in zijn leven een gedode dode gezien. Toiras had besloten de huizen waarover hij de dag daarvoor gesproken had te laten bezetten.

Vanaf de bastions was goed te volgen hoe tien musketiers oprukten en zich op een gegeven moment opsplitsten voor een omtrekkende beweging rond het eerste huis. Vanaf de muren werd een kanonschot gelost dat over hun hoofden vloog en de huizen van hun dak beroofde: als insecten zwermde er een aantal Spanjaarden naar buiten en sloeg op de vlucht. De musketiers lieten hen gaan, namen het huis in bezit, verschansten het en openden een flankeervuur op de heuvel.

Het was zaak de operatie bij de andere huizen te herhalen: zelfs vanaf de bastions viel te zien dat de Napolitanen begonnen waren loopgraven te graven en deze te bekleden met fascines en schanskorven. De loopgraven liepen echter niet om de heuvel heen, maar strekten zich uit in de richting van de vlakte. Roberto kwam erachter dat dit de manier was om te beginnen met het graven van mijngalerijen. Eenmaal bij de muren gekomen, zou het allerlaatste stuk ervan worden volgestort met vaatjes buskruit. Men diende te allen tijde te voorkomen dat de graafwerken het punt bereikten dat ze ondergronds konden worden voortgezet, omdat de vijand zijn werk vanaf dat moment ongehinderd af kon maken. Om de aanleg van de galerijen te verhinderen moesten ze zich dus buiten de muren naar het open veld begeven, en zolang de hulptroepen er nog niet waren en de voorraden en de munitie strekten, tegenmijnen graven. Tijdens een beleg kun je niet veel meer doen dan de anderen dwarszitten, en wachten.

De volgende ochtend was, zoals beloofd, de schans aan de beurt: Roberto schouderde zijn vuurroer te midden van een ongeregeld zootje dat in Lu, Cúccaro en Odalengo niet had willen werken, en zwijgzame Corsicanen, allen opeengepakt op boten om de Po over te steken, nadat twee Franse compagnieën de andere oever al bereikt hadden. Toiras en zijn gevolg sloegen een en ander vanaf de rechteroever gade, en de oude Pozzo zwaaide naar zijn zoon, waarbij hij eerst 'vooruit, schiet op' gebaarde en vervolgens met zijn duim langs zijn jukbeen streek, als om te zeggen 'pas goed op!'

De drie compagnieën sloegen hun tenten op in de schans. De bouw ervan was ooit halverwege gestaakt en een deel van het reeds verrichte werk was inmiddels weer ingestort. De troepen waren de hele dag bezig de gaten in de muren op te vullen, maar de schans was goed beschermd door een vestinggracht, en daar werd een aantal schildwachten naar toe gestuurd. Toen de nacht viel was de hemel zo helder dat de schildwachten knikkebolden en ook de officieren een eventuele aanval onwaarschijnlijk achtten. Maar plotseling weerklonk het aanvalssein en zagen ze Spaanse lichte ruiters aan komen rijden.

Roberto, die door kapitein Bassiani achter een aantal strobalen was opgesteld waarmee een weggeslagen stuk verdedigingsmuur was gedicht, begreep niet onmiddellijk wat er gebeurde: elke ruiter werd gevolgd door een musketier, en toen ze bij de gracht kwamen, begonnen de paarden er in een cirkel omheen te rijden terwijl de musketiers de paar schildwachten neerschoten; daarna waren alle musketiers van hun paard gesprongen en hadden zich in de gracht laten rollen. Terwijl de ruiters zich in een halve cirkel voor de ingang posteerden en de verdedigers met een spervuur dwongen dekking te zoeken, bereikten de musketiers ongedeerd de poort en de minder beschermde bressen.

De Italiaanse compagnie die de wacht hield had haar wapens leeggeschoten en was vervolgens in paniek alle kanten op gevlucht, iets waar ze nog lang daarna om geminacht zou worden, maar de Franse compagnieën brachten het er niet veel beter af. Tussen het begin van de aanval en de bestorming van de muren lagen slechts enkele minuten, en de manschappen, die door de aanvallers verrast werden toen dezen al binnen de muren stonden, hadden zich nog niet kunnen wapenen.

De vijanden maakten van het verrassingseffect gebruik om het garnizoen af te slachten, en ze waren zo talrijk dat sommigen van hen nog bezig waren de verdedigers die standhielden neer te schieten terwijl anderen zich al op de gevallenen stortten om hen te beroven. Nadat Roberto op de musketiers had geschoten en hij moeizaam aan het herladen was, met een schouder die verdoofd was van de terugstoot, werd hij verrast door de stormaanval van de ruiters en was hij door de hoeven van een paard dat boven zijn hoofd over de bres sprong onder het puin van de verschansing bedolven. Hij had geluk gehad: beschermd door de omgevallen balen was hij ontsnapt aan het eerste, dodelijke treffen, en nu zag hij, glurend vanuit zijn stromijt, met afgrijzen hoe de vijanden de gewonden afmaakten, hoe ze een vinger afsneden om een ring te stelen, een hand voor een armband.

Om de schandelijke vlucht van zijn manschappen te vereffenen, bood kapitein Bassiani nog moedig weerstand, maar ten slotte werd hij omsingeld en moest zich overgeven. Op de rivier had men gemerkt dat de toestand hachelijk was, en kolonel La Grange, die de schans na een inspectie nog maar net had verlaten om naar Casale terug te rijden, wilde de verdedigers te hulp snellen, maar werd tegengehouden door zijn officieren, die hem aanrieden in de stad versterking te gaan halen. Vanaf de rechteroever vertrokken nog meer boten, terwijl de halsoverkop gewekte Toiras in galop kwam aanrijden. Het was binnen de kortste keren duidelijk dat de Fransen vernietigend verslagen waren en dat er niets anders restte dan degenen die ongedeerd waren gebleven onder vuurdekking te helpen de rivier te bereiken.

Te midden van deze verwarring zag men de oude Pozzo ongedurig heen en weer draven tussen het opperbevel en de aanlegplaats, onder de overlevenden zoekend naar Roberto. Toen hij er zo goed als zeker van was dat er geen boten meer zouden komen, stootte hij een hoorbaar 'Wel sakkerloot!' uit. Daarna had hij, als kende hij de grillen van de rivier, een plek vóór een van de eilandjes uitgekozen en het paard met zijn sporen het water ingedreven, waardoor hij de mensen die tot op dat moment moeizaam over waren geroeid volstrekt voor schut zette. Over een zandbank reed hij naar de andere oever zonder dat het paard zelfs maar had hoeven zwemmen, om vervolgens als een dolleman met gestrekt rapier op de schans af te stormen.

Een groep vijandelijke musketiers kwam hem tegemoet, terwijl de lucht al lichter werd, en ze begrepen niet wie die eenzame figuur was. De eenzame figuur reed dwars door hen heen en haalde ten minste vijf van hen met welgerichte rapierstoten neer, stuitte vervolgens op twee ruiters, liet zijn paard steigeren, boog opzij om een slag te ontwijken, zat op slag weer rechtop en beschreef met zijn lemmer een cirkel in de lucht: zijn eerste tegenstander sloeg met langs zijn laarzen bungelende darmen over zijn zadel terwijl zijn paard ervandoor ging, de tweede zocht met wijd opengesperde ogen verbijsterd met zijn vingers naar zijn oor, dat nog net aan zijn wang vastzat en onder zijn kin hing.

Pozzo kwam bij de schans, en ook de indringers, die druk bezig waren de laatste in de rug getroffen vluchters te bestelen, snapten niet waar hij vandaan kwam. Met luide stem zijn zoon roepend ging hij de omwalling binnen, reed nog eens vier mensen onder de voet en stak zijn rapier alle windrichtingen uit alsof hij meedeed aan een soort steekspel; Roberto, die uit het stro te voorschijn kroop, zag hem al van verre, en nog voor hij zijn vader herkende, herkende hij Pagnufli, zijn vaders paard dat al sinds jaar en dag zijn speelkameraad was. Hij stak twee vingers in zijn mond en floot het fluitje dat het dier goed kende; en inderdaad steigerde het meteen, spitste zijn oren en voerde zijn vader willoos in de richting van de bres. Pozzo zag Roberto en schreeuwde: 'Wie gaat er nou op zo'n plek zitten? Stijg op, stomkop!' En terwijl Roberto op de rug van het paard sprong en zich aan zijn vaders middel vastklemde, zei hij: 'Bij gort, jij zit ook nooit waar je hoort te zitten.' Vervolgens gaf hij Pagnufli de sporen en stormde in galop in de richting van de rivier.

Op dat moment drong het tot een aantal plunderaars door dat die man op die plek niet op zijn plek was, en ze wezen hem schreeuwend na. Een officier in een gebutst cuiras, gevolgd door drie soldaten, trachtte hem de pas af te snijden. Pozzo zag hem, maakte aanstalten uit te wijken, haalde vervolgens de teugels aan en riep uit: 'Is me dat even toevallig!' Roberto keek op en ontdekte dat het de Spanjaard was die hen twee dagen daarvoor had doorgelaten. Ook hij had zijn prooi herkend en kwam met fonkelende ogen en ontbloot rapier naderbij.

De oude Pozzo nam zijn rapier vliegensvlug over in zijn linkerhand, trok zijn pistool uit zijn koppel, spande de haan en strekte zijn arm, en dit alles zo snel dat hij de Spanjaard, die in zijn onstuimigheid al zo goed als voor hem stond, volslagen overrompelde. Maar hij schoot niet meteen. Hij nam de tijd om te zeggen: 'Verschoning voor het pistool, maar aangezien u een cuiras draagt, is het mijn goed recht...' Hij haalde de trekker over en joeg hem een kogel door zijn mond. Toen de soldaten hun commandant zagen vallen, sloegen ze op de vlucht; Pozzo stak zijn pistool weg en zei: 'We kunnen maar beter gaan voordat ze hun geduld verliezen... Vort, Pagnufli!'

In een grote stofwolk staken ze de esplanade over, en onder hevig gespetter de rivier, terwijl iemand ver achter hen nog zijn wapenen op hen leegschoot.

Onder luid applaudissement bereikten zij de rechteroever. Toiras zei: 'Très bien fait, mon cher ami', en vervolgens tegen Roberto: 'La Grive, vandaag is iedereen gevlucht en alleen u bent gebleven. Afkomst verloochent zich niet. U verdoet uw tijd in die compagnie van lafaards. U zult worden ingedeeld bij mijn gevolg.'

Roberto bedankte hem en reikte vervolgens, terwijl hij afsteeg, zijn vader de hand, om ook hem te bedanken. Pozzo drukte deze afwezig en zei: 'Het spijt me voor die Spanjool, het was toch een beste man. Maar ja, in de oorlog gaat het er nu eenmaal beestachtig aan toe. Bovendien, één ding moet je altijd onthouden, mijn zoon: ze mogen dan goed zijn, maar als iemand op je afkomt om je te vermoorden, is hij degene die ongelijk heeft. Of niet soms?'

Ze reden de stad binnen, en Roberto hoorde zijn vader nog in zichzelf mompelen: 'Ik ben toch echt niet naar hem op zoek gegaan...'

5
des werelds *doolhof*

Roberto lijkt zich dit moment voor de geest te halen in een vlaag van kinderliefde, dromend over een gelukkige tijd waarin een vaderfiguur hem kon redden uit de heksenketel van een beleg – maar hij kan niet voorkomen dat hij zich ook herinnert wat er daarna gebeurde. En hij herinnert zich dit, lijkt me, niet louter toevallig. Ik heb al gezegd dat Roberto die langvervlogen gebeurtenissen en zijn belevenissen op de *Daphne* tegen elkaar lijkt af te zetten om zodoende verbanden, redenen, voorbodes van zijn noodlot te vinden. Nu zou ik zeggen dat het teruggaan naar de dagen van Casale hem, op het schip, helpt de voorvallen op een rij te zetten waardoor hij, jongeman, beetje bij beetje leerde dat de wereld zonderling in elkaar stak.

Enerzijds scheen het hem namelijk toe of het gegeven dat hij nu tussen hemel en zee zweefde het enig mogelijke gevolg was van zijn drie lustra van omzwervingen in een wereld die uit niets dan toepaden vol tweesprongen bestond; en anderzijds trachtte hij, geloof ik, uit het herbeleven van de geschiedenis van zijn ontberingen troost te putten voor zijn huidige omstandigheden, alsof de schipbreuk hem had teruggebracht naar het aardse paradijs dat hij op La Griva had gekend en dat hij achter zich had gelaten toen hij zich binnen de muren van de belegerde stad had begeven.

Nu zat Roberto zich niet langer te ontluizen in de verblijven van de soldaten, maar zat hij aan tafel bij Toiras, te midden van edellieden die uit Parijs kwamen, en luisterde naar hun gesnoef, naar hun herinneringen aan andere veldtochten en naar hun ijdele maar levendige verhandelingen. De eerste avond al had hij uit deze gesprekken gemeend te kunnen opmaken dat het beleg van Casale niet het soort onderneming was dat hem voor ogen had gestaan.

Hij was gekomen om zijn ridderdromen – die gevoed waren door de heldendichten die hij op La Griva had gelezen – in werkelijkheid te doen verkeren: dat hij van goede komaf was en eindelijk een rapier opzij droeg, hield voor hem in dat hij een paladijn werd, die aan één woord van zijn koning genoeg had om zijn leven in de waagschaal te stellen of een Dame te redden. Na zijn aankomst bleken de heilige scharen waarbij hij zich had aangesloten niet meer dan een zootje lusteloze boeren, klaar om bij het eerste treffen de benen te nemen.

Nu was hij toegelaten tot een gezelschap van dapperen die hem als hun gelijke in hun midden opnamen. Maar hij wist dat zijn dapperheid het gevolg was van een misverstand, en dat hij uitsluitend niet gevlucht was omdat hij nog banger was dan degenen die wél gevlucht waren. En wat erger was, terwijl de aanwezigen zich, nadat de heer van Toiras was weggegaan, tot diep in de nacht overgaven aan geleuter, begon het tot hem door te dringen dat het beleg niets anders was dan een hoofdstuk uit een zinloze geschiedenis.

Don Vincenzo van Mantua was dus gestorven en had het hertogdom nagelaten aan Nevers, maar als iemand anders hem als laatste zou hebben gezien, had die hele geschiedenis er volslagen anders uitgezien. Ook Carlo Emanuele meende bijvoorbeeld enige aanspraak te kunnen maken op Montferrat, vanwege een kleinkind van hem (ze trouwden allemaal onderling), en wilde dat markizaat, dat zich als een doorn tot op enkele tientallen mijlen van Turijn in de zijde van zijn hertogdom boorde, al tijden inlijven. En dus had Gonzalo de Cordoba, inspelend op de aspiraties van de hertog van Savoye, teneinde die van de Fransen te verijdelen, Nevers meteen na diens benoeming voorgesteld zich bij de Spanjaarden aan te sluiten om tezamen met hen Montferrat in te nemen en het vervolgens in tweeën te delen. De keizer had zijn handen al vol aan de rest van Europa en had geen toestemming gegeven voor de inval, maar had zich ook niet uitgesproken tegen Nevers. Gonzalo en Carlo Emanuele hadden niet langer getalmd en een van hen had om te beginnen Alba, Trino en Moncalvo ingenomen. De keizer, die wel goed maar niet gek was, had Mantua gesequestreerd en het onder toezicht van een keizerlijke gevolmachtigde geplaatst.

De generale pauze was waarschijnlijk voor alle pretendenten bedoeld, maar was door Richelieu opgevat als een belediging van Frankrijk. Of het kwam hem goed uit het zo op te vatten; hoe het ook zij, hij ondernam geen stappen omdat hij nog doende was de protestanten in La Rochelle te belegeren. Spanje zag die slachting van een handvol ketters welwillend aan, maar liet Gonzalo de gelegenheid aangrijpen om met achtduizend man Casale te belegeren, dat door amper tweehonderd soldaten verdedigd werd. En dat was het eerste beleg van Casale geweest.

Aangezien het er echter naar uitzag dat de keizer niet zou zwichten, voorvoelde Carlo Emanuele dat de zaken scheef zouden lopen en zocht, terwijl hij bleef samenwerken met de Spanjaarden, in het geheim toenadering tot Richelieu. In de tussentijd viel La Rochelle; Richelieu ontving van het Madrileense hof de complimenten voor deze fraaie overwinning van het Geloof, bedankte, hergroepeerde zijn leger, liet het, met Lodewijk xiii aan het hoofd, in februari 1629 de Montgenèvre oversteken en stelde het op voor Susa. Carlo Emanuele merkte dat hij, door op twee paarden te wedden, het risico liep niet alleen Montferrat te verliezen maar ook Susa, en bood – in een poging datgene te verkopen wat ze hem toch al aan het afnemen waren – Susa aan in ruil voor een Franse stad.

Een disgenoot van Roberto deed op geamuseerde toon verslag van de toedracht. Richelieu had – een fraai staaltje van sarcasme – bij de hertog laten vragen of hij de voorkeur gaf aan Orléans dan wel Poitiers, en intussen had een Franse officier zijn opwachting gemaakt bij het garnizoen van Susa met het verzoek of ze de koning van Frankrijk logies konden verschaffen. De Savooise commandant was goed van de tongriem gesneden en had geantwoord dat Zijne Hoogheid de hertog zeer gelukkig zou zijn Zijne Majesteit gastvrijheid te verlenen, maar dat hij, aangezien Zijne Majesteit met een zo omvangrijk gezelschap was, eerst in de gelegenheid moest worden gesteld Zijne Hoogheid daarvan op de hoogte te stellen. Al even zwierig had maarschalk Bassompierre, voor zijn koning in de sneeuw caracolerend, zijn hoed afgenomen en hem, na hem gemeld te hebben dat de violen binnen waren en de maskers voor de poorten stonden, toestemming gevraagd de dans te openen. Richelieu droeg in het kampement de mis op, het Franse voetleger viel aan en Susa werd veroverd.

Nu de zaken er zo voor stonden, besloot Carlo Emanuele dat Lodewijk XIII een uiterst welkome gast was, hij bereidde hem een hartelijke ontvangst en verzocht hem uitsluitend geen tijd te verspillen aan Casale, aangezien hij zich daar zelf al mee bezighield, en hem daarentegen te helpen Genua in te nemen. Men verzocht hem geen onzin te verkopen en er werd hem een fraaie ganzeveer in de hand gedrukt waarmee hij een verdrag moest ondertekenen waarin hij de Fransen toestemming gaf in Piemonte naar eigen goeddunken te handelen: bij wijze van fooi lieten ze hem Trino en gelastten ze de hertog van Mantua hem een jaarlijkse schatting te betalen voor Montferrat: 'En dus,' zei de disgenoot, 'moest Nevers voor iets dat van hem was, huur betalen aan iemand die het nooit in zijn bezit had gehad!'

'En betaald heeft hij!' lachte een ander. 'Quel con!'

'Nevers heeft altijd voor zijn dwaasheden betaald,' had een abt gezegd, die aan Roberto was voorgesteld als de biechtvader van Toiras. 'Nevers is een gelovige gek die denkt dat hij Sint-Bernardus is. Het enige dat hem altijd voor ogen heeft gestaan was de christelijke vorsten herenigen voor een nieuwe kruistocht. Het zijn tijden waarin zelfs christenen elkaar onderling afmaken, dus als iemand zich dan nog druk maakt over ongelovigen... Heren van Casale, mocht er van deze liefallige stad ook maar één steen overeind blijven, dan kunnen jullie erop rekenen dat jullie nieuwe heer jullie allemaal uitnodigt in Jeruzalem!' De abt glimlachte fijntjes en streek langs zijn blonde, goed verzorgde knevel, en Roberto dacht: kijk, vanochtend liet ik bijna het leven voor een gek, en deze gek wordt voor gek versleten omdat hij, net als ik placht te doen, droomt over de tijden van de schone Belissent en de Melaatse Ridder.

En ook de daaropvolgende gebeurtenissen stelden Roberto niet in staat uit de kwestie wijs te worden. Gonzalo de Cordoba, die was verraden door Carlo Emanuele, zag in dat hij de veldtocht verloren had, erkende het verdrag van Susa en trok zich met zijn achtduizend manschappen terug op Milanees grondgebied. Een Frans garnizoen maakte kwartier in Casale, een ander in Susa, en de rest van het leger van Lodewijk XIII ging weer terug de Alpen over om in de Languedoc en de Rhônevallei de laatste hugenoten uit de weg te gaan ruimen.

Maar geen van die edellieden was van zins de overeenkomsten trouw te blijven, en de disgenoten deden het voorkomen alsof dit de gewoonste zaak van de wereld was; sterker nog, sommigen keurden het zelfs goed met de opmerking: 'La Raison d'Estat, ah, la Raison d'Estat.' Deze zelfde staatsraison deed Olivares – Roberto begreep dat hij een soort Spaanse Richelieu was, maar dan minder door de fortuin begunstigd – inzien dat hij een modderfiguur had geslagen; hij ruimde Gonzalo op gewelddadige wijze uit de weg, liet Ambrogio Spinola diens plaats innemen en begon rond te vertellen dat de belediging die Spanje was aangedaan de Kerk schade berokkende. 'Kletspraat,' merkte de abt op, 'Urbanus VIII was er een voorstander van dat Nevers tot erfgenaam werd benoemd.' En Roberto vroeg zich af wat de paus te maken had met gebeurtenissen die niets hadden uit te staan met geloofskwesties.

Intussen herinnerde de keizer zich – en Olivares zal ongetwijfeld op talloze manieren druk op hem hebben uitgeoefend – dat Mantua nog altijd bestuurd werd door een gevolmachtigde, en dat Nevers onmogelijk kon betalen, of níet betalen, voor iets dat hij nog niet hád; hij verloor zijn geduld en zond twintigduizend man om de stad te belegeren. Toen de paus protestantse huurlingen Italië af zag stropen, dacht hij meteen aan een nieuwe plundering van Rome en stuurde troepen naar de grens met het hertogdom Mantua. Spinola, die eerzuchtiger en doortastender was dan Gonzalo, besloot Casale opnieuw te belegeren, maar deze keer écht. Kortom, besloot Roberto, als je oorlogen wilde vermijden, kon je maar beter geen vredesverdragen sluiten.

In december 1629 staken de Fransen opnieuw de Alpen over; volgens de verdragen had Carlo Emanuele hen door moeten laten, maar bij wijze van loyauteitsverklaring hernieuwde hij nog maar weer eens zijn aanspraken op Montferrat en vroeg hij met klem om zesduizend soldaten om Genua te belegeren, iets waar hij nu eenmaal zijn zinnen op had gezet. Richelieu, in wiens ogen hij een slang was, zei nee noch ja. Een kapitein – die zich, hoewel hij in Casale was, kleedde alsof hij zich aan het hof bevond – bracht een dag in februari in herinnering: 'Een prachtfeest, vrienden, de muzikanten van het koninklijk paleis ontbraken, maar er waren wél fanfares! Zijne Majesteit reed, gevolgd door het leger, te paard tot onder Turijn, in een zwarte uitdossing met goudgalon, een veer op zijn hoed en een glimmend gepoetst harnas!' Roberto verwachtte het relaas van een grote bestorming, maar nee, ook dat was slechts een parade geweest; de koning viel niet aan, boog verrassend af naar Pinerolo en eigende zich dat toe, of eigenlijk opnieuw toe, aangezien het enkele honderden jaren eerder een Franse stad was geweest. Roberto wist vaag waar Pinerolo lag, en begreep niet waarom dat ingenomen moest worden om Casale te bevrijden. 'We worden toch niet in Pinerolo belegerd?' vroeg hij zich af.

De paus, die zich zorgen maakte over de ongunstige wending die de zaken namen, zond een vertegenwoordiger naar Richelieu om hem op het hart te drukken de stad terug te geven aan Savoye. De gehele tafel was uitgebarsten in roddelpraat over die afgezant, een zekere Giulio Mazzarini: een Siciliaan, een Romeinse plebejer, ach welnee – deed de abt er nog een schepje bovenop – de bastaardzoon van iemand uit Lazio van duistere komaf; hij was op onnaspeurbare wijze kapitein geworden en diende de paus, maar wrong zich in allerlei bochten om het vertrouwen van Richelieu te winnen, die hem inmiddels erg hoog had. En hij moest in de gaten worden gehouden, want op dit moment stond hij op het punt naar Regensburg te vertrekken, of was hij al vertrokken, en hoewel dat een godsgruwelijk eind weg lag, was dat wel de plek waar over het lot van Casale werd beslist – en niet door mijnen of tegenmijnen te graven.

Aangezien Carlo Emanuele trachtte de Franse troepen van alle verkeer af te snijden, nam Richelieu ondertussen ook Annecy en Chambéry in; en bij Avigliana kwamen de Savooiaarden en de Fransen tegenover elkaar te staan. In deze trage strijd bedreigden de keizerlijken Frankrijk door Lotharingen binnen te vallen, rukte Wallenstein op om Savoye te hulp te komen en had een handvol keizerlijken die zich per platbodem verplaatste in juli bij verrassing een sluis bij Mantua ingenomen. Het voltallige leger was de stad binnengetrokken, had die zeventig uur aan één stuk geplunderd, waarbij het hertogelijk paleis van boven tot onder werd leeggehaald, en om ook de paus nog enigszins gerust te stellen, hadden de lutheranen in het keizerlijke leger alle kerken van de stad leeggeroofd. Ja, precies, de landsknechten die Roberto gezien had en die gekomen waren om Spinola bij te staan.

Het Franse leger leverde nog slag in het noorden en niemand kon zeggen of het op tijd zou zijn, voordat Casale viel. Ze konden nog slechts hopen op God, had de abt gezegd: 'Heren, het besef dat er naar menselijke middelen gezocht moet worden alsof er geen goddelijke bestonden, en naar goddelijke middelen alsof er geen menselijke bestonden, getuigt van politiek inzicht.'

'Laten we dan maar hopen op goddelijke middelen,' had een edelman uitgeroepen, zij het op weinig deemoedige toon, waarbij hij met zijn roemer had gezwaaid zodat er wijn op de kazak van de abt terecht was gekomen. 'Heer, u hebt wijn op mij gemorst,' had de abt geschreeuwd, verblekend – hetgeen de manier was waarop men toentertijd van zijn verontwaardiging blijk gaf. 'Doet u maar alsof het tijdens de consecratie is gebeurd,' had de ander geantwoord. 'Wijn is wijn.'

'Saint-Savin,' had de abt geschreeuwd terwijl hij opstond en zijn hand naar zijn rapier bracht, 'het is niet de eerste keer dat u uw naam te schande maakt door die van Onze-Lieve-Heer ijdel te gebruiken! U had beter, God vergeve me, in Parijs kunnen blijven om dames te onteren, zoals jullie pyrronisten gewoon zijn.'

'Kom nu toch,' had Saint-Savin duidelijk dronken geantwoord, 'wij pyrronisten gingen de dames 's nachts serenades brengen en kregen dan weleens gezelschap van een stelletje uitslovers dat overal voor in was. Maar als de dame in kwestie niet voor het venster verscheen, wisten we drommels goed dat dit was omdat ze haar bed niet wilde verlaten, dat de geestelijke van het huis voor haar warm hield.'

De andere officieren waren opgestaan en hielden de abt, die zijn rapier wilde ontbloten, tegen. De heer van Saint-Savin was zichzelf niet door de wijn, zeiden ze tegen hem, maar een man die zich die dagen zo goed geweerd had in de strijd, mocht de teugels toch wel even vieren – en een beetje ontzag voor hun onlangs gestorven kameraden.

'Het zij zo,' had de abt besloten terwijl hij de zaal uit liep. 'Heer van Saint-Savin, ik verzoek u de nacht te beëindigen met het zeggen van een De Profundis voor onze ontslapen vrienden, en daarmee zal ik de zaak als afgedaan beschouwen.'

De abt was weggegaan, en Saint-Savin, die naast Roberto zat, had zich naar hem overgebogen en had opgemerkt: 'Honden en riviervogels maken minder lawaai dan wij doen als we een De Profundis galmen. Waarom zoveel klokgelui en zoveel missen om de doden op te wekken?' Hij had zijn roemer in één teug leeggedronken en had vermanend zijn vinger naar Roberto opgeheven, als wilde hij hem de weg wijzen naar een rechtschapen leven en de hoogste mysteriën van onze heilige godsdienst: 'Heer, wees trots, vandaag bent u bijna een mooie dood gestorven; gedraag u in de toekomst even onbekommerd, in de wetenschap dat de ziel mét het lichaam sterft. En ga de dood dus pas tegemoet na het leven gesmaakt te hebben. We zijn dieren te midden van dieren, allebei geboren uit stof, met dien verstande dat wij weerlozer zijn. Maar omdat wij, in tegenstelling tot beesten, beseffen dat we moeten sterven, bereiden we ons op dat moment voor door te genieten van het leven dat ons door het toeval en bij toeval is geschonken. De wijsheid leert ons onze dagen door te brengen met drinken en minzame kout, zoals het edellieden betaamt, en vileine geesten te verachten. Kameraden, het leven staat bij ons in het krijt! We verkommeren in Casale en zijn te laat geboren om te genieten van de tijden van de goede koning Hendrik, toen het Louvre nog bevolkt werd door bastaarden, apen, gekken en hofnarren, dwergen en culs-de-jatte, muzikanten en dichters, en de koning daar schik in had. Nu gaan als bokken zo geile jezuïeten tekeer tegen eenieder die Rabelais en de Latijnse dichters leest, en willen ze dat we ons allemaal bekwamen in het afmaken van hugenoten. Here God, oorlog is mooi, maar ik wil strijden voor mijn eigen plezier en niet omdat mijn tegenstander vrijdags vlees eet. De heidenen waren wijzer dan wij. Ook zij hadden drie goden, maar hun moeder Cybele gaf tenminste niet voor dat ze hen gebaard had en toch maagd was gebleven.'

'Heer,' had Roberto geprotesteerd, terwijl de anderen lachten.

'Heer,' had Saint-Savin geantwoord, 'de voornaamste deugd van een eerlijk man is minachting voor de godsdienst, die voorstaat dat we bevreesd zijn voor het meest natuurlijke ter wereld, te weten de dood, dat we het enige dat het lot ons geschonken heeft haten, te weten het leven, en verlangen naar een hemel waar alleen de planeten in eeuwige gelukzaligheid leven, aangezien die zich noch in beloningen noch in bestraffingen verheugen, maar in hun eeuwige beweging in de armen van de ijlte. Wees sterk als de wijzen van het oude Griekenland en kijk de dood met vaste blik en zonder angst in de ogen. Jezus heeft al te veel gezweet toen hij erop wachtte. Wat had hij trouwens te vrezen? Hij zou toch weer opstaan?'

'Zo is het wel genoeg, Saint-Savin,' had een officier hem, terwijl hij hem bij de arm pakte, bijna gesommeerd. 'U moet onze jonge vriend, die nog niet weet dat goddeloosheid in Parijs tegenwoordig uiterst exquis en bon-ton is, en die u al te serieus zou kunnen nemen, niet het slechte voorbeeld geven. En gaat u ook slapen, heer van La Grive. Weet dat de goede God zo hulpvaardig is dat hij zelfs de heer van Saint-Savin zal vergeven. Zoals die godgeleerde al zei: sterk is een koning die alles verwoest, sterker een vrouw die alles voor elkaar krijgt, maar het sterkst is de wijn die het verstand benevelt.'

'U haalt maar de helft aan, heer,' had Saint-Savin met dikke tong gestameld, terwijl twee van zijn kameraden hem bijna letterlijk naar buiten droegen, 'die zin wordt toegeschreven aan de Tong, die eraan toevoegt: het allersterkst is echter de waarheid en ik die haar spreek. En die zal ik blijven spreken, ook al kost het me nu moeite mijn tong te roeren. De wijze moet de leugen niet alleen te lijf gaan met zijn rapier, maar ook met zijn tong. Vrienden, hoe kunnen jullie een godheid die eropuit is ons eeuwig ongelukkig te maken, alleen maar omdat híj een moment kwaad is geweest, hulpvaardig noemen? Moeten wij onze naaste vergeven en hij niet? En een zo wreed wezen zouden we moeten liefhebben? De abt heeft mij een pyrronist genoemd, maar wij pyrronisten – als hij ons zo wil noemen – zorgen er juist voor dat de slachtoffers van die huichelarij getroost worden. Op een keer hebben we met drie vrienden rozenkransen met onkuise penninkjes onder de dames uitgedeeld. Jullie moesten eens weten hoe devoot ze vanaf die dag werden!'

Onder luid gelach van het hele gezelschap had hij de zaal verlaten, en de officier had opgemerkt: 'God zal hem zijn scherpe tong wellicht niet vergeven, maar wij wel, omdat hij zo'n scherp rapier heeft.' En tegen Roberto: 'Houd hem te vriend, en dwarsboom hem niet meer dan nodig. Hij heeft in Parijs omwille van godgeleerde kwesties meer Fransen geveld dan mijn compagnie dezer dagen aan Spanjolen heeft doorstoken. Ik zou niet graag naast hem aan tafel zitten, maar zou me gelukkig prijzen als ik hem naast me op het slagveld had.'

Zo werden in Roberto's geest de eerste twijfels gezaaid, en de dag erna zou hij er nog meer bij krijgen. Omdat hij zijn plunjezak op moest halen, was hij teruggegaan naar de vleugel van het kasteel waar hij de eerste twee nachten met zijn Montferranen geslapen had, maar hij kon in al die binnenhoven en gangen maar moeilijk zijn weg vinden. Hij liep door een van de gangen en merkte dat hij verkeerd was gelopen, toen hij aan het eind daarvan een spiegel zag die loodgrijs was van het vuil, waarin hij zichzelf ontwaarde. Toen hij echter dichterbij kwam, drong het tot hem door dat zijn evenbeeld weliswaar zíjn gelaat had, maar opzichtige kleren droeg van Spaanse snit en zijn haar in een netje had samengebonden. Bovendien bevond dat evenbeeld zich op een gegeven moment niet meer recht tegenover hem, maar verdween het naar de zijkant.

Het was dus geen spiegel. Toen besefte hij dat het een groot vensterraam met bestofte ruiten was, dat uitkeek op een glacis vanwaar je via een trap op de binnenplaats uitkwam. Hij had dus niet zichzelf gezien, maar iemand anders die sterk op hem leek en die nu nergens meer te bekennen viel. Natuurlijk dacht hij meteen aan Ferrante. Ferrante was hem naar Casale gevolgd of voorgegaan, misschien zat hij in een andere compagnie bij hetzelfde regiment, of in een van de Franse regimenten, en deed hij, terwijl híj in die schans zijn leven waagde, wel op allerlei manieren zijn voordeel met de oorlog.

Roberto was inmiddels op een leeftijd dat hij geneigd was zijn kinderlijke hersenspinsels over Ferrante met een glimlach af te doen, en toen hij over zijn visioen nadacht, kwam hij al snel tot de slotsom dat hij alleen maar iemand gezien had die mogelijkerwijs vaag op hem leek.

Hij wilde het voorval vergeten. Jarenlang had hij gepiekerd over een onzichtbare broer, die avond had hij gemeend hem te zien, maar als hij al iemand gezien had (hield hij zichzelf voor, in een poging zijn hart met zijn verstand te weerspreken), was die natuurlijk niet denkbeeldig, en aangezien Ferrante denkbeeldig was, kon degene die hij gezien had niet Ferrante zijn.

Een meester in de bewijskunst zou bezwaar hebben gemaakt tegen een dergelijke drogreden, maar vooralsnog kon het er voor Roberto mee door.

6
*a*rs magna
lucis et umbrae

Na in zijn brief te hebben uitgeweid over zijn eerste herinneringen aan het beleg, had Roberto in de hut van de schipper een aantal flessen Spaanse wijn gevonden. We kunnen het hem niet kwalijk nemen dat hij, na een vuur te hebben ontstoken, eieren en reepjes gerookte vis in een pan te hebben gedaan en een fles te hebben ontkurkt, zichzelf aan een bijna volgens de regelen der kunst gedekte tafel op een koningsmaal vergastte. Als hij lang schipbreukeling moest blijven zou hij, om niet geheel te verwilderen, de voorschriften der wellevendheid in acht moeten nemen. Hij herinnerde zich hoe de heer van Toiras, toen de officieren in Casale zich als gevolg van al hun verwondingen en ziekten welhaast als schipbreukelingen gingen gedragen, had geëist dat iedereen, tenminste aan tafel, vasthield aan hetgeen hij in Parijs had geleerd: 'Aantreden in schone kleren, niet na elke hap een slok, eerst snor en baard afvegen, niet je vingers aflikken, niet in je bord spugen, niet je neus snuiten in het tafellaken. We zijn de keizerlijken niet, mijne heren!'

Hij was 's ochtends na het kraaien van de haan wakker geworden, maar was nog lang blijven liggen. Toen hij het venster in de galerij weer op een kier zette, had hij begrepen dat hij later was opgestaan dan de dag daarvoor, en dat de ochtendschemer al plaats maakte voor de dageraad: achter de heuvels tekende zich tegen een wolkenfloers het rozerood van de hemel af.

Omdat de eerste stralen het strand nu snel zouden beschijnen en het onmogelijk zouden maken ernaar te kijken, had Roberto bedacht dat hij dáár zou kijken waar de zon nog niet was, en had zich naar de galerij aan de andere zijde van de *Daphne* begeven, die uitkeek op de kust ten westen van het schip. Zijn eerste indruk was er een geweest van een getand turkooisblauw profiel, dat zich binnen enkele minuten al begon op te splitsen in twee horizontale strepen: onder de donkere bergen, waarboven de nachtelijke wolken nog koppig standhielden, lichtte reeds een borstel planten en bleke palmen op. Langzaam loste het in het midden nog pikzwarte wolkendek aan de randen echter op in een mengeling van wit en roze.

Het was alsof de zon de wolken niet aan de buitenkant wilde treffen, maar zinde op een manier om daar binnenin op te gaan; doch de wolken zwollen, hoewel ze aan de randen geen weerstand konden bieden aan het licht, zwaar van nevel, en weigerden in de hemel vloeibaar te worden teneinde deze tot getrouwe spiegel van de nu wonderbaarlijk heldere zee te maken, blikkerend met fonkelende vlekken, alsof er scholen vissen doorheen zwommen die van binnen met een lampje waren uitgerust. Binnen de kortste keren waren de wolken echter gezwicht voor de lokroep van het licht en hadden zich van zichzelf bevrijd door zich over de toppen uit te spreiden; aan de ene kant plakten ze tegen de hellingen, waar ze verdichtten en zich neervlijden als room – zacht waar deze naar beneden stroomde, dikker aan de top waar deze een sneeuwvlakte vormde – en aan de andere kant, waar de sneeuwvlakte op de top tot één grote ijzige stroom werd, waaierden ze in de lucht uiteen als een soort paddestoel; kostelijke uitbrekingen in een Luilekkerland.

Wat hij zag was wellicht voldoende rechtvaardiging voor zijn schipbreuk: niet zozeer vanwege het genot dat deze veranderlijke verschijningsvormen van de natuur hem bezorgden, maar vanwege het licht dat dit licht wierp op woorden die hij de Kanunnik van Digne had horen zeggen.

Tot op dat moment had hij zich namelijk herhaaldelijk afgevraagd of hij niet droomde. Wat hem overkwam, overkwam mensen doorgaans niet, of deed hem hooguit terugdenken aan de romans uit zijn jeugd: zowel het schip als de schepselen die hij erop was tegengekomen waren droomschepselen. De schimmen die hem sinds drie dagen omringden, leken van eender maaksel als dromen te zijn, en nuchter geredekaveld moest hij wel bekennen dat zelfs de kleuren die hij in de moestuin en in de volière had bewonderd uitsluitend in zijn verbaasde ogen schitterend hadden geleken, maar in werkelijkheid slechts zichtbaar waren onder het patijn, als van een oude luit, dat elk voorwerp op het schip bedekte, in een licht dat al langs verweerde houten balken en duigen had gestreken waarop olie, vernis en teer zaten vastgekoekt... Zou het grote schouwtoneel van hemels bedrog, dat hij nu aan de horizon dacht te zien, dus niet ook een droom kunnen zijn?

Nee, besloot Roberto, de pijn die dat licht nu aan mijn ogen doet, vertelt me dat ik niet droom, maar zie. Mijn pupillen lijden onder de regen van atomen die mij vanaf die kust, als ware het vanaf een groot oorlogsschip, bestookt, en 'zien' is niets anders dan de ontmoeting tussen het oog en de stofwolk die dat oog treft. Het is natuurlijk niet zo, had de Kanunnik hem gezegd, dat voorwerpen je van verre, zoals Epicurus beweerde, volmaakte schijnbeelden toezenden die zowel hun uiterlijke vorm als hun verborgen aard onthullen. Je vangt uitsluitend tekens, aanwijzingen op, en distilleert daar een vermoeden uit, hetgeen wij 'zicht' noemen. Maar dat hij kort daarvoor met behulp van allerlei walingen datgene had benoemd wat hij meende te zien, waarbij hij in woordvorm herschiep wat het nog vormeloze hem ingaf, was voor hem de bevestiging dat hij zag. En hoewel wij het betreuren dat we veel zekerheden moeten ontberen, hebben we wel de zekerheid dat alle dingen ons voorkomen zoals ze ons voorkomen, en dat het onmogelijk niet volkomen waar kan zijn dat ze ons waarlijk zo voorkomen.

Hetgeen Roberto, omdat hij zag en er zeker van was dat hij zag, de enige zekerheid verschafte waar de zintuigen en de rede van op aan kunnen, te weten de overtuiging dat hij iets zag: en dat iets was de enige vorm van zijn waarover hij kon spreken, aangezien het zijn niets anders is dan het grote, in de kom van de ruimte geplaatste schouwtoneel van het zichtbare – hetgeen ons meer dan genoeg vertelt over dat bizarre tijdsgewricht.

Hij leefde, was wakker, en daarginds was iets, of het nu een eiland of vasteland was. Wat het was wist hij niet: zoals kleuren én van het voorwerp afhangen waardoor ze opgewekt worden, én van het licht dat erin weerkaatst wordt, én van het oog dat ze bekijkt, zo leek het land dat het verst lag hem, in die toevallige en voorbijgaande verbintenis van licht, wind, wolken en in zijn overspannen en gekwelde ogen, waar toe. Wellicht zou dat land morgen of over een paar uur al anders zijn.

Wat hij zag was niet alleen de boodschap die de hemel hem zond, maar tevens de uitkomst van een vriendschap tussen de hemel, het land en de plek (en het uur, het jaargetijde en de hoek) van waaruit hij keek. Het schouwspel zou natuurlijk anders zijn geweest als het schip langs een andere lijn van de windroos voor anker was gegaan; de zon, de dageraad, de zee en het land zouden een andere zon, een andere dageraad, eenzelfde, maar toch een verschillende zee en een verschillend land zijn geweest. Die ontallijkheid van werelden waar Saint-Savin met hem over had gesproken moest niet alleen gezocht worden voorbij de sterrenbeelden, maar ook juist in het midden van die wereldsfeer, waarin hij, louter oog, nu een bron van ontallijke zichtpunten was.

Het zij Roberto vergeven dat hij zijn metaphysische of desgewenst natuurkundige bespiegelingen onder zulke erbarmelijke omstandigheden niet verder heeft uitgewerkt; niet in de laatste plaats omdat we zullen zien dat hij dat later nog zal doen, en hoe! Maar ook nu al zien we dat hij nadenkt over de vraag of er één enkele wereld kon bestaan waarin zich verschillende eilanden bevonden (véle, op dat moment, in de ogen van vele Roberto's die er vanaf vele zich op verschillende zeelengten bevindende schepen naar keken), en of die enkele wereld dan meerdere, in elkaar overgaande Roberto's en Ferrantes kon bevatten. Misschien had hij zich die dag op het kasteel zonder het te merken een paar el verplaatst ten opzichte van de hoogste berg van het eiland Hierro, en had hij het heelal gezien dat bewoond werd door een Roberto die niet veroordeeld was tot de verovering van de schans buiten de muren, of die gered was door een andere vader, die geen Spaanse edelman had gedood.

Maar ongetwijfeld nam hij zijn toevlucht tot dit soort overwegingen om niet te hoeven bekennen dat dat verre lichaam, dat zich vormde en weer ontbond in wellustige gedaanteverwisselingen, voor hem een letterkering was geworden van een ander lichaam dat hij had willen bezitten; en omdat het land hem smachtend toelachte, wilde hij het bereiken en ermee versmelten, een gelukzalige dwerg op de borsten van een aanvallige reuzin.

Ik geloof echter niet dat het schaamte was, maar de angst voor het teveel aan licht die hem deed besluiten weer naar binnen te gaan – en wellicht lokte iets anders hem. Hij had de kippen namelijk een nieuwe voorraad eieren horen aankondigen, en vond dat er die avond wel een kippetje aan het spit af kon. Hij nam echter eerst de tijd om met de schaar van de kapitein zijn tijdens de schipbreuk verwaarloosde snor, baard en haar bij te knippen. Hij had besloten zijn schipbreuk te beleven als een vakantie op het platteland, waarbij hem één lange suite van morgenstonden, dageraden en (naar hij aannam) zonsondergangen werd geboden.

Minder dan een uur nadat de kippen hadden gekakeld, ging hij dus naar beneden en besefte meteen dat er, als ze al eieren hadden gelegd (waar hun gekakel onomstotelijk op wees), geen ei te bekennen viel. En dat niet alleen, maar alle vogels hadden nieuw graan, keurig uitgestrooid, alsof ze er nog niet in hadden rondgescharreld.

Argwanend geworden was hij teruggelopen naar de moestuin, om te ontdekken dat de bladeren net als de dag daarvoor, en nog meer dan de dag daarvoor, glansden van dauw, dat de klokjesbloemen vol helder water zaten, de aarde bij de wortels vochtig was, het slijk nog slijkeriger – teken dat iemand de planten in de loop van de nacht water had gegeven.

Wonderlijk genoeg voelde hij aanvankelijk slechts naijver: iemand heerste over zíjn schip en ontzegde hem de zorgen en de voordelen waarop híj recht had. De wereld kwijtraken om een verlaten schip te veroveren, en er vervolgens achter komen dat het door iemand anders bewoond werd, was hem even onverdraaglijk als de vrees dat zijn Dame, ontoegankelijk doel van zijn verlangen, prooi kon worden van andermans verlangens.

Daarop volgde een meer voor de hand liggende ontsteltenis. Zoals de wereld van zijn jeugd bewoond was geweest door een Ander, die hem vóórging en hem volgde, waren er op de *Daphne* duidelijk tussendekken en bergplaatsen die hij nog niet kende, en waarin een verborgen gastheer huisde die, zodra hij voorbij was gekomen, of net voordat hij voorbijkwam, dezelfde paden bewandelde als hij.

Hij holde naar zijn hut om zich te verstoppen, als een Afrikaanse struis die zijn kop verbergt en denkt dat de wereld verdwenen is.

Op weg naar de kajuit was hij langs een trapgat gekomen dat naar het ruim leidde: voor wat voor verrassingen kon hij daarbeneden nog komen te staan, als hij benedendeks al een eiland in het klein had aangetroffen? Was daar het rijk van de Indringer? Het is opmerkelijk dat hij jegens het schip al eenzelfde houding begon aan te nemen als men gewoonlijk jegens een voorwerp van liefde aanneemt: zodra men het ontdekt en ontdekt dat men het hebben wil, worden allen die het daarvóór hadden tot overweldigers. En dat is het moment waarop Roberto zijn Dame al schrijvend opbiecht dat hij de eerste keer dat hij haar zag – en hij had haar gezien doordat hij de blik van een ander volgde die op haar bleef rusten – de afschuw had gevoeld van iemand die op een roos een rups gewaarwordt.

Lachwekkend bijna, die aanval van jaloezie voor een naar vis, rook en uitwerpselen stinkende schuit, maar Roberto verloor zich reeds in een onbestendige doolhof waarin elke tweesprong hem weer naar één en hetzelfde beeld terugvoerde. Hij leed zowel door toedoen van het Eiland dat hij niet bezat, als door toedoen van het schip dat hém bezat – beide onbereikbaar, het ene doordat het ver weg lag, het andere doordat het vol geheimenissen was – maar beide verwezen naar een geliefde die hem ontweek met vleiende beloften, die hij zelf verzon. Ik zou onderstaande brief, waarin Roberto zich uitput in een sierlijke klaagzang om eigenlijk alleen maar te zeggen dat Iemand hem van zijn ochtendmaal had beroofd, niet anders kunnen verklaren.

Dame

Hoe kan ik mededogen verwachten van degene die mij kwelt? En toch: aan wie, zo niet aan u, kan ik mijn smart toevertrouwen, zodat ik, zo niet in uw oor, dan toch tenminste in mijn ongehoorde woorden troost vind? Als liefde een medicament is dat alle pijn lenigt met een nog kwellender pijn, mag ik haar dan soms niet opvatten als een smart die uit overmaat elke andere smart doodt, zodat zij het genees- middel van alle smarten wordt, behalve van zichzelf? Want als ik ooit schoonheid aanschouwde, en daarnaar haakte, was die niets dan

een droom van de uwe, en waarom is het mij dan een kwelling dat
andere schoonheid mij eveneens tot droom is? Het zou erger zijn als
ik die tot de mijne zou maken en daarmee genoegen nam, zonder
nog te lijden onder het beeld van de uwe: dan zou een veel uitwende-
lijker artsenij mij deugd hebben gedaan en zou de pijn toenemen
door het berouw over die ontrouw. Beter is het te vertrouwen op uw
beeld, helemaal nu, nu ik wederom een vijand heb bespeurd van wie
ik de gelaatstrekken niet ken en wellicht ook nooit zal willen leren
kennen. Moge ik, om dit gehate spookbeeld niet te hoeven zien, ge-
holpen worden door uw dierbare drogbeeld. Moge de liefde mij dan
tenminste tot een gevoelloos brokstuk maken, een alruin, een stenen
bron die alle benardheid uitschreit...

Maar hoe hij zichzelf ook kwelt, Roberto wordt geen stenen bron, en
de benardheid die hij voelt doet hem terugdenken aan die andere be-
narde ervaring in Casale, die heel wat dodelijkere gevolgen had, zoals
we zullen zien.

7

Pavane
lachryme

Het verhaal is even helder als duister. Terwijl kleine schermutselingen elkaar opvolgden – die dezelfde functie vervulden als bij het schaakspel niet zozeer de zet vervult, als wel de blik waarmee men de te verwachten zet van de tegenstander van commentaar voorziet teneinde deze van zijn waagstuk te doen afzien – had Toiras besloten dat het tijd was voor een deugdelijker uitval. Er was duidelijk sprake van een spel tussen spionnen en contraspionnen: in Casale deed het gerucht de ronde dat het hulpleger in aantocht was en werd aangevoerd door de koning zelf, en dat de heer van Montmorency vanuit Asti op weg was en de maarschalken Créqui en La Force vanuit Ivrea. Niet waar, zoals Roberto opmaakte uit de woedeaanvallen van Toiras toen deze een koerier uit het noorden ontving: tijdens die uitwisseling van boodschappen liet Toiras Richelieu weten dat hij inmiddels geen proviand meer had. De Kardinaal antwoordde hem dat de heer Agencourt indertijd de magazijnen had geïnspecteerd en tot de slotsom was gekomen dat Casale moeiteloos de hele zomer stand zou kunnen houden. Het leger zou in augustus oprukken en tijdens zijn mars kunnen profiteren van de net binnengehaalde oogst.

Roberto was verbijsterd dat Toiras een aantal Corsicanen opdracht gaf te deserteren en Spinola te gaan melden dat het leger pas in september werd verwacht. Maar hij hoorde het hem uitleggen aan zijn bevelhebbers: 'Als Spinola denkt dat hij de tijd heeft, zal hij rustig de tijd nemen om zijn galerijen te graven en hebben wij rustig de tijd om galerijen voor tegenmijnen te graven. Als hij daarentegen denkt dat de hulptroepen in aantocht zijn, wat rest hem dan nog? Hij zal het Franse leger zeker niet tegemoet gaan, want hij weet dat hij daarvoor niet genoeg strijdkrachten heeft; hij zal er ook niet op gaan wachten, want dan zou hij op zijn beurt belegerd worden; en evenmin zal hij naar Milaan teruggaan om de verdediging van dat hertogdom voor te bereiden, want zijn eer verbiedt hem zich terug te trekken. Er zou hem dus niets anders resten dan stante pede Casale in te nemen. Maar aangezien hij dat niet met een frontale aanval kan doen, zal hij een vermogen moeten uitgeven om mensen aan te zetten tot verraad, en vanaf dat moment zal elke vriend voor ons een vijand worden. En dus sturen we spionnen naar Spinola om hem ervan te overtuigen dat de versterkingen vertraging hebben opgelopen, laten we hem rustig mijngalerijen graven op plekken waar wij er niet al te veel last van hebben, verwoesten we de mijngalerijen die echt een bedreiging voor ons vormen en wachten we doodleuk af tot hij zichzelf volkomen heeft afgemat. San Patrizio, u kent het terrein: waar moeten we hem de ruimte geven en waar moeten we hem tegen elke prijs tegenhouden?'

Zonder de kaarten (die in zijn ogen te veel tierelantijnen bevatten om echt te kunnen zijn) een blik waardig te keuren, wees de oude Pozzo uit het raam en zette uiteen dat het terrein – zoals algemeen bekend was – op sommige plaatsen vol scheuren zat omdat het rivierwater erdoorheen sijpelde; daar kon Spinola graven zoveel hij wilde en zouden zijn mineurs omkomen in de slakken. Op andere plaatsen was het daarentegen een waar genot om galerijen te graven, en daar was het dus zaak geschut in te zetten en uitvallen te doen.

'Accoord,' zei Toiras, 'morgen zullen we hen dwingen op te rukken en hun stellingen onder het San-Carlobastion te verdedigen, en daarna zullen we hen onder het San-Giorgiobastion overrompelen.' Het plan werd goed voorbereid, met nauwgezette instructies aan alle compagnieën. En aangezien Roberto had laten zien dat hij een mooi handschrift had, had Toiras hem van zes uur 's avonds tot twee uur 's nachts aan één stuk door boodschappen gedicteerd, en hem vervolgens verzocht gekleed te gaan slapen op een zittekist voor zijn kamer om de antwoorden in ontvangst te nemen en na te lopen, en hem te wekken als er zich onvoorziene gebeurtenissen voordeden. Hetgeen tussen twee uur en zonsopgang meermalen het geval was geweest.

De volgende ochtend stonden de troepen klaar op de gedekte weg van de contrescarp en binnen de muren. Op een teken van Toiras, die de onderneming vanuit de citadel leidde, begaf een zeer groot contingent zich als eerste in de zogenaamd goede richting: eerst een voorhoede van piekeniers en musketiers, met een reserve van vijftig musketonniers die hen op enige afstand volgden, en daarachter een opzichtig corps van vijfhonderd voetknechten en twee ruitercompagnieën. Het was een fraaie parade, en het was achteraf gezien begrijpelijk dat de Spanjaarden een en ander ook als zodanig hadden opgevat.

Roberto zag hoe vijfendertig mannen zich op bevel van kapitein Columbat in verspreide orde op een loopgraaf stortten, en hoe de Spaanse kapitein van achter de verschansing vandaan kwam en hen met een weids gebaar begroette. Columbat en de zijnen hadden uit beleefdheid halt gehouden en hadden zijn groet met eenzelfde hoffelijkheid beantwoord. Waarna de Spanjaarden aanstalten maakten zich terug te trekken, en de Fransen de pas markeerden; Toiras liet vanaf de muren een kanonschot op de loopgraaf afvuren, Columbat begreep de wenk, gaf het bevel tot de aanval, de ruiterij volgde hem en bestormde de loopgraaf van beide kanten, de Spanjaarden namen morrend hun positie weer in en werden onder de voet gelopen. De Fransen leken door het dolle heen en iemand riep, terwijl hij op de vijand inhakte, de namen van zijn vrienden die bij vorige uitvallen gedood waren: 'Deze is voor Bessières, deze voor de hoeve van Bricchetto!' De opwinding was zo groot dat Columbat, toen hij de gelederen van het eskadron weer wilde sluiten, daar niet in slaagde; de mannen waren nog bezig zich uit te leven op de gevallenen, hielden hun trofeeën – oorringen, koppels en aan spiesen geregen hoeden – op naar de stad en zwaaiden onderwijl met hun pieken.

Er kwam niet onmiddellijk een tegenaanval, en Toiras beging de vergissing dat als een vergissing op te vatten, terwijl het berekening was. In de veronderstelling dat de keizerlijken van plan waren versterkingen te sturen om de aanval af te slaan, daagde hij hen met nog meer kanonnades uit, maar zij trokken zich slechts terug in de stad, en een kogel verwoestte de Sant'Antoniokerk vlak bij het hoofdkwartier.

Toiras was tevreden en gaf de tweede groep het bevel op te rukken vanuit het San-Giorgiobastion. Het waren slechts een paar compagnieën, maar ze stonden onder bevel van de heer van La Grange, die ondanks zijn vijfenvijftig jaar nog zo kwiek was als een jonge man. En toen La Grange, zijn rapier recht vooruitgestoken, bevolen had een stormaanval uit te voeren op een verlaten kerkje waarnaast het werk aan een galerij reeds vergevorderd was, dook plotseling het gros van het vijandelijke leger, dat al uren op dat rendez-vous had zitten wachten, op van achter een cunette.

'Verraad!' had Toiras geschreeuwd terwijl hij naar de poort liep, en hij had La Grange bevolen zich terug te trekken.

Kort daarna had een compagnie van het regiment van Pompadour hem een jongen uit Casale gebracht wiens polsen met een touw bijeen waren gebonden; deze was in een torentje bij het kasteel betrapt terwijl hij de belegeraars met een witte lap tekens gaf. Toiras had hem bevolen op de grond te gaan liggen, had de duim van diens rechterhand onder de gespannen haan van zijn pistool geduwd, had de loop op diens linkerhand gericht, had zijn eigen vinger op de trekker gelegd en hem gevraagd: 'Et alors?'

De jongen had in een ommezien begrepen dat het er niet best voor hem uitzag en was begonnen te praten: de avond ervoor, tegen middernacht, had een zekere kapitein Gambero hem bij de San-Domenicokerk zes pistolen beloofd – waarvan hij hem er op voorhand al drie had gegeven – als hij datgene zou doen wat hij vervolgens ook gedaan had toen de Franse troepen oprukten vanuit het San-Giorgiobastion. En nu wekte de jongen – die niet bepaald een licht bleek op het gebied van de krijgskunde – de indruk dat hij de overige pistolen ook wilde hebben, alsof Toiras blij moest zijn met de dienst die hij hem bewezen had. Maar op een bepaald moment had hij Roberto ontwaard en was begonnen te gillen dat híj die befaamde Gambero was.

Roberto was met stomheid geslagen, zijn vader had zich op de ellendige lasteraar gestort en zou hem gewurgd hebben als een aantal edellieden uit het gevolg hem daar niet van had weerhouden. Toiras had er meteen op gewezen dat Roberto de hele nacht niet van zijn zijde was geweken en dat niemand hem, hoe knap hij ook was, voor een kapitein zou kunnen verslijten. Intussen hadden anderen vastgesteld dat er inderdaad een kapitein Gambero bestond, in het regiment van Bassiani, en hadden deze met het plat van hun rapier en met enig porren voor Toiras geleid. Gambero verklaarde dat hij onschuldig was, en de gevangengenomen jongen herkende hem dan ook niet; uit voorzorg had Toiras hem echter toch laten opsluiten. Om de verwarring volledig te maken was er iemand komen melden dat – terwijl de troepen van La Grange zich terugtrokken – een man het San-Giorgio-bastion uit was gevlucht in de richting van de Spaanse linies, en dat hij daar met groot vreugdebetoon was onthaald. Er viel niet veel over hem te melden, behalve dat hij jong was en naar Spaanse snit gekleed, met een netje over zijn haar. Roberto dacht meteen aan Ferrante. Maar waar hij vooral door van slag raakte, was de argwanende blik waarmee de Franse commandanten de Italianen in het gevolg van Toiras bekeken.

'Kan één zo'n snotaap in zijn eentje soms een heel leger tegenhouden?' hoorde hij zijn vader vragen, terwijl hij op de Fransen wees, die zich terugtrokken. 'Neemt u me niet kwalijk, beste vriend,' wendde Pozzo zich tot Toiras, 'maar ze schijnen hier te denken dat wij Italianen allemaal net zo zijn als die etterbuil van een Gambero, of niet soms?' En hoewel Toiras hem – zij het enigszins verstrooid – zijn achting en vriendschap betuigde, zei hij: 'Doet u geen moeite. Volgens mij loopt het iedereen hier dun door de broek, en mij schiet deze geschiedenis nogal in het verkeerde keelgat. Ik heb mijn buik vol van die verdomde Spanjolen, en als u me toestaat ruim ik er zo twee of drie uit de weg, al was het alleen maar om te laten zien dat wij als het nodig is ook de gaillarde kunnen dansen, waarbij we, als we het eenmaal op onze heupen krijgen, geheel onpartijdig te werk gaan, mordioux!'

Hij was de poort uit gestormd en als een furie met geheven rapier op de vijandelijke gelederen ingereden. Het was duidelijk dat hij hen niet op de vlucht wilde jagen maar gemeend had dat het tijd was de anderen eens te laten zien hoe híj erover dacht.

Het was een fraai staaltje van moed geweest, maar militair gezien een waardeloze onderneming. Een kogel raakte hem in het voorhoofd en deed hem op de rug van zijn Pagnufli ineenzakken. Een tweede salvo werd op de contrescarp afgevuurd, en Roberto voelde een harde klap tegen zijn slaap, als van een steen, en wankelde. Hij was getroffen – het was een schampschot – maar hij maakte zich los uit de armen van degene die hem ondersteunde. De naam van zijn vader schreeuwend had hij zich opgericht, en hij had Pagnufli ontdekt, die doelloos met het lichaam van zijn levenloze heer over het niemandsland galoppeerde.

Hij had weer zijn vingers naar zijn mond gebracht en gefloten. Pagnufli had het gehoord en was de kant van de muren op gekomen, maar langzaam, op een plechtig drafje, om zijn berijder, die niet langer gebiedend tegen zijn flanken drukte, niet af te werpen. Een pavane voor zijn dode heer hinnikend was hij naar Roberto toe gekomen en had het lichaam aan hem overgedragen; Roberto had de nog opengesperde ogen gesloten en het gelaat, dat vol zat met inmiddels geronnen bloed, afgewist, terwijl zijn eigen, nog levende bloed hem langs de wang liep.

Misschien had het schot wel een zenuw geraakt: toen hij de volgende dag de Sant'Evasiokerk uit kwam, waar op verzoek van Toiras de plechtige dodenmis voor Pozzo di San Patrizio, heer van La Griva was gelezen, kon hij het daglicht maar met moeite verdragen. Wellicht waren zijn ogen rood van het huilen, maar gewis is dat ze hem vanaf dat moment pijn begonnen te doen. Tegenwoordig zouden de geleerden van de geest zeggen dat hij, omdat zijn vader de schaduw binnen was getreden, zelf ook de schaduw binnen wilde treden. Roberto wist weinig van de geest, maar deze redeneertrant zou hem mogelijkerwijs hebben kunnen bekoren, tenminste in het licht, of liever de schaduw, van hetgeen er daarna gebeurde.

In mijn ogen was Pozzo gestorven uit eigenzinnigheid, hetgeen me een prachtige dood lijkt, maar Roberto kon het niet waarderen. Iedereen prees zijn vaders heldhaftigheid, hij zou zijn rouw met trots moeten dragen, maar hij snikte. Omdat hij zich herinnerde dat zijn vader hem verteld had dat een edelman zich moet aanwennen de slagen van het noodlot met droge ogen te ondergaan, verontschuldigde hij zich (tegenover zijn vader, aan wie hij niet langer verantwoording hoefde af te leggen) voor zijn zwakheid en bleef hij zichzelf voorhouden dat het de eerste keer was dat hij wees werd. Hij dacht dat hij aan het denkbeeld moest wennen en had nog niet begrepen dat het geen zin heeft aan het verlies van een vader te wennen, omdat het niet een tweede keer zal gebeuren: je kunt de wond dus net zo goed openlaten.

Maar om het gebeurde zin te verlenen kwam hij onvermijdelijk weer terug bij Ferrante. Ferrante, die hem op de voet was gevolgd, had de geheimen waarvan híj op de hoogte was, aan de vijand verkocht en was toen schaamteloos naar de tegenpartij overgelopen om van zijn welverdiende beloning te genieten: zijn vader had dit ingezien en had met zijn dood het geslacht van alle blaam willen zuiveren in de hoop dat de glans van zijn moed op Roberto zou afstralen, teneinde die zweem van verdenking weg te nemen die er nauwelijks waarneembaar tegen zijn zoon gerezen was, terwijl hij toch onschuldig was. Om te voorkomen dat zijn dood zinloos was geweest was Roberto het aan hem verplicht zich zo te gedragen als iedereen in Casale van de zoon van een held verwachtte.

Hij kon niet anders: hij was nu opeens de wettige heer van La Griva, erfgenaam van de naam en de bezittingen van zijn geslacht, en Toiras durfde hem niet meer te gebruiken voor allerlei kleine klutsjes – maar kon hem ook niet meer vragen voor grote klutsen. En zo bleef hij alleen achter, waarbij zijn nieuwe rol van doorluchtige wees maakte dat hij niet alleen nog eenzamer was, maar bovendien gedoemd tot nietsdoen: midden in een beleg, ontheven van elke verplichting, vroeg hij zich af hoe hij zijn dagen als belegerde moest doorkomen.

8

nauwkeurige lering van de schone Geesten van deze tijd

Toen hij de golf van herinneringen een ogenblik een halt toeriep, besefte Roberto dat hij niet zozeer aan de dood van zijn vader had gedacht omdat hij zich voorgenomen had die wonde van Philoctetes uit eerbied open te houden, als wel bij toeval, omdat hij zich het spookbeeld van Ferrante herinnerde dat was opgeroepen door het spookbeeld van de Indringer op de *Daphne*. De twee leken hem al dermate één te zijn dat hij besloot de zwakste uit de weg te ruimen om de sterkste te kunnen overwinnen.

Heb ik, zei hij bij zichzelf, achteraf bezien tijdens die dagen van het beleg nog iets van Ferrante gemerkt? Nee. Sterker nog, wat gebeurde er? Saint-Savin overtuigde me ervan dat hij niet bestond.

Roberto had namelijk vriendschap gesloten met de heer van Saint-Savin. Hij had hem weer gezien bij de begrafenis en van hem een blijk van genegenheid ontvangen. Nu hij niet langer onder invloed was van de wijn, was Saint-Savin op en top een edelman. Hij was klein van stuk, prikkelbaar, beweeglijk, met een gelaat dat wellicht getekend was door de Parijse uitspattingen waarover hij vertelde, en hij zal nog geen dertig zijn geweest.

Hij had zich verontschuldigd voor zijn onstuimigheid tijdens de maaltijd, niet voor hetgeen hij had gezegd, maar voor de onbeschaafde toon waarop hij het had gezegd. Hij had Roberto uitgehoord over Pozzo, en de jongen was Saint-Savin dankbaar dat hij op zijn minst belangstelling voorwendde. Hij vertelde hem dat hij alles wat hij over de schermkunst wist van zijn vader had geleerd, Saint-Savin stelde verschillende vragen, raakte in vervoering toen de naam van een bepaalde stoot viel, ontblootte midden op het plein zijn rapier en wilde dat Roberto hem de beweging voordeed. Hij kende deze al of was zeer snel, want hij pareerde handig, maar moest erkennen dat het een uitermate lepe uitval was.

Als dank deed hij Roberto slechts één van zijn bewegingen voor. Hij zei hem in postuur te gaan staan, ze wisselden een aantal schijnstoten uit, hij wachtte de eerste aanval af, leek plotseling op de grond te glijden, en toen Roberto zich verrast blootgaf, was Saint-Savin als door een wonder al weer opgestaan en bleek hem – om te bewijzen dat hij Roberto had kunnen verwonden als hij even had doorgeduwd – een knoop van zijn kazak te hebben geslagen.

'Vindt u het wat, beste vriend?' zei hij, terwijl Roberto salueerde en zich gewonnen gaf. 'Dat is de coup de la mouette, of meeuwestoot, zoals u zou zeggen. Als u ooit naar zee gaat, zult u zien dat die vogels zich als het ware loodrecht naar beneden laten vallen, maar vlak boven het water weer opvliegen met een prooi in hun bek. Het is een stoot die veel oefening vereist en die lang niet altijd lukt. Toen de blaaskaak die hem bedacht heeft hem mij wilde toebrengen, ging het mis. En zo heeft hij mij niet alleen zijn leven maar ook zijn geheim geschonken. Ik geloof dat hij het erger vond het tweede te verliezen dan het eerste.'

Zo zouden ze nog lang zijn doorgegaan, als er niet een kleine menigte burgers te hoop was gelopen. 'Laten we ophouden,' zei Roberto, 'ik zou niet willen dat iemand opmerkte dat ik de rouw niet in acht neem.'

'Door zijn lessen te gedenken,' zei Saint-Savin, 'eert u uw vader beter dan daarvoor, toen u in de kerk naar dat Latijnse gebazel zat te luisteren.'

'Heer,' had Roberto hem gezegd, 'bent u niet bang op de brandstapel te eindigen?'

Saint-Savins gelaat betrok. 'Toen ik ongeveer zo oud was als u bewonderde ik iemand die als een oudere broer voor mij is geweest. Ik noemde hem Lucretius, naar de oude wijsgeer, en zelf was hij ook een wijsgeer, en bovendien priester. Hij is in Toulouse op de brandstapel aan zijn einde gekomen, maar ze hebben hem eerst zijn tong uitgerukt en geworgd. U ziet dus dat wij wijsgeren niet alleen rap van tong zijn omdat dat bon-ton is, zoals die heer enkele avonden geleden zei, maar ook om er ons voordeel mee te doen voordat deze ons wordt uitgerukt. Of, even zonder gekheid, om vooroordelen te doorbreken en de natuurlijke oorzaak der dingen te ontdekken.'

'Dus u gelooft werkelijk niet in God?'

'Ik zie daar in de natuur geen grond toe. En ik ben de enige niet. Strabo vertelt ons dat de Galiciërs geen enkel besef hadden van het bestaan van een opperwezen. En toen de predikers de inboorlingen uit West-Indië over God moesten vertellen, moesten ze – vertelt Acosta (die ook een jezuïet was) ons – het Spaanse woord "Dios" gebruiken. U zult het niet willen geloven, maar in hun taal bestond daar geen enkel geschikt woord voor. Als het godsbesef in de natuurtoestand niet bekend is, moet er dus sprake zijn van een menselijke vinding... Kijk me nu niet aan alsof ik er ongezonde beginselen op na zou houden en geen trouwe dienaar van mijn koning zou zijn. Een ware wijsgeer is er in het geheel niet op uit de ordening der dingen te verstoren. Hij aanvaardt haar. Hij wil uitsluitend dat men hem de ruimte laat om gedachten te ontwikkelen die een krachtige geest kunnen troosten. Wat de rest van de mensheid betreft is het maar goed dat er pausen en bisschoppen zijn om het grauw van opstanden en misdrijven af te houden. Het staatsbestel is gebaat bij eensoortig gedrag, godsdienst is onontbeerlijk voor het volk, en de wijsgeer moet een deel van zijn onafhankelijkheid opofferen opdat de maatschappij overeind blijft. Wat mezelf betreft geloof ik dat ik een rechtschapen mens ben: ik ben mijn vrienden trouw, ik lieg niet, behalve als ik iemand mijn liefde verklaar, ik houd van kennis en schrijf naar men zegt mooie verzen. Reden waarom de dames me galant vinden. Ik zou Romans willen schrijven, want die zijn erg in trek, maar ik bedenk er een heleboel en kom er niet toe er een te schrijven...'

'Aan wat voor Romans denkt u?'

'Soms kijk ik naar de Maan en stel ik me voor dat die vlekken holen, steden of eilanden zijn, en de plekken die oplichten plaatsen waar de zee het zonlicht opvangt als het glas van een spiegel. Ik zou het verhaal van hun koningen willen vertellen, van hun oorlogen en hun revoltatiën, of van de ongelukkige minnaars die ginder, als het daar nacht is, zuchtend naar onze Aarde kijken. Ik zou graag over de oorlog en de vriendschap tussen de verschillende lichaamsdelen verhalen, de armen die slag leveren met de voeten, en de aderen die de liefde bedrijven met de arteriën, of de botten met het beenmerg. Alle Romans die ik zou willen schrijven achtervolgen me. Als ik in mijn kamer zit lijkt het of ze allemaal om me heen zitten, als Duiveltjes, en dat de een me aan mijn oor trekt en de andere aan mijn neus, en dat ze me elk zeggen: "Heer, schrijf me, ik ben prachtig." En dan bedenk ik me weer dat je ook een mooi verhaal kunt vertellen door een nooitgedacht duel te verzinnen, bijvoorbeeld over een gevecht waarin iemand zijn tegenstander eerst overhaalt God af te zweren en hem daarna het hart doorboort, zodat hij verdoemd sterft. Ho, La Grive, ontbloot nogmaals uw rapier, zó ja, pareer, daar! U zet uw hakken op één lijn, dat is niet goed, dan sta je niet stevig. U moet uw hoofd niet recht houden, want de afstand tussen uw schouder en uw hoofd laat uw tegenstander al te veel ruimte voor zijn stoten...'

'Maar ik copereer met het rapier in de hoge secunda.'

'Fout. Met die beweging verlies je aan kracht. En bovendien heb ik in een Duits postuur geopend en bent u in een Italiaans postuur gaan staan. Verkeerd. Als er een postuur bevochten moet worden, dient men die zoveel mogelijk over te nemen. Maar u hebt me nog niet over uzelf verteld, en over uw wedervaren voordat u in dit kruitdal terechtkwam.'

Niets kan een jongeling zo betoveren als een volwassene die uitblinkt door wereldse wonderspreuken en die hij meteen naar de kroon zou willen steken. Roberto opende zijn hart voor Saint-Savin, en daar de eerste zestien jaren van zijn leven hem nauwelijks stof boden, vertelde hij hem dat hij vol van dwanggedachten was over zijn onbekende broer.

'U hebt te veel Romans gelezen,' zei Saint-Savin tegen hem, 'en probeert er een te leven; want de taak van een Roman is tegelijkertijd te vermaken en te leren, en hij leert de listen en lagen van de wereld te onderkennen.'

'En wat zou hetgeen u de Roman van Ferrante noemt mij dan leren?'

'De Roman,' legde Saint-Savin hem uit, 'moet altijd gegrond zijn op een misverstand met betrekking tot de persoon, handeling, plaats, tijd of omstandigheid, en die fondamentele misverstanden moeten leiden tot episodische misverstanden, verwikkelingen, wendingen en ten slotte tot onverwachte en mooie ontknopingen. Ik bedoel misverstanden zoals de veronderstelde dood van een personage, of wanneer er iemand in plaats van iemand anders vermoord wordt, of misverstanden van hoegrootheid, bijvoorbeeld als een vrouw gelooft dat haar minnaar dood is en met een ander trouwt, of van hoedanigheid, als het oordeel der zintuigen dwaalt, of bijvoorbeeld als er iemand begraven wordt die dood lijkt, maar in werkelijkheid onder invloed is van een slaapdrank; of ook misverstanden van betrekking, bijvoorbeeld als de een ten onrechte voor de moordenaar van de ander wordt gehouden; of van instrument, bijvoorbeeld als men voorwendt iemand met een wapen neer te steken waarvan de punt bij het treffen niet de keel binnendringt maar terugspringt in het heft, waarin een bloedige spons verborgen zit... Om nog maar te zwijgen van valse zendbrieven, stemnabootsingen, niet tijdig bezorgde of op een andere plek of bij een andere persoon bezorgde schrijvens. Van al deze kunstgrepen is die welke leidt tot de verwisseling van twee personen, en die verwisseling geloofwaardig maakt door het ten tonele voeren van een Dubbelganger, de meest gevierde, maar tevens de meest gebruikte. De Dubbelganger is een spiegelbeeld dat het personage achter zich aan sleept of dat hem onder elke omstandigheid voorgaat. Een fraaie machinatie, waardoor de lezer zich herkent in het personage met wie hij de duistere vrees voor een Vijandige Broer deelt. Maar ziet u, ook de mens is een bouwwerk, en je hoeft maar een wiel aan de buitenkant in beweging te zetten of er gaan binnenin andere wielen draaien: de Broer en de vijandschap zijn niets anders dan de weerspiegeling van de vrees die eenieder voelt ten aanzien van zichzelf, en van de krochten van de eigen geest, waarin onopgebiechte verlangens smeulen, of, zoals men in Parijs zegt, stomme en onuitgesproken woorden. Er is namelijk aangetoond dat er onwaarneembare gedachten bestaan die de geest beïnvloeden zonder dat de geest dat merkt, heimelijke gedachten waarvan het bestaan wordt aangetoond door het gegeven dat eenieder, al onderzoekt hij zichzelf nog zo weinig, zal merken dat hij in zijn hart altijd liefde en haat, vreugde of droefheid meedraagt, zonder zich duidelijk gedachten te kunnen herinneren waaraan deze gevoelens zijn ontsproten.'

'Dus Ferrante…' waagde Roberto, en Saint-Savin maakte de zin af: 'Dus Ferrante verwijst naar uw angsten en uw schanddaden. Om zichzelf niet te hoeven bekennen dat ze zelf de auteurs van hun lot zijn, zien de mensen dat lot vaak als een Roman die het werk is van een schurkachtige auteur met een rijke verbeelding.'

'Maar wat zou die vergelijking, die ik zonder het te weten gemaakt zou hebben, dan moeten betekenen?'

'Wie zal het zeggen? Misschien hield u niet zoveel van uw vader als u denkt, vreesde u de striktheid waarmee hij deugdzaamheid van u verlangde, en hebt u hem een misstap toebedacht om hem vervolgens niet met uw eigen, maar met andermans misstappen te straffen.'

'Heer, u spreekt tegen een zoon die nog treurt om zijn dierbeminde vader! Ik geloof dat het een grotere zonde is iemand te leren zijn vader te minachten dan hem te leren Onze-Lieve-Heer te minachten!'

'Kom nu toch, waarde La Grive! Een wijsgeer moet de moed hebben elke leugenachtige leer die ons is ingeprent in twijfel te trekken en dat geldt ook voor die belachelijke eerbied voor de ouderdom, alsof de jeugd niet het hoogste goed en de grootste deugd is. In alle eerlijkheid, als een jonge man in staat is na te denken, te oordelen en te handelen, is hij dan wellicht niet geschikter om een geslacht te leiden dan een zestigjarige zwakzinnige in wiens sneeuwwitte hoofd alle verbeeldingskracht bevroren is geraakt? Dat wat wij in onze ouders eerbiedig voorzichtigheid noemen, is niets anders dan panische angst om te handelen. Zult u zich nog aan hen willen onderwerpen als het nietsdoen hun spieren heeft verzwakt, hun arteriën heeft verhard, hun levensgeesten heeft doen vervliegen en het merg uit hun botten heeft gezogen? Als u een vrouw aanbidt, is dat dan niet vanwege haar schoonheid? Gaat u soms door met uw knievallen als de ouderdom van dat lichaam een spookverschijning heeft gemaakt die u slechts zal herinneren aan de onafwendbare nabijheid van de dood? En als u zich zo jegens uw minnaressen gedraagt, waarom zou u dan niet hetzelfde doen met uw grijsaards? U zegt mij dat die grijsaard uw vader is en dat de Hemel u een lang leven belooft als u hem eert. Wie heeft dat gezegd? Joodse grijsaards, die begrepen dat ze in de woestijn alleen konden overleven door de vrucht van hun lendenen uit te buiten. Als u gelooft dat de Hemel u ook maar één levensdag meer schenkt omdat u het schaap uws vaders bent geweest, dan vergist u zich. Denkt u nu werkelijk dat een eerbiedige groet die de pluim van uw hoed langs de voeten van uw verwekker doet strijken u van een kwaadaardig gezwel kan genezen, of de wond van een rapierstoot kan doen helen, of u van een steen in uw blaas kan bevrijden? Als dat zo was, zouden de artsen niet van die smerige drankjes voorschrijven, maar u, om u van de Italiaanse ziekte af te helpen, opdragen vóór het eten vier buigingen te maken voor mijnheer uw vader, en voor het slapengaan mevrouw uw moeder een kus te geven. U zult zeggen dat u er zonder die vader niet geweest zou zijn, en hij niet zonder de zijne, en zo door tot Melchisedech. Maar hij is ú iets verschuldigd, niet u hem: u betaalt met vele jaren vol tranen voor een moment van zíjn zingenot...'

'U gelooft zelf niet wat u zegt.'

'Nee, niet echt. Bijna nooit. Maar een wijsgeer is als een dichter. Laatstgenoemde schrijft denkbeeldige brieven aan een denkbeeldige nymf, uitsluitend om aan de hand van het woord de krochten van zijn hartstocht te peilen. De wijsgeer stelt de koelbloedigheid van zijn blik op de proef en kijkt in hoeverre de vesting van de schijnheiligheid ondermijnd kan worden. Ik wil niet dat uw eerbied voor uw vader afneemt, want u vertelt me dat hij u veel goeds heeft geleerd. Maar kwijn niet weg door die herinnering. Ik zie tranen in uw ogen...'

'O, dat is geen verdriet. Dat komt waarschijnlijk door mijn hoofdwond, die mijn ogen heeft verzwakt...'

'Dan moet u coffy drinken.'

'Coffy?'

'Ik zweer u dat het binnen afzienbare tijd mode zal zijn. Het is een wondermiddel. Ik zal u er wat van bezorgen. Het droogt de koude sappen, verjaagt winderigheid, versterkt de lever, is een uitmuntende remedie tegen waterzucht en schurft, verkwikt het hart, verlicht maagpijnen. De damp ervan wordt aangeraden tegen tranende ogen, iets voor u, tegen suizende oren, neusdrop, verkoudheid of een zwaar gevoel in de neus, of hoe u het wilt noemen. En vervolgens moet u

die lastige broer die u in het leven hebt geroepen tegelijk met uw vader begraven. En ga vóór alles op zoek naar een geliefde.'

'Een geliefde?'

'Dat is nog beter dan coffy. Als u lijdt door toedoen van een levend wezen, zal uw zielsverdriet om een dood wezen afnemen.'

'Ik heb nog nooit een vrouw bemind,' biechtte Roberto blozend
op.

'Ik heb niet gezegd: een vrouw. Het zou ook een man kunnen
zijn.'

'Mijnheer!' riep Roberto uit.

'Je kunt wel zien dat u van het land komt.'

Geheel in verlegenheid gebracht had Roberto zich ontschuldigd en
met de mededeling dat zijn ogen hem te veel pijn deden een eind gemaakt aan die ontmoeting.

Om zichzelf na alles wat hij gehoord had gerust te stellen, hield hij
zich voor dat Saint-Savin een loopje met hem had genomen: net als
in een duel had hij hem willen laten zien hoeveel stoten ze in Parijs
kenden. En Roberto had zich als een provinciaal gedragen. En bovendien had hij, door die praatjes serieus te nemen, gezondigd, hetgeen
niet gebeurd zou zijn als hij ze als een grap had opgevat. Hij overdacht de reeks misstappen die hij had begaan door zijn oor te lenen
aan al die bewijsredenen tegen het geloof, de goede zeden, de staat en
de eerbied voor het geslacht. En toen hij nadacht over zijn dwaling
werd hij bevangen door een andere angst: hij herinnerde zich dat zijn
vader gestorven was met een vloek op zijn lippen.

9
de wonderlijke *Verrekijker*

De dag daarop was hij teruggegaan naar de Sant'Evasiokerk om te bidden. Hij had het gedaan om wat verkoeling te zoeken: op die middag vroeg in juni brandde de zon op de zo goed als verlaten straten – net zoals hij op dat moment, op de *Daphne*, voelde hoe de hitte zich over de baai verspreidde en hoe de boorden die niet konden tegenhouden, alsof het hout roodgloeiend geworden was. Maar hij had ook de behoefte gevoeld om zowel zijn eigen als zijn vaders zonde te biechten. Hij had in het middenschip een geestelijke staande gehouden en deze had aanvankelijk tegen hem gezegd dat hij niet tot de parochie behoorde, maar had vervolgens, toen hij de blik van de jongeman had gezien, toegestemd, was in een biechtstoel gaan zitten en had hem de biecht afgenomen.

Pater Emanuele zal niet erg oud zijn geweest, misschien een jaar of veertig, en was naar Roberto's zeggen 'vlezig roze in zijn eerbiedwaardige en beminnelijke gelaat', waardoor de laatste moed vatte en hem al zijn zorgen toevertrouwde. Hij vertelde hem allereerst over de vloek van zijn vader. Zou deze tot gevolg hebben dat zijn vader nu niet rustte in de armen van de Vader, maar zuchtte in de Hel? De biechtvader stelde een enkele vraag en Roberto moest uiteindelijk wel toegeven dat er, op welk moment de oude Pozzo ook gestorven zou zijn, een gerede kans was geweest dat hij de naam van God ijdel zou hebben gebruikt: vloeken was een slechte gewoonte die men van de boeren overnam, en de kleine landheren uit Montferrat zagen het als een teken van ongedwongenheid om in aanwezigheid van hun gelijken te praten als hun boeren.

'Zie je, mijn zoon,' had de biechtvader ten slotte gezegd, 'je vader is gestorven toen hij een van die grote & nobele Daden verrichtte waardoor men naar gezegd wordt in het Paradijs der Helden komt. Welnu, ook al geloof ik niet dat er een dergelijk Paradijs bestaat en ben ik van mening dat in het Rijk der Hemelen Sloebers & Heersers, Helden & Lafaards in volle eenstemmigheid samenleven, toch zal de goede God je vader zijn Rijk niet ontzegd hebben, alleen maar omdat diens Tong, op een moment dat hij zich met een grote Onderneming onledig hield, een uitglijder heeft gemaakt, en ik waag te beweren dat een dergelijke Exclamatie op zo'n moment een manier kan zijn God aan te roepen als Getuige & Rechter van een Schone Daad. Als je je echt nog zorgen maakt, bid dan voor de Ziel van je Vader & laat een paar Missen voor hem lezen, niet zozeer om de Heer ertoe te brengen zijn Oordelen te herzien – want hij is immers geen Vaantje dat met alle kwezelachtige winden meewaait – als wel om jouw Ziel te sterken.'

Daarna vertelde Roberto hem over de opruiende verhalen die hij van een vriend had gehoord, en de Pater spreidde moedeloos zijn armen: 'Mijn zoon, ik weet niet veel van Parijs, maar uit hetgeen ik erover hoor vertellen heb ik begrepen hoeveel IJlhoofden, Eerzuchtigen, Afvalligen, Spionnen en Kwaadstokers er in dat nieuwe Sodom rondlopen. En daaronder bevinden zich Valse Getuigen, Ciboriedieven, Kruisvertrappers & zij die geld geven aan Bedelaars om hen God te laten afzweren, & ook mensen die Spotswijs Honden hebben gedoopt… En dat noemen ze de Mode van de Tijd volgen. In de Kerken worden geen Gebeden meer gezegd, maar er wordt rondgekuierd en gelachen, men stelt zich achter pilaren op om de Dames te begluren, en zelfs tijdens de Elevatie klinkt er voortdurend Rumoer. Ze pretenderen te redekavelen & belagen je met arglistige Vragen, waarom heeft God de Wereld Wetten gegeven, waarom is Overspel verboden, waarom is de Zoon van God mens geworden, & ze verdraaien al je antwoorden tot een Bewijs van Atheïsme. Ziedaar de Fraaie Vernuften van deze Tijd: Epicuristen, Pyrronisten, Diogenisten & Libertijnen! Leen je Oor dus niet aan deze Verleidingen, want ze zijn afkomstig van de Boze.'

Doorgaans maakt Roberto zich niet schuldig aan het gebruik van hoofdletters, iets waar de schrijvers uit zijn tijd juist zo in uitblonken: maar als hij de uitingen en meningen van Pater Emanuele weergeeft, gebruikt hij er vele, alsof de Pater niet alleen hoofdletters schreef maar die ook uitsprak, om zo de bijzondere waardigheid van de dingen die hij te zeggen had te laten doorklinken – teken dat hij een groot en meeslepend spreker was. En Roberto voelde zich door zijn woorden dan ook dermate gerustgesteld dat hij zich, toen hij uit de biechtstoel stapte, nog een tijdje met hem wilde onderhouden. Hij vernam dat hij een jezuïet uit Savoye was en waarlijk niet de eerste de beste, want hij verbleef in Casale als waarnemer, op last van de hertog van Savoye; dingen die toentertijd tijdens een beleg wel gebruikelijk waren.

Pater Emanuele kweet zich met genoegen van zijn taak: de somberheid van het beleg verschafte hem alle tijd zich uitgebreid te wijden aan studiën die de verstrooiingen van een stad als Turijn niet verdroegen. En gevraagd naar waar hij zich mee bezighield, had hij gezegd dat hij, net als de sterrenkundigen, bezig was een verrekijker te bouwen.

'Je zult wel gehoord hebben over die Florentijnse Geleerde die om het Heelal uit te leggen een Verrekijker heeft gebruikt, Grootspraak van de ogen, en met die Verrekijker dingen heeft gezien die de ogen zich slechts verbeeldden. Ik heb veel ontzag voor dit gebruik van Mechanieke Instrumenten om, zoals men heden ten dage pleegt te zeggen, het Uitgestrekte Ding te begrijpen. Maar om het Denkende Ding, oftewel onze manier om de Wereld te leren kennen, te begrijpen, dienen we een andere Verrekijker te gebruiken, een die Aristoteles al gebruikte, en die geen buis is, noch een lens, maar Verwikkeling van Woorden, Helder Denkbeeld, want alleen de gave van de Kunstige Eloquentie stelt ons in staat dit Heelal te begrijpen.'

Al pratend had Pater Emanuele Roberto de kerk uit geleid en waren ze het glacis op gewandeld, naar een plek waar het die middag rustig was, terwijl aan de andere kant van de stad gedempte kanonschoten weerklonken. Voor hen lagen in de verte keizerlijke kampementen, maar op de velden daarvóór bevonden zich geen troepen of trossen, en de weilanden en de heuvels schitterden in de lentezon.

'Wat zie je, mijn zoon?' vroeg Pater Emanuele hem. En Roberto, nog weinig welbespraakt: 'Weilanden.'

'Zeker, eenieder kan daar Weilanden zien liggen. Maar besef wel dat deze, naar gelang de stand van de Zon, de kleur van de Hemel, het uur van de dag & het jaargetijde, in jouw ogen andere vormen kunnen aannemen en je andere Gevoelens kunnen inblazen. Voor de boer die moe is van het werken, lijken het Weilanden & verder niets. Hetzelfde overkomt de eenzame visser die verbleekt bij het zien van de nachtelijke Beelden van Vuur die soms aan de hemel verschijnen & vrees inboezemen; maar zodra de Meteoristen, die tevens Dichters zijn, de vermetelheid hebben hen Belokte, Baardige en Gestaarte Sterren te noemen, of Geiten, Balken, Schilden, Fakkels & Pijlen, maken deze taalfiguren je duidelijk door middel van welke vernuftige Verbeeldingen de natuur wil spreken, die zich van deze Beelden bedient als van Hiëroglyfen die enerzijds verwijzen naar de Tekens van de Dierenriem & anderzijds naar voorbije of toekomstige Gebeurtenissen. En de Weilanden? Hoor maar eens hoeveel je over Weilanden kunt zeggen & hoeveel meer je daarvan allengs, terwijl je het zegt, ziet & begrijpt: Favonius blaast, de Aarde opent zich, de nachtegalen zingen klaaglijk, de met loof getooide Bomen staan te pronken & je ontdekt het wonderbaarlijke wezen van de Weilanden in hun verscheidenheid aan Grassengeslachten, gevoed door kinderlijk onbezorgd dartelende Stroompjes. De feestelijke Weilanden jubelen van bevallige vrolijkheid, bij het verschijnen van de Zon ontsluiten zij hun gelaat & zie je daarin de boog van een glimlach, & ze verheugen zich in de terugkeer van het Hemellichaam, dronken van de zoete kussen van de Auster, & de lach danst op de Aarde, die zich opent in stille Verrukking, & de ochtendzoelte doet hen dermate bol staan van Vreugde dat ze Dauwtranen vergieten. Gekroond met Bloemen geven de Weilanden zich over aan hun Geest & vormen spitse Regenbooggrootspraken. Maar alras weet hun Jeugd dat ze haar dood tegemoet gaat, wordt hun lach verstoord door plotse bleekheid, verkleurt de Hemel & zucht de talmende Zephyrus reeds boven een zieltogende Aarde, zodat de Weilanden bij het naderen van de toorn van de winterse hemelen wegkwijnen & in Rijpgeraamten verkeren. Ziedaar mijn zoon: als je eenvoudigweg gezegd had dat de Weilanden lieflijk waren, had je niets anders gedaan dan mij voorhouden dat ze groen zijn – hetgeen ik al weet – maar als je zegt dat de Weilanden lachen, zul je de aarde afschilderen als een Bezield Mens, & zal ik omgekeerd in de aangezichten van de mensen alle verscheidenheden leren herkennen die me in de Weilanden zijn opgevallen... En dat is de taak van de meest verhevene der Figuren, de Overdracht. Als Vernuft, en dus Kennis, bestaat uit het met elkaar verbinden van uiteenlopende Begrippen en uit het vinden van een Gelijkenis tussen ongelijke dingen, dan is de Overdracht de meest verfijnde en bijzondere van alle Figuren, als enige in staat Verwondering te wekken, waaruit Zielsgenot voortkomt, net zoals bij toneelwisselingen in de schouwburg. En als het Zielsgenot dat de Figuren ons verschaffen inhoudt dat men moeiteloos nieuwe dingen leert en veel dingen in weinig woorden, dan laat de Overdracht ons – door onze geest in de vlucht van het ene naar het andere Soort mee te nemen – in één enkel Woord meer dan één Voorwerp ontwaren.'

'Maar dan moet je grootspraken kunnen bedenken, en dat is niets voor een boerenzoon zoals ik, die in zijn leven in weilanden alleen maar op vogeltjes heeft geschoten...'

'Jij bent een Edel Man en er is niet veel voor nodig om van jou het soort man te maken dat ze in Parijs *Honnête Homme* noemen, en die een twist even vaardig met woorden als met het rapier kan beslechten. Grootspraken weten te verwoorden en de Wereld dus zien als oneindig verscheidener dan deze de onwetenden toeschijnt, is een Kunst die geleerd kan worden. Want je moet weten dat – in deze Wereld waarin iedereen vandaag de dag buiten zinnen raakt over vele en wonderbaarlijke Bouwwerken waarvan je er helaas ook in dit Beleg een aantal aantreft – ook ik Aristotelische Bouwwerken maak, waarmee iedereen kan zien door middel van Woorden...'

In de dagen die volgden leerde Roberto de heer van La Saletta kennen, die verbindingsofficier was tussen Toiras en de stadsbestuurders. Toiras beklaagde zich, zo had Roberto gehoord, over de Casalezen, in wier trouw hij maar weinig fiducie had. 'Begrijpen ze dan niet,' zei Toiras getergd, 'dat Casale het zich zelfs in vredestijd niet kan permitteren ook maar één voetknecht of één mand proviand door te laten zonder daarvoor toestemming te vragen aan de Spaanse gezanten? Dat het er alleen dankzij de bescherming van de Fransen zeker van kan zijn dat het ontzien wordt?' Maar nu vernam Roberto van de heer van La Saletta dat de Casalezen zich ook onder de hertogen van Mantua al niet op hun gemak hadden gevoeld. Het politieke beleid van de Gonzaga's was er altijd op gericht geweest de Casalese tegenstand te beteugelen, en al zestig jaar leed de stad onder de geleidelijke afneming van vele privilegiën.

'Begrijpt u, La Grive?' zei La Saletta. 'Eerst gingen we gebukt onder te hoge schattingen, en nu draaien we op voor de onderhoudskosten van het garnizoen. We hebben de Spanjolen hier liever niet, maar willen we de Fransen eigenlijk wel? Sterven we voor onszelf of voor hen?'

'Maar voor wie is mijn vader dan gestorven?' had Roberto gevraagd. En de heer van La Saletta moest hem het antwoord hierop schuldig blijven.

Enige dagen later, toen hij zijn buik vol had van de gesprekken over politieke zaken, was Roberto Pater Emanuele gaan opzoeken in het klooster waar hij woonde, alwaar ze hem niet naar een cel verwezen, maar naar een voor hem vrijgehouden verblijf onder de gewelven van een stille kloostergang. Hij trof hem terwijl hij stond te praten met twee edellieden, waarvan er een opzichtig was uitgedost: hij ging gekleed in paars, met gouden tressen, een met goudkleurige passementen versierde en met kortharig bont gevoerde mantel, en een roodgebiesd, met een lint van kleine stenen afgezet wambuis. Pater Emanuele stelde hem voor als vaandrig don Gaspar de Salazar, maar Roberto had hem aan zijn hoogmoedige toon en de snit van zijn baard en haren al herkend als een edelman van het vijandelijke leger. De andere was de heer van La Saletta. Hij werd even bekropen door het vermoeden dat hij in een spionnenhol was beland, en begreep vervolgens, zoals ook ik nu te weten kom, dat de *etiqueta* van het beleg toeliet dat een vertegenwoordiger van de belegeraars voor mededelingen en onderhandelingen toegang werd verschaft tot de belegerde stad, en dat anderzijds de heer van La Saletta vrij toegang had tot het kamp van Spinola.

Pater Emanuele zei dat hij zich net opmaakte om zijn bezoekers zijn Aristotelische Bouwwerk te tonen, en hij nam zijn gasten mee naar een vertrek waarin zich het vreemdste meubel verhief dat je je maar kunt indenken – en ik ben er dan ook niet zeker van dat ik uit de beschrijving van Roberto aan zijn Dame de juiste vorm ervan kan opmaken, aangezien het ontwijfelijk om iets ging dat daarvoor noch daarna ooit werd gezien.

Het onderstuk werd gevormd door een ladenkast of schrijn waarin volgens een schaakbordpatroon eenentachtig laatjes zaten – negen horizontale rijen en negen verticale, met aan het begin van elke rij in beide richtingen een gegraveerde letter (BCDEFGHIK). Op de vlakke bovenkant van de latafel stond links een lessenaar waarop een groot boek lag, een handschrift met verluchte initialen. Rechts van de lessenaar bevonden zich drie cylinders, afnemend in lengte maar toenemend in omvang (de kortste was het wijdst en omvatte de beide langere). Met behulp van een slinger aan de zijkant konden deze, dankzij traagheid, met verschillende snelheden – naar gelang hun gewicht – aan het draaien worden gebracht. Op het linkeruiteinde van elke cylinder stonden dezelfde negen letters gegraveerd als op de laatjes. Je hoefde maar even aan de slinger te draaien of de cylinders draaiden, onafhankelijk van elkaar, en zodra ze weer stilstonden kon je de door het lot gevormde letterdrietallen lezen, bijvoorbeeld CBD, KFE of BGH.

Pater Emanuele begon het concept uit te leggen dat aan zijn Bouwwerk ten grondslag lag.

'Zoals de Wijsgeer ons heeft geleerd, is het Vernuft niets anders dan het vermogen om de voorwerpen naar tien Vraagwoorden te doorgronden, te weten Zelfstandigheid, Hoegrootheid, Hoedanigheid, Betrekking, Handeling, Lijding, Stand, Tijd, Plaats & Hebbelijkheid. De Zelfstandigheden zijn het eigenlijke onderwerp van elke scherpzinnigheid & daaraan zullen vernuftige Gelijkenissen moeten worden toegekend. Welke de Zelfstandigheden zijn, staat opgetekend in dit boek onder de letter A, en mijn hele leven zal wellicht te kort zijn om de Lijst te voleindigen. Desalniettemin heb ik er al enkele Duizenden verzameld door ze uit de boeken der Dichters en wijzen te halen, en uit dat wonderbaarlijke repertorium van de Fabrica Mundi van de navolger. Zo zouden we bij de Zelfstandigheden, na de Hoogste God, de Goddelijke Personen plaatsen, de Ideeën, de Goden uit de Fabelen,

opperste, middelste en minste, de Hemelgoden en Luchtgoden, Zee-
goden, Aardgoden & Hellegoden, de vergoddelijkte Helden, de Engelen, de Demonen, de Elfen, de Hemel en de Dwaalsterren, de Hemel-
tekenen en de Sterrenbeelden, de Dierenriem, de Cirkels en de
Sferen, de Hoofdstoffen, de Dampen, de Uitwasemingen, en verder
– om niet alles te noemen – Onderaardse Vuren en Vonken, Meteoren, Zeeën, Rivieren, Bronnen & Meren en Rotsen... En zo door,
langs de Kunstige Zelfstandigheden, met de voortbrengselen van alle
Kunsten, Boeken, Pennen, Inkten, Globes, Passers, Winkelhaken,
Paleizen, Tempels & Kavaljes, Schilden, Rapieren, Tamboers, Schilderijen, Penselen, Beelden, Aksten & Zagen, en ten slotte de Metaphysische Zelfstandigheden zoals de Klasse, de Soort, het Eigene en het
Toevallige & eendere Begrippen.'

Nu wees hij op de laatjes van zijn meubel, opende ze en liet zien
dat elk laatje in alfabetische volgorde opgestapelde vierkante vellen
van zeer dik perkament bevatte, van het soort dat gebruikt wordt om
boeken te binden: 'Jullie moeten weten dat elke verticale rij, van B tot
K, verwijst naar een van de andere negen Vraagwoorden en dat elk
van de negen laatjes in die rij voor elk van die Vraagwoorden geslach-
ten van Leden bevat. Verbi gratia, onder "Hoegrootheid" valt het
geslacht van de Hoegrootheid van Grootte, met Leden als het Kleine,
het Grote, het Lange of het Korte; of het geslacht van de Hoegrootheid van Getal, met als Leden Niets, Een, Twee &cetera, of Velen en
Weinigen. Zo zal zich onder "Hoedanigheid" het geslacht van de
Hoedanigheden bevinden die behoren tot het zien, zoals Zichtbaar,
Onzichtbaar, Mooi, Misvormd, Helder, Duister; of tot de Reuk, zoals
Aangename Geur of Stank; of tot de Hoedanigheden van lijdingen,
zoals Blijdschap en Droefheid. En dit geldt voor elk Vraagwoord. En
op elk vel waarop een Lid geschreven staat, staan tevens alle Dingen
die daarvan afhangen. Duidelijk?'

Iedereen knikte vol bewondering, en de Pater vervolgde: 'We openen nu op goed geluk het grote Boek der Zelfstandigheden en zoeken
er zomaar een uit... Hier, een Dwerg. Wat zouden we, voordat we er
dieper op ingaan, over een Dwerg kunnen zeggen?'

'Que es pequeño, picoletto, petit,' waagde don Gaspar de Salazar,
'y que es feo, y infeliz, y ridículo...'

'Precies,' gaf Pater Emanuele toe, 'maar ik weet nu al niet meer wat ik kiezen moet & weet ik wel zeker dat ik, als ik niet over een Dwerg maar, stel, over Koralen had moeten spreken, daar meteen even in het oog springende kenmerken van had kunnen noemen? En dan, de Kleinheid hoort bij de Hoegrootheid, de Lelijkheid bij de Hoedanigheid & waar zou ik moeten beginnen? Nee, je kunt je maar beter verlaten op de Fortuin, waar mijn Cylinders de afgezanten van zijn. Nu laat ik ze draaien & verkrijg ik, zoals nu toevallig gebeurt, het drietal BBB. De eerste B is de Hoegrootheid, de tweede B doet me, op de lijn van de Hoegrootheid, zoeken in het laatje van de Grootte & daar, precies aan het begin van de reeks Dingen met B, vind ik Klein. En op het vel dat aan Klein gewijd is, vind ik dat de Engel klein is, die op één punt staat, & de Pool, die een bewegingloos punt is van de Sfeer, & onder de hoofdstoffelijke dingen de Vonk, de Waterdruppel & het scrupel Steen, & het Atoom waaruit volgens Democritus elk ding bestaat; onder de Menselijke Dingen vind ik het Vruchtbeginsel, de Pupil, het Sprongbeen; onder de Dieren de Mier & de Vlo, onder de Planten de Twijg, het Mosterdzaadje & de Broodkruimel; onder de Mathematische wetenschappen het Minimum Quod Sic, de Letter I, het in 16mo gebonden boek, of het Grein van de Apothekers; onder de Architectuur de Schrijn of de Spil, of onder de Fabelen Psychapax de Generaal der Muizen tegen de Kikvorsen & de uit Mieren geboren Myrmidonen... Maar laten we hier stoppen, want nu reeds kan ik onze Dwerg Schrijn der Natuur noemen, Kinderpoppedeine, Mensenkruimel. En let wel: als we de Cylinders weer zouden laten draaien en bijvoorbeeld, kijk, CBF zouden krijgen, dan zou de letter C verwijzen naar de Hoedanigheid, zou de B me naar mijn Leden laten zoeken in het laatje dat te maken heeft met het Zien, & zou ik daar, onder de letter F, als Lid het Onzichtbare Zijn aantreffen. En onder de Onzichtbare Dingen zou ik, wonderbaarlijk toeval, het Atoom vinden, & de Punt, waardoor ik mijn Dwerg al zou kunnen beschrijven als Mensatoom, of Vleespunt.'

Pater Emanuele draaide aan zijn cylinders en bladerde als een goochelaar zo snel door de vellen in de laatjes, zodat de overdrachten als bij toverslag in hem leken op te borrelen zonder dat er ook maar iets merkbaar was van het mechanieke gepuf dat hen voortbracht. Maar nog was hij niet tevreden.

'Heren,' vervolgde hij, 'de Vernuftige Overdracht moet heel wat diepgaander zijn! Elk Ding dat ik tot op heden heb gevonden, dient op zijn beurt weer te worden uiteengerafeld aan de hand van de tien Vraagwoorden, & als we, zoals in mijn Boek wordt uitgelegd, een Ding zouden moeten behandelen dat afhangt van de Hoedanigheid, zouden we moeten kijken of het zichtbaar is, & van hoe ver, welke Misvorming of Schoonheid het heeft, & welke Kleur; hoeveel Klank, hoeveel Geur, hoeveel Smaak; of het waarneembaar is of tastbaar, of het ijl is of dicht, warm of koud, & welke Gedaante, welke Hartstocht, Liefde, Kunst, Kennis, Gezondheid, Kwaal het heeft; & of het ooit Wetenschappelijk verklaard kan worden. En deze vragen noem ik Partikels. Nu weet ik dat onze eerste proeve ons noopte uit te gaan van de Hoegrootheid, waarvan de Kleinheid een van de Leden is. Nu laat ik de Cylinders opnieuw draaien en krijg ik het drietal BKD. De letter B, waarvan we al hadden vastgelegd dat hij naar de Hoegrootheid verwijst, vertelt me, als ik in mijn boek ga kijken, dat het eerste Partikel dat geschikt is om een Klein Ding uit te drukken, bestaat uit het vaststellen Waarmee Men Meet. Als ik in het boek opzoek waar de Maat onder valt, word ik weer terugverwezen naar het laatje van de Hoegrootheden, onder het Geslacht van de Algemene Hoegrootheden. Ik ga naar het vel van de Maat & zoek het ding K op, dat de Maat van de Meetkundige Duim blijkt te zijn. En nu zou ik reeds in staat zijn een zeer scherpzinnige uitbeelding te geven: zou ik bijvoorbeeld die Kinderpoppedeine of dat Mensatoom willen meten, dan zou een Meetkundige Duim een Bovenmaatse Maat zijn, hetgeen me, door aan de Overdracht ook de Grootspraak toe te voegen, veel vertelt over het Ongeluk & de Lachwekkendheid van de Dwerg.'

'Het is een wonder,' zei de heer van La Saletta, 'maar u heeft de laatste letter van het tweede drietal, de D, nog niet gebruikt...'

'Van iemand met uw esprit had ik niet anders verwacht, mijnheer,' zei Pater Emanuele tevreden. 'U heeft hier de vinger op het Wonderbaarlijke Punt van mijn ontwerp gelegd! De letter die overblijft (& die ik, als ik er genoeg van had of van mening was dat ik mijn doel al had bereikt, ongebruikt zou kunnen laten), stelt me in staat weer met mijn onderzoek verder te gaan! Die D stelt me in staat de kringloop van de Partikels opnieuw in gang te zetten door op zoek te gaan in het Vraagwoord van de Hebbelijkheid (exempli gratia, welke hebbelijkheid hun past of als insignum van iets kan dienen), & van daaruit opnieuw te beginnen, zoals ik eerder al met de Hoegrootheid deed, door de Cylinders weer te laten draaien, de eerste twee letters te gebruiken & de derde achter te houden voor weer een volgende proeve, & zo door tot in het oneindige, langs miljoenen Mogelijke Verbindingen, alhoewel sommige zinniger zullen lijken dan andere; & om te onderscheiden welke het geschiktst zijn om Verbazing te wekken, zal ik mijn gezonde verstand moeten gebruiken. Maar ik wil u niet voorliegen, Heren, ik had Dwerg niet toevallig gekozen: vannacht nog ben ik zeer nauwgezet bezig geweest om deze Zelfstandigheid zo goed mogelijk uit te diepen.'

Hij zwaaide met een vel en begon de reeks beschrijvingen voor te lezen waaronder hij zijn arme dwerg bedolven had, een mannetje korter dan zijn naam, vruchtbeginsel, stukje homunculus, van dien aard dat deeltjes die met het vensterlicht binnenvallen veel groter lijken, lichaam dat met miljoenen van zijn gelijken de uren zou kunnen aangeven in de hals van een zandloper, gestel waarin de voet zich dicht bij het hoofd bevindt, vleessnijdsel dat begint waar het eindigt, lijn die stolt tot een stip, punt van een naald, wezen waar voorzichtig tegen gesproken moet worden uit vrees dat de adem het wegblaast, iets dat zo klein is dat het niet onderhevig is aan kleur, mosterdvonk, lichaampje dat niets meer en niets minder heeft dan het ooit had, vormeloze stof, stoffeloze vorm, lichaamloos lichaam, louter wezen van de geest, vondst van het vernuft dat zo klein maar fijn is dat geen enkele stoot het ooit zou kunnen onderscheiden om het vervolgens te treffen, geschikt om door elke spleet te ontkomen en zich een jaar lang te voeden met een enkele gerstekorrel, dermate samengebald wezen dat men nooit weet of het zit, ligt of rechtop staat, in staat te verdrinken in een slakkehuis, zaadje, korreltje, bes, puntje op de i, wiskundig individu, rekenkundig niets...

En zo zou hij zijn doorgegaan, want stof had hij genoeg, als de aanwezigen hem niet met een applaudissement het zwijgen hadden opgelegd.

10

$g$eography et
hydrographia reformata

Roberto begreep nu dat Pater Emanuele in wezen handelde als een volgeling van Democritus en van Epicurus: hij verzamelde atomen in de vorm van begrippen en voegde die op verschillende manieren samen om zo tot allerlei voorwerpen te komen. En terwijl de Kanunnik beweerde dat een uit atomen opgebouwde wereld niet in tegenspraak was met het denkbeeld van een godheid die deze oordeelkundig rangschikte, waren voor Pater Emanuele alleen de waarlijk opmerkelijke samenstellingen van dat pulver van begrippen aanvaardbaar. Wellicht zou hij, Roberto, dezelfde mening zijn toegedaan als hij toneelstukken was gaan schrijven: ontlenen toneelschrijvers soms geen onaannemelijke doch opmerkelijke gebeurtenissen aan aannemelijke doch zouteloze zaken om ons te kunnen verblijden met onverwachte, ongerijmde verwikkelingen?

En als dat het geval was, kon het dan niet zo zijn dat de samenloop van omstandigheden die geleid had tot zijn schipbreuk en tot de staat waarin de *Daphne* zich bevond – waar elke kleinste gebeurtenis aannemelijk was, de muffe lucht en het kraken van de romp, de geur van de planten, de zang van de vogels – kortom, dat dit alles hem deed vermoeden dat er nog iemand anders was, terwijl dat slechts voortvloeide uit een uitsluitend door de geest waargenomen fantasmagorie, zoals de glimlach van de weilanden en de tranen van de dauw? Het drogbeeld van een verborgen indringer was dus een samenstelling van handelingsatomen, net als dat van zijn verloren broer, beide opgebouwd uit brokstukken van zijn eigen gelaat en van zijn eigen verlangens of gedachten.

En terwijl hij een regenbuitje dat in de middaghitte verlichting bracht tegen de ramen hoorde tikken, bedacht hij: het is vanzelfsprekend, ik, en niet iemand anders, ben als een indringer op dit schip geklommen, ik verstoor hier de stilte met mijn voetstappen, en nu heb ik, bijna uit angst om andermans heiligdom te ontheiligen, een tweede ik in het leven geroepen die benedendeks rondwaart, net als ik. Wat voor bewijzen heb ik dat hij bestaat? Een paar waterdruppels op de bladeren? En zou het niet, net zoals het nu regent, de afgelopen nacht geregend kunnen hebben, ook al was het maar even? Het graan? Maar zouden de vogels dat wat er lag niet al rondscharrelend verplaatst kunnen hebben, waardoor ik dacht dat iemand nieuw graan had gestrooid? Dat er geen eieren liggen? Maar gisteren heb ik een giervalk toch nog een vleermuis zien verorberen! Ik bevolk een laadruim dat ik nog niet onderzocht heb, en doe dat misschien wel om mezelf gerust te stellen, omdat ik het angstaanjagend vind dat er zich hier behalve ikzelf niemand anders tussen hemel en zee bevindt. Roberto de La Grive, herhaalde hij, jij bent alleen en je zou weleens alleen kunnen blijven tot het einde van je dagen, en dat einde zou weleens nabij kunnen zijn: er is veel eten aan boord, maar voor weken, niet voor maanden. Ga dus liever een paar bakken op het dek zetten om zoveel mogelijk regenwater op te vangen en leer vissen vanaf het dek, in de volle zon. Eens zul je toch een middel moeten vinden om het Eiland te bereiken en er te leven als enige bewoner. Daar moet je aan denken, en niet aan verhalen over indringers en Ferrantes.

Hij had wat lege vaten verzameld en die op het kajuitdek neergezet, waarbij hij het door de wolken gezeefde licht trotseerde. Terwijl hij dit deed, merkte hij dat hij nog erg zwak was. Hij was weer naar beneden gegaan, had de dieren overvloedig voorzien van voer (misschien wel om te voorkomen dat iemand anders in de verleiding zou komen het in zijn plaats te doen) en had er wederom van afgezien verder af te dalen. Hij was weer naar zijn hut gegaan en was een paar uur gaan liggen; de regen leek niet af te nemen. Hij voelde een paar windstoten en besefte voor het eerst dat hij zich in een drijvend huis bevond, dat als een wieg bewoog, terwijl het slaan van luiken het enorme gevaarte met zijn beboste schoot tot leven leek te wekken.

Hij was ingenomen met deze laatste Overdracht en vroeg zich af hoe Pater Emanuele het schip – bron van Raadselachtige Deviezen – gelezen zou hebben. Daarna dacht hij aan het Eiland en omschreef het als een onbereikbare nabijheid. Dit fraaie beeld wees hem, voor de tweede keer die dag, op de ongelijke gelijkenis tussen het Eiland en zijn Dame, en hij bleef tot diep in de nacht wakker om haar datgene te schrijven waarvan ik in dit hoofdstuk een weergave heb trachten te geven.

De *Daphne* had de hele nacht liggen stampen en was pas heel vroeg in de ochtend tot rust gekomen, tegelijk met de golfbeweging in de baai. Roberto had door het raam de voortekenen van een koude doch heldere zonsopgang gezien. Terugdenkend aan de Grootspraak van de Ogen die hij zich de vorige dag weer voor de geest had gehaald, bedacht hij dat hij de kust zou kunnen bezien met de verrekijker die hij in de hut naast de zijne had zien liggen: de rand van de lens en het beperkte gezichtsveld zouden hem beschermen tegen het zonlicht.

Hij liet het instrument dus op een raamkozijn in de galerij rusten en tuurde onvervaard de gehele baai af. Het Eiland was duidelijk te zien, de top warrig als een dot wol. Zoals hij aan boord van de *Amarilli* vernomen had, houden eilanden in volle zee het vocht van de passaatwinden vast, dat vervolgens verdicht tot nevelachtige vlokken, zodat zeelieden vaak al van de aanwezigheid van een eiland op de hoogte zijn voordat ze de kusten ervan ontwaren, door toedoen van de dampwolken van het element lucht die het als het ware verankerd houdt.

Doctor Byrd had hem over de passaatwinden verteld (hij noemde ze *Trade-Winds*, maar de Fransen zeiden *alisées*): er waaien op die zeeen ook krachtige winden die de orkanen en de windstiltes de wet voorschrijven, maar daar spotten de passaatwinden mee; deze laatste zijn namelijk grillige winden, zodat hun ronddolen op kaarten wordt afgebeeld als een dans van vloeiende krommen, van doldrieste reidansen en sierlijke dwaaltochten. Zij sturen heimelijk de windrichting van de krachtige winden in de war, doorsnijden die, snellen er dwars doorheen. Ze zijn als hagedissen die wegschieten over onvermoede paden, op elkaar botsen en elkaar mijden, als zouden in de Zee der Tegenstelling alleen de regelen van de kunst gelden, en niet die van de natuur. Zij zien eruit als iets kunstelijks en ontlenen hun vorm eerder aan de voluten die bouwmeesters boven op koepels en kapitelen plaatsen dan aan de evenwichtige inrichting van de dingen uit de hemel en van de aarde, zoals sneeuw of kristallen.

Roberto vermoedde al een tijdje dat dit een gekunstelde zee was, en dit verklaarde in zijn ogen hoe het kwam dat de wereldrijkbeschrijvers zich altijd hadden voorgesteld dat er zich in die streken tegennatuurlijke wezens bevonden die met hun voeten naar boven liepen.

Het kon natuurlijk onmogelijk zo zijn dat de kunstenaars die aan de hoven van Europa grotten bouwden die ingelegd waren met lapis lazuli, vol van door verborgen pompen aangedreven fonteinen, de natuur tot voorbeeld hadden gediend bij het bedenken van de gebieden in die zeeën; evenmin kon de natuur van de Onbekende Pool die kunstenaars iets ingegeven hebben. Het punt is, hield Roberto zichzelf voor, dat zowel de Kunst als de Natuur ervan houden bouwselen te wrochten, en ook atomen doen niet anders als ze zich op steeds wisselende manieren aaneensluiten. Is er een kunstiger wonder dan de duizenden jaren geleden door een goudsmid vervaardigde schildpad, zorgvuldig gedreven schild van Achilles, die met zijn poten een slang gevangen houdt?

Bij ons, zei hij, heeft al het plantaardige leven de breekbaarheid van het blad met zijn nervatuur en van de bloem die maar één ochtend bloeit, terwijl het plantaardige hier wel van leer lijkt, dikke, vettige stof, schubbe die de stralen van krankzinnige zonnen kan weerstaan. In deze streken, waar de inlanders de kunst om metalen en leem te bewerken vast niet kennen, zou elk blad tot gereedschap kunnen worden, mes, beker, borstel, en zijn de bloembladeren van lak. Al het plantaardige is hier sterk, terwijl al het dierlijke juist zeer zwak is, te oordelen naar de uit veelkleurig glas gesponnen vogels die ik gezien heb, terwijl bij ons de kracht van het paard of de domme onverzettelijkheid van het rund dierlijk is…

En de vruchten? Bij ons staat het hoogrood van de gezond gekleurde appel voor zijn vriendelijke smaak, terwijl de lijkkleur van de paddestoel duidelijk maakt dat deze vergiftig is. Hier echter – ik heb het gisteren nog gezien, en ook tijdens de reis op de *Amarilli* – is er sprake van vermakelijke tegenstellingen: de vaalbleke kleur van een vrucht verzekert heftige zoetigheid, terwijl de blozendste vruchten dodelijke sappen kunnen afscheiden.

Met de verrekijker speurde hij de kust af en ontwaarde op de grens van land en zee klimwortels die recht de lucht in leken te springen, en trossen langwerpige vruchten waaraan je, omdat ze eruitzagen als onrijpe bessen, de stroperige rijpheid kon aflezen. En in andere palmen herkende hij kokosnoten die zo geel waren als zomerse meloenen, terwijl hij wist dat ze hun rijping zouden verheerlijken door de kleur van dode aarde aan te nemen.

Om in dit aardse Hiernamaals te kunnen leven – hij zou het moeten onthouden als hij met de natuur tot een vergelijk wilde komen – moest hij dus tegen zijn aandriften ingaan, aangezien de aandriften waarschijnlijk een vondst waren van de eerste reuzen die zich trachtten aan te passen aan de natuur op de andere kant van de aardbol en die, omdat ze meenden dat de meest natuurlijke natuur díe natuur was waaraan zij zich aanpasten, natuurlijk dachten dat deze was ontstaan om zich aan hén aan te passen. Daarom geloofden ze dat de zon net zo klein was als ze haar zagen en dat sommige grassprieten die ze plat op de grond liggend bekeken, onmetelijk waren.

Onder de tegenvoeters leven betekende dus de aandriften ondersteboven keren, je verwondering tot natuur en de natuur tot iets verwonderlijks weten te maken, ontdekken hoe onbestendig de wereld is, waar op de ene helft bepaalde wetten gelden, en op de andere helft juist daaraan tegenovergestelde wetten.

Opnieuw hoorde hij de vogels beneden ontwaken en viel het hem – in tegenstelling tot de eerste dag – op hoe kunstig hun gezang klonk vergeleken met het gekwetter uit de streken waar hij vandaan kwam: hij hoorde gepruttel, gefluit, gegorgel, geratel, tonggeklak, gejank, gedempte musketschoten, door spechten geklopte chromatische toonladders, en soms weerklonk er iets als het gekwaak van kikkers die zich, homerisch prevelend, schuilhielden tussen de bladeren van de bomen.

Door de verrekijker kon hij spinrokken zien, gevederde kogels, zwarte of onbestemd gekleurde bevingen die zich uit een hogere boom naar beneden stortten met de waanzin van een Icarus die zijn eigen ondergang wil bespoedigen. Opeens meende hij zelfs te zien dat een boom, misschien een appelsinaboom, een van zijn vruchten de lucht in schoot, een vlammend saffraangeel kluwen dat weldra uit het ronde gezichtsveld van de verrekijker verdween. Hij besloot dat dit door een speling van het licht kwam en besteedde er verder geen aandacht aan, of tenminste, dat dacht hij. We zullen later zien dat Saint-Savin gelijk had waar het duistere gedachten betreft.

Hij bedacht dat die onnatuurlijk aandoende vogels zinnebeeldig waren voor de Parijse gezelschappen die hij vele maanden eerder had verlaten. In dat van mensen gespeende heelal waarin, zo niet de enige levende, dan toch zeker de enige sprékende wezens vogels waren, voelde hij zich net als in de salon waar hij bij zijn eerste bezoek slechts onduidelijk gekout in een hem onbekende taal had opgevangen; naar de strekking van hetgeen er gezegd werd had hij slechts met een zekere schroomvalligheid kunnen raden – ook al was hij er, dunkt me, wel achter gekomen wat het betekende, anders had hij er niet zo over kunnen uitweiden als hij nu deed. Maar toen hij zich herinnerde dat hij daar zijn Dame had ontmoet – en als er één plaats bestond die boven alle andere verheven was, was het dus die, en niet deze – kwam hij tot de slotsom dat ze daar niet de vogels van het Eiland hadden nagebootst, maar dat de dieren hier op het Eiland trachtten die allermenselijkste Taal der Vogels te evenaren.

Denkend aan zijn Dame en aan de afstand die hen scheidde, die hij de dag ervoor vergeleken had met de onoverbrugbare afstand tussen hem en het land ten westen van hem, vestigde hij zijn blik weer op het Eiland; door zijn verrekijker ontwaarde hij er slechts bleke, flauw omlijnde aanzetten, die echter deden denken aan het soort beelden dat je ziet in bolle spiegels waarin slechts één kant van een kleine kamer wordt weerspiegeld en toch een oneindige en verstomde bolvormige wereld wordt opgeroepen.

Hoe zou het Eiland hem toeschijnen als hij er op een dag aan wal zou gaan? Kon hij uit het tafereel dat hij vanaf zijn uitkijkpost zag en uit de specimina die hij als getuigenis op het schip had aangetroffen, wellicht afleiden dat het dat Eden was waar te midden van een triomfantelijke overvloed aan vruchten en tamme dieren melk en honing in de beekjes stroomt? Wat zochten de moedige mannen die daar rondvoeren en de stormen van een bedrieglijk stille zee tartten anders op die eilanden van het tegenoverliggende zuiden? Was dit niet wat de Kardinaal wilde toen hij hem had opgedragen het geheim van de *Amarilli* te achterhalen: de mogelijkheid om de Franse leliën naar een Terra Incognita te brengen die eindelijk de beloften inloste van een vallei die noch door de zonde van Babel, noch door de zondvloed, noch door de eerste misstap van Adam was bezoedeld? Loyaal moesten de menselijke wezens er zijn, donker van huid maar blank van hart, onverschillig ten aanzien van de goudbergen en de balsems waarvan ze de achteloze bewaarders waren.

Maar als dat het geval was, zou hij met zijn verlangen om de maagdelijkheid van het Eiland te schenden dan niet de dwaling van de eerste zondaar herhalen? Wellicht wilde de Voorzienigheid juist dat hij de kuise getuige was van een schoonheid die hij nooit zou mogen verstoren. Was dit niet de uiting van de volmaaktste liefde, zoals hij die ook aan zijn Dame betuigde: beminnen uit de verte en niet toegeven aan bezitsdrang? Is liefde iets dat verovering nastreeft? Als het Eiland in zijn ogen één en hetzelfde was als het voorwerp van zijn liefde, dan moest hij ten aanzien van het Eiland dezelfde terughouding betrachten als hij ten aanzien van dáárvan betracht had. Zelfs de krankzinnige jaloezie die hij had gevoeld, elke keer als hij vreesde dat andermans blik dat heiligdom van weerspannigheid bedreigde, diende niet gezien te worden als het opeisen van zijn alleenrecht, maar als een ontkenning van het recht van alle anderen, een taak die hem, als bewaarder van die Graal, door zijn liefde werd opgelegd. En eenzelfde kuisheid moest hij in acht nemen ten aanzien van het Eiland: hoe meer hij verlangde dat het vol beloften was, des te minder moest hij het willen beroeren. Ver van zijn Dame, ver van het Eiland, zou hij – als hij wilde dat ze onbevlekt waren en onbevlekt zouden blijven, uitsluitend beroerd door de liefkozing der elementen – over beide slechts dienen te praten. Als er ergens schoonheid was, dan had deze tot doel doelloos te blijven.

Was het Eiland dat hij zag werkelijk zo? Wat dreef hem ertoe de hiëroglyfe ervan op die manier te ontcijferen? Het was bekend dat er, vanaf de eerste reizen naar deze eilanden die op kaarten niet duidelijk stonden aangegeven, daar muiters waren achtergelaten, dat ze tot gevangenissen met traliën van lucht waren geworden, waarin de veroordeelden hun eigen cipier waren en elkaar onderling straften. Niet erheen gaan, niet het geheim ervan ontdekken; het was geen plicht, maar een recht eindeloze verschrikkingen te ontvluchten.

Of niet, de enige werkelijkheid van het Eiland was dat in het midden ervan, uitnodigend in zijn tere kleuren, de Boom der Vergetelheid verrees en dat Roberto, als hij daar de vruchten van at, rust zou vinden.

Vergeten. Zo bracht hij de dag door, ogenschijnlijk lusteloos, maar uiterst voortvarend in zijn poging een tabula rasa te worden. En, zoals gebeurt met degenen die zichzelf opdragen te vergeten, werd zijn herinnering, naarmate hij zich meer inspande, steeds levendiger.

Hij probeerde alle raadgevingen die hij gehoord had in praktijk te brengen. Hij stelde zich een kamer voor vol voorwerpen die hem aan iets deden denken, de sluier van zijn Dame, de kaarten waarop hij haar beeld had opgeroepen door middel van zijn jammerklachten over haar afwezigheid, de meubels en de wandtapijten uit het paleis waar hij haar had leren kennen, en hij stelde zich voor hoe hij al die dingen uit het raam wierp totdat de kamer (en daarmee zijn geest) kaal en leeg was geworden. Hij getroostte zich bovenmenselijke krachtsinspanningen om waardevolle serviezen, kasten, zetels en wapenrustingen naar de vensterbank te slepen, en in tegenstelling tot hetgeen hem verteld was, vermenigvuldigde het beeld van zijn Dame zich naarmate hij door deze inspanningen meer ontmoedigd raakte, en volgde het zijn pogingen uit verschillende hoeken met een venijnige glimlach.

En dus was hij, na zijn dag te hebben doorgebracht met het verslepen van huisraad, helemaal niets vergeten. Integendeel. Hij dacht al dagen aan zijn eigen verleden, waarbij hij zijn blik gericht hield op het enige tafereel dat hij voor zich had, dat van de *Daphne*; en de *Daphne* was bezig te veranderen in een Geheugentheater zoals die in zijn tijd bedacht werden, waarvan elk onderdeel hem deed denken aan een oude of kortelings geleden voorgevallen gebeurtenis uit zijn eigen geschiedenis: de boegspriet, zijn aankomst na de schipbreuk toen hij begrepen had dat hij zijn geliefde nooit zou terugzien; de gestreken zeilen waarnaar hij gekeken had terwijl hij eindeloos droomde van Haar die verloren was, Zij die verloren was; de galerij van waaruit hij het verre Eiland verkende, ook Dat ver weg... Hij had zich echter zozeer vergeten in bespiegelingen over Haar dat elke hoek van dat zeehuis hem, zolang hij er bleef, elk moment alles wat hij wilde vergeten in herinnering zou brengen.

Dat dit waar was had hij bemerkt toen hij het dek op was gegaan om zich door de wind te laten afleiden. Dat was zijn bos, waarin hij liep zoals ongelukkige gelieven door de bossen lopen; dit was zijn schijnnatuur, door Antwerpse timmerlieden gepolijste planten, rivieren van ongebleekt linnen in de wind, gebreeuwde grotten, sterren in astrolabia. En zoals gelieven, wanneer ze een plek opnieuw bezoeken, hun geliefde herkennen in elke bloem, elk bladergeritsel en elk pad, zo zou hij nu van liefde sterven als hij de mond van een kanon liefkoosde...

Verheerlijkten dichters hun dame soms niet door haar robijnen lippen, haar koolzwarte ogen, haar marmeren boezem, haar diamanten hart te prijzen? Welnu, ook hij zou – ingesloten in die mijn van versteende sparren – nog slechts minerale hartstochten koesteren: een ineengekrulde tros zou hem doen denken aan heur haar, de schittering van ijzerbeslag aan haar vergeten ogen, een rij kroonlijsten aan haar tanden vol druppels geurig speeksel, een afgerolde katrol aan haar met kettingen van touw getooide hals, en hij zou rust vinden in de waan dat hij het werk van een bouwer van automata had bemind.

Daarna kreeg hij spijt van de harde wijze waarop hij haar hardheid had verbeeld en zei tot zichzelf dat hij, door haar uiterlijk te verstenen, zijn verlangen versteende – dat hij juist levend en onbevredigd wilde houden – en omdat het avond was geworden, richtte hij zijn blik op de wijde hemeltrans, die bezet was met onontcijferbare sterrenbeelden. Slechts door naar hemellichamen te kijken zou hij tot de hemelse gedachten kunnen komen die worden toegeschreven aan iemand die door een hemels decreet gedoemd is de meest hemelse van alle menselijke schepselen te beminnen.

De koningin van de bossen, die in haar witte kleed de wouden doet verbleken en de velden een zilveren glans verleent, had zich nog niet laten zien boven de top van het in een rouwfloers gehulde Eiland. De rest van de lucht leek in brand te staan en was helder, en in het uiterste zuidwesten zag hij, bijna loodrecht boven de zee, aan de andere kant van het grote stuk land, een groep sterren die doctor Byrd hem geleerd had te herkennen: het was het Zuiderkruis. En Roberto herinnerde zich een beeld dat hem in zijn jeugd had bekoord en dat afkomstig was van een vergeten dichter van wie zijn leermeester, de karmeliet, hem een aantal terzinen uit het hoofd had laten leren: het beeld van een pelgrim uit het dodenrijk, die uitgerekend op dat onbekende strand naar boven was gekomen en diezelfde vier sterren had gezien, die nog nooit door iemand gezien waren, behalve door de eerste (en laatste) bewoners van het Aardse Paradijs.

11

de kunst der *W*ijsheid

Zag hij ze omdat hij werkelijk op de grens van de hof van Eden schipbreuk had geleden, of omdat hij uit de buik van het schip te voorschijn was gekomen als uit een helse trechter? Wellicht beide. Door hem het schouwspel van een andere natuur te bieden had de schipbreuk hem onttrokken aan de Hel van de Wereld die hij, in die dagen in Casale, had betreden en die hem de dromen van zijn kindertijd had ontnomen.

Het was nog daar dat Saint-Savin, toen bij Roberto het vermoeden was gerezen dat de geschiedenis een grillige aangelegenheid was vol onbegrijpelijke verwikkelingen rond de raison d'état, hem had doen inzien hoe onbetrouwbaar het grote, door de boosaardigheden van het lot geplaagde bouwwerk van de wereld was. Binnen een paar dagen was zijn jongensdroom om heroïeke daden tot zijn devies te maken vervlogen, en van Pater Emanuele had hij begrepen dat het zaak was warm te lopen voor Heroïeke Deviezen – en dat men zich, in plaats van een leven lang te strijden tegen een reus, beter een lang leven kon wijden aan het op vele manieren benoemen van een dwerg.

Eenmaal buiten het klooster was hij opgelopen met de heer van La Saletta, die op zijn beurt de heer van Salazar tot buiten de muren vergezelde. En op weg naar de poort die Salazar de Puerta de Estopa noemde, liepen ze een stukje over het bastion.

De twee edelen prezen het kunstwerk van Pater Emanuele en Roberto had in zijn onschuld gevraagd in hoeverre al die wetenschap van nut kon zijn bij het sturen van het verloop van een beleg.

De heer van Salazar was begonnen te lachen. 'Mijn jonge vriend,' had hij gezegd, 'wij allen zijn hier, en gehoorzamen aan verschillende vorsten, opdat deze oorlog in alle eer en rechtvaardigheid wordt beslecht. Maar we leven niet meer in een tijd waarin de baan van de sterren met het rapier kan worden veranderd. De tijden zijn voorbij dat de edelen hun koningen kozen; vandaag de dag kiezen de koningen hun edelen. Ooit bestond het hofleven uit wachten op het moment waarop de edelman zijn naam in de oorlog eer kon aandoen. Vandaag de dag nemen alle edelen die u daarginds vermoedt,' en hij wees op de Spaanse tenten, 'en daar,' en hij wees op de Franse kantonnementen, 'alleen maar aan deze oorlog deel om terug te kunnen keren naar de plaats waar ze zich thuis voelen, te weten het hof, en aan het hof, beste vriend, tracht men niet meer om het hardst de koning in deugd te evenaren, doch bij hem in de gunst te komen. Vandaag de dag lopen er in Madrid edelen rond die nog nooit hun rapier ontbloot hebben en die de stad niet uit komen: ze zouden die, terwijl zíj op de velden van eer onderstoften, overlaten aan vermogende burgers en een ambtsadel waar zelfs vorsten zo langzamerhand een hoge dunk van hebben. Een krijgsman rest niets anders dan zijn onversaagdheid vaarwel te zeggen en prudentie te betrachten.'

'Prudentie?' had Roberto gevraagd.

Salazar had hem gevraagd naar de vlakte te kijken. De twee partijen waren verwikkeld in lamlendige schermutselingen, en bij de ingangen van de galerijen stegen, daar waar de kanonskogels neervielen, stofwolken op. In het noordwesten duwden de keizerlijken een stormkat voort: een stevige zeisenwagen met aan de voorkant een muur van eikehouten duigen, bepantserd met klampen vol ijzerbeslag. In die wand zaten schietgaten waar blijden, veldslangen en haakbussen uit staken, en aan de zijkant zagen ze de aan boord verschanste landsknechten zitten. Van voren stekelig door vuurlopen en aan de zijkant door klingen, stiet het gevaarte met zijn knarsende kettingen af en toe uit een van zijn kelen wolkjes vuur uit. De vijanden waren ongetwijfeld niet van plan het meteen in te zetten, want het was een werktuig dat onder de muren moest worden gebracht als de mijnen hun werk hadden gedaan, maar het leed ook geen twijfel dat ze het lieten zien om de belegerden schrik aan te jagen.

'U ziet,' zei Salazar, 'de oorlog zal worden beslist door werktuigen, of het nu zeisenwagens zijn of mijngalerijen. Sommigen van onze dappere wapenbroeders, van beide zijden, hebben de tegenstander hun borst geboden, hetgeen ze, als ze niet bij vergissing zijn gedood, niet gedaan hebben om te winnen, maar om zich een reputatie te verwerven waar ze bij terugkeer aan het hof munt uit kunnen slaan. De meest onverveerden onder hen zullen zo slim zijn daden te kiezen die stof doen opwaaien, maar niet zonder af te wegen hoeveel ze ermee op het spel zetten en hoeveel ermee te winnen valt...'

'Mijn vader...' begon Roberto, wees van een held die elke vorm van berekening vreemd was geweest.

Salazar onderbrak hem. 'Uw vader was dan ook een man uit vroeger tijden. Denk niet dat ik niet met weemoed aan hem terugdenk, maar is het nog de moeite waard een stoutmoedige daad te stellen als er meer gesproken zal worden over een fraaie terugtocht dan over een koene bestorming? Heeft u zoëven niet een oorlogstuig gezien dat het lot van een beleg beter kan bezegelen dan rapieren ooit vermochten? En hebben rapieren niet al jaren geleden plaats gemaakt voor haakbussen? Wij dragen nog cuirassen, maar een schelm kan binnen één dag leren het cuiras van het ros Beiaard te doorboren.'

'Maar wat rest de edelman dan nog?'

'Wijsheid, La Grive. Goed succes heeft niet langer de kleur van de zon, maar groeit in het licht van de maan, en niemand heeft ooit beweerd dat dit laatste hemellichaam de schepper van alle dingen onwelgevallig is. Zelfs Jezus heeft in de Hof van Olijven 's nachts zitten peinzen.'

'Maar vervolgens nam hij op grond van de heldhaftigste der deugden een beslissing, en zonder enige prudentie...'

'Maar wij zijn de eerstgeboren Zoon van de Eeuwige Vader niet, wij zijn kinderen van onze tijd. Wat gaat u na dit beleg doen, La Grive, als een werktuig u tenminste niet van het leven heeft beroofd? Gaat u soms terug naar uw landerijen, waar niemand u de gelegenheid zal bieden u uw vader waardig te betonen? U bevindt zich pas een paar dagen te midden van Parijse edellieden en geeft er nu al blijk van dat zij u met hun gewoonten voor zich hebben weten te winnen.

U zult uw geluk in de grote stad willen beproeven en moet goed weten dat u die aureool van onverschrokkenheid die u door de lange periode van ledigheid tussen deze muren ten deel zal zijn gevallen, dáár zult moeten uitbuiten. Ook u zult uw fortuin zoeken en al uw bekwaamheid moeten aanwenden om dat te kunnen bemachtigen. Heeft u hier geleerd de kogel uit een musket te mijden, daar zult u moeten leren hoe u afgunst, naijver en hebzucht kunt mijden, en wel door uw vijanden, dat wil zeggen iedereen, met hun eigen wapens te bestrijden. Luister dus naar me. U valt me al een halfuur in de rede met wat u denkt, en onder het mom van vragen stellen wilt u me bewijzen dat ik het bij het verkeerde eind heb. Doe dat nooit weer, en al helemaal niet met invloedrijke personen. Het zou kunnen gebeuren dat het vertrouwen in uw eigen inzicht en het gevoel de waarheid te moeten verkondigen u ertoe aanzetten iemand die uw meerdere is goede raad te geven. Doe dat nooit. Elke overwinning veroorzaakt haat bij de overwonnene, en als men die overwinning boekt op zijn eigen heer, is dat óf dwaas óf schadelijk. Heersers wensen te worden bijgestaan, niet voorbijgestreefd. Maar wees ook prudent jegens gelijken. Verneder hen niet met uw deugden. Spreek nooit over uzelf: óf u zou uzelf prijzen, hetgeen duidt op ijdelheid, óf u zou uzelf neerhalen, hetgeen duidt op dwaasheid. Laat anderen liever een vergeeflijke fout bij u ontdekken, zodat de afgunst kan knagen zonder u al te veel schade te berokkenen. U zult aanzien moeten hebben en soms onaanzienlijk moeten lijken. De struis verlangt er niet naar op te vliegen en zo het gevaar te lopen ten aanschouwen van iedereen te vallen: hij laat de schoonheid van zijn verenkleed beetje bij beetje ontdekken. En bovenal, als u hartstochten heeft, laat deze dan niet blijken, hoe edel ze u ook toeschijnen. Men moet niet iedereen toegang tot zijn hart verschaffen. Een prudent en voorzichtig zwijgen is de schrijn der wijsheid.'

'Heer, wat u me zegt is dus dat een edelman voor alles de plicht heeft te leren veinzen!'

De heer van La Saletta kwam glimlachend tussenbeide. 'Kijk, beste Roberto, de heer van Salazar zegt niet dat de wijze moet veinzen. Hij stelt u voor, als ik het goed begrepen heb, dat u moet leren ontveinzen. Men veinst dat wat níet is, en ontveinst dat wat wél is. Als u zich laat voorstaan op iets wat u niet hebt gedaan, veinst u. Maar als u, zonder dat het opvalt, voorkomt dat hetgeen u hebt gedaan volledig aan het licht komt, dan ontveinst u. Door de deugd te ontveinzen stapelt u deugd op deugd. De heer van Salazar leert u een prudente manier om deugdzaam te zijn, of om deugdzaam te zijn volgens de prudentie. Vanaf het moment dat de eerste mens zijn ogen opende en merkte dat hij naakt was, droeg hij er zorg voor zich te bedekken, zelfs voor de blik van zijn Maker: zo is bijna tegelijk met de wereld de drang tot naarstig verheimelijken ontstaan. Ontveinzen houdt in dat men een uit schijnbare eerlijkheid bestaande sluier over iets werpt, waaruit men niet het onware vormt, maar waarmee men het ware wat rust gunt. Een roos lijkt mooi omdat deze op het eerste gezicht ontveinst iets zo vergankelijks te zijn, en hoewel men in de regel van sterfelijke schoonheid beweert dat ze niet aards is, is zij niets anders dan een door de genade van haar leeftijd ontveinsd kadaver. In dit leven moet men niet altijd even openhartig zijn, en de waarheden die ons het meest ter harte gaan, moeten altijd halve waarheden blijven. Ontveinzen is geen bedrog. Het is een listigheid, om de dingen niet te laten zien zoals ze zijn. Het is een lastige listigheid: als we erin uit willen munten, moeten we ervoor zorgen dat de anderen niet zien dat we uitmuntend zijn. Als iemand vermaard zou zijn om zijn vermogen zich anders voor te doen dan hij is, zoals toneelspelers, zou iedereen weten dat hij niet is wie hij voorgeeft te zijn. Maar over de voortreffelijke ontveinzers die er geweest zijn en er nog zijn, is niets bekend.'

'En let wel,' voegde de heer van Salazar daaraan toe, 'we zetten u er dan wel toe aan te ontveinzen, maar niet om als een sul uw mond te houden. Integendeel. U zult moeten leren met slinkse woorden datgene te doen wat een openhartig woord niet vermag: u met alle rapheid van tong te weren in een wereld die de voorkeur geeft aan uiterlijke schijn, wever te zijn van zijden woorden. Pijlen kunnen het lichaam doorboren, maar woorden kunnen in de ziel snijden. Maak u datgene eigen wat in het kunstwerk van Pater Emanuele een mechanieke kunst is.'

'Maar heer,' zei Roberto, 'het bouwwerk van Pater Emanuele lijkt me een verbeelding van het Vernuft dat niet tot doel heeft te treffen of te verleiden, maar eerder de verbindingen tussen de dingen te ontdekken en te onthullen, en zo tot nieuw instrument van de waarheid te worden.'

'Dat is iets voor wijsgeren. Maar voor dwazen geldt dat ze hun Vernuft moeten gebruiken om verwondering te wekken en zo weerklank te vinden. De mens houdt ervan verbaasd te worden. Als uw lot en uw fortuin niet op het slagveld worden beslecht, maar in de salons aan het hof, zal een overtuigende bewijsreden meer vruchten afwerpen in een conversatie dan tijdens een veldslag. Een prudent man redt zich met een sierlijke zinswending uit elke netelige toestand en weet de taal vederlicht te gebruiken. De meeste dingen kunnen met woorden worden vergolden.'

'Ze wachten op u bij de poort, Salazar,' zei La Saletta. En zo kwam er voor Roberto een einde aan die onverwachte en wijze levensles. Hij voelde zich er niet door gesticht, maar was zijn twee meesters erkentelijk. Ze hadden veel geheimenissen van die tijd voor hem verklaard, geheimenissen waarover niemand hem op La Griva ooit iets verteld had.

12

de lijdingen van de Ziel

Nu al zijn dromen in rook waren vervlogen, werd Roberto bevangen door minnedrift.

Het was inmiddels eind juni en het was erg warm; sinds een dag of tien deden de eerste geruchten de ronde over een pestgeval in het Spaanse kamp. De stad begon door haar leeftocht heen te raken, de soldaten kregen nog maar veertien onsen zwart brood en om van de Casalezen een pint wijn los te krijgen moest je nu drie florijnen neertellen, oftewel twaalf realen. Salazar had zich naar de stad begeven en La Saletta naar het kamp om te onderhandelen over het losgeld voor de officieren die in de loop van de strijd aan beide zijden gevangen waren genomen, en degenen die losgekocht waren moesten hun woord geven dat ze de wapens niet meer zouden opnemen. Er werd opnieuw gesproken over die kapitein Mazzarini, wiens ster rijzende was in de politieke wereld en aan wie de paus de onderhandelingen had toevertrouwd.

Soms een sprankje hoop, soms een uitval, en het over en weer verwoesten van elkaars galerijen; zo sleepte het beleg zich voort.

In afwachting van de onderhandelingen, of van het hulpleger, was de strijdlust bekoeld. Zonder acht te slaan op de lusteloze schoten die de Spanjaarden uit de verte losten had een aantal Casalezen besloten zich buiten de muren te wagen om díe graanvelden te maaien die door de karren en de paarden waren gespaard. Ze waren echter lang niet allemaal ongewapend: Roberto zag dat een lange, roodblonde boerin het zeisen af en toe onderbrak, zich bukte tussen de korenaren, een vuurroer oppakte, dit als een doorgewinterde soldaat aanlegde door de kolf tegen haar rode wang te drukken, en op hun kwelgeesten schoot. De schoten van die krijgshaftige Ceres waren de Spanjaarden in het verkeerde keelgat geschoten; ze hadden ze beantwoord en een schot was langs haar pols geschampt. Nu liep ze bloedend achter de ploeg maar bleef onderwijl laden en schieten, terwijl ze iets tegen de vijand riep. Toen ze al bijna bij de muren was, voegde een aantal Spanjaarden haar toe: 'Puta de los franceses!' Waarop zij antwoordde: 'Ja, ik ben de hoer van de Fransen, maar niet van jullie!'

Deze maagdelijke gestalte, deze quintessentie van volle schoonheid en krijgsvuur gekoppeld aan die zweem van schaamteloosheid die de belediging haar had verleend, deden de zinnen van de jongeling ontvlammen.

Diezelfde dag had hij de straten van Casale doorkruist in de hoop een glimp van haar op te vangen; hij had bij boeren nagevraagd, was erachter gekomen dat het meisje volgens sommigen Anna Maria Novarese en volgens anderen Francesca heette, en in een kroeg hadden ze hem verteld dat ze twintig was, van het platteland rond de stad kwam en het hield met een Franse soldaat. ''t Is een lieve meid, Francesca, als ze lief is tenminste,' zeiden ze met een veelbetekenende glimlach, en in Roberto's ogen werd zijn beminde nog begeerlijker nu er voor de tweede keer vleiende toespelingen op haar losbandigheid werden gemaakt.

Toen hij een paar avonden later langs een huis liep, ontwaarde hij haar in een donkere kamer aan de straat. Ze zat voor het raam om iets van het briesje te voelen dat in de Montferraanse zwoelte nauwelijks enige verkoeling bracht en werd belicht door een lamp die vlak bij de vensterbank stond maar van buiten af niet zichtbaar was. Aanvankelijk had hij haar niet herkend, omdat haar mooie haar om haar hoofd gewonden zat en er langs haar oren slechts twee lokken neerhingen. Alleen haar enigszins voorovergebogen gelaat was zichtbaar, een allerzuiverst, met een enkele zweetdruppel bepareld ovaal dat in het halfdonker de enige echte lamp leek.

Ze zat te naaien aan een laag tafeltje en hield haar blik zo aandachtig naar beneden gericht dat ze de jongeman niet opmerkte. Hij had een paar passen achteruit gedaan en zich tegen de muur aangedrukt om haar van opzij te begluren. Met een hart dat hem in de keel klopte, zag Roberto haar bovenlip, waarop een donzig blonde schaduw lag. Plotseling had ze haar hand, die nog beter verlicht werd dan haar gelaat, opgeheven om een donkere draad naar haar mond te brengen: ze had deze tussen haar rode lippen genomen, waarbij ze haar witte tanden ontblootte, en had hem in één keer, met de beweging van een bevallig wild dier, doorgebeten, blij glimlachend om haar milde wreedheid.

Roberto had daar wel de hele nacht kunnen blijven staan en ademde nauwelijks, uit vrees ontdekt te worden en omdat hij verstijfd was door hartstocht. Maar niet lang daarna doofde het meisje de lamp en loste het visioen zich op.

De dagen daarop was hij weer door die straat gelopen, maar zonder haar te zien, met uitzondering van één keer, maar daar was hij niet zeker van omdat ze, als zij het tenminste was, met haar hoofd voorovergebogen zat, haar hals naakt en roze en een waterval van haren voor haar gelaat. Een oudere vrouw stond achter haar en gleed door die leeuwemanen met een wolkam die ze af en toe losliet om met haar vingers een wegvluchtend beestje te grijpen en dat tussen haar lange nagels met een droge tik te vermorzelen.

Roberto was niet onbekend met de ceremoniën van het ontluizen, maar hij ontdekte nu voor de eerste keer de schoonheid ervan en stelde zich voor hoe het zou zijn als hij zijn handen in die golven van zijde kon steken, als hij zijn vingertoppen tegen die nek kon leggen, die voren kon kussen, eigenhandig die horden Myrmidonen kon uitroeien die deze bezoedelden.

Hij moest zich uit zijn betovering losrukken omdat er een rumoerige troep mensen de straat in kwam, en het was de laatste keer dat het venster hem een zo bekoorlijke aanblik bood.

Op andere middagen en andere avonden zag hij de oudere vrouw nog wel, en een ander meisje, maar haar niet. Hij maakte hieruit op dat het niet háár huis was, maar dat van een verwante, waar ze alleen maar naar toe was gegaan om een of ander karweitje te doen. Lange tijd zou hij niet weten waar ze gebleven was.

Aangezien liefdesverlangen is als een vloeistof die aan kracht wint als ze in de oren van een vriend wordt gegoten, was Roberto er, terwijl hij vruchteloos door Casale dwaalde en al zoekende vermagerde, niet in geslaagd zijn toestand voor Saint-Savin verborgen te houden. Hij had het hem onthuld uit ijdelheid, omdat elke minnaar zich tooit met de schoonheid van zijn beminde – een schoonheid waarvan hij tenminste zeker is.

'Wel, bemin, zou ik zeggen,' had Saint-Savin afwezig geantwoord. 'Het is niets nieuws. Mensen hebben daar schijnbaar schik in, in tegenstelling tot dieren.'

'Beminnen dieren dan niet?'

'Nee, eenvoudige bouwwerken beminnen niet. Wat doen de wielen van een kar op een helling? Ze rollen omlaag. Het bouwwerk is een gewicht, en dat gewicht trekt en hangt af van de blinde noodzaak die het naar beneden duwt. Hetzelfde geldt voor het dier: het trekt naar de bijslaap en rust niet alvorens het zover is.'

'Maar zei u me gisteren niet dat mensen ook bouwwerken zijn?'

'Ja, maar het menselijke bouwwerk is doorwrochter dan het minerale en het dierlijke, en vaart het meest wel bij een slingerbeweging.'

'Wat wil dat zeggen?'

'Dat wil zeggen dat u bemint en dat u dus zowel begeert als niet begeert. De liefde maakt de mens tot zijn eigen vijand. U bent bang dat het bereiken van het doel u teleurstelt. U schept behagen *in limine*, zoals de godgeleerden zeggen, u geniet van het uitstel.'

'Dat is niet waar, ik… ik wil haar nu meteen!'

'Als dat zo was, zou u nog steeds niet meer dan een boer zijn. Maar u bent niet dom. Als u haar gewild had, had u haar al genomen – en dan zou u een bruut zijn. Nee, u wilt dat uw begeerte ontvlamt en dat die tegelijkertijd ook in haar ontvlamt. Als de hare zozeer zou ontvlammen dat deze haar ertoe zou aanzetten zich daar meteen aan over te geven, zou u haar waarschijnlijk niet meer willen. Liefde gedijt door wachten. Het Wachten wandelt over de weidse weiden van de Tijd naar de Gelegenheid.'

'Maar wat moet ik in de tussentijd?'

'Maak haar het hof.'

'Maar… zij weet nog van niets en ik moet u bekennen dat ik het moeilijk vind haar te benaderen...'

'Schrijf haar een brief en vertel haar over uw liefde.'

'Maar ik heb nog nooit een minnebrief geschreven! Sterker nog, ik moet tot mijn schande bekennen dat ik nog nooit een brief heb geschreven.'

'Als de natuur het af laat weten, dienen we ons tot de kunst te wenden. Ik zal hem u dicteren. Een edelman schept er vaak genoegen in brieven op te stellen voor een dame die hij nooit gezien heeft, en ik vorm daarop geen uitzondering. Ook al bemin ik niet, ik kan beter over de liefde spreken dan u, die door de liefde bent verstomd.'

'Maar ik geloof dat elke persoon op een andere manier bemint... Het zou gekunsteld zijn.'

'Als u haar in alle oprechtheid uw liefde onthult, zou u lomp overkomen.'

'Maar ik zou haar wel de waarheid zeggen...'

'De waarheid is een jong meisje dat even mooi als eerbaar is en daarom altijd in haar mantel gehuld gaat.'

'Maar ik wil haar van míjn liefde vertellen, niet van de liefde die u zou beschrijven!'

'Eén ding: om geloofd te worden, moet u veinzen. Er bestaat geen volkomenheid zonder de schoonheid van de intrigue.'

'Maar ze zou begrijpen dat de brief niet over haar gaat.'

'Wees niet bang. Ze zal geloven dat hetgeen ik u dicteer helemaal op haar is toegesneden. Vooruit, ga zitten en schrijf op. Gun me alleen even de tijd om inspiratie te krijgen.'

Saint-Savin bewoog zich door de kamer alsof hij, aldus Roberto, de vlucht nabootste van een bij die terugkeert naar de honingraat. Hij danste bijna, met dwalende blik, alsof hij die boodschap, die nog niet bestond, aan de lucht moest aflezen. Toen begon hij.

'Mevrouw...'

'Mevrouw?'

'Ja, wat wou u dan zeggen? Hé jij daar, Casalese lichtekooi?'

'Puta de los franceses,' mompelde Roberto onwillekeurig, ontsteld dat Saint-Savin al gekscherend dan misschien niet de waarheid, maar wel de laster zo dicht had benaderd.

'Wat zei u?'

'Niets. Goed dan. Mevrouw. En verder?'

'Mevrouw, in de wondere architectuur van het Heelal stond al sinds de geboortedag van de Schepping geschreven dat ik u zou ontmoeten en beminnen. Maar vanaf de eerste regel van deze brief voel ik reeds dat mijn ziel zozeer overloopt dat deze mijn lippen en mijn pen verlaten zal hebben voordat ik geëindigd zal zijn.'

'Geëindigd zal zijn. Ik weet niet of dat wel te vatten is voor...'

'Hoe ontoegankelijker de waarheid is, des te welgevalliger is ze, en een onthulling die veel van ons heeft gevergd wordt des te meer gewaardeerd. Wellicht kan de toon zelfs nog wat verhevener. Laten we dus zeggen... Mevrouw...'

'Nog een keer?'

'Ja. Mevrouw, voor een dame die schoon is als Alcidiana was het – net als voor deze Heldin – ongetwijfeld noodzakelijk een onneembare verblijfplaats te hebben. Ik geloof dat u door tovenarij elders heen bent gevoerd en dat uw gewest een tweede Drijvend Eiland is geworden dat de wind van mijn zuchten verder terug doet wijken naarmate ik tracht dichterbij te komen, gewest van de Tegenvoeters, land waarop het ijs het onmogelijk maakt aan wal te gaan. Ik zie dat u perplex bent, La Grive: vindt u het nog steeds mediocre?'

'Nee, maar ik... ik zou het heel anders zeggen.'

'Wees maar niet bang,' zei Saint-Savin begripvol, 'aan tegenmelodieën zal het niet ontbreken. Laat ons verder gaan. Wellicht geven uw bevalligheden u het recht afstand te bewaren, zoals het Goden past. Maar weet u niet dat Goden zich ten minste verwaardigen de wierook die wij beneden voor hen branden in ontvangst te nemen? Wijs mijn aanbidding dus niet af: als u in de hoogste mate schoonheid en pracht bezit, zou u mij tot goddeloosheid dwingen indien u mij zou verhinderen in uw persoon twee van de voornaamste goddelijke attributen te aanbidden... Klinkt het zo beter?'

Nu bedacht Roberto dat de enige vraag was of het meisje kon lezen. Als dat bastion eenmaal genomen was, zou álles wat ze las haar in vervoering brengen, aangezien híj al in vervoering raakte bij het schrijven ervan.

'Mijn God,' zei hij, 'hiervan moet ze buiten zinnen raken...'

'Dat zal ze ook. Ga verder. Verre van mijn hart verloren te hebben toen ik u mijn vrijheid ten geschenke gaf, lijkt het me sinds die dag veel groter en zozeer vermenigvuldigd dat het zichzelf, als zou ik om u te beminnen aan één enkel niet genoeg hebben, lijkt te vermeerderen, zodat ik het in al mijn arteriën voel kloppen.'

'O God...'

'Blijf kalm. U spreekt over de liefde, u bent niet aan het beminnen. Mevrouw, vergeef de hartstocht van een wanhopige, of nee, vermoeit u zich niet: het is immers ongehoord dat soevereinen rekenschap zouden moeten geven van de dood van hun slaven. Zeker, mijn lot is zonder meer benijdenswaardig te noemen, omdat u zich de moeite hebt getroost mijn ondergang te bewerkstelligen: als u zich nu tenminste zou verwaardigen me te haten, zal ik daaruit kunnen afleiden dat ik u niet onverschillig ben. Zo zal de dood, waarmee u denkt me te straffen, voor mij reden tot vreugde zijn. Ja, de dood: als liefde begrijpen is dat twee zielen geschapen zijn om verenigd te worden, rest de ene, wanneer deze merkt dat de ander dat niet zo voelt, niets anders dan te sterven. Waarvan mijn ziel u – nu mijn lichaam, zij het nog maar even, in leven is – alvorens zich los te maken, verslag doet.'

'...zich los te maken wat?'

'Verslag doet.'

'Ik moet even op adem komen. Mijn hoofd gloeit helemaal...'

'Beheers u toch. U moet liefde niet verwarren met kunst.'

'Maar ik bemin haar! Ik bemin haar, begrijpt u dat dan niet?'

'En ik niet. Daarom hebt u zich op mij verlaten. Schrijf, zonder aan haar te denken. Denk maar, eens even kijken, aan de heer van Toiras...'

'In godsnaam!'

'Kom, kom, zo'n houding is nergens voor nodig. Het is tenslotte een mooie man. Maar goed, schrijf op. Mevrouw...'

'Al weer?'

'Al weer, ja. Mevrouw, bovendien ben ik gedoemd blind te sterven. Hebt u mijn ogen immers niet tot twee alambieken gemaakt, om daaruit mijn leven te distilleren? En hoe kan het dat ik steeds meer brand, naarmate mijn ogen vochtiger worden? Wellicht heeft mijn vader mijn lichaam niet gevormd uit hetzelfde leem dat het leven schonk aan de eerste mens, maar uit kalk, zodat het water dat ik vergiet me verteert. En hoe kan het dat ik, ook al word ik verteerd, toch leef en nieuwe tranen vind die me nog meer verteren?'

'Is dat niet wat overdreven?'

'Bij grootse en meeslepende gelegenheden passen grootse en meeslepende gedachten.'

Roberto verzette zich niet langer. Hij had het gevoel dat hijzelf Anna Maria Novarese was geworden en datgene voelde wat zij zou moeten voelen als ze die brief zou lezen. Saint-Savin dicteerde.

'U hebt in mijn hart, toen u het in de steek liet, een onbeschaamde vrouw achtergelaten die uw evenbeeld is en zich erop laat voorstaan zeggenschap te hebben over mijn leven en mijn dood. En u bent van mij weggegaan, zoals soevereinen weggaan uit de folterkamer, uit angst te worden lastig gevallen met gratieverzoeken. Als mijn ziel en mijn liefde bestaan uit twee zuivere ademtochten, zal ik als ik sterf de Doodsstrijd smeken ervoor te zorgen dat die van mijn liefde mij het laatst verlaat, en zal ik – als mijn laatste gift – het wonder bewerkstelligen waar u trots op zult kunnen bogen, en wel dat u, al was het maar even, begeerd zult zijn door een lichaam dat reeds gestorven is.'

'Gestorven is. Klaar?'

'Nee, laat me even denken, er moet een slot komen met een pointe... '

'Een pwen wat?'

'Ja, een vernuftige kunstgreep die een wonderbaarlijke overeenkomst tussen twee voorwerpen lijkt uit te drukken, los van al onze overtuigingen, zodat door dit sierlijke geestesspel elke verwijzing naar het wezen der dingen als vanzelf verloren gaat.'

'Ik begrijp het niet...'

'Dat komt nog wel. Kijk: laten we de betekenis van de smeekbede eens even omdraaien, u bent namelijk nog niet dood; laten we haar de mogelijkheid bieden deze stervende te hulp te snellen. Schrijf op. Wellicht, mevrouw, kunt u mij nog redden. Ik heb u mijn hart geschonken. Maar hoe kan ik leven zonder deze drijfveer van het leven? Ik vraag u niet mij het terug te geven, want slechts als uw gevangene geniet het de meest verheven vrijheid, maar ik bid u, zend mij het uwe in ruil, want er bestaat geen tabernakel die geschikter is om het te ontvangen. U hebt geen twee harten nodig om te leven, en het mijne klopt zo hard voor u dat u verzekerd bent van eeuwigdurende hartstocht.'

Toen maakte hij een halve draai en boog als een toneelspeler die wacht op applaudissement: 'Is het niet mooi?'

'Mooi? Ik vind het... wat zal ik zeggen... belachelijk. Meent u niet dat het nu net lijkt of die vrouw als een page door Casale rondrent om harten op te halen en af te geven?'

'Wilt u dan dat ze een man bemint die praat als de eerste de beste burger? Onderteken en verzegel hem.'

'Het gaat me niet om de dame, ik denk eraan dat ik me dood zou schamen als ze hem aan iemand zou laten zien.'

'Dat zal ze niet doen. Ze zal de brief in haar keurs bewaren en elke nacht een kaars naast haar bed aansteken om hem te herlezen en met kussen te bedekken. Onderteken en verzegel hem.'

'Maar stel nu eens, ik zeg maar wat, dat ze niet kan lezen. Dan zal ze hem toch door iemand moeten laten voorlezen...'

'La Grive! U wilt me toch niet zeggen dat u verliefd bent geworden op een boerenmeid? Dat u mijn inspiratie hebt verspild om een boerentrien in verlegenheid te brengen? Dan rest ons niets dan te duelleren.'

'Het was maar een voorbeeld. Een grapje. Mij is altijd geleerd dat een voorzichtig man alle omstandigheden in overweging moet nemen, niet alleen de mogelijke maar ook de meest onmogelijke...'

'Ziet u nu wel dat u al leert u naar behoren uit te drukken! Maar u hebt de verkeerde overwegingen gemaakt en de lachwekkendste van allemaal gekozen. Hoe het ook zij, ik wil u niet dwingen. Streep de laatste zin maar door en ga verder zoals ik zeg...'

'Maar als ik die doorstreep moet ik de brief overschrijven.'

'Lui bent u ook nog. Maar wie wijs is doet zijn voordeel met tegenslagen. Streep door... Klaar? Kijk.' Saint-Savin had zijn vinger in een waterkan gedoopt en vervolgens een druppel op de doorgestreepte zin laten vallen, zodat er een kleine vochtvlek ontstond, met vage randen die gaandeweg donkerder werden doordat het zwart van de inkt door het water op het vel papier opgeschoven werd. 'En nu schrijven. Vergeef mij, mevrouw, dat ik niet de moed heb gehad een gedachte levend te houden die mij zo ontstelde door haar vermetelheid dat ze mij een traan ontlokte. Net zo kan het gebeuren dat een vulkanisch vuur brakke wateren in een allerzoetste stroom doet verkeren. Maar, o mevrouw, mijn hart is als een zeeschelp die een parel voortbrengt door het mooie zweet van de ochtendschemer te drinken, en tezamen met haar zwelt. Bij de gedachte dat uw onverschilligheid mijn hart de parel wil ontnemen die het zo zorgvuldig heeft gevoed, stroomt het hart mij uit de ogen... Ja, La Grive, zo is het beslist beter, het is niet meer zo overdreven. U kunt beter eindigen met wat minder nadruk op de minnaar, want dat doet de ontroering van de beminde altijd flink toenemen. Onderteken, verzegel hem en doe hem haar toekomen. En dan maar wachten.'

'Waarop?'

'Als u het noorden van het Kompas der Prudentie wilt aanhouden, dient u de zeilen op het Gunstige Moment ten windvang te stellen. Bij dit soort dingen kan wachten nooit kwaad. Aanwezigheid doet de achting verminderen, waar afwezigheid die doet groeien. Als u op een afstand blijft, zult u worden hooggeschat als een leeuw, maar als u in de buurt blijft, zou u weleens de muis kunnen blijken die door de berg is gebaard. Het ontbreekt u gewis niet aan uitstekende eigenschappen, maar eigenschappen verliezen hun glans als je het er te vaak over hebt, terwijl de verbeelding verder reikt dan het gezicht.'

Roberto had hem bedankt en was naar huis gehold, de brief verstopt in zijn borst alsof hij hem gestolen had. Hij was bang dat iemand hem de vrucht van zijn diefstal zou afpakken.

Ik zal haar vinden, hield hij zichzelf voor, ik zal voor haar buigen en de brief afgeven. Later lag hij in zijn bed te woelen terwijl hij dacht aan de manier waarop haar lippen zouden bewegen als ze hem las. Zo langzamerhand verbeeldde hij zich dat Anna Maria Francesca Novarese begiftigd was met alle deugden die Saint-Savin haar had toegedicht. Door haar – zij het met andermans stem – zijn liefde te verklaren, voelde hij zich nog meer minnaar. Hij had het met tegenzin gedaan, maar was gezwicht voor het Vernuft. Hij beminde Anna Maria nu met dezelfde gekunstelde hevigheid als die welke uit de brief sprak.

Terwijl er af en toe kanonschoten op de stad neerdaalden, was hij, zonder acht te slaan op het gevaar, op zoek gegaan naar de vrouw van wie hij maar al te graag verre wilde blijven, en na een paar dagen had hij haar op een straathoek zien staan, haar armen vol korenaren, als een fabelfiguur. Aan grote opwinding ten prooi was hij haar tegemoet gehold, niet goed wetend wat te doen of te zeggen.

Toen hij haar bevend genaderd was, was hij voor haar gaan staan en had gezegd: 'Jongedame...'

'Wablief?' had het meisje lachend geantwoord, en toen: 'Nou?'

'Nou eh, zou u me kunnen wijzen hoe ik bij het Kasteel kom?'

Iets beters had Roberto niet weten te zeggen. En het meisje had haar hoofd met die enorme haardos naar achteren bewogen: 'Makkelijk zat, die kant op.' En was de hoek omgeslagen.

Terwijl Roberto nog stond te aarzelen of hij haar achterna zou gaan, was er op die straathoek fluitend een kogel neergekomen die het muurtje van een tuin verwoestte en een stofwolk opwierp. Roberto had gehoest, had gewacht tot het stof was opgetrokken en had ingezien dat hij, doordat hij te weifelmoedig over de weidse weiden van de Tijd had gewandeld, zijn Gelegenheid was misgelopen.

Om zichzelf te straffen had hij de brief diepbedroefd verscheurd en was naar huis gegaan, terwijl de flarden van zijn hart zich op de grond omkrulden.

Zijn eerste onbestemde liefde had hem er voor altijd van overtuigd dat het voorwerp van liefde zich ver weg bevindt, en ik geloof dat dit bepalend is geweest voor zijn toekomst als minnaar. In de dagen daarna was hij teruggekeerd naar alle straathoeken (die waar hij inlichtingen had gekregen, waar hij gemeend had iets op het spoor te zijn, waar hij over haar had horen praten en waar hij haar gezien had) om een geheugenlandschap te vormen. Zo had hij het Casale van zijn eigen hartstocht geschetst, waarin hij steegjes, fonteinen en open plekken had veranderd in de Rivier van Genegenheid, het Meer van Onverschilligheid of de Zee van Vijandigheid; hij had de getroffen stad tot het Land van zijn onverzadigde Minnedrift gemaakt, eiland (hij voorvoelde het toen al) van zijn eenzaamheid.

13
de kaart
van Teder

In de nacht van de eenentwintigste juni werden de belegerden gewekt door een enorm geraas, gevolgd door tromgeroffel: de eerste mijn die de vijanden onder de muren hadden weten te ontsteken was ontploft, waardoor een ravelijn de lucht in was gevlogen en vijfentwintig soldaten bedolven waren. De dag daarop was er, tegen zes uur 's avonds, in het westen iets als onweer te horen geweest en was er in het oosten een hoorn des overvloeds verschenen die witter was dan de rest van de hemel, met een punt die langer en weer korter werd. Het was een komeet die opschudding had veroorzaakt onder de manschappen, en de bewoners hadden zich in hun huizen opgesloten. In de weken die volgden werden de muren op nog meer plekken opgeblazen en schoten de belegerden van het glacis in het niets omdat hun tegenstanders zich al lang onder de grond bevonden en de tegenmijngalerijen hen daar niet vermochten te verjagen.

Roberto beleefde die schipbreuk als buitenstaander. Hij praatte urenlang met Pater Emanuele over de beste manier om het vuur van het beleg te beschrijven, maar zocht ook steeds vaker Saint-Savin op teneinde samen met hem even levendige overdrachten te bedenken om het vuur van zijn liefde te schetsen – die, hetgeen hij niet had durven opbiechten, op niets was uitgelopen. Saint-Savin verschafte hem het toneel waarop zijn liefdesavontuur kon gedijen; samen met zijn vriend stelde Roberto nieuwe brieven op, een vernedering die hij zwijgend onderging; vervolgens veinsde hij ze te bezorgen, maar in werkelijkheid herlas hij ze elke nacht zelf, als had zíj dat journaal van zoveel zielsmart aan hém geschreven.

Hij verzon taferelen waarin de door landsknechten achternagezeten Anna Maria hem afgemat in de armen viel, hij de vijanden uiteenjoeg en de uitgeputte vrouw een tuin binnenleidde waar hij haar onstuimige dankbaarheid smaakte. Aan dergelijke gedachten gaf hij zich in zijn bed over en als hij dan na lange uren van onmacht weer tot zichzelf kwam, schreef hij sonnetten voor zijn beminde.

Een ervan had hij aan Saint-Savin laten lezen, die gezegd had: 'Ik vind het execrabel, als ik zo vrij mag zijn, maar troost u: het merendeel van degenen die zichzelf in Parijs dichter noemen, brengt het er slechter af. Dicht niet over uw liefde, de hartstocht ontneemt u die goddelijke kilheid die Catullus' kracht was.'

Hij ontdekte dat hij melancholiek was, en zei dat tegen Saint-Savin.

'Wees blij,' was het commentaar van zijn vriend, 'melancholie is niet de droesem, maar de bloem van het bloed en brengt helden voort omdat zij, doordat ze grenst aan de waanzin, aanzet tot de stoutmoedigste daden.'

Maar Roberto voelde zich nergens toe aangezet en werd melancholiek omdat hij naar zijn zin niet melancholiek genoeg was.

Doof voor het geschreeuw en de kanonschoten hoorde hij opbeurende geruchten (het Spaanse kamp verkeert in rep en roer, men zegt dat het Franse leger oprukt), en hij was blij toen een tegenmijn er half juli eindelijk voor zorgde dat flink wat Spanjaarden werden afgeslacht; maar in diezelfde tijd werden veel ravelijnen reeds ontruimd en konden de vijandelijke voorposten met hun schoten het hart van de stad al raken. Hij vernam dat een aantal Casalezen in de Po probeerde te vissen en rende onbekommerd de onder vijandelijk vuur liggende straten door om te gaan kijken, bang dat de keizerlijken op Anna Maria zouden schieten.

Hij baande zich een weg door opstandige soldaten in wier contracten niet stond vermeld dat ze ook loopgraven moesten graven; maar de Casalezen weigerden het voor hen te doen en Toiras moest extra soldij toezeggen. Hij prees zich net als iedereen gelukkig toen hij hoorde dat Spinola de pest had gekregen, zag met genoegen dat een groep Napolitaanse deserteurs naar de stad was gekomen omdat ze, bang geworden, het door de ziekte belaagde vijandelijke kamp waren ontvlucht, hoorde Pater Emanuele zeggen dat zulks besmetting kon veroorzaken...

Half september stak de pest ook in de stad de kop op; Roberto bekommerde zich er niet om, maar was wel bang dat Anna Maria erdoor besmet zou worden, en werd op een ochtend wakker met hoge koorts. Het lukte hem iemand naar Pater Emanuele te sturen om hem in te lichten en hij werd heimelijk in diens klooster ondergebracht, waarmee hem de noodlazaretten bespaard bleven waar de zieken snel en zonder veel misbaar stierven, teneinde de anderen die stervende waren aan het vuurwerk niet af te leiden.

Roberto dacht niet aan de dood: hij hield de koorts voor liefde, en terwijl hij de vouwen in zijn strozak plette of de bezwete en pijnlijke delen van zijn eigen lichaam streelde, droomde hij dat hij de huid van Anna Maria beroerde.

De kracht van zijn al te beeldende herinnering maakte dat Roberto die avond op de *Daphne*, terwijl de nacht viel, de hemel zijn trage loop volvoerde en het Zuiderkruis achter de einder verdwenen was, niet meer wist of hij brandde van hernieuwde liefde voor de strijdlustige Diana uit Casale of voor de eveneens uit zijn gezichtsveld verdwenen Dame.

Hij wilde weten waar zij heen had kunnen vluchten, en snelde naar de hut met de scheepsinstrumenten, waar, naar hij meende, een kaart van de hem omringende zeeën lag. Hij vond haar, ze was groot, gekleurd en onvolledig, want toentertijd waren veel kaarten noodgedwongen nog niet af: de zeevaarder tekende de kustlijnen van een nieuw land dat hij had gezien, maar liet de rest oningevuld, omdat hij nooit zeker wist hoe en hoe ver en waarheen dat land zich uitstrekte; daardoor vertoonden de kaarten van de Zuidzee vaak arabesquen van stranden, vaag aangegeven omtrekken en veronderstelde groottes, en stonden alleen de paar eilandjes waar omheen gevaren was er in hun geheel op, plus de uit ervaring bekende windrichtingen. Om een eiland herkenbaar te maken hadden sommigen uitsluitend uiterst nauwkeurig de vorm van de toppen en de wolken die daarboven hingen getekend, zodat je ze kon herkennen, zoals je van verre een persoon herkent aan de rand van zijn hoed of aan de wijze waarop deze bij benadering loopt.

Op genoemde kaart waren de grenslijnen van twee tegenover el-kaar liggende kusten te zien, gescheiden door een van zuid naar noord lopende zeeëngte, en de kronkellijn van een van de twee kusten sloot zich bijna tot iets als een eiland en zou weleens zijn Eiland kunnen zijn; maar aan de andere kant van een breed stuk zee lagen andere groepen van wat vermoedelijk eilanden waren, met een zeer verge-lijkbare vorm, die net zo goed de plek konden voorstellen waar hij zich nu bevond.

Als we denken dat Roberto gegrepen was door de nieuwsgierig-heid van de geograaf, hebben we het mis; Pater Emanuele had hem maar al te goed geleerd het zichtbare met behulp van de lens van zijn aristotelische kijker te verdraaien. Saint-Savin had hem maar al te goed ingeprent zijn verlangen aan te wakkeren met behulp van de taal, die een meisje verandert in een zwaan en een zwaan in een vrouw, de zon in een ketel en een ketel in de zon! Diep in de nacht zien we Roberto wegdromen boven de kaart, die inmiddels is veran-derd in het begeerde vrouwelichaam.

Als verliefden er verkeerd aan doen de geliefde naam in het zand van het strand te schrijven, daar die immers in een oogwenk door de golven wordt uitgewist, welk een prudente geliefde voelde hij zich dan wel niet, die het lichaam van zijn beminde had toevertrouwd aan de baaien en welvingen der zeeboezems, haar haren aan de door de eilandenzee meanderende stromingen, de zomerse pareldroppels op haar gelaat aan de weerschijn van het water, het mysterie van haar ogen aan het azuur van een uitgestorven watervlakte – en wel zo dat de kaart de omtrekken van haar geliefde lichaam meermalen terug liet komen in de verlatenheid van verschillende baaien en klippen. Vol verlangen leed hij met zijn mond op de kaart schipbreuk; hij zoog die zee van wellust op, kietelde een kaap, durfde niet in een engte door te dringen, met zijn wang op het papier ademde hij de adem der winden, had hij de wellen en bronnen willen leegslurpen, zich dorstig willen overgeven aan het droogleggen van strandmeren, zichzelf in zon willen veranderen om haar kusten te kussen, in getij om het ge-heim van haar mondingen te verrukken.

Hij genoot echter niet van het bezit, maar van de onthouding: terwijl hij ernaar hunkerde die onbestendige trofee van een geleerd penseel te betasten, zetten Anderen op het echte Eiland – daar waar het zich uitstrekte in aanvallige vormen die de kaart nog niet had weten te vangen – wellicht hun tanden in haar vruchten, baadden zich in haar wateren... Anderen, verbaasde en woeste reuzen, legden op dat moment hun ruige hand op haar boezem, mismaakte Vulcanussen bezaten die delicate Venus, beroerden haar mondingen met dezelfde onnozelheid als waarmee de visser van het Niet-Gevonden Eiland, voorbij de laatste horizon van de Canarische Eilanden, zonder het te weten de zeldzaamste van alle parelen terugwerpt...

Zij in andere minnende handen... Die gedachte was de opperste roes waarin Roberto zichzelf kwelde, jankend om zijn gelanste impotentie. En in die razende begeerte gleed, terwijl hij de tafel aftastte als om tenminste de zoom van haar kleed te pakken, zijn blik van de afbeelding van dat vredig, zacht golvende lichaam naar een andere kaart, waarop de onbekende maker wellicht had geprobeerd de vlammende kanalen van de vuurbrakende bergen van de westelijke wereld weer te geven: het was een portulaan van onze gehele aardkloot, met overal rookpluimen boven op de toppen van uitstulpingen van de aardkorst, met daar binnenin een wirwar van verzengde aderen; en plotseling voelde hij zich het levende evenbeeld van die globe, hij reutelde en spoot gloeiend gesteente uit al zijn poren, stootte het vocht van zijn onvervulde bevrediging uit en verloor ten slotte – geveld door (zo schrijft hij) schroeiende waterzucht – het bewustzijn, boven op het zo begeerde zuidelijke vlees.

14

grondige beschrijving
van de edele S cherm-
of wapenkunst

Ook in Casale droomde hij van open plekken, en van het weidse dal waar hij Anna Maria voor het eerst had gezien. Maar nu hij niet ziek meer was en weer helder kon denken, dacht hij dat hij haar nooit meer zou terugvinden, omdat hij binnenkort zou sterven, of omdat zij al dood was.

In werkelijkheid lag hij niet op sterven; sterker nog, hij genas langzaam, maar was zich er niet van bewust en hield zijn slapheid, die samenhing met zijn herstel, voor het wegvlieden van het leven. Saint-Savin was hem vaak komen opzoeken; als Pater Emanuele erbij was (die naar hem loerde alsof hij op het punt stond zijn ziel te stelen) bracht hij hem op de hoogte van de laatste gebeurtenissen, en als de Pater weg moest (want in het klooster namen de onderhandelingen in aantal toe), sprak hij als een waar wijsgeer over leven en dood.

'M'n beste vriend, Spinola ligt op sterven. U bent bij dezen uitgenodigd voor de festijnen die we ter gelegenheid van zijn heengaan zullen aanrichten.'

'Volgende week ben ik zelf ook dood...'

'Dat is niet waar, het gelaat van een stervende zou ik gewis herkennen. Maar ik zou er slecht aan doen u van de gedachte aan de dood af te brengen. Sterker nog, profiteer van uw ziekbed door het als een nuttige oefening te zien.'

'Saint-Savin, u praat als een geestelijke.'

'Helemaal niet. Ik zeg u niet dat u zich moet voorbereiden op een volgend leven, maar dat u dit enige leven dat u gegeven is goed moet gebruiken om, als het zover is, de enige dood die u ooit zult meemaken fier tegemoet te treden. Het is nodig van tevoren, en vele malen, stil te staan bij de kunst van het sterven, opdat men later in staat is het in één keer goed te doen.'

Roberto wilde opstaan, maar Pater Emanuele belette het hem, omdat hij dacht dat de jongen nog niet zover was dat hij terug kon keren naar het strijdgewoel. Roberto trachtte hem duidelijk te maken dat hij dringend naar iemand op zoek moest, maar Pater Emanuele vond het dom dat hij zijn zo uitgeteerde lichaam uitputte met de gedachte aan het lichaam van een ander, en deed zijn uiterste best hem ervan te overtuigen dat het vrouwelijk geslacht verachtelijk was.

'Die allerijdelste Vrouwenwereld,' zei hij hem, 'die sommige moderne Atlantes op hun rug torsen, draait om de Schande en heeft de Tekenen van de Kreeft en de Steenbok als Keerkringen. De Spiegel, die er de Eerste Beweger van is, is nooit zo duister als wanneer hij de Sterren van die wellustige Ogen weerkaatst, die door het uitwasemen van de Dampen der Gelieven tot Meteoren zijn geworden die een ramp zullen zijn voor de Eerbaarheid.'

Roberto kon de sterrenkundige allegorie niet naar waarde schatten en herkende in het portrait van die wufte heksen evenmin zijn beminde. Hij bleef in bed, maar wasemde eens te meer de Dampen van zijn Verliefdheid uit.

Via de heer van La Saletta bereikten hem intussen andere berichten. De Casalezen vroegen zich af of ze de Fransen geen toegang tot de citadel moesten verlenen: inmiddels hadden ze begrepen dat ze, als ze de vijand wilden beletten daar binnen te dringen, hun krachten dienden te bundelen. Maar de heer van La Saletta legde hem uit dat ze, nu de stad op het punt leek te vallen, weliswaar ogenschijnlijk samenwerkten, maar diep in hun hart meer dan ooit vraagtekens plaatsten bij het bondgenootschap.

'We moeten ons,' had hij gezegd, 'jegens de heer van Toiras onschuldig betonen als duiven, maar tevens listig als slangen, voor het geval zijn koning Casale straks wil verkopen. We moeten vechten opdat het ook ónze verdienste is als Casale gered wordt, maar zonder te overdrijven, zodat het, als de stad valt, alleen de schuld van de Fransen is.' En hij had eraan toegevoegd, als wijze les voor Roberto:

'Een voorzichtig man moet altijd op twee paarden wedden.'

'Maar de Fransen zeggen dat jullie echte handelaren zijn: als jullie vechten, valt dat niemand op, maar iedereen ziet wél dat jullie woekerprijzen berekenen!'

'Wie lang wil leven, kan maar beter weinig in zijn mars hebben. Het is de gebarsten vaas die nooit helemaal breekt en waar men uiteindelijk, doordát ze nooit stukgaat, genoeg van krijgt.'

Op een ochtend in het begin van september daalde er een bevrijdende stortbui op Casale neer. Gezonden en herstellenden werden allen naar buiten gebracht, de regen in, opdat deze elk spoor van besmetting kon wegspoelen. Het was eerder een manier om op krachten te komen dan een behandeling, en ook na het onweer woedde de ziekte onverminderd voort. Het enige dat troostrijk was, waren de berichten dat de pest ook in het vijandelijke kamp zijn werk deed.

Nu hij weer op zijn benen kon staan, waagde Roberto zich buiten het klooster en zag op een zeker moment, in de deur van een huis waarop een groen kruis was geschilderd ten teken dat het besmet was, Anna Maria of Francesca Novarese. Ze was uitgeteerd als een figuur uit een Dodendans. Was ze eerst van sneeuw en granaat geweest, nu was haar huid nog slechts vaalgeel, alhoewel er in haar ingevallen gelaatstrekken nog sporen van haar vroegere bekoorlijkheid te bespeuren vielen. Roberto herinnerde zich een uitspraak van Saint-Savin: 'Gaat u soms door met uw knievallen als de ouderdom van dat lichaam een spookverschijning heeft gemaakt die u slechts zal herinneren aan de onafwendbare nabijheid van de dood?'

Het meisje huilde op de schouders van een kapucijn, alsof ze een geliefd persoon verloren had, wellicht haar Fransman. De kapucijn, wiens gelaat grijzer was dan zijn baard, ondersteunde haar en wees onderwijl met een benige vinger naar de hemel alsof hij wilde zeggen: 'Ooit, daarboven...'

De liefde wordt uitsluitend tot iets geestelijks als het lichaam begeert en die begeerte onderdrukt wordt. Als het lichaam zwak is en niet in staat te begeren, verdwijnt de geestelijke kant. Roberto ontdekte dat hij zo zwak was dat hij niet in staat was te beminnen. Exit Anna Maria (Francesca) Novarese.

Hij keerde terug naar het klooster en ging weer in bed liggen, vastbesloten nu echt te sterven: hij leed te veel onder het besef dat hij niet meer leed. Pater Emanuele spoorde hem aan de buitenlucht op te zoeken. Maar het nieuws dat ze hem van buiten brachten, spoorde hem niet bepaald aan om te blijven leven. Inmiddels heerste er naast de pest ook schaarste, of liever gezegd, iets ergers: er was een verbeten jacht gaande op het voedsel dat de Casalezen nog weggestopt hadden en niet aan hun bondgenoten wilden afstaan. Roberto zei dat als hij niet aan de pest kon sterven, hij van honger wilde sterven.

Ten slotte lukte het Pater Emanuele om hem tot rede te brengen en zette hij hem buiten de deur. Toen Roberto de hoek omsloeg, stiet hij op een groep Spaanse officieren. Hij maakte aanstalten te vluchten, maar zij groetten hem vormelijk. Hij begreep dat de vijanden, nu er verschillende bastions waren opgeblazen, op verschillende punten in de stad stellingen hadden betrokken, waardoor het platteland – zou je kunnen zeggen – niet langer Casale belegerde, maar Casale zijn eigen kasteel.

Aan het eind van de straat kwam hij Saint-Savin tegen. 'Beste La Grive,' zei hij, 'u bent ziek geworden als Fransman en genezen als Spanjool. Dit deel van de stad is nu in handen van de vijand.'

'En wij mogen erdoor?'

'Weet u niet dat er een wapenstilstand is gesloten? En bovendien, de Spanjolen willen het kasteel, niet ons. In het Franse deel is de wijn schaars, en de Casalezen halen het zo mondjesmaat uit hun kelders alsof het het bloed van Onze-Lieve-Heer is. U wilt die beste Fransen toch niet beletten de taveernes in dit deel te bezoeken waar de waarden ertoe zijn overgegaan uitstekende wijn uit de omtrek in te voeren? En de Spanjolen ontvangen ons als echte heren. Behalve dan dat we de etiquette in acht moeten nemen: als we op de vuist willen gaan, moeten we dat thuis doen, met onze eigen landgenoten, want hier dient men zich beleefd te gedragen, zoals onder vijanden gebruikelijk is. Ik moet dan ook toegeven dat het Spaanse deel minder leuk is dan het Franse, voor ons tenminste. Maar sluit u bij ons aan. Vanavond wilden we een serenade gaan zingen voor een dame die haar lieftalligheden tot gisteren, toen ik haar even voor haar raam heb zien staan, voor ons verborgen heeft weten te houden.'

En zo zag Roberto die avond vijf bekenden uit het gevolg van Toiras terug. Zelfs de abt ontbrak niet; hij had zich voor de gelegenheid uitgedost met allerlei strikken en kwikken, en een satijnen bandelier. 'De Heer vergeve ons,' zei hij met dubbelhartige luchtigheid, 'maar we moeten de zinnen toch verzetten om straks weer onze plicht te kunnen vervullen...'

Het huis lag aan een plein, in het gedeelte dat nu Spaans was, maar de Spanjaarden bevonden zich rond die tijd waarschijnlijk allemaal in de kroeg. In de rechthoek lucht die was afgetekend door de lage daken en de kruinen van de bomen die het plein omgaven, stond een heldere, nauwelijks pokdalige maan; ze spiegelde zich in het water van een fontein die murmelde in het midden van die verzonken vierhoek.

'Oh allerzoetste Diana,' had Saint-Savin gezegd, 'wat moet het nu kalm en vredig zijn in jouw steden en dorpen die geen oorlog kennen, omdat de Maanlingen leven in een toestand van natuurlijk geluk, onwetend van de zonde...'

'Ho, ho, Saint-Savin,' had de abt tegen hem gezegd, 'ook al zou de maan bewoond zijn, zoals die fantast van een Du Moulinet ons in zijn onlangs verschenen roman wil doen geloven en zoals de Schrift ons niet leert, dan nog zouden haar bewoners doodongelukkig zijn, omdat ze onwetend zijn van de Menswording.'

'En dan zou het uiterst wreed van de Here God zijn geweest dat hij hun een dergelijke openbaring heeft onthouden,' had Saint-Savin teruggekaatst.

'Probeert u maar niet de goddelijke mysteriën te doorgronden. God heeft ook de inlanders van Amerika de lering van zijn Zoon niet deelachtig gemaakt, maar zendt hun in zijn oneindige goedheid nu predikers om hun het licht te brengen.'

'En waarom zendt de paus dan geen predikers naar de maan? Zijn de Maanlingen soms geen kinderen van God?'

'Praat niet zulke onzin!'

'Ik ga er voor het gemak aan voorbij dat u zegt dat ik onzin verkoop, heer abt, maar weet dat er achter die onzin een geheim schuilgaat dat de paus beslist niet wil onthullen. Als de predikers bewoners op de maan zouden ontdekken en zouden zien dat ze naar andere werelden keken die wel binnen hún gezichtsveld liggen maar niet binnen het onze, dan zou weleens kunnen blijken dat de predikers zich ook gaan afvragen of er op die werelden geen wezens leven die op ons lijken. En ze zouden zich waarschijnlijk ook afvragen of de vaste sterren niet even zovele zonnen zijn, omringd door manen en andere planeten, en of de bewoners van die planeten niet ook weer andere, ons onbekende sterren zien, die even zovele zonnen zouden zijn met even zovele planeten, en ga zo maar door tot in het oneindige...'

'God heeft het ons onmogelijk gemaakt ons het oneindige voor te stellen, en wees dus, menselijk geslacht, maar tevreden met het dát en vraag niet naar het waarom.'

'De serenade, de serenade,' fluisterden de anderen. 'Dat raam is het.' Het raam verspreidde een rozerood lichtschijnsel dat afkomstig was uit een tot de verbeelding sprekende alkoof. Maar de twee bekvechters waren niet meer te stuiten.

'U moet daar wel aan toevoegen,' hield Saint-Savin spottend vol, 'dat als de wereld eindig was en omgeven door het Niets, ook God eindig zou zijn: hoewel het zijn taak is in de hemel en op aarde en overal te zijn, zoals u beweert, zou hij niet daar kunnen zijn waar er niets is. Het Niets is een on-plaats. Of liever, om de wereld te vergroten zou God zichzelf moeten vergroten, en wel door ergens waar hij eerst niet was voor een eerste keer te ontstaan, hetgeen in tegenspraak is met zijn vermeende eeuwigheid.'

'Genoeg, heer! U ontkent de eeuwigheid van de Eeuwige, en dat sta ik u niet toe. Mij rest niets anders dan u te doden, zodat die zogenaamde sterke geest van u ons niet verder kan verzwakken!' En hij ontblootte zijn rapier.

'Zo u wilt,' zei Saint-Savin, terwijl hij salueerde en zich in postuur stelde. 'Maar ik zal u niet doden: ik wil mijn koning geen soldaten ontnemen. Ik zal u slechts verminken, zodat u de rest van uw leven een masker zult moeten dragen, net als Italiaanse comedianten, een onderscheidingsteken dat u past. Ik zal u zo'n enorme jaap bezorgen dat u er een litteken aan overhoudt van uw oog tot aan uw lip, maar niet nadat ik u, tussen de stoten door, een lesje in natuurlijke wijsbegeerte heb gegeven.'

De abt had gealongeerd en er meteen flink op los gestoten in een

poging hem te raken, waarbij hij hem toeschreeuwde dat hij een smerig insekt was, een vlo, een luis die zonder mededogen geplet diende
te worden. Saint-Savin had gepareerd, had hem op zijn beurt opge-
jaagd en tegen een boom gedrukt, terwijl hij bij elke uitval zijn wijs-
gerigheden debiteerde.

'Kijk nu toch, stoccada's en riposta's zijn de simpele stoten van
iemand die blind is van woede! Het ontbreekt u ten enenmale aan
Inzicht in de Schermkunst. Maar het ontbreekt u eveneens aan naastenliefde, om vlooien en luizen zo te minachten. U bent een dier dat
te klein is om zich voor te kunnen stellen dat de wereld een groot dier
is, zoals de goddelijke Plato reeds beweerde. Probeert u zich eens in
te denken dat de sterren werelden vol andere, kleinere dieren zijn, en
dat die kleinere dieren op hun beurt dienen als wereld voor weer andere volkeren – dan zal het toch niet zo'n vreemde gedachte zijn dat
ook wij, en paarden, en olifanten, werelden zijn voor de vlooien en
luizen die ons bewonen. Ze nemen ons niet waar omdat we zo groot
zijn, en zo nemen wíj grotere werelden niet waar omdat we zo klein
zijn. Wellicht is er nu een luizenvolk dat uw lichaam voor een wereld
houdt, en als een van hen van uw voorhoofd naar uw nek is gelopen,
zeggen zijn kameraden over hem dat hij tot de uiterste grens van de
Terra Cognita heeft durven gaan. Dit kleine volkje houdt uw haren
voor de wouden van zijn land, en als ik u getroffen heb, zal het uw
wonden beschouwen als meren en zeeën. Als u uw haar kamt, houden ze die beroering voor de getijdenbeweging van de zee, en ze hebben de pech dat hun wereld zo veranderlijk is omdat u, net als een
vrouw, de neiging hebt voortdurend uw haar te kammen, en nu ik dat
kwastje eraf houw, zullen ze uw woedeuitbarsting voor een orkaan
houden, daar!' En hij had hem het versiersel afgesneden, waarbij hij
bijna zijn geborduurde tuniek aan flarden had gereten.

Schuimbekkend van woede was de abt naar het midden van het
plein gelopen, had achteromgekeken om zich ervan te vergewissen
dat hij genoeg ruimte had voor de schijnbewegingen die hij nu maakte, en was vervolgens teruggeweken om de fontein als rugdekking te
kunnen gebruiken.

Saint-Savin leek om hem heen te dansen zonder aan te vallen:
'Hoofd omhoog, heer abt, kijk naar de maan en bedenk dat als uw

God de ziel onsterfelijk had kunnen maken, hij ook de wereld wel oneindig had kunnen maken. Maar als de wereld oneindig is, zal ze dat zowel in de ruimte als in de tijd zijn en zal ze dus eeuwig zijn, en als er een eeuwige wereld bestaat die geen schepping behoeft, heeft het geen zin een Godsbesef te koesteren. Wat een mop, heer abt: als God oneindig is, kunt u zijn macht niet beperken. Hij zou nooit *ab opere cessare*, en dus zal de wereld oneindig zijn; maar als de wereld oneindig is, zal er geen God meer zijn, net zoals er binnenkort geen kwasten meer op uw tuniek zullen zitten!' En de daad bij het woord voegend had hij nog enkele pendanten afgehouwen waar de abt erg trots op was, had vervolgens geavanceerd en zijn hand in de hoge secunda gekeerd. Terwijl de abt trachtte de lange mensuur te bewaren, had hij een korte, harde klap op het scherp van het lemmer van zijn tegenstander gegeven. De abt had zijn rapier bijna laten vallen en met zijn linkerhand naar zijn pijnlijke pols gegrepen. Hij had gebruld: 'Ik zou u eens voor al moeten afmaken, goddeloze, vloekbek, blommerharten, bij alle vermaledijde heiligen van het Paradijs, bij het bloed van de Gekruisigde!'

Het raam van de dame was opengegaan, iemand had zich naar buiten gebogen en iets geschreeuwd. De aanwezigen waren inmiddels vergeten waarvoor ze gekomen waren en draaiden om de twee duellisten heen, die brullend rond de fontein liepen, waarbij Saint-Savin zijn vijand uit zijn evenwicht bracht met een reeks finta's en volta's.

'Roep de mysteriën van de Menswording maar niet te hulp, heer abt,' spotte hij. 'Uw Heilige Kerk van Rome heeft u geleerd dat deze modderbal het middelpunt is van het heelal, dat er op zijn beurt weer omheen draait en als een minstreel de muziek der sferen speelt. Pas op, u laat zich te veel tegen de fontein drukken, uw jaspand wordt nat; u lijkt wel een oude man met nierstenen... Maar als er in de grote ijlte oneindig vele werelden ronddraaien, zoals een groot wijsgeer beweerde die uw gelijken in Rome verbrand hebben, waarvan er zeer vele bewoond worden door schepselen zoals wij, en als ze allemaal geschapen waren door uw God, wat moeten we dan met de Verlossing?'

'Wat moet God met jou, vervloekte ellendeling!' had de abt gegild, terwijl hij moeizaam een riversa pareerde.

'Wilt u beweren dat Christus maar één keer mens is geworden? Dat de erfzonde dus maar één keer op deze aardkloot is begaan? Welk een onrecht! Hetzij voor de anderen, wie de Menswording onthouden is, hetzij voor ons, omdat de mensen in alle andere werelden in dat geval net zo volmaakt zouden zijn als onze voorouders vóór de zonde en dus een natuurlijk geluk zouden genieten, zonder de last van het Kruis. Of wellicht hebben oneindig vele Adams oneindig vaak de eerste zonde begaan, verleid door oneindig vele Eva's met oneindig vele appels; en is Christus gedwongen een oneindig aantal malen mens te worden, te leren en te lijden op de Kruisweg, en is hij daar misschien nu nog wel mee bezig; en als de werelden oneindig in getal zijn, zal ook zijn taak oneindig zijn. Als zijn taak oneindig is, zullen ook de vormen van zijn kwelling oneindig zijn: als er voorbij de Melkweg een land is waar de mensen zes armen hebben, zoals bij ons in de Terra Incognita, zou de zoon van God niet op een kruis genageld zijn maar op een stervormig stuk hout – hetgeen me meer iets lijkt voor een comedieschrijver.'

'Zo is het genoeg, ik maak korte metten met die comedie van u!' brulde de abt buiten zichzelf en stortte zich op Saint-Savin terwijl hij deze zijn laatste stoten toebracht.

Saint-Savin weerde ze af met een paar fraaie parada's en toen was het snel gebeurd. Terwijl de abt zijn rapier nog geheven hield na een parada in de prima, maakte hij een beweging alsof hij een passada wilde maken en deed alsof hij vooroverviel. De abt sprong opzij, in de hoop hem in zijn val te treffen. Maar Saint-Savin had de beheersing over zijn benen niet verloren en had zich bliksemsnel weer opgericht, waarbij hij zich had afgezet met zijn op de grond steunende linkerhand, en zijn rechterhand was omhooggeschoten: het was de Meeuwestoot. De punt van het rapier had het gelaat van de abt opengereten van diens neuswortel tot aan zijn lip en had de linkerhelft van zijn snor in tweeën gespleten.

De abt vloekte zoals een epicurist nooit zou hebben gedurfd, terwijl Saint-Savin in de houding sprong om te salueren en de aanwezigen die meesterlijke stoot met applaudissement beloonden.

Maar juist op dat moment arriveerde er van de overkant van het plein een Spaanse patrouille, wellicht aangetrokken door het tumult. Werktuiglijk hadden de Fransen hun hand op hun rapier gelegd. De Spanjaarden zagen zes gewapende vijanden en schreeuwden: 'Verraad!' Een soldaat richtte zijn musket en schoot. Saint-Savin werd in de borst getroffen en viel. De officier zag dat vier personen, in plaats van een gevecht te beginnen, hun wapens wegwierpen en op de gevallene toesnelden; hij keek naar de abt en diens met bloed bedekte gelaat, begreep dat hij een duel had verstoord, blafte zijn manschappen iets toe en de patrouille verdween weer.

Roberto boog zich over zijn arme vriend. 'La Grive, hebt u...' stamelde Saint-Savin met moeite, 'hebt u mijn stoot gezien? Denk erover na en oefen erop. Ik wil niet dat het geheim met mij het graf in gaat...'

'Saint-Savin, beste vriend,' huilde Roberto, 'u mag niet op zo'n onbenullige manier sterven.'

'Onbenullig? Ik heb een onbenul verslagen en ga strijdend ten onder, door het lood van de vijand. Ik heb in mijn leven naar het juiste evenwicht gestreefd... Altijd ernstig praten leidt tot verveling. Altijd spotten tot minachting. Altijd redekavelen tot treurnis. Altijd grappen maken tot ongemak. Ik heb de rol van al die personages gespeeld, afhankelijk van de tijd en de gelegenheid, en soms ben ik zelfs hofnar geweest. Maar wat er vanavond gebeurd is, zal – als u het verhaal goed vertelt – geen comedie blijken te zijn, maar een mooie tragedie. Wees niet bedroefd omdat ik sterf, Roberto,' en voor het eerst noemde hij hem bij zijn voornaam, *'une heure après la mort, notre âme évanouïe, sera ce qu'elle estoit une heure avant la vie...* Mooie verzen, nietwaar?'

Hij blies de laatste adem uit. Ze besloten tot een nobele leugen, waarmee ook de abt instemde, en vertelden rond dat Saint-Savin gestorven was in een schermutseling met landsknechten die op weg waren naar het kasteel. Toiras en alle officieren beweenden hem als een held. De abt vertelde dat ook hij in het krakeel gewond was geraakt, en maakte zich op om bij zijn terugkeer in Parijs een beneficie te ontvangen.

In korte tijd had Roberto zijn vader, zijn geliefde, zijn gezondheid, zijn vriend en wellicht de oorlog verloren.

Pater Emanuele kon hem geen troost bieden, aangezien deze te zeer in beslag werd genomen door zijn geheime bijeenkomsten. Hij sloot zich weer aan bij de heer van Toiras, de laatste vertrouwde figuur, en was onder diens bevel getuige van de laatste gebeurtenissen.

Op 13 september arriveerden er gezanten van de koning van Frankrijk, van de hertog van Savoye en van kapitein Mazzarini bij het kasteel. En ook het hulpleger voerde onderhandelingen met de Spanjaarden: dat de Fransen om een wapenstilstand vroegen teneinde op tijd te komen om de stad te redden, zou niet het laatste wonderlijke voorval van dat beleg zijn. De Spanjaarden stemden ermee in omdat ook in hun kamp, dat door de pest gedecimeerd was, de toestand zorgwekkend was; er werd steeds meer gedeserteerd en Spinola stond inmiddels met één been in het graf. Toiras moest toezien hoe de nieuwkomers hem de voorwaarden van het verdrag dicteerden, voorwaarden die hem in staat stelden Casale te blijven verdedigen terwijl Casale al was ingenomen: de Fransen zouden zich in de citadel terugtrekken en de Spanjaarden de stad en het kasteel laten, ten minste tot 15 oktober. Als het hulpleger op die dag nog niet gearriveerd was, zouden de Fransen, voorgoed verslagen, ook uit de citadel wegtrekken. Anders zouden de Spanjaarden de stad en het kasteel teruggeven.

Intussen zouden de belegeraars de belegerden van levensmiddelen voorzien. Dit was in onze ogen zeker niet de wijze waarop een beleg in die tijd had moeten verlopen, maar het was desalniettemin de wijze waarop men toentertijd aanvaardde dat het verliep. Het was geen oorlog voeren, het was dobbelen, waarbij er af en toe gepauzeerd werd als de tegenstander moest gaan wateren. Of ook wel als wedden op het goede paard. En het paard was dat leger, dat op de vleugelen der hoop gaandeweg in omvang toenam maar dat niemand nog gezien had. Men leefde in de citadel van Casale net als op de *Daphne*: omringd door indringers droomde men van een ver Eiland.

De Spaanse voorhoeden hadden zich netjes gedragen, maar nu trok het gros van het leger de stad binnen en kregen de Casalezen te maken met bezetenen die alles vorderden, vrouwen verkrachtten, mannen aftuigden en zich, na maanden in bossen en op slagvelden te hebben vertoefd, overgaven aan de geneugten van het stadsleven. En gelijkelijk verdeeld over veroveraars, veroverden en degenen die zich in de citadel verschanst hadden: de pest.

Op 25 september ging het gerucht dat Spinola gestorven was. Grote vreugde in de citadel, beroering onder de veroveraars, die nu ook wezen waren, net als Roberto. Het waren dagen die kleurlozer waren dan die op de *Daphne*, totdat op 22 oktober werd aangekondigd dat het hulpleger zich inmiddels in Asti bevond. De Spanjaarden waren begonnen het kasteel te versterken en kanonnen te stellen langs de oevers van de Po, zonder zich (vloekte Toiras) aan het verdrag te houden, dat luidde dat ze bij de komst van het leger Casale moesten verlaten. De Spanjaarden wezen er bij monde van de heer van Salazar op dat in het verdrag als uiterste datum 15 oktober was vastgesteld en dat, als er al íemand iets moest, het toch wel de Fransen waren die de citadel een week eerder hadden moeten verlaten.

Op 24 oktober vielen er vanaf het glacis van de citadel grote vijandelijke troepenbewegingen waar te nemen en Toiras maakte zich op om met zijn kanonnen de in aantocht zijnde Fransen dekking te bieden; in de dagen die volgden begonnen de Spanjaarden hun legertrossen in te schepen om deze over de rivier naar Alessandria te zenden, hetgeen in de citadel als een goed teken werd gezien. Maar de vijanden bij de rivier begonnen ook pontonbruggen te slaan om zich op de terugtocht voor te bereiden. En dit vond Toiras van dermate weinig verfijning getuigen dat hij hen begon te kanonneren. Uit woede arresteerden de Spanjaarden alle Fransen die zich nog in de stad bevonden, en hoe het kwam dat er daar nog Fransen waren, ontgaat me eerlijk gezegd, maar Roberto zegt dat het zo was, en zo langzamerhand weet ik wel dat ik van dit beleg alles kan verwachten.

De Fransen waren vlakbij en het was bekend dat Mazzarini er alles aan deed om een treffen te voorkomen, met mandaat van de paus. Hij reed heen en weer tussen de twee legers, keerde terug om te beraadslagen in het klooster van Pater Emanuele en vertrok weer te paard om beide zijden tegenvoorstellen te doen. Roberto zag hem altijd alleen maar uit de verte, onder het stof, terwijl hij voortdurend voor iedereen met een zwierig gebaar zijn hoed afnam. Intussen verroerden beide partijen zich niet, omdat degene die de eerste zet zou doen schaakmat zou komen te staan. Roberto begon zich af te vragen of dat hulpleger niet een verzinsel was van die jonge kapitein, die belegerden en belegeraars dezelfde droom liet dromen.

Sinds juni werd er namelijk door de keurvorsten vergaderd in Regensburg, en Frankrijk had daar zijn ambassadeurs naar toe gestuurd, onder wie Père Joseph. En terwijl er nog allerlei steden en gebieden verdeeld werden, was men over Casale reeds op 13 oktober tot een vergelijk gekomen. Het nieuws had Mazzarini al snel bereikt, zoals Pater Emanuele aan Roberto vertelde, en nu was het alleen nog zaak zowel degenen die in aantocht waren als degenen die hen opwachtten te bepraten. De Spanjaarden hadden verscheidene berichten ontvangen die elkaar echter allemaal tegenspraken; ook de Fransen hadden er iets over gehoord, maar waren bang dat Richelieu het er niet mee eens was – en dat was hij inderdaad niet, maar dit was de tijd waarin de toekomstige Kardinaal Mazarin de dingen naar zijn hand begon te zetten, achter de rug om van de man die later zijn beschermheer zou zijn.

Zo stonden de zaken ervoor toen de twee legers op 26 oktober tegenover elkaar kwamen te staan. Ten oosten van Casale, op de heuvelkam bij Frassineto, stond het Franse leger opgesteld; recht voor de stad, op de vlakte tussen de muren en de heuvels, met links de rivier, het Spaanse leger dat door Toiras van achteren met kanonnen werd bestookt.

Een rij vijandelijke karren was bezig de stad te verlaten, Toiras had de paar ruiters die hem restten bijeengeroepen en de vlakte op gestuurd teneinde deze tegen te houden. Roberto had gesmeekt om mee te mogen doen, maar had geen toestemming gekregen. Nu had hij het gevoel alsof hij zich op het dek van een schip bevond waar hij niet af kon, en uitkeek over een uitgestrekte zeevlakte en het berglandschap van een Eiland dat hem ontzegd was.

Op een gegeven moment hadden er schoten geklonken; wellicht de twee voorhoedes die op elkaar waren gestuit. Toiras had besloten een uitval te doen om de manschappen van Hunne Allerchristelijkste Majesteiten op twee fronten bezig te houden. De troepen stonden op het punt zich buiten de muren te begeven toen Roberto vanaf de bastions een zwarte ruiter ontwaarde die, zonder zich te bekommeren om de eerste kogels, precies in de vuurlinie tussen de twee legers door reed, terwijl hij met een vel papier zwaaide en – naar omstanders later berichtten – 'vrede, vrede!' riep.

Het was kapitein Mazzarini. Tijdens zijn laatste pelgrimstochten tussen de twee oevers had hij de Spanjaarden overgehaald met de verdragen van Regensburg te accorderen. De oorlog was afgelopen. Casale bleef van Nevers, de Fransen en de Spanjaarden maakten zich op om de stad te verlaten. Terwijl de troepen opbraken, sprong Roberto op de trouwe Pagnufli en reed naar de plek van het uitgebleven treffen. Hij zag edellieden in goudkleurige wapenrustingen die zich uitputten in groeten, plichtplegingen en danspasjes, terwijl er in aller ijl tafeltjes werden neergezet om verdragen te bezegelen.

De dag daarna begon de aftocht, eerst van de Spanjaarden en toen van de Fransen; maar af en toe liep het door elkaar, was er sprake van toevallige ontmoetingen, de uitwisseling van geschenken, vriendschapsbetuigingen. In de stad echter rotten de kadavers van de pestlijders weg in de zon, snikten de weduwen en bleken sommige burgers verrijkt met zowel klinkende munt als de Franse ziekte, zonder overigens met anderen dan hun eigen vrouw in bed te hebben gelegen.

Roberto probeerde zijn boeren terug te vinden. Maar van het leger van La Griva viel geen spoor meer te bekennen. Sommigen waren waarschijnlijk aan de pest gestorven en de rest was verstrooid. Roberto dacht dat ze wel naar huis zouden zijn gegaan; misschien had zijn moeder van hen al gehoord dat haar gade gestorven was. Hij vroeg zich af of hij op dit moment niet bij haar moest zijn, maar hij had er geen belul meer van wat zijn plicht was.

Het valt moeilijk te zeggen of zijn vertrouwen meer geschokt was door de oneindig kleine en oneindig grote werelden in een ijle ruimte zonder God en zonder richtsnoer, waar Saint-Savin hem mee had laten kennis maken, door de lessen in prudentie van La Saletta en Salazar of door de kunst van de Heroïeke Deviezen, die volgens Pater Emanuele de enige ware wetenschap was.

Uit de wijze waarop hij zich op de *Daphne* een en ander weer voor de geest haalt, meen ik op te maken dat Roberto in Casale, waar hij én zijn vader én zichzelf kwijtraakte, in een oorlog met zowel te veel als geen enkele betekenis, geleerd had de gehele wereld te zien als een kwetsbaar weefsel van raadselen waarachter geen Maker meer schuilging; en zo die er wel was, leek hij geheel op te gaan in de poging zichzelf uit vele invalshoeken te herscheppen.

Terwijl hij dáár het gevoel had gehad zich in een wereld te bevinden die geen middelpunt meer had en uit louter omtrek bestond, had hij hier het gevoel dat hij zich in het uiterste en meest verloren buitengewest bevond; want als er al een middelpunt was, lag dat vóór hem en was hij daar de onbeweeglijke trawant van.

15
*h*orologia
(quaedam oscillatoria)

Ik geloof dat dit de reden is dat ik al meer dan honderd bladzijden lang uitweid over allerlei gebeurtenissen die aan de schipbreuk op de *Daphne* voorafgingen, maar op de *Daphne* zelf niets laat gebeuren. Dat de dagen op een verlaten schip ledig zijn, kan míj niet worden aangewreven – want het valt nog maar te bezien of deze roman de moeite loont geschreven te worden – en Roberto al evenmin. Hooguit zouden we hem kunnen verwijten dat hij er (met alles wat hij te doen had, het was amper dertig uur geleden dat hij ontdekt had dat ze zijn eieren hadden gestolen) een hele dag over deed om de gedachte aan de enige mogelijkheid die zijn verblijf had kunnen verlevendigen van zich af te zetten. Zoals hem alras duidelijk zou worden, had het geen zin de *Daphne* voor al te onschuldig te houden. Er waarde op die schuit behalve hijzelf nog iemand of iets rond, er lag nog iemand of iets op de loer. Zelfs op dit schip behoorde een onvervalst beleg niet tot de mogelijkheden. De vijand was al binnen.

Hij had het kunnen vermoeden op die avond dat hij de kaart in zijn armen sloot. Toen hij weer bij zinnen kwam, had hij dorst, de karaf was leeg en hij was op zoek gegaan naar een watervat. De vaten die hij had neergezet om het regenwater op te vangen waren zwaar, maar er stonden kleinere in de bottelarij. Hij liep erheen, pakte het vat waar hij het gemakkelijkst bij kon – toen hij er later over nadacht, moest hij toegeven dat hij er wat al te gemakkelijk bij had gekund – plaatste het, eenmaal terug in de hut, op tafel en zette zijn mond aan de tap.

Het was geen water, en hoestend besefte hij dat het vaatje brandewijn bevatte. Hij wist niet wat voor soort, maar als rechtgeaarde boer
kon hij wel zeggen dat hij niet uit wijn gestookt was. Hij had het geen
onaangename drank gevonden en was zich er met onverwachte vrolijkheid aan te buiten gegaan. Het kwam niet bij hem op dat hij zich,
als de vaatjes in de bottelarij allemaal eender waren, zorgen diende te
maken over zijn watervoorraad. Evenmin vroeg hij zich af hoe het
kon dat hij de tweede avond uit het voorste vaatje had getapt en dat
het toen vol drinkwater had gezeten. Uiteindelijk kwam hij tot de
slotsom dat Iemand dat verraderlijke geschenk daar later had neergezet, opdat hij dat als eerste zou pakken. Iemand die wilde dat hij in
staat van beschonkenheid raakte, om hem zo in zijn macht te krijgen.
Maar als dat de opzet was, kwam Roberto hem wel bijzonder geest-
driftig tegemoet. Ik geloof niet dat hij veel dronk, maar voor een ca-
techumeen als hij waren een paar kroezen al te veel.

Uit het gehele relaas dat volgt, valt op te maken dat Roberto tijdens de daaropvolgende gebeurtenissen in een staat van opwinding
verkeerde die enkele dagen zou aanhouden.

Zoals dronkaards betaamt viel hij in slaap, maar hij werd gekweld
door steeds heftiger dorst. In die tomeloze slaap kwam er een laatste
beeld van Casale bij hem boven. Voordat hij vertrok was hij afscheid
gaan nemen van Pater Emanuele, die bezig was geweest zijn dichterlijke kunstwerk uit elkander te nemen en in te pakken om dat mee
terug te nemen naar Turijn. Maar toen hij bij Pater Emanuele vandaan kwam, was hij op de wagens gestuit waarop de Spanjaarden en
de keizerlijken de onderdelen van hun belegeringswerktuigen aan het
laden waren.

Het waren die tandwielen die nu zijn droom bevolkten: hij hoorde
een roestig geknars van grendels, een geschraap van hengsels, en het
waren geluiden die dit keer niet door de wind veroorzaakt konden
worden, want de zee was zo glad als een spiegel. Geërgerd, als iemand
die bij het ontwaken droomt dat hij droomt, had hij zichzelf gedwongen zijn ogen te openen en had weer dat geluid gehoord, dat óf van
het benedendek kwam óf uit het ruim.

Toen hij opstond voelde hij dat hij ontzettende hoofdpijn had. Om
die te verhelpen wist hij niets beters te doen dan nogmaals zijn mond

aan het vaatje te zetten, waarna hij zich nog beroerder voelde dan daarvoor. Hij wapende zich, waarbij hij zijn mes meermalen naast zijn riem stak, sloeg flink wat kruisen en wankelde naar beneden.

Onder hem, dat wist hij al, bevond zich de roerpen. Hij daalde nog verder af, tot onder aan de ladder: als hij in de richting van de voorsteven liep, zou hij bij de moestuin uitkomen. Achter hem was een vergrendelde deur die hij nog niet had opengebroken. Erachter weerklonk nu een zeer luid, veelvuldig en ongelijk getik, van allerlei uiteenlopende cadansen door elkaar; er viel zowel tik-tik als tok-tok en tak-tak te beluisteren, maar samen klonk het meer als tiktikke-taktakke-toktok-tiktikke. Het was alsof er achter die deur een legioen wespen en hommels zat, die allemaal woest door elkaar vlogen, waarbij ze tegen de wanden sloegen en tegen elkaar opbotsten. Hij durfde zelfs de deur niet te openen uit vrees belaagd te worden door de dolzinnige atomen uit die bijenkorf.

Na daar een hele tijd besluiteloos te hebben gestaan, vermande hij zich. Hij sloeg met de kolf van zijn vuurroer het hangslot stuk en ging naar binnen.

Door een geschutpoort viel er licht in de bergplaats, die uurwerken bleek te bevatten.

Uurwerken. Wateruurwerken, zandlopers en zonnewijzers links en rechts aan de wanden, maar vooral mechanieke uurwerken, die op verschillende planken en latafels stonden, uurwerken die werden voortbewogen door het trage zakken van gewichten en tegenwichten, door tandwielen die in andere tandwielen grepen, en die weer in andere, totdat het laatste in de twee ongelijke lepels van een loodrechte spil greep, waardoor ze twee halve slagen draaiden, in tegenovergestelde richtingen, en de spil door haar schaamteloze heupwiegen een horizontale, als onrust dienende waag in beweging hield, die aan de bovenkant vastzat; veeruurwerken waarin een kegelvormige schroef een kettinkje afwond dat werd voortgetrokken door het ronddraaien van een trommel die er schakel voor schakel bezit van nam.

Van een aantal uurwerken ging het mechaniek schuil achter een voorkomen van roestige versierselen en aangevreten ciseleerwerk, en was uitsluitend de trage beweging van de wijzers te zien; maar het merendeel toonde zijn knersend ijzerwerk en deed denken aan Dodendansen, waarin grijnzende, met de sikkel van de Tijd zwaaiende geraamten het enige leven vormen.

De uurwerken liepen allemaal; in de grootste zandlopers mummelde nog zand, van de kleinste was de onderste helft al bijna vol, en voor de rest louter tandengeknars en amechtig gekieskauw.

Wie daar voor de eerste keer binnenging had de indruk dat die uitstalling van uurwerken tot in het oneindige doorliep: de achterwand van het kamertje was bedekt met een doek waarop een rij kamers stond afgebeeld die uitsluitend door nog meer uurwerken werden bewoond. Maar ook als je je aan die betovering onttrok en alleen naar de uurwerken van, om het maar zo te zeggen, vlees en bloed keek, duizelde het je.

Het mag u, die deze gebeurtenissen met een afstandelijke blik beschouwt, ongeloofwaardig voorkomen, maar een schipbreukeling die beneveld door de brandewijn op een verlaten schip honderd uurwerken aantreft die bijna unisono het verhaal van zijn eindeloze tijd vertellen, denkt eerst aan het verhaal en dan pas aan zijn auteur. Zo ook Roberto, die deze tijdverdrijvers, speeltjes voor een ouwelijke, tot een zeer langgerekte dood veroordeelde jongeling, een voor een nauwkeurig bekeek.

De donderslag bij heldere hemel kwam later, zoals Roberto schrijft, toen hij, na die boze droom achter zich te hebben gelaten, inzag dat hij er een oorzaak voor moest vinden: als de uurwerken liepen moest iemand ze in werking hebben gezet. Zelfs als ze zo ontworpen waren dat ze zeer lang konden blijven lopen en ze al voor zijn komst opgewonden waren, had hij ze al eerder gehoord moeten hebben toen hij langs die deur was gekomen.

Was er slechts sprake geweest van één mechaniek, dan had hij nog kunnen denken dat dit zo was afgesteld dat iemand het alleen maar een zetje had hoeven geven; voor dat zetje had een beweging van het schip gezorgd, of een zeevogel die door de geschutpoort naar binnen was gevlogen en op een hefboom of op een zwengel was gaan zitten en zo een reeks mechanieke bewegingen aan de gang had gebracht. Beweegt een sterke wind niet somtijds de torenklokken, is het soms niet voorgevallen dat sloten waarvan de sleutel niet helemaal was omgedraaid, weer terugsprongen?

Maar een vogel kan niet in zijn eentje tientallen uurwerken opwinden. Nee. Of Ferrante al dan niet bestond was één ding, maar er zat beslist een Indringer op het schip. Deze was de bergplaats binnengegaan en had zijn mechanieken opgewonden. Waarom hij dat had gedaan was de eerste, minst dringende vraag. De tweede was waar hij zich vervolgens had verborgen.

Roberto moest dus naar beneden, naar het ruim: hij hield zich voor dat hij er nu niet langer omheen kon, maar ook al was hij het nog zo vast van plan, hij talmde met de uitvoering ervan. Het begon hem te duizelen, en hij ging weer naar het dek om zijn hoofd nat te maken met regenwater, waarna hij zich met een helderder hoofd boog over de vraag wie die Indringer kon zijn.

Het kon geen van het Eiland afkomstige wilde zijn, en ook niet een achtergebleven zeeman, want die zou namelijk van alles ondernomen hebben (hem op klaarlichte dag aanvallen, hem 's nachts proberen te vermoorden, om genade smeken) behalve kippen voeren en uurwerken opwinden. Op de *Daphne* hield zich dus een vreedzaam en wijs man verborgen, wellicht de bewoner van de kaartenkamer. Hij was derhalve – áls hij er was, en omdat hij er eerder was dan hij – een Rechtmatige Indringer. Maar die mooie tegenspraak vermocht Roberto's razende angst niet tot bedaren te brengen.

Als de Indringer Rechtmatig was, waarom hield hij zich dan schuil? Uit vrees voor de onrechtmatige Roberto? En als hij zich schuilhield, waarom maakte hij zijn aanwezigheid dan kenbaar met het bedenken van dat uurwerkconcerto? Was het misschien iemand met een verdorven geest die hem, omdat hij bang voor hem was en het niet op een daadwerkelijke ontmoeting aan wilde laten komen, probeerde te lozen door hem tot waanzin te drijven? Maar waarom deed hij zoiets, als hij, die immers ook schipbreukeling op dat kunstelijke eiland was, alleen maar voordeel zou kunnen hebben van een verbond met een lotgenoot? Wellicht, hield Roberto zich voor, verborg de *Daphne* nog meer geheimen die hij aan niemand wilde onthullen.

Goud dus, en diamanten, en alle rijkdommen van de Terra Incognita, of van de Salomonseilanden, waarover hij Colbert had horen praten...

Toen hij aan de Salomonseilanden dacht, ging Roberto een licht op. Natuurlijk, de uurwerken! Wat deden zoveel uurwerken op een schip dat zeeën bevoer waar de ochtenden en de avonden worden bepaald door de loop van de zon en je verder niets hoefde te weten? De Indringer was naar deze verre lengtecirkel gekomen om net als doctor Byrd te zoeken naar het *Punto Fijo*!

Dat was het, geen twijfel mogelijk. Roberto – die uit Holland was vertrokken om als spion van de Kardinaal de geheime gangen na te gaan van een Engelsman die zich op zoek naar het *Punto Fijo* min of meer clandestien op een Hollands schip bevond – bevond zich nu door een krankzinnige samenloop van omstandigheden op het (Hollandse) schip van een Ander, wie weet uit welk land, die achter hetzelfde geheim trachtte te komen.

16

de eminente *Oratie*
over het poeder toegenaamd van sympathie

Hoe was hij in dat wespennest terechtgekomen?

Roberto is niet erg mededeelzaam over de jaren tussen zijn terugkeer naar La Griva en zijn entree in de Parijse beau-monde. Uit spaarzame toespelingen valt op te maken dat hij zijn moeder terzijde stond totdat hij begin twintig was, en dat hij met tegenzin met de boeren over zaaien en oogsten sprak. Zodra zijn moeder haar echtgenoot in het graf was gevolgd, kwam Roberto erachter dat hij in die wereld niet langer thuishoorde. Hij zal het leengoed aan een bloedverwant hebben toevertrouwd, zich aldus verzekerend van een goed inkomen, en de wijde wereld zijn in getrokken.

Hij had een briefwisseling onderhouden met iemand die hij in Casale had leren kennen, en werd er daardoor toe aangezet zijn einder te verbreden. Ik weet niet hoe hij in Aix-en-Provence terecht is gekomen, maar hij is daar zeker geweest, aangezien hij dankbaar terugkijkt op de twee jaar die hij doorbracht bij een plaatselijke edelman, die thuis was in elke tak van wetenschap en een bibliotheek bezat die niet alleen rijk was aan boeken, maar ook aan kunstvoorwerpen, oude monumenten en opgezette dieren. Bij zijn gastheer in Aix moet hij die leermeester ontmoet hebben die hij altijd met heilig ontzag de Kanunnik van Digne en soms *le doux prêtre* noemt. En met diens geloofsbrieven heeft hij ten slotte op niet nader genoemde datum zijn opwachting gemaakt in Parijs.

Hier had hij zich meteen in verbinding gesteld met vrienden van de Kanunnik, en hij werd toegelaten tot een van de meest vooraanstaande ontmoetingsplaatsen in de stad. Hij heeft het vaak over het rariteitenkabinet van de gebroeders Dupuy en herinnert het zich als een plek waar zijn geest zich door de omgang met mannen van de wetenschap elke middag iets meer opende. Maar ik vind ook vermeldingen van andere kabinetten die hij in die jaren bezocht, volgestouwd met muntenverzamelingen, messen uit Turkije, agaten, wiskunstige rariteiten, schelpen uit de beide Indiën...

Op welk kruispunt hij zich in die vrolijke lente (april, of mei wellicht) van zijn leven bevond, valt op te maken uit zijn veelvuldige verwijzingen naar lessen die in onze ogen nogal uiteenlopend zijn. Overdag leerde hij van de Kanunnik hoe je je, volgens de leer van Epicurus, een wereld moest voorstellen die uit atomen bestond en tóch gewild en geschraagd werd door de goddelijke voorzienigheid; maar 's avonds zocht hij, gedreven door dezelfde liefde voor Epicurus, vrienden op die zichzelf epicuristen noemden en twistgesprekken over de eeuwigheid van de wereld moeiteloos afwisselden met bezoekjes aan schone dames van lichte zeden.

Hij maakt vaak gewag van een groepje lichtzinnige vrienden, die evenwel op hun twintigste niet onbekend waren met zaken waar anderen, als ze die op hun vijftigste zouden weten, prat op zouden gaan: Linières, Chapelle, Dassoucy, een wijsgeer en dichter die rondliep met een luit om zijn nek, Poquelin, die Lucretius vertaalde maar ervan droomde comedieschrijver te worden; alsmede Ercole Saviniano, die zich dapper geweerd had bij het beleg van Arras, liefdesverklaringen aan verzonnen geliefden schreef en zich liet voorstaan op zijn amoureuze betrekkingen met jonge edellieden van wie hij, zoals hij trots beweerde, de Italiaanse ziekte had opgelopen. Tegelijkertijd echter stak hij de draak met een vriend die even losbandig was als hij, 'qui se plasoit à l'amour des masles', en hij zei grappend dat het hem vergeven diende te worden dat hij uit schuchterheid altijd achter de rug van zijn vrienden wegkroop.

Nu hij zich opgenomen voelde in een gemeenschap van vrije geesten werd hij misschien niet wijs, maar begon hij wel neer te kijken op de onwetendheid die hij zowel bij edellieden aan het hof aantrof, als bij sommige rijk geworden burgers die goede sier maakten met lege, in marokijn uit de Levant gebonden dozen met op de rug in goud de namen van geroemde auteurs.

Roberto was kortom toegetreden tot de kring van de *honnêtes gens* die, ook al hadden ze geen blauw bloed, wel afstamden van de *noblesse de robe* en het zout van de aarde vormden. Maar hij was jong, hongerde naar nieuwe ervaringen en was, ondanks zijn omgang met geleerde mannen en zijn libertijnse strooptochten, niet ongevoelig gebleven voor de aantrekkingskracht van de adel.

Lange tijd had hij, als hij 's avonds door de rue Saint-Thomas-du-Louvre liep, van buiten het Hôtel de Rambouillet bewonderd, met zijn fraaie, door corniches, friezen, architraven en pilasters gemoduleerde façade, speels afgewisseld met rode baksteen, witte natuursteen en donkere leisteen.

Hij keek op naar de verlichte vensters, zag de gasten naar binnen gaan, verbeeldde zich de roemruchte schoonheid van de binnentuin en stelde zich de vertrekken voor van dat kleine hof waar heel Parijs de mond vol van had en dat werd bestierd door een stijlvolle vrouw die het andere hof – dat de speelbal was van de luimen van een koning die de finesses van de geest niet vermocht te appreciëren – niet verfijnd genoeg had gevonden.

Ten slotte had Roberto bedacht dat hij als Italiaan wellicht enig aanzien zou genieten in het huis van een vrouw die een Romeinse moeder had, wier voorgeslacht ouder was dan Rome zelf en stamde uit Alba Longa. Het was niet toevallig dat een vijftiental jaren eerder cavalier Marino, eregast in dat huis, de Fransen wegwijs had gemaakt in de nieuwe poëzie die was voorbestemd de kunst der Ouden te doen verbleken.

Hij had het voor elkaar gekregen dat hij werd opgenomen in die tempel van verfijning en vernuft, van edellieden en *précieuses* (zoals men toentertijd zei) die wijs waren zonder pedanterie, galant zonder lichtmisserij, die vrolijk waren zonder gemeenzaam en puristisch zonder belachelijk te zijn. Roberto voelde zich in die kringen op zijn gemak: hij had het gevoel dat het hem daar vergund was de lucht van de grote stad en het hof op te snuiven, zonder zich te moeten plooien naar de voorschriften van de prudentie, die hem in Casale waren ingeprent door de heer van Salazar. Er werd hem niet gevraagd zich te schikken naar de wil van een machthebber, maar juist openlijk te laten zien dat hij anders was. Niet te veinzen, maar zich – zij het met inachtneming van de regelen der welvoeglijkheid – te meten met personen die beter waren dan hij. Er werd hem niet gevraagd te flemen, maar durf te tonen, te laten zien dat hij in staat was beschaafd en welopgevoed te converseren en op luchtige toon diepe gedachten te debiteren... Hij voelde zich geen dienaar, maar een duellist van wie een louter geestelijke bravade werd verlangd.

Hij wende zichzelf aan gekunsteldheid te vermijden en steeds vaardig alle oefening en inspanning te verhullen, opdat hetgeen hij deed of zei een opwelling leek, waarbij hij trachtte zich te bekwamen in zelfverzekerde achteloosheid, hetgeen in Spanje wel *despejo* wordt genoemd.

Roberto, die gewend was aan de naar lavendel geurende vertrekken van La Griva, bewoog zich nu, als hij het *hôtel* van Arthénice binnenstapte, in kabinetten waar altijd de geur hing van ontelbare *corbeilles*, alsof het er altijd lente was. De paar adellijke woningen die hij kende werden gedomineerd door een in het midden geplaatste trap, die ten koste ging van de kamers. Bij Arthénice bevonden de trappen zich in een hoek aan het eind van de binnenplaats, zodat de rest van het huis één aaneenschakeling van zalen en kabinetten was, met tegenover elkaar gelegen hoge deuren en ramen: de kamers hadden niet allemaal dezelfde naargeestige rode kleur, of die van gelooid leer, maar verschillende kleuren, en in de Chambre Bleue van de gastvrouw waren de wanden van blauw fluweel, versierd met goud en zilver.

Arthénice ontving haar vrienden liggend in haar kamer, te midden van paravents en dikke wandtapijten die haar gasten tegen de kou moesten beschermen: ze kon noch tegen zonlicht noch tegen de gloed van vuurkorven. Vuur en daglicht verhitten het bloed in haar aderen en deden haar het bewustzijn verliezen. Op een keer hadden ze een vuurkorf onder haar bed laten staan en had ze belroos gekregen. Ze was als bepaalde bloemen, die om hun frisheid te behouden niet altijd in het licht en evenmin altijd in de schaduw willen staan, en waarvoor tuinmannen een bijzonder klimaat moeten scheppen. Schaduwminnend als ze was ontving Arthénice op bed, haar benen in een zak van berebont, en ze bedolf zichzelf onder zoveel slaapmutsen dat ze gevat zei dat ze doof werd met Sint-Maarten en haar gehoor terugkreeg met Pasen.

En toch was de gastvrouw, ook al was ze niet jong meer, het toonbeeld van gratie, groot en welgevormd, met wonderschone gelaatstrekken. Het licht in haar ogen viel niet te beschrijven: het zette niet aan tot onbetamelijke gedachten, maar blies een mengeling van schroom en liefde in, en zuiverde de harten die het had doen ontvlammen.

In die vertrekken animeerde de gastvrouw gesprekken over vriendschap of liefde zonder dat ze zich opdrong, en met dezelfde luchtigheid werden er zedelijke, politieke en wijsgerige vraagstukken aangesneden. Roberto ontdekte de deugden van de andere kunne in haar lieflijkste gedaante en adoreerde op afstand ongenaakbare prinsessen – zoals de mooie mademoiselle Paulet, die vanwege haar wilde haardos de bijnaam La Lionne droeg – en vrouwen die schoonheid wisten te paren aan het soort gevatheid dat volgens de oude academiën uitsluitend voorbehouden was aan mannen.

Na een leertijd van enkele jaren was hij klaar om zijn Dame te ontmoeten.

De eerste keer dat hij haar zag was op een avond; ze droeg een donker gewaad en was gesluierd als een kuise Maan die zich schuilhield achter een wolkenfloers. Via *Le bruit*, het enige dat in de Parijse beau-monde dienst deed als waarheid, kwamen hem tegenstrijdige dingen over haar ter ore: dat ze op gruwelijke wijze weduwe was geworden, niet van een echtgenoot, maar van een minnaar, en met dat verlies pronkte om haar alleenrecht op die verloren geliefde kracht bij te zetten. Iemand had hem ingefluisterd dat ze haar gelaat verborg omdat ze een beeldschone Egyptische was, afkomstig uit Morea.

Hoe de waarheid ook luidde, louter door het bewegen van haar kleed, het naderen van haar lichte voetstappen en het mysterie van haar verborgen gelaat, behoorde Roberto's hart haar toe. Haar schitterende duisternis deed hem stralen, hij stelde zich haar voor als een dageraadwitte nachtvogel, hij trilde bij het wonder waardoor het licht verduisterde en de duisternis oplichtte, inkt melk werd en ebben ivoor. Onyx glinsterde in haar haren, en de dunne stof die de vorm van haar gelaat en haar lichaam verhulde en tegelijkertijd sterker deed uitkomen, had dezelfde zilveren zwartheid als de sterren.

Maar op de avond van hun eerste ontmoeting was haar sluier plotseling even van haar voorhoofd gegleden en had hij in die maansikkel de lichtende afgrond van haar ogen kunnen zien. Twee minnende harten die elkaar aankijken zeggen meer dan alle talen van dit heelal in één dag zouden kunnen zeggen. Dat had Roberto zichzelf wijsgemaakt, ervan overtuigd dat zij naar hem gekeken had en dat ze het, toen ze naar hem keek, ook gezien had. En toen hij thuiskwam, had hij haar geschreven.

Mevrouw, het vuur waarmee u mij hebt verzengd, verspreidt zo'n ijle rook dat u, daar het roetzwarte dampen afgeeft, niet zult kunnen ontkennen erdoor verblind te zijn. De kracht van uw blik volstond om mij de wapenen der trots uit handen te slaan en mij ertoe aan te zetten u te smeken mijn leven op te eisen. Hoezeer heb ik zelf niet bijgedragen tot uw overwinning – ik die de strijd begon als iemand die overwonnen wilde worden – door het weerlooste deel van mijn lichaam bloot te stellen aan uw aanval, te weten een hart dat al tranen van bloed plengde, bewijs dat u mijn huis al had ontdaan van water teneinde het ten prooi te doen vallen aan het verzengende vuur dat door uw, toch zo kortstondige, aandacht werd aangewakkerd!

De brief was in zijn ogen zo volmaakt ingegeven door de regelen van het aristotelische kunstwerk van Pater Emanuele, zozeer geschikt om de Dame de aard te onthullen van de enige persoon die tot zoveel tederheid in staat was dat hij het niet noodzakelijk achtte hem te ondertekenen. Hij wist nog niet dat de précieuses liefdesbrieven verzamelden als waren het kleinodiën en viezevazen, nieuwsgieriger naar wat erin werd uitgedrukt dan naar hun auteur.

Hij ontving in de weken en maanden die volgden niet het geringste antwoord. De Dame had inmiddels eerst haar donkere kledij afgelegd en vervolgens haar sluier, en ten slotte was hem de aanblik van de blankheid van haar niet-Moorse huid vergund, haar blonde lokken, de triomf van haar niet langer vluchtige ogen, vensters van de ochtendschemer.

Maar nu hun blikken elkaar vrijelijk konden kruisen, zag hij kans de hare te onderscheppen als deze op anderen rustte; hij zwolg in de muziek van woorden die niet tot hem gericht waren. Hij kon slechts leven in haar licht, maar was gedoemd in de schaduwkegel te staan van een ander lichaam dat haar stralen opving.

Op een avond was hij achter haar naam gekomen, doordat hij hoorde dat iemand haar Lilia noemde. Het was natuurlijk haar precieuze précieusenaam, en hij wist wel dat die namen voor de grap verzonnen werden – de markiezin zelf werd Arthénice genoemd, hetgeen een anagram was van haar echte naam Cathérine – maar er werd gezegd dat de meesters van die *ars combinatoria*, Racan en Malherbe, ook Éracinthe en Carinthée bedacht hadden. Desalniettemin was hij van mening dat zijn Dame, met haar geurige, werkelijk lelieblanke huid, niet anders had kunnen heten dan Lilia.

Vanaf dat moment was de vrouw voor hem Lilia, en aan Lilia droeg hij nu zijn liefdesverzen op, die hij vervolgens onmiddellijk weer vernietigde uit angst dat ze een onwaardig eerbetoon waren: *Oh allerzoetste Lilia – nauwelijks plukte ik je bloem, of ik ben je weer kwijt! – Misgun je het mij jou weer te zien? – Ik volg je en jij vlucht, – ik spreek met je en jij zwijgt...* Maar hij sprak niet met haar, behalve met blikken vol twistzieke liefde, want hoe meer iemand bemint, des te meer is hij geneigd tot wrok en voelt hij brandend koude rillingen die worden veroorzaakt door zijn kwijnende gezondheid, is zijn gemoed zo licht als een loden veer, ondersteboven als hij is door de verrukkelijke uitwerking van die liefdeloze liefde; en hij bleef brieven schrijven die hij zijn Dame stuurde zonder ze te ondertekenen, en verzen voor Lilia, die hij angstvallig voor zichzelf hield en elke dag herlas.

Lilia, Lilia, waar ben je, waar verberg je je? – Lilia, schittering des hemels – je kwam als een flits – om te verwonden, te verdwijnen; door dit te schrijven (en niet te versturen) vermeerde hij haar aanwezigheid. Door haar 's nachts te volgen als ze met haar kamenier naar huis ging (*u volgend door de donkerste wouden – door de donkerste stegen – zal ik me, zij het vergeefs, louter vermeien in de vluchtige afdrukken van uw vederlichte voet...*), had hij ontdekt waar ze woonde. Hij posteerde zich vaak voor haar huis rond de tijd dat ze haar dagelijkse wandeling ging maken, en als ze naar buiten kwam, liep hij haar achterna. Na enkele maanden wist hij uit zijn hoofd op welke dag en welk uur ze van kapsel veranderde (en dichtte hij over die dierbare zielestroppen die als wellustige slangetjes over haar room-blanke voorhoofd dwaalden); en hij herinnerde zich die toverachtige maand april waarin ze een bremkleurig manteltje had ingewijd dat haar, toen ze in de eerste lentebries liep, de sierlijke gang van een zonnevogel verleende.

Soms keerde hij, na haar als een spion gevolgd te hebben, haastig op zijn schreden terug, liep om het huizenblok heen en minderde pas vaart als hij de hoek omsloeg waar hij haar, zogenaamd toevallig, tegen zou komen; dan passeerde hij haar met een bedeesde groet. Ze glimlachte tersluiks naar hem, verbaasd over het toeval, en knikte hem in het voorbijgaan kort toe, zoals de omgangsvormen wilden. Hij bleef als een zoutpilaar midden op straat staan, door voorbijkomende rijtuigen met water bespat, verlamd door die liefdesstrijd.

In de vele maanden die volgden was Roberto erin geslaagd wel vijf van dergelijke overwinningen te behalen: hij leed onder elk ervan alsof het de eerste en de laatste was, en maakte zichzelf wijs dat het geen toeval kon zijn dat ze zo vaak hadden plaatsgevonden, en dat wellicht niet híj, maar zíj het lot een handje had geholpen.

Als Romeo in dit vergankelijke heiligland, ongedurig en verliefd, wilde hij de wind zijn die haar haren bewoog, het ochtendlijke water dat haar lichaam kuste, het kleed dat haar 's nachts en het boek dat ze overdag streelde, de handschoen die haar hand warmde, de spiegel die haar in elke houding kon bewonderen… Op een keer hoorde hij dat iemand haar een eekhoorn ten geschenke had gegeven, en hij droom-de dat hij het nieuwsgierige beestje was dat, terwijl ze het liefkoosde, zijn onschuldige snuitje tussen haar maagdelijke borsten duwde en met zijn staart langs haar wang streek.

Hij was onthutst door de vermetelheid waartoe zijn hartstocht hem dreef, zette zijn schaamteloosheid en berouw om in rusteloze verzen en hield zichzelf vervolgens voor dat een eerlijk man verliefd kan zijn als een gek, maar niet als een onnozele. Alleen door in de Chambre Bleue een proeve van zijn gevatheid af te leggen zou hij zijn lot als minnaar kunnen bezegelen. Alhoewel dit soort hoffelijke cere-moniën nieuw voor hem was, had hij begrepen dat je een précieuse slechts kunt veroveren met het woord. Hij luisterde in de salons dus naar de gesprekken waarin edellieden zich inzetten alsof het een toernooi betrof, maar voelde dat hij nog niet klaar was.

Het was de omgang met de geleerde heren uit het kabinet van de Dupuys die hem op de gedachte bracht dat de beginselen van de nieuwe, in de beau-monde nog onbekende wetenschap vergeleken konden worden met gemoedsdriften. En het was de ontmoeting met de heer d'Igby die hem het betoog ingaf dat uiteindelijk tot zijn ondergang zou leiden.

De heer d'Igby – tenminste, zo werd hij in Parijs genoemd – was een Engelsman die hij eerstelijk ontmoet had bij de Dupuys en later, op een avond, weer was tegengekomen in een salon.

Er waren nog geen drie lustra verstreken sinds de hertog van Bouquingan had laten zien dat een Engelsman *le roman en teste* kon hebben en in staat kon zijn tot galante dwaasheden: ze hadden hem verteld dat er in Frankrijk een mooie, trotse koningin was, en hij had zijn leven aan deze droom gewijd en was eraan gestorven, na lange tijd op een schip te hebben gewoond waarop hij een altaar voor zijn geliefde had opgericht. Toen bekend werd dat d'Igby, uitgerekend met mandaat van Bouquingan, een twaalftal jaren eerder ter kaap gevaren was tegen Spanje, had de wereld van de précieuses plots belangstelling voor hem opgevat.

Wat de kringen van de Dupuys betreft, daar waren Engelsen niet erg gezien: ze werden vereenzelvigd met figuren als Robertus a Fluctibus, Medicinae Doctor, Eques Auratus en Armigero Oxoniense, tegen wie er verschillende smaadschriften waren geschreven waarin zijn buitensporige vertrouwen in de verborgen krachten van de natuur werd gehekeld. Maar een blindijverige geestelijke als de eerwaarde Gaffarel, die wat betreft het geloof in nooitgehoorde bijzonderheden voor geen enkele Brit onderdeed, werd in diezelfde kringen wél ontvangen, en d'Igby van zijn kant had laten zien dat hij in staat was met grote kennis van zaken over de noodzaak van de ijle ruimte te spreken – en dat ten overstaan van een groep natuurkundigen die een afschuw hadden van mensen die een afschuw hadden van de ijle ruimte.

Hij had het hoogstens enigszins verbruid bij enkele edelvrouwen, aan wie hij een door hemzelf uitgevonden schoonheidscrème had aangeraden die een van de dames blaasjes had bezorgd, en boze tongen beweerden dat zijn geliefde echtgenote Venetia enkele jaren daarvoor het slachtoffer was geworden van een van zijn adderafkooksels en daar zelfs aan gestorven was. Maar dit was natuurlijk laster van mensen die afgunstig waren en aanstoot namen aan zijn verhandelingen over een van zijn andere geneesmiddelen, namelijk tegen nierstenen, gemaakt van vocht uit koeiemest en door honden gekeelde hazen. Verhandelingen die in kringen waar men, als men voor vrouwen sprak, zorgvuldig díe woorden koos die geen lettergrepen bevatten die ook maar enigszins onkuis klonken, niet op een warm onthaal konden rekenen.

Op een avond had d'Igby in een salon enkele verzen van een dichter uit zijn land voorgedragen:

> *En meent men 't zijn er twee, ze zijn maar twee te menen*
> *Gelijk een passer is met tweelingen van benen.*
> *Uw ziel, de vaste voet, al werd ze omgevoerd,*
> *Gaat staandevoets; en toch roert als haar tweeling roert.*

> *Ja, schoon de vaste voet in 't middelpunt gepaald staat*
> *Zo haast als d'andere wat ruimer om gehaald gaat,*
> *Men ziet hij leunt ernaar, en luistert naar zijn gaan;*
> *En komt zijn gade thuis, zo gaat hij weder staan.*

> *Zo zijt ge tegen mij; mij die gestadig draaien*
> *En, als de losse voet, rondom en om moet maaien:*
> *Uw trouwe stevigheid rooit mijne omloop wis,*
> *En doet mij eindigen waar hij begonnen is.*

Roberto had tijdens het luisteren strak naar Lilia gekeken, die met haar rug naar hem toe zat, en had besloten dat hij voor eeuwig het andere been van Haar passer zou zijn, en dat hij Engels moest leren om meer van deze dichter te kunnen lezen, die zijn eigen angsten zo goed onder woorden bracht. Toentertijd wilde niemand in Parijs een zo barbaarse taal leren, maar toen hij d'Igby vergezelschapte naar diens logement had Roberto gemerkt dat deze er, hoewel hij over het Schiereiland had gereisd, moeite mee had zich in goed Italiaans uit te drukken en zich ervoor schaamde dat hij een taal die voor elk beschaafd man onontbeerlijk was niet voldoende beheerste. Ze hadden besloten elkaar regelmatig op te zoeken en ervoor te zorgen dat ze welbespraakt zouden raken in elkaars moedertaal.

Zo was er tussen Roberto en deze man, die over de meest uiteenlopende geneeskundige en natuurkundige kennis bleek te beschikken, een hechte vriendschap ontstaan.

Hij had een vreselijke jeugd gehad. Zijn vader was betrokken geweest bij het buspoederverraad en terechtgesteld. Het was een ongewone samenloop van omstandigheden geweest, of wellicht een uitvloeisel van onpeilbare zieleroerselen, dat ook d'Igby zijn leven zou wijden aan een poeder. Hij had veel gereisd, eerst acht jaar lang door Spanje, daarna drie jaar door Italië waar hij – de volgende samenloop van omstandigheden – de karmeliet had leren kennen die ook Roberto's leermeester was geweest.

Door zijn omzwervingen als kaper was d'Igby ook vaardig met het rapier en na een paar dagen kreeg hij er schik in met Roberto te schermen. Er bevond zich die dag ook een musketier in hun gezelschap die een duel was aangegaan met een vaandrig van de cadettencompagnie; ze bedoelden het niet ernst en de schermers pasten goed op, maar op een zeker moment was de musketier al te onstuimig geavanceerd en had zijn tegenstander gedwongen te rumperen, waardoor hij nogal lelijk aan zijn arm gekwetst was geraakt.

Om de aderen af te binden had d'Igby meteen een van zijn kousebanden om de arm gewikkeld, maar binnen een paar dagen dreigde de wond door koudvuur te worden aangetast en zei de chirurgijn dat zijn arm eraf moest.

Toen had d'Igby zijn diensten aangeboden, waarbij hij er echter voor had gewaarschuwd dat ze hem mogelijkerwijs voor een kwakzalver zouden kunnen houden, en iedereen had gesmeekt hem te vertrouwen. De musketier, die zo langzamerhand niet meer wist welke heilige hij een gelofte moest doen, had geantwoord met een Spaans spreekwoord: 'Hágase el milagro, y hágalo Mahoma.'

Toen vroeg d'Igby hem om een stuk stof waar bloed van de wond aan zat, en de musketier gaf hem de lap waarmee de wond tot de dag daarvoor verbonden was geweest. D'Igby had zich een kom water laten brengen en had er vitriool in gestrooid, dat snel oploste. Daarna had hij de lap in de schaal gelegd. Plotseling was de musketier, die in de tussentijd was weggezakt, opgesprongen en had naar zijn gekwetste arm gegrepen; en hij had gezegd dat het brandige gevoel opeens verdwenen was en dat de wond zelfs koel aanvoelde.

'Goed,' had d'Igby gezegd, 'nu hoeft u niets anders te doen dan de wond schoon te houden door haar elke dag met water en zout uit te wassen, zodat ze de juiste invloed kan ondergaan. En ik zal deze kom 's ochtends voor het raam en 's nachts op de hoek van de schoorsteen zetten, zodat ze in getemperde staat van hitte en kou blijft.'

Aangezien Roberto de plotselinge verbetering aan een andere oorzaak toeschreef, had d'Igby met een veelbetekenende glimlach de lap gepakt en deze voor de haard gedroogd, en meteen was de musketier weer gaan kermen, zodat de doek opnieuw in de oplossing gedoopt moest worden.

De wond van de musketier was binnen een week genezen.

In een tijd waarin er slechts zelden ontsmet werd was het dagelijks uitwassen van de wond volgens mij al voldoende om deze te doen genezen, maar het valt Roberto niet aan te rekenen dat hij zijn vriend de dagen daarop uitgebreid uithoorde over de behandeling, die hem deed denken aan de praktijken van de karmeliet waar hij in zijn jeugd getuige van was geweest. Met dien verstande dat de karmeliet het poeder had aangebracht op het wapen waarmee de schade was aangericht.

'Het dispuut over het *unguentum armarium* is al geruime tijd gaande,' had d'Igby geantwoord, 'en als eerste heeft de grote Paracelsus erover gesproken. Velen gebruiken een vette past en zijn van mening dat de werking daarvan op het wapen doelmatiger is. Maar zoals u begrijpt zijn het wapen waarmee verwond of de lap waarmee verbonden is, één en hetzelfde, want het toebereidsel moet dáár worden aangebracht waar zich bloedsporen van de gewonde bevinden. Velen hebben, toen ze zagen dat een wapen behandeld werd om de gevolgen van een steek te genezen, gedacht dat het tovenarij was, terwijl mijn Poeder van Sympathie zijn werking ontleent aan natuurkrachten!'

'Waarom Poeder van Sympathie?'

'Ook in dit geval is de naam wellicht misleidend. Volgens velen zou er sprake zijn van een genegenheid of een sympathie die de dingen onderling zou verbinden. Agrippa zegt dat je, om de kracht van een ster op te wekken, moet verwijzen naar dingen die erop lijken en er dus door beïnvloed worden. En hij noemt deze wederzijdse aantrekking tussen de dingen sympathie. Zoals hout wordt behandeld met pek, zwavel en olie om het te kunnen laten branden, zo wordt er, door dingen te gebruiken die zowel overeenkomstig de werkingen als overeenkomstig de sterren zijn, een bepaalde weldaad overgebracht op de stof die door middel van de ziel van de wereld daartoe is ingericht. Om de zon te beïnvloeden zou je dus moeten werken met goud, dat van nature de aard van de zon heeft, en met planten die zich naar de zon wenden of bij zonsondergang slap gaan hangen en hun blaadjes sluiten om ze bij zonsopgang weer te openen, zoals de lotus, de pioenroos en de stinkende gouwe. Maar dit zijn fabeltjes; een dergelijke overeenkomst volstaat niet om de werkingen der natuur te verklaren.'

D'Igby had Roberto in zijn geheim ingewijd. De sfeer, oftewel de bol van de lucht, is vol licht, en licht is een stoffelijke en lichamelijke wezenlijkheid; iets dat Roberto moeiteloos had aanvaard, omdat hij in het kabinet van de Dupuys gehoord had dat ook licht niets anders is dan een ragfijn poeder van atomen.

'Het is duidelijk dat het licht,' zei d'Igby, 'dat onophoudelijk uit de zon naar buiten stroomt en met grote snelheid in rechte lijnen naar alle kanten schiet, telkens als het hindernissen op zijn weg vindt in de vorm van vaste en ondoorschijnende lichamen, *ad angulos aequales* weerkaatst en zijn weg in een andere baan vervolgt, totdat het weer naar een andere kant afbuigt doordat het een volgend vast lichaam tegenkomt, en zo verder totdat het dooft. Het doet denken aan het kaatsspel, waarbij de tegen een muur geslagen bal terugkaatst tegen de muur ertegenover, en vaak een hele cirkel aflegt alvorens terug te keren naar zijn uitgangspunt. Wat gebeurt er nu als het licht op een lichaam valt? De stralen kaatsen terug met medeneming van wat atomen, kleine deeltjes, zoals de bal een deel van de pasgeverfde muur zou kunnen meenemen. En omdat deze atomen opgebouwd zijn uit de vier hoofdstoffen, neemt de hitte van het licht de kleverige deeltjes op en voert ze mee. Bewijs hiervan is dat u zult zien dat als u probeert een natte lap bij het vuur te drogen, de stralen die de lap afkaatst een waterige nevel met zich meevoeren. Deze zwervende atomen zijn als ridders op gevleugelde renpaarden die de ruimte doorkruisen, totdat de zon bij zonsondergang hun Pegasussen terughaalt en hen zonder rijdier achterlaat. En dan haasten ze zich in groten getale terug naar de aarde, waar ze vandaan komen. Maar dergelijke verschijnselen doen zich niet alleen voor bij licht, maar bijvoorbeeld ook bij wind, die niets anders is dan een grote stroom op elkaar lijkende atomen die worden aangetrokken door vaste lichamen op aarde...'

'En rook,' opperde Roberto.

'Zeker. In Londen halen ze vuur uit steenkool die uit Schotland komt en een enorme hoeveelheid uiterst bijtend vluchtig zout bevat; dit zout wordt door de rook meegevoerd en vervliegt in de lucht, waarbij het muren, bedden en lichtgekleurde meubels onherstelbaar aantast. Als je een kamer daar een paar maanden dicht houdt, raakt op een gegeven moment alles bedekt onder een laag zwart poeder, net als het witte poeder dat je ziet in molens en bakkerijen. En in de lente zit er op alle bloemen een vettig laagje.'

'Maar hoe is het mogelijk dat er zoveel deeltjes in de lucht vervliegen en dat het lichaam dat ze uitwasemt helemaal niet kleiner wordt?'

'Misschien wordt het wel kleiner, zoals je merkt als je water laat verdampen, maar bij vaste lichamen merken we het niet, evenmin als we het merken bij muskus of bij andere welriekende stoffen. Elk lichaam, hoe klein ook, kan zich altijd opsplitsen in nieuwe delen zonder dat het ooit helemaal opgedeeld raakt. Bedenk maar eens hoe fijn de deeltjes zijn die zich van een levend lichaam losmaken en die onze Engelse honden, afgaand op de geur, in staat stellen het spoor van een dier te volgen. Lijkt de vos ons aan het eind van zijn vlucht soms kleiner? Welnu, het is dankzij diergelijke deeltjes dat er zich verschijnselen van aantrekking voordoen die sommigen roemen als werking op afstand; maar die afstand heeft er niets mee te maken, en dus is het geen tovenarij, maar is er sprake van een gedurige wederzijdse toeneiging van atomen. En hetzelfde gebeurt met de aantrekking door zuiging – zoals van water of wijn door middel van een hevel, en met de aantrekking van ijzer door de magneet – of met aantrekking door doorzijging – zoals wanneer je een reep katoen in een bak legt, waarbij je een flink stuk ervan buiten de bak laat hangen; je zult zien dat het water daarlangs omhoogklimt en over de rand op de grond druipt. En ten slotte de aantrekking die plaatsvindt door middel van vuur, dat de omringende lucht aantrekt met alle deeltjes die erin kolken: het vuur, dat werkt volgens zijn eigen natuur, voert de lucht die eromheen hangt met zich mee, zoals het water van een rivier de losse aarde uit haar bedding meesleurt. En aangezien lucht vochtig is en vuur droog, hechten ze zich aan elkaar vast. Om de plaats in te nemen van de lucht die door het vuur is meegevoerd, moet er dus uit de onmiddellijke omgeving nieuwe lucht komen, anders zou er ijle ruimte ontstaan.'

'Dus volgens u bestaat ijle ruimte niet?'

'Integendeel. Ik zeg dat de natuur, zodra ze op ijle ruimte stuit, tracht deze op te vullen met atomen, in haar streven deze tot in alle uithoeken te veroveren. Als dat niet zo was, zou mijn Poeder van Sympathie niet kunnen werken, en de ervaring heeft u toch anders geleerd. Het vuur zorgt met zijn werking voor een gedurige luchttoevoer, en de goddelijke Hippocrates zuiverde een heel gewest van de pest door overal grote vuren te laten ontsteken. In tijden van pest worden er altijd katten, duiven en andere warmbloedige dieren gedood, die voortdurend geesten afscheiden; dit wordt gedaan opdat de plaats van de geesten die tijdens die verdamping vrijkomen wordt ingenomen door lucht, en opdat de met pest besmette atomen zich op de veren en de vacht van die dieren vastzetten – net zoals brood dat net uit de oven komt, wanneer het op het deksel van een wijnvat wordt gezet, het schuim uit dat vat aantrekt en de wijn doet verzuren. Hetzelfde gebeurt trouwens als je een pond wijnsteen, dat je eerst naar behoren calcineert en uitgloeit, aan lucht blootstelt: dat zal tien pond goede wijnsteenolie opleveren. De chirurgijn van Paus Urbanus VIII heeft me het verhaal verteld van een Romeinse non wier lichaam door het vele vasten en bidden dermate verhit was geraakt dat haar botten helemaal waren uitgedroogd. Die innerlijke hitte trok namelijk lucht aan die in haar botten verstoffelijkte, net als in de wijnsteen gebeurde, en naar buiten kwam op de plek waar de lozing van de lichaamsvochten plaatsvindt, via de blaas dus, zodat de arme heilige in één etmaal meer dan tweehonderd pond pis afscheidde, een wonder dat iedereen als het bewijs van haar heiligheid beschouwde.'

'Maar als alles dus alles aantrekt, waarom blijven de hoofdstoffen en de lichamen dan gescheiden en botst dan niet elke kracht met elke andere?'

'Slimme vraag. Aangezien lichamen die hetzelfde gewicht hebben zich gemakkelijker verenigen, en olie zich gemakkelijker verenigt met olie dan met water, kunnen we daaruit afleiden dat hetgeen atomen van eenzelfde natuur stevig bij elkaar houdt hun ijlheid of hun dichtheid is, zoals die wijsgeren met wie u omgaat u ook zouden kunnen vertellen.'

'Ze hebben het me ook verteld en het me aangetoond aan de hand van de verschillende soorten zout: of je het nu maalt of laat klonteren, het neemt altijd weer zijn natuurlijke vorm aan, en gewoon zout heeft altijd de vorm van teerlingen met vierkante zijden, salpeter die van zeskantige zuilen en salmiak die van zeshoeken met zes punten, net als sneeuw.'

'En piszout heeft de vorm van een vijfhoek, op grond waarvan de heer Davidson de vorm verklaart van elk van de tachtig stenen die gevonden zijn in de blaas van de heer Pelletier. Maar lichamen met dezelfde vorm vertonen een grotere onderlinge verwantschap en zullen dus sterker door elkaar worden aangetrokken dan door andere. Daarom zul je, als je je hand verbrandt, de pijn kunnen verlichten door deze een tijdje bij het vuur te houden.'

'Toen een boer een keer door een adder was gebeten, hield mijn leermeester de kop van de adder boven de wond...'

'Vanzelfsprekend. Het venijn dat bezig was naar het hart te sijpelen, keerde terug naar zijn bron, waar het in grotere hoeveelheden aanwezig was. Als je in tijden van pest in een blikje wat paddepoeder bij je draagt, of desnoods een levende pad of kikker, of zelfs arseen, zal die giftige stof de inflammatie in het gebied naar zich toe trekken. En als de ajuinen in de moestuin beginnen uit te lopen, gisten de gedroogde ajuinen in de graanschuur.'

'En dit verklaart ook de grillen van kinderen: de moeder wil iets heel erg graag en…'

'Hiermee zou ik voorzichtiger zijn. Soms hebben vergelijkbare verschijnselen verschillende oorzaken, en een man van de wetenschap moet niet aan elk bijgeloof geloof hechten. Maar laten we het over mijn poeder hebben. Wat gebeurde er toen ik de met het bloed van onze vriend bevuilde lap enkele dagen aan de werking van het poeder blootstelde? In de eerste plaats hebben de zon en de maan van grote afstand, met behulp van de hitte van de omgeving, de geesten van het bloed aangetrokken die in de lap waren gaan zitten, en restte de geesten van het vitriool die in het bloed zaten niets anders dan dezelfde weg te gaan. Bovendien bleef de wond een grote hoeveelheid warme, vurige geesten uitwasemen en trok zo de omringende lucht aan. Deze lucht trok weer nieuwe lucht aan en die wéér nieuwe, en de geesten van het bloed en het vitriool, die zich op grote afstand van elkaar bevonden, vermengden zich uiteindelijk met die lucht, die andere atomen van hetzelfde bloed met zich meevoerde. Welnu, toen de atomen van het bloed – die uit de lap en die uit de wond – elkaar tegenkwamen, stootten ze de lucht af als een onnuttelijke reisgenoot en werden naar hun hoofdzetel, de wond gezogen; en mét hen drongen de geesten van het vitriool het vlees binnen.'

'Maar had u het vitriool dan niet net zo goed rechtstreeks op de wond kunnen aanbrengen?'

'Dat had ik kunnen doen, als ik de gewonde voor me had gehad. Maar als de gewonde nu eens ver weg was? Hierbij komt nog dat als ik het vitriool rechtstreeks op de wond had aangebracht, de bijtende kracht ervan deze veel sterker geprikkeld zou hebben, terwijl het als het door de lucht is vervoerd slechts zijn verzachtende en verkwikkende deel afstaat, dat in staat is het bloed te stelpen en ook gebruikt wordt voor oogwatertjes,' en Roberto had zijn oren gespitst en later met deze adviezen zijn voordeel gedaan, hetgeen gewis verklaart waarom zijn kwaal verergerd was.

'Overigens,' had d'Igby eraan toegevoegd, 'moet je zeker geen gewoon vitriool gebruiken, zoals men in vroeger tijden deed, want dat doet meer kwaad dan goed. Ik laat vitriool uit Cyprus komen en calcineer dat eerst in de zon: de calcinatie neemt het overtollige vocht weg en ik maak er als het ware een zeer sterk aftreksel van; en bovendien maakt de calcinatie de geesten van deze stof geschikt om door de lucht vervoerd te worden. Ten slotte voeg ik er dragant aan toe, die maakt dat de wond sneller sluit.'

Ik ben wat langer stil blijven staan bij hetgeen Roberto van d'Igby had gehoord, omdat deze ontdekking bepalend zou zijn voor zijn lot.

Tot schande van onze vriend dient tevens gezegd te worden – hij biecht het trouwens ook op in zijn brieven – dat al deze onthullingen hem niet zozeer boeiden om natuurkundige redenen, als wel om redenen van liefde. Met andere woorden, die beschrijving van een heelal dat wemelde van de geesten die zich naar gelang hun verwantschap samenvoegden leek hem een allegorie van het verliefd-zijn, en hij begon regelmatig leeskabinetten te bezoeken op zoek naar alles wat er over wapenzalf te vinden was – hetgeen in die tijd al veel was en in de daaropvolgende jaren nog enorm zou toenemen. Op aanraden van de eerwaarde Gaffarel (op fluistertoon, opdat de andere bezoekers van de Dupuys, die niet erg in dergelijke zaken geloofden, het niet zouden horen) las hij de *Ars Magnesia* van Kircher, de *Tractatus de magnetica vulnerum curatione* van Goclenius, verscheidene boeken van Fracastoro, de *Discursus de unguento armario* van Fludd en de *Hoplocrisma-spongus* van Foster. Hij vergaarde kennis om deze kennis vervolgens in poëzie te vertalen, teneinde op de plek waar hij nu nog voortdurend in verlegenheid raakte door de welsprekendheid van anderen op een dag te kunnen schitteren als de welsprekende boodschapper van de alomvattende sympathie.

Vele maanden achtereen – zo lang moet zijn hardnekkige zoektocht wel geduurd hebben, terwijl hij op het pad der verovering geen stap verder kwam – had Roberto iets gehuldigd dat leek op het beginsel van de dubbele, of liever de veelvoudige waarheid, een denkbeeld dat velen in Parijs zowel voor vermetel als voor prudent hielden. Overdag redetwistte hij over de mogelijke eeuwigheid van de stof, en 's nachts verpestte hij zijn ogen boven tractaatjes die hem – zij het in natuurgeleerde bewoordingen – verborgen wonderen beloofden.

Bij grootse ondernemingen dient men niet zozeer te trachten gelegenheden te scheppen, als wel die welke zich voordoen aan te grijpen. Op een avond bij Arthénice had de gastvrouw, na een levendige uiteenzetting over *Astrée*, de aanwezigen aangespoord te overwegen wat liefde en vriendschap met elkaar gemeen hadden. Toen had Roberto het woord genomen en opgemerkt dat het beginsel van de liefde, tussen vrienden dan wel tussen geliefden, niet verschilde van dat wat ten grondslag lag aan het Poeder van Sympathie. Bij het eerste blijk van belangstelling had hij de verhalen van d'Igby naverteld, met uitzondering van het verhaal over de waterende heilige, en vervolgens had hij uitgebreid over het onderwerp uitgeweid, waarbij hij de vriendschap achterwege liet en alleen over de liefde sprak.

'De liefde gehoorzaamt aan dezelfde wetten als de wind, en winden voeren altijd de geur mee van de plaatsen waar ze vandaan komen; als ze uit moestuinen en hoven komen, kunnen ze geuren naar jasmijn, of kruizemunt, of rosmarijn, en zo wekken ze bij zeelieden het verlangen op het land aan te doen dat hun zoveel beloften zendt. Evenzo brengen de liefdesgeesten de neusgaten van het verliefde hart in verrukking' (laten we Roberto deze uiterst ongelukkige trope maar vergeven). 'Het beminde hart is als een luit die de snaren van een andere luit doet weerklinken, zoals klokgelui het wateroppervlak van rivieren doet bewegen, vooral 's nachts, wanneer er, bij ontstentenis van andere geluiden, in het water eenzelfde beweging ontstaat als in de lucht. Voor het minnende hart geldt hetzelfde als voor wijnsteen, die soms, wanneer hij in de rozentijd in een kelder heeft gestaan om op te lossen, naar rozenwater geurt, terwijl de lucht vol rozeatomen, die door de aantrekking van het wijnsteenzout in water verandert, naar wijnsteen geurt. En dit gebeurt ongeacht de wreedheid van de beminde. Als de wijnstokken bloeien, gist het wijnvat en doet de witte kaam naar de oppervlakte stijgen, die daarop blijft liggen totdat de wijnstokken hun bloeisems laten vallen. Maar het minnende hart, dat koppiger is dan wijn, komt tot bloei bij het opbloeien van het beminde hart en koestert zijn spruit zelfs nadat de bron is opgedroogd.'

Hij meende een vertederde blik van Lilia op te vangen, en ging verder: 'Beminnen is als het nemen van een Maanbad. De stralen die van de maan komen zijn eigenlijk zonnestralen die naar ons teruggekaatst worden. Als je de zonnestralen bundelt met een spiegel, wordt hun verwarmende kracht versterkt. Als je de manestralen bundelt met een zilveren wasbekken, zul je zien dat de holle bodem stralen weerkaatst die verfrissend zijn door de dauw die ze bevatten. Je wassen met een leeg wasbekken lijkt onzinnig: en toch krijg je er vochtige handen door, en is het een onfeilbaar middel tegen wratten.'

'Mijnheer,' had iemand gezegd, 'de liefde is toch geen medicament tegen wratten!'

'O nee, beslist niet,' verbeterde de inmiddels onstuitbare Roberto zichzelf, 'maar ik heb mijn voorbeelden ontleend aan de meest laag-bij-de-grondse zaken, om u erop te wijzen dat ook de liefde afhankelijk is van één enkel poeder van deeltjes. Hetgeen een manier is om te zeggen dat de liefde gehoorzaamt aan de wetten die zowel de ondermaanse als de hemelse lichamen besturen, zij het dat ze van deze wetten de edelste verschijningsvorm is. De liefde ontstaat door zien en ontvlamt op het eerste gezicht: en wat is "zien" anders dan de ontvangst van licht dat weerkaatst wordt door het lichaam dat men bekijkt? Terwijl ik ernaar kijk, dringt het beste gedeelte van het beminde lichaam, te weten het luchtigste, dat via de opening van de ogen rechtstreeks doordringt tot het hart, mijn lichaam binnen. En dus staat liefhebben op het eerste gezicht gelijk met het indrinken van de geesten van het hart van de beminde. Toen de grote Bouwmeester van de natuur ons lichaam samenstelde, heeft hij daar innerlijke geesten in aangebracht, in de vorm van schildwachten die hun ontdekkingen moesten melden aan hun generaal, dat wil zeggen de verbeelding, die in het lichaam als het ware de vrouw des huizes is. En als ze geraakt wordt door een of ander voorwerp, gebeurt er hetzelfde als wanneer we vedels horen spelen, namelijk dat we hun melodie in onze herinnering meedragen en deze zelfs in onze slaap horen. Onze verbeelding maakt er een beguicheling van die de geliefde bekoort, zij het dat deze hem niet verscheurt omdat het uiteraard slechts een beguicheling is. Zo komt het dat een man, als hij verrast wordt door de aanblik van zijn beminde, van kleur verschiet, bloost en verbleekt, naar gelang zijn dienaren, te weten die innerlijke geesten, zich snel dan wel langzaam naar het voorwerp begeven, om vervolgens terug te keren naar de verbeelding. Maar deze geesten gaan niet alleen naar de hersenen, maar ook rechtstreeks naar het hart, via de grote buis die de levensgeesten van het hart naar de hersenen stuurt, waar ze zielegeesten worden; en ook de verbeelding stuurt via deze buis een gedeelte van de atomen die ze van een uitwendig voorwerp heeft ontvangen naar het hart, en dat zijn de atomen die de opborreling der levensgeesten veroorzaken, die het hart soms verwijden en soms leiden tot bewusteloosheid.'

'U zegt dus, mijnheer, dat de liefde een natuurkundige beweging is die vergelijkbaar is met het kamen van wijn; maar u vertelt ons niet hoe het komt dat de liefde, in tegenstelling tot andere stoffelijke verschijnselen, een deugd naar eigen keur is, die zelf kiest. Wat is dan de reden dat de liefde ons tot slaven van het ene en niet van het andere schepsel maakt?'

'Juist daarom heb ik de deugden van de liefde herleid tot het beginsel van het Poeder van Sympathie, hetgeen inhoudt dat gelijke en eenvormige atomen gelijke atomen aantrekken! Als ik het wapen dat Pylades heeft verwond in dat poeder zou dopen, zou ik niet de wond van Orestes genezen. De liefde verenigt dus uitsluitend twee wezens die op een of andere manier reeds dezelfde aard hadden, een edele geest met een even edele geest, en een volkse geest met een even volkse – want het komt ook voor dat mensen van lage komaf beminnen, bijvoorbeeld herderinnetjes, zoals het wonderlijke verhaal van de heer van Urfé ons leert. De liefde onthult een overeenkomst tussen twee schepselen die al sinds het begin der tijden vastligt, net zoals al in de schoot des Tijds besloten lag dat Pyramus en Thisbe in één enkele moerbeiboom verenigd zouden worden.'

'En de ongelukkige liefde?'

'Ik geloof niet dat er werkelijk ongelukkige liefde bestaat. Er is alleen liefde die nog niet volledig tot rijping is gekomen, liefde waarbij de beminde de boodschap die haar uit de ogen van de minnaar bereikt om de een of andere reden nog niet begrepen heeft. De minnaar beseft dan echter al dat hij met een overeenkomstige aard van doen heeft, zodat hij, gesterkt door dit vertrouwen, kan wachten, ook een leven lang. Hij weet dat voor beiden geldt dat dit besef, en hun vereniging, ook na de dood zal kunnen plaatsvinden, wanneer de atomen van elk der twee lichamen die in de aarde uiteenvallen verdampt zullen zijn en zich in een of andere hemel zullen herenigen. En wie weet hoeveel minnende harten nu wellicht een plotselinge verlichting van de geest genieten, zonder te weten dat hun geluk bewerkstelligd is door het beminde hart dat, op zijn beurt minnaar geworden, de aanzet heeft gegeven tot de versmelting van de verwante atomen – zoals een gewonde, zonder te weten dat iemand het wapen waarmee hij getroffen is met Poeder besprengt, zich verheugt in een nieuwe gezondheid.'

Ik moet zeggen dat deze hele doorwrochte allegorie tot op zekere hoogte hout sneed, maar wellicht had het aristotelische kunstwerk van Pater Emanuele de onbestendigheid ervan kunnen aantonen. Die avond echter raakte iedereen overtuigd van de verwantschap tussen het Poeder, dat pijn geneest, en de Liefde, die vaak niet zozeer geneest als wel pijn doet.

Dit was de reden dat het verhaal van deze verhandeling over het Poeder van Sympathie en de Sympathie van de Liefde enige maanden lang, en wellicht langer, in Parijs de ronde deed, met alle gevolgen van dien.

En dit was de reden dat Lilia aan het eind van zijn relaas nogmaals naar Roberto glimlachte. De glimlach was bedoeld als compliment of hooguit als teken van bewondering, maar niets is natuurlijker dan in de waan te verkeren dat men bemind wordt. Roberto vatte de glimlach op als een aanvaarding van alle brieven die hij gestuurd had. Hij was zozeer gewend aan de kwellingen van haar afwezigheid dat hij de bijeenkomst verliet, voldaan over zijn overwinning. Het deed pijn en we zullen later zien waarom. Vanaf dat moment durfde hij weliswaar het woord tot Lilia te richten, maar kreeg hij van haar steeds weer een ander antwoord. Soms fluisterde ze: 'Net zoals we enkele dagen geleden zeiden.' Soms mompelde ze daarentegen: 'Maar u had toch iets heel anders gezegd.' Soms ook beloofde ze bij het weggaan: 'We hebben het er nog wel over, wees standvastig.'

Roberto begreep niet of ze hem uit verstrooidheid keer op keer de uitspraken en daden van een ander toedichtte, of dat ze hem met coquetterie uit zijn tent trachtte te lokken.

Wat hem zou geschieden zou hem ertoe aanzetten de zeldzame gebeurtenissen van een heel wat verontrustender verhaal neer te schrijven.

17

uitvinding der lengte van *Oost en West*

Het was – eindelijk het houvast van een datum – de avond van de tweede december 1642. Ze kwamen uit het theater, waar Roberto, tussen de toeschouwers, zwijgend zijn rol van geliefde had gespeeld. Lilia had hem bij het weggaan vluchtig de hand gedrukt en gefluisterd: 'La Grive, u bent timide geworden. Die avond was u dat toch niet. Morgen weer dus, u kent de plaats.'

Hij was volslagen in de war naar buiten gelopen, uitgenodigd voor een ontmoeting op een plek die hij niet kon kennen, aangespoord datgene te herhalen wat hij zich in het verleden nooit verstout had te zeggen. En toch kon ze hem niet voor een ander hebben gehouden, want ze had hem bij zijn naam genoemd.

O, zegt hij tegen zichzelf – zo schrijft hij – vandaag keren de beekjes terug naar de bron, beklimmen witte strijdrossen de torens van de Notre-Dame in Parijs, glimlacht een vuur gloeiend in het ijs, want het is er toch van gekomen: Zij heeft mij geïnviteerd. Of nee, vandaag stroomt het bloed van de rots, paart een slang met een berin, is de zon zwart geworden, want mijn beminde heeft mij een bokaal voorgehouden waaruit ik nooit zal kunnen drinken omdat ik niet weet waar het banket plaatsvindt…

Een stap van het geluk verwijderd holde hij wanhopig naar huis, de enige plek waarvan hij zeker wist dat ze daar niet was.

De woorden van Lilia kunnen ook op een veel minder geheimzinnige manier worden uitgelegd: ze herinnerde hem alleen maar aan zijn voordracht van lang geleden over het Poeder van Sympathie,

173

spoorde hem aan er nog meer over te vertellen, en wel in de salon van Arthénice, waar hij er al eens over gesproken had. Ze had gezien dat hij sinds die tijd stilletjes was en haar aanbad, en dat strookte niet met de regelen van het o zo gereguleerde spel der verleiding. Vandaag de dag zouden we zeggen dat ze hem wees op zijn mondaine plicht. Vooruit, zei ze tegen hem, die avond was u niet zo timide, u kent uw plaats, ik daag u uit. En een andere uitdaging viel van een précieuse als zij niet te verwachten.

Maar Roberto had begrepen: 'U bent timide, en een paar avonden geleden was u dat niet, en heeft u mij...' (ik stel me zo voor dat jaloezie Roberto er zowel van weerhield als ertoe aanzette zich de rest van die zin voor te stellen). 'Morgen dus weer, u kent de plaats, op dezelfde geheime plek.'

Het ligt voor de hand dat hij – aangezien zijn verbeeldingskracht altijd de doornigste weg koos – meteen aan een persoonsverwisseling dacht, aan iemand die zich voor hem had uitgegeven en in zíjn gedaante datgene van Lilia gekregen had waar hij zijn leven voor zou geven. En zo verscheen Ferrante weer ten tonele en kwamen alle lijnen uit zijn verleden weer samen. Ferrante, zijn kwaadaardige alter ego, had zich ook weer in deze aangelegenheid gemengd, erop inspelend dat hij soms afwezig was, soms later aankwam en soms ook weer eerder vertrok, en had op het juiste moment de beloning voor Roberto's uiteenzetting over het Poeder van Sympathie in de wacht gesleept.

Terwijl hij zichzelf zo afpijnigde, had hij op zijn deur horen kloppen. Hoop, droom van wakkere mannen! Hij had zich gehaast open te doen, ervan overtuigd haar op de drempel te zien staan: het was daarentegen een officier van de lijfwacht van de Kardinaal, vergezeld van twee mannen.

'De heer van La Grive, naar ik veronderstel,' had hij gezegd. En daarna, terwijl hij zich voorstelde als kapitein Bar: 'Wat ik nu ga doen, doe ik niet graag. Maar u staat onder arrest, heer, en ik verzoek u mij uw rapier te overhandigen. Als u zo goed wilt zijn mij te volgen, dan stappen we als twee goede vrienden in het rijtuig dat ons staat op te wachten en hoeft u zich niet opgelaten te voelen.' Hij had duidelijk gemaakt dat hij niet op de hoogte was van de redenen voor zijn aanhouding en de hoop uitgesproken dat er sprake zou zijn van een misverstand. Roberto was hem zwijgend gevolgd, hetzelfde verlangen uitend, en aan het einde van de reis was hij met veel verontschuldigingen overgedragen aan een slaperige bewaker en was hij in een kerker in de Bastille beland.

Daar had hij twee ijskoude nachten doorgebracht, uitsluitend bezocht door een enkele rat (gepaste voorbereiding voor de reis op de *Amarilli*) en door een cipier die op elke vraag antwoordde dat er zoveel illustere figuren op die plek te gast waren geweest dat hij was opgehouden zich af te vragen hoe ze daar terechtkwamen; en dat het, als een hoge heer als Bassompierre er al zeven jaar zat, geen pas had dat Roberto al na een paar uur begon te klagen.

Hij had zich twee dagen lang op het ergste kunnen voorbereiden; de derde avond was Bar teruggekomen, had hem de gelegenheid geboden zich te wassen, en had aangekondigd dat hij voor de Kardinaal moest verschijnen. Nu begreep Roberto ten minste dat hij een staatsgevangene was.

Ze waren laat in de avond bij het paleis aangekomen, en uit de drukte bij de poort viel reeds op te maken dat het een uitzonderlijke avond was. De trappen werden overstroomd door mensen van allerlei rangen en standen die in tegengestelde richtingen holden; edellieden en geestelijken gingen bezorgd een antichambre binnen, kwalsterden welopgevoed tegen de muren met wandschilderingen, trokken een bedroefd gelaat en gingen een volgende zaal binnen, waar lakeien uit kwamen die op luide toon onvindbare knechten riepen en iedereen gebaarden stilte te betrachten.

Dat was ook de zaal waar Roberto werd binnengeleid; hij zag alleen mensen op de rug, die op hun tenen, zonder een geluid te maken, alsof ze naar een treurig schouwspel keken, in de deuropening van weer een volgende kamer stonden. Bar keek om zich heen alsof hij iemand zocht, gebaarde Roberto ten slotte in een hoek te blijven staan en liep weg.

Toen een andere bewaker, die pogingen deed zoveel mogelijk aanwezigen de deur uit te werken met de egards die bij eenieders rang pasten, Roberto's baard en zijn door de hechtenis verkommerde kleren zag, had deze hem bars gevraagd wat hij daar deed. Roberto had geantwoord dat hij door de Kardinaal werd verwacht, en de bewaker had gezegd dat de Kardinaal tot eenieders leedwezen zélf werd verwacht, en wel door Iemand van veel grotere importantie.

Desalniettemin had hij hem daar laten staan, en aangezien Bar (het enige bekende gelaat dat hem nog restte) niet terugkwam, begaf Roberto zich voetje voor voetje tot achter de groep mensen die in de deuropening stond en schuifelde, nu eens wachtend en dan weer duwend, naar de drempel van de laatste kamer.

Daar, in een bed, geleund tegen een sneeuwdek van kussens, had hij de schim gezien en herkend van de man die door heel Frankrijk gevreesd en door slechts zeer weinigen bemind werd. De beroemde Kardinaal werd omringd door chirurgijnen in donkere kledij, die meer belang schenen te stellen in hun onderlinge woordenstrijd dan in hem. Een geestelijke veegde de lippen van de Kardinaal af, waarop krachteloze hoestbuien roodachtig schuim vormden, en onder het beddekleed viel ternauwernood de moeizame ademhaling van een versleten lichaam te bespeuren. Een hand die een crucifix omklemde kwam uit een hemd te voorschijn. De geestelijke barstte plotseling in snikken uit. Richelieu draaide met moeite zijn hoofd om, trachtte te glimlachen en mompelde: 'U dacht toch niet dat ik onsterfelijk was?'

Terwijl Roberto zich afvroeg wie hem aan het bed van een stervende kon hebben ontboden, weerklonk er achter hem luid rumoer. Een paar mensen fluisterden de naam van de pastoor van Saint-Eustache, en terwijl alle aanwezigen een dubbele haag vormden kwam er een priester binnen met zijn gevolg, het laatste oliesel met zich meedragend.

Roberto voelde dat hij op zijn schouder werd getikt, en het was Bar. 'We gaan,' had deze gezegd, 'de Kardinaal verwacht u.' Verbaasd was Roberto hem door een gang gevolgd. Bar had hem in een zaal gelaten, hem nogmaals gebaard te wachten en had zich teruggetrokken.

De zaal was ruim, met in het midden een grote wereldbol en in een hoek, tegen een rode draperie, een uurwerk op een kastje. Links van de draperie, onder een portrait ten voeten uit van Richelieu, had Roberto ten slotte iemand ontdekt in kardinaalskleren die met zijn rug naar hem toe stond te schrijven aan een lessenaar. De in het purper geklede figuur had amper opgekeken en hem gebaard dichterbij te komen, maar had zich, toen Roberto dichterbij kwam, over het schrijfvlak gebogen en het vel papier met zijn linkerhand aan de zijkant afgeschermd, alhoewel Roberto, die nog een eerbiedige afstand bewaarde, niets had kunnen lezen.

Toen draaide de man zich om in een golvend geruis van purper en bleef een paar tellen roerloos staan, bijna dezelfde houding aannemend als op het grote portrait dat achter hem hing, zijn rechterhand op het lessenaartje geleund, zijn linkerhand ter hoogte van zijn borst, de palm gekunsteld omhoog. Vervolgens ging hij op een zetel naast het uurwerk zitten, streelde behaagziek zijn snor en zijn sikje en vroeg: 'De heer van La Grive?'

La Grive was er tot op dat moment van overtuigd geweest dat hij een nachtmerrie had waarin hij droomde van de Kardinaal die een tiental meter verderop de geest gaf. Maar nu zag hij dat deze verjongd was en minder scherpe gelaatstrekken had, alsof iemand de teint van de bleke aristocratische trekken van het portrait gearceerd had en de lippen met klaarder en vloeiender lijnen had aangezet; en toen had de stem met de vreemde tongval de herinnering bij hem wakker gemaakt aan die kapitein die twaalf jaar eerder tussen de vijandelijke legers door naar Casale was gegaloppeerd.

Roberto stond tegenover Kardinaal Mazarin en begreep dat deze man langzaam aan, gelijk opgaand met de doodsstrijd van zijn beschermer, bezig was diens posities over te nemen; de officier had al 'de Kardinaal' gezegd, alsof er geen anderen meer waren.

Hij maakte aanstalten om te antwoorden, maar zou er al snel achter komen dat het weliswaar leek of de Kardinaal iets vroeg, maar dat hij in werkelijkheid een constatering deed, ervan uitgaand dat zijn gesprekgenoot hoe dan ook alleen maar met hem kon instemmen.

'Roberto de La Grive,' bevestigde de Kardinaal dan ook, 'van het geslacht Pozzo di San Patrizio. Wij kennen het kasteel, zoals we ook Montferrat goed kennen. Zo vruchtbaar dat het Frankrijk had kunnen zijn. Uw vader streed ten tijde van Casale een eervolle strijd en betoonde zich loyaler jegens ons dan uw andere landgenoten.' Hij zei 'ons' alsof hij toentertijd reeds een creatuur van de koning van Frankrijk was geweest. 'Ook u gedroeg zich bij die gelegenheid moedig, zo is ons verteld. Kunt u zich indenken dat het ons – en dit is vaderlijk bedoeld – des te meer aan het hart gaat dat u zich, als gast in dit rijk, niet gekweten heeft van de daarmee gepaard gaande plichten? Wist u niet dat de wetten in dit rijk evenzeer gelden voor onderdanen als voor gasten? Natuurlijk, natuurlijk, we zullen niet vergeten dat een edelman altijd een edelman blijft, welk misdrijf hij ook heeft begaan: u zult dezelfde gunsten genieten als Cinq-Mars, wiens nagedachtenis u niet naar behoren lijkt te verfoeien. Ook u zult sterven door de bijl en niet door het touw.'

Natuurlijk was Roberto op de hoogte van een zaak waar heel Frankrijk over sprak. De markies van Cinq-Mars had getracht de koning ervan te overtuigen Richelieu te ontslaan, en Richelieu had de koning ervan overtuigd dat Cinq-Mars tegen het rijk samenzwoer. In Lyon had de veroordeelde geprobeerd de beul met aanmatigende waardigheid te trotseren, maar deze had een dermate onwaardige slachting aangericht dat de verontwaardigde menigte ook hem had afgeslacht.

Toen Roberto ontsteld iets wilde zeggen, weerhield de Kardinaal hem ervan met een handgebaar. 'Toe, San Patrizio,' zei hij, en Roberto begreep dat hij die naam gebruikte om hem eraan te herinneren dat hij een vreemdeling was; en bovendien sprak hij Frans, terwijl hij ook Italiaans tegen hem had kunnen spreken. 'U bent gezwicht voor de verdorvenheid van deze stad en van dit land. Zoals Zijne Eminentie de Kardinaal pleegt te zeggen, doet de gemeenzame lichtzinnigheid van de Fransen hen haken naar verandering, omdat de dingen zoals ze zijn hen vervelen. Een aantal van die lichtzinnige edellieden, die de Koning inmiddels van hun lichtzinnige hoofd heeft verlost, heeft u verleid met hun wederspannige plannen. Met uw geval hoeven we geen enkele rechtbank lastig te vallen. Het zou met de overheden, waarvan het behoud ons zeer na aan het hart dient te liggen, snel gedaan zijn als het in het geval van misdaden die hun omverwerping beogen even onomstotelijke bewijzen zou verlangen als in andere gevallen. Twee avonden geleden bent u opgemerkt toen u zich met vrienden van Cinq-Mars onderhield, die ook bij die gelegenheid uiting hebben gegeven aan plannen voor hoogverraad. Degene die u met hen heeft gezien, is volledig te vertrouwen, omdat hij zich op last van ons onder hen had gemengd. Hetgeen moge volstaan. Toe,' was hij Roberto geërgerd voor, 'we hebben u hier niet ontboden om u uw onschuld te horen betuigen, kalmeert u dus en luister.'

Roberto kalmeerde niet, maar kwam tot een aantal gevolgtrekkingen: op hetzelfde moment waarop Lilia zijn hand aanraakte, werd hij elders opgemerkt terwijl hij samenspande tegen de staat. Mazarin was daar zo van overtuigd dat het denkbeeld waarheid werd. Overal werd gefluisterd dat Richelieus toorn nog niet was gestild, en velen vreesden alsnog tot voorbeeld te worden gesteld. Voorbeeld of niet, Roberto was verloren.

Roberto had kunnen bedenken dat hij vaak, dus niet alleen twee avonden daarvoor, bij de poort van het Hôtel de Rambouillet wat had staan napraten; dat het niet onmogelijk was dat zich onder die gespreksgenoten een intieme vriend van Cinq-Mars had bevonden; dat Mazarin, als hij om de een of andere reden van hem af wilde, ermee had kunnen volstaan willekeurig welke door een spion overgebriefde woorden verkeerd uit te leggen... Maar Roberto's overpeinzingen waren natuurlijk van andere aard en bevestigden zijn angstige vermoedens: iemand had, gebruik makend van zijn uiterlijk en zijn naam, deelgenomen aan een onderhandse bijeenkomst.

Reden te meer om niet te proberen zich te verdedigen. Het enige dat hij niet begreep was waarom de Kardinaal – als hij toch al veroordeeld was – de moeite nam hem over zijn lot bescheid te geven. Hij was geen ontvanger van een boodschap, maar de vogel Grijp – het raadsel dat anderen, die nog in onzekerheid verkeerden over de beslissing van de Koning, moesten oplossen. Hij wachtte zwijgend op een verklaring.

'Ziet u, San Patrizio, als we niet bekleed waren met de kerkelijke waardigheid waarmee de Paus ons, mede op wens van de Koning, een jaar geleden vereerd heeft, zouden we zeggen dat uw onachtzaamheid is ingegeven door de voorzienigheid. Al die tijd dat we u in de gaten hielden, vroegen we ons af hoe we u om een gunst zouden kunnen vragen die u ons in het geheel niet verplicht bent te verlenen. We hebben uw misstap van drie avonden geleden beschouwd als een bijzonder geschenk uit de hemel. Nu zou u ons weleens iets verschuldigd kunnen zijn en verandert onze positie, om van de uwe nog maar te zwijgen.'

'Iets verschuldigd?'

'Ja, uw leven. Het ligt uiteraard niet in onze macht u te vergeven, maar we hebben wel de bevoegdheid te bemiddelen. Laten we zeggen dat u zich aan de knellende greep der wet zou kunnen onttrekken door te vluchten. Na een jaar, of langer, zal de herinnering van de getuige zeker vervaagd zijn en zal deze, zonder dat dit een smet op zijn eer werpt, kunnen zweren dat u niet de man van drie avonden geleden was; en er zou aan het licht kunnen komen dat u op dat uur elders trictrac zat te spelen met kapitein Bar. En in dat geval – let wel, de beslissing is niet aan ons, we uiten slechts onderstellingen, en het tegendeel zou ook kunnen gebeuren, maar we vertrouwen erop dat we het goed beoordelen – zal u volledig recht worden gedaan en zult u onvoorwaardelijk uw vrijheid terugkrijgen. Gaat u zitten, alstublieft,' zei hij. 'Ik wil u een missie voorleggen.'

Roberto nam plaats: 'Een missie?'

'En delicaat ook. Tijdens welke, we verhelen het niet, u een aantal keren de kans loopt uw leven erbij in te schieten. Maar het mes snijdt aan twee kanten: we behoeden u voor een zékere ontmoeting met de beul en bieden u, als u slim bent, verschillende kansen om heelhuids terug te keren. Laten we zeggen: een jaar van tegenspoed in ruil voor een leven.'

'Eminentie,' zei Roberto, die nu in elk geval het beeld van de beul zag vervliegen, 'voor zover ik begrijp is het onnuttelijk u te zweren, op mijn eer of op het Kruis, dat...'

'Het zou ons aan christelijke naastenliefde ontbreken als we geheel en al uitsloten dat u onschuldig bent en wij ten prooi zijn aan een dwaling. Maar die dwaling zou dermate stroken met onze plannen dat we geen enkele reden zouden zien die te corrigeren. Overigens, u wilt toch niet insinueren dat we u een ongunstig voorstel doen, te weten dat we u óf onschuldig naar het schavot sturen óf u, nadat u – geheel onterecht – schuld hebt bekend, bij ons in dienst nemen.'

'Zulke oneerbiedige drijfveren zijn mij vreemd, eminentie.'

'Kijk aan. We bieden u mogelijkerwijze enig risico, maar gegarandeerd ook roem. En we zullen u vertellen hoe ons oog op u is gevallen, terwijl uw aanwezigheid in Parijs ons aanvankelijk onbekend was. In de stad, moet u weten, wordt veel gesproken over wat er in de salons voorvalt, en heel Parijs had enige tijd geleden de mond vol van een avond waarop u in de ogen van vele dames geschitterd hebt. Heel Parijs, u hoeft niet te blozen. We doelen op die avond waarop u een sprankelende uiteenzetting hield over de deugden van een zogenaamd Poeder van Sympathie, en wel in dier voege (zo wordt dat toch gezegd op dergelijke plaatsen, nietwaar?) dat kwinkslagen het onderwerp pit verleenden, woordspelingen sierlijkheid, zinspreuken plechtigheid, grootspraken rijkheid, vergelijkingen doorzichtigheid...'

'O, eminentie, dat waren dingen die ik ergens had gehoord...'

'Ik bewonder uw bescheidenheid, maar u hebt naar het schijnt blijk gegeven van een gedegen kennis van een aantal geheimen der natuur. Nu wil het geval dat ik een man met dergelijke kennis nodig heb; iemand die geen Fransman is en die zich, zonder de kroon in opspraak te brengen, onopgemerkt kan inschepen op een schip dat uit Amsterdam zal vertrekken met de bedoeling een nieuw geheim te achterhalen dat op een of andere manier verband houdt met het gebruik van dat poeder.' Wederom was hij Roberto's tegenwerping voor: 'U hoeft niet bang te zijn, het is in ons belang dat u goed weet wat we zoeken, opdat u ook de meest ongewisse tekenen kunt duiden. Nu we zien hoezeer u bereid bent ons ter wille te zijn, willen we dat u goed onderlegd bent in het onderwerp. U zult een zeer begaafde leermeester krijgen, en laat u niet misleiden door zijn jeugdige leeftijd.'

Hij strekte een hand uit en trok aan een koord. Er was geen enkel geluid te horen, maar de handeling moest ergens anders een bel of een ander gerucht hebben doen weerklinken – dat was tenminste Roberto's gevolgtrekking, want in die tijd stootten de hoge heren over het algemeen nog onverstaanbare klanken uit als ze hun dienaren ontboden.

Inderdaad stapte er korte tijd later eerbiedig een jonge man binnen die niet veel ouder leek dan twintig.

'Welkom Colbert, dit is de man over wie we u vandaag vertelden,'

zei Mazarin tegen hem, en daarna tegen Roberto: 'Colbert, die zichzelf op veelbelovende wijze inwerkt in de geheimen van het staatsbe-
heer, houdt zich al geruime tijd onledig met een vraagstuk dat Kardinaal Richelieu, en mij dus ook, zeer na aan het hart ligt. Wellicht
weet u, San Patrizio, dat voordat de Kardinaal het roer in handen nam
van dit grote schip waarvan Lodewijk XIII de kapitein is, de Franse
marine geheel bij die van onze vijanden in het niet viel, zowel in oor-
logs- als in vredestijd. Nu echter kunnen we trots zijn op onze wer-
ven, op onze vloot in het Oosten en op die in het Westen, en u zult
zich herinneren met hoeveel succes de markies van Brézé nog geen
zes maanden geleden vierenveertig oorlogsschepen, veertien galeien
en ik weet niet meer hoeveel andere schepen voor Barcelona in slag-
orde heeft kunnen scharen. We hebben onze veroveringen in Nieuw-
Frankrijk bestendigd, hebben ons verzekerd van de heerschappij over
Martinique en Guadeloupe, en over een flink aantal van de eilanden
van Peru, zoals de Kardinaal graag mag zeggen. We zijn begonnen
handelscompagnieën op te zetten, zij het dat ze nog niet erg fortuin-
lijk zijn, maar helaas is er in de Zeven Nederlanden, in Engeland, in
Portugal en in Spanje geen adellijk geslacht te vinden die niet iemand
op zee heeft zitten om fortuin te maken; in Frankrijk is dat spijtig
genoeg niet het geval. Een bewijs daarvan is dat we van de Nieuwe
Wereld weliswaar heel wat af weten, maar van de Allernieuwste Wereld maar weinig. Colbert, laat onze vriend eens zien hoe weinig landen er nog maar op de andere kant van de wereldbol staan.'

De jongeman draaide aan de wereldbol en Mazarin glimlachte bedroefd: 'Helaas is deze watervlakte niet leeg door de stiefmoederlijke
houding van de natuur; ze is leeg omdat we te weinig af weten van
haar vrijgevigheid. En toch gaat het, na de ontdekking van een westelijke vaarroute naar de Molukken, juist om dit uitgestrekte onontslo-
ten gebied dat zich uitstrekt tussen de westkust van Amerika en de
verste oostelijke uitlopers van Azië. Ik heb het over de Stille Zee, zoals de Portugezen haar verkozen te noemen, waarin zich zonder enige
twijfel de Terra Incognita Australis uitstrekt, waar maar weinig eilanden en een paar vage kustlijnen van bekend zijn, maar genoeg om te
weten dat het fabelachtige rijkdommen herbergt. En die wateren worden op dit moment en al geruime tijd bevaren door al te veel avontu-

riers die onze taal niet spreken. Onze vriend Colbert zou de Fransen graag op deze zeeën zien – en ik houd dat niet uitsluitend voor een jeugdige gril. Te meer daar we veronderstellen dat de eerste die op een Terra Australis voet aan wal heeft gezet een Fransman was, de heer van Gonneville, en wel zestien jaar vóór de onderneming van Magalhães. Deze koene edelman – of geestelijke, dat weet ik niet – heeft echter verzaakt de plek waar hij aan land ging in kaart te brengen. Is het denkbaar dat een bekwaam Fransman zo onnadenkend was? Volstrekt niet; het punt is dat hij in die tijd nog niet wist wat hij met een bepaald vraagstuk aan moest. Maar dat vraagstuk, en u zult verbaasd staan als u hoort wat het is, is echter ook voor ons nog steeds een mysterie.'

Hij pauzeerde even, en aangezien zowel de Kardinaal als Colbert zo niet de oplossing, dan in ieder geval de naam van het mysterie kenden, begreep Roberto dat die pauze alleen te zijner ere was. Hij dacht er goed aan te doen de rol van de gegrepen toeschouwer te spelen en vroeg: 'En wat is dat mysterie, als ik zo vrij mag zijn?'

Mazarin keek Colbert veelbetekenend aan en zei: 'Het is het mysterie van de lengtecirkels.'

Colbert knikte ernstig.

'Voor de oplossing van het vraagstuk van het *Punto Fijo*,' vervolgde de Kardinaal, 'had Filips II van Spanje zeventig jaar geleden reeds een fortuin over en stelde Filips III later zesduizend dukaten met altijddurende rente en tweeduizend dukaten lijfrente in het vooruitzicht, en de Republiek der Verenigde Nederlanden dertigduizend guldens. En ook wij hebben voor flinke bedragen de hulp ingeroepen van vakbekwame sterrenkundigen... Apropos, Colbert, die doctor Morin, die laten we nu al acht jaar wachten...'

'Eminentie, u zegt zelf dat u ervan overtuigd bent dat dit verscheellicht van de maan een hersenschim is...'

'Ja, maar om zijn eigen uiterst twijfelachtige voorstel kracht bij te zetten, heeft hij wel de andere voorstellen diepgaand onderzocht en beproefd. Laten we hem bij deze nieuwe onderneming betrekken, het zou verhelderend kunnen zijn voor San Patrizio. We bieden hem een pensioen, niets is zo'n aansporing voor de welwillendheid als geld. Als zijn denkbeeld ook maar een greintje waarheid bevat, zullen we ons er gemakkelijker van kunnen verzekeren en tegelijkertijd kunnen vermijden dat hij, omdat hij zich in zijn eigen vaderland in de steek gelaten voelt, zwicht voor de verzoeken van de Hollanders. Volgens mij zijn het ook de Hollanders die, toen ze zagen dat de Spanjolen aarzelden, met die Galilei in zee zijn gegaan, en we kunnen ons in dezen maar beter niet afzijdig houden...'

'Eminentie,' zei Colbert aarzelend, 'u zult zich herinneren dat Galilei begin dit jaar gestorven is...'

'Werkelijk? Laten we God bidden dat hij gelukkig is, gelukkiger dan hij tijdens zijn leven was.'

'Hoe dan ook, zijn oplossing leek lange tijd toch onweerlegbaar, maar is dat niet...'

'U neemt me de woorden uit de mond, Colbert. Maar stel nu dat ook de oplossing van Morin volkomen waardeloos is. Enfin, laten we hem toch maar steunen zodat de redetwist rond zijn voorstellen weer oplaait en de nieuwsgierigheid van de Hollanders geprikkeld wordt: we moeten het zo aanpakken dat onze tegenstanders er ook op uitgaan, waardoor ze enige tijd op een verkeerd been zullen worden gezet. Het geld zal in elk geval welbesteed zijn. Maar genoeg hierover. Ga door, bid ik u, want als San Patrizio leert, leer ik mee.'

'Uwe Eminentie heeft me alles geleerd wat ik weet,' zei Colbert blozend, 'maar uw goedheid geeft me de moed van wal te steken.' Deze woorden gaven hem waarschijnlijk het gevoel dat hij zich op vertrouwd terrein bevond. Hij hief zijn hoofd op, dat hij steeds gebogen had gehouden, en liep onbevangen op de wereldbol af. 'Heren, de zeevaarder heeft op zee – waar hij soms op land stuit zonder te weten welk land dat is, en hij op weg naar een bekend land dagenlang over een uitgestrekte watervlakte vaart – geen andere aanknopingspunten dan de sterren. Met instrumenten waar de sterrenkundigen uit de oudheid reeds beroemd om waren, bepaalt hij de hoogte van een ster boven de horizon, leidt daar de afstand tot het zenith uit af en weet dan, als hij de declinatie kent en in gedachten houdt dat de afstand tot het zenith plus of min de declinatie de breedtegraad geeft, ogenblikkelijk op welke breedtecirkel hij zich bevindt, oftewel hoeveel ten noorden of ten zuiden van een bekend punt. Dat lijkt me duidelijk.'

'Een kind kan de was doen,' zei Mazarin.

'Dan zou je denken,' ging Colbert door, 'dat hij op dezelfde manier ook kan vaststellen hoe ver hij zich ten oosten of ten westen van hetzelfde punt bevindt, dat wil zeggen op welke lengtecirkel, oftewel op welke meridiaan. Zoals Sacrobosco zegt is de meridiaan een cirkel die over de polen van onze aardkloot loopt, en naar het zenith recht boven onze kruin. En hij heet meridiaan of middagcirkel omdat, wáár een mens zich ook bevindt en welke tijd van het jaar het ook is, als de zon op zijn meridiaan valt het daar voor die man het middaguur is. Door een mysterie van de natuur zijn alle middelen die zijn uitgedacht om de lengtecirkel te bepalen helaas altijd onbetrouwbaar gebleken. Wat doet het ertoe, zo zou de leek kunnen vragen? Veel.'

Hij kreeg allengs meer zelfvertrouwen, liet de wereldbol draaien en wees op de omtrekken van Europa: 'Ongeveer vijftien lengtegraden scheiden Parijs van Praag, iets minder dan twintig Parijs van de Canarische Eilanden. Wat zou u ervan vinden als een legerbevelhebber die in de mening verkeerde bij de Mont-Blanc te vechten, in plaats van protestanten af te slachten doctoren van de Sorbonne op de Mont-Sainte-Geneviève vermoordde?'

Mazarin glimlachte en maakte een afwerend gebaar, alsof hij hoopte dat zulke dingen alleen op de juiste meridiaan zouden voorvallen.

'Maar de treurnis is,' ging Colbert door, 'dat dergelijke fouten, met de middelen die ons tot op heden ter beschikking staan om de lengtecirkels te bepalen, wel degelijk worden gemaakt. En dan gebeurt er wat die Spanjool Mendaña bijna een eeuw geleden overkwam, die de Salomonseilanden ontdekte, een gebied dat door de hemel gezegend is met vruchten boven en goud onder de grond. Mendaña bepaalde de ligging van het land dat hij had ontdekt en keerde naar zijn vaderland terug om van de gebeurtenis kond te doen; een kleine twintig jaar later werden er vier schepen voor hem in gereedheid gebracht om ernaar terug te gaan en er voor altoos de heerschappij van, zoals men daarginds zegt, Hunne Allerchristelijkste Majesteiten te vestigen, en wat gebeurt er? Mendaña kon die eilanden niet meer terugvinden. De Hollanders hadden ondertussen niet stilgezeten; ze richtten aan het begin van deze eeuw hun Oostindische Compagnie op, maakten de stad Batavia in Azië tot vertrekpunt van allerlei expeditien naar het oosten en belandden in Nieuw-Holland. Intussen ontdekten Engelse piraten, die door het hof van Sint-Jacobus onverwijld in de adelstand werden verheven, andere gebieden die waarschijnlijk ten oosten van de Salomonseilanden lagen. Maar niemand zal de Salomonseilanden ooit nog terug kunnen vinden, en begrijpelijkerwijze zijn sommigen nu geneigd deze voor een legende te houden. Legendarisch of niet, Mendaña heeft ze aangedaan, met dien verstande dat hij de breedte ervan wel correct heeft vastgesteld, maar de lengte niet. En ook al had hij die met goddelijke hulp wel naar behoren vastgesteld, dan nog wisten de andere zeevaarders (noch hijzelf op zijn tweede reis) toen ze naar die lengtecirkel zochten niet precies welke de hunne was. En zelfs al weten we waar Parijs ligt, als we er niet in slagen vast te stellen of we in Spanje zijn of tussen de Perzen zitten, dan is het duidelijk, mijnheer, dat we niet meer zijn dan blinden die andere blinden leiden.'

'Met alles wat ik over de voortgang van de wetenschap in onze tijd gehoord heb,' waagde Roberto, 'kan ik waarlijk maar moeilijk geloven dat we nog maar zo weinig weten.'

'Ik geef u geen opsomming van alle geopperde methoden, heer, zoals die welke gegrond is op maaneclipsen, of die welke zich bezighoudt met de variatiën van de magneetnaald – waar onze Le Tellier zich kort geleden nog diep over gebogen heeft – om nog maar te zwijgen van de methode van het loggen waar onze Champlain zo hoog van heeft opgegeven... Maar ze zijn allemaal ontoereikend gebleken, en zullen dat blijven totdat Frankrijk over een waarnemingspost zal beschikken waar allerlei voorstellen kunnen worden getoetst. Natuurlijk is er wel een betrouwbaar middel: een uurwerk aan boord meevoeren dat de tijd van Parijs aanhoudt, op zee de plaatselijke tijd bepalen en uit het tijdverschil het verschil in lengtegraden afleiden. Dit is de aardkloot waarop wij leven, en u kunt zien hoe de Ouden deze in hun wijsheid hebben verdeeld in driehonderdzestig lengtegraden, waarbij ze de berekening doorgaans lieten beginnen bij de meridiaan die over het Canarische eiland Hierro loopt. In haar baan langs de hemel legt de zon (en of díe nu beweegt of, zoals men vandaag de dag beweert, de aarde, maakt in dezen niet zoveel uit) in één uur vijftien lengtegraden af, en als het in Parijs, zoals nu op dit moment, middernacht is, is het op honderdtachtig lengtegraden afstand van Parijs twaalf uur 's middags. Dus als we zeker weten dat de uurwerken in Parijs, laten we zeggen, middernacht aanwijzen, en u stelt vast dat het op de plek waar u zich bevindt zes uur 's middags is, dan berekent u het verschil in uren, vertaalt u elk uur in vijftien graden, en zult u erachter komen dat u zich op negentig graden van Parijs bevindt, en dus ongeveer hier,' en hij liet de wereldbol draaien en wees een punt op het Amerikaanse vasteland aan. 'Maar het mag dan gemakkelijk zijn om de tijd te bepalen op de plek waar u zelf bent, het is erg moeilijk op reis een uurwerk mee te voeren dat steeds de juiste tijd blijft aangeven, helemaal na maanden varen aan boord van een schip dat geteisterd wordt door winden waarvan de beweging zelfs de vernuftigste moderne instrumenten doet falen, om nog maar te zwijgen van zandlopers en wateruurwerken, die om goed te kunnen werken op een plat vlak zouden moeten staan.'

De Kardinaal onderbrak hem: 'We denken dat de heer San Patrizio voorlopig genoeg weet, Colbert. Ik reken erop dat u hem tijdens de reis naar Amsterdam nog verder inlicht. Waarna wíj, daar heb ik alle vertrouwen in, hém niet langer zullen onderrichten, maar hij ons. De Kardinaal, beste San Patrizio, wiens oog verder reikte en nog steeds verder reikt dan het onze – en hopelijk nog lang – heeft namelijk al geruime tijd geleden een netwerk opgezet van betrouwbare agenten die naar andere landen moesten reizen, havens moesten aandoen en de schippers moesten ondervragen die zich opmaakten voor een reis of daarvan terugkeerden, om erachter te komen wat de andere overheden deden en wat zíj wel wisten en wíj niet, aangezien – en dat lijkt me stellig – de mogendheid die het geheim van de lengtecirkels zou ontdekken en zou verhinderen dat de geruchtenmolen zich dat toe-eigende, een grote voorsprong zou hebben op alle andere. Nu,' en hier pauzeerde Mazarin weer, terwijl hij zijn snor fatsoeneerde en vervolgens zijn handen vouwde als om zijn gedachten te bepalen en tegelijkertijd de hemel hulp af te smeken, 'nu hebben we vernomen dat een Engelse arts, doctor Byrd, een nieuwe en wonderbaarlijke manier heeft uitgedacht om de meridiaan te bepalen, die gebruik maakt van het Poeder van Sympathie. Hoe, beste San Patrizio, moet u ons niet vragen, want ik weet amper hoe die duivelskunsten heten.

Wél weten we zeker dat het om dat poeder gaat, maar van de methode die Byrd wil volgen weten we niets, en onze agent is niet erg thuis in de natuurlijke magie. Het staat echter vast dat de Engelse admiraliteit hem in staat heeft gesteld een schip uit te rusten dat de wateren van de Zuidzee zal moeten trotseren. De kwestie is van een dermate groot gewicht dat de Engelsen het niet aandurfden onder hun eigen vlag te varen. Het schip behoort toe aan een Hollander die zich uitgeeft voor een zonderling en voorgeeft opnieuw de route van twee van zijn landgenoten te willen varen die ongeveer vijfentwintig jaar geleden een nieuwe doorgang tussen de Atlantische Zee en de Zuidzee hebben ontdekt, ten zuiden van de Straat van Magalhães. Maar aangezien men zou kunnen vermoeden dat een dergelijk avontuur niet zonder steun van belanghebbenden bekostigd zou kunnen worden, is de Hollander doende openlijk handelswaar en medereizigers te ronselen, als iemand die probeert uit de kosten te komen. Geheel toevallig zullen ook doctor Byrd en zijn drie assistenten zich inschepen, waarbij ze zich uitgeven voor verzamelaars van uitheemse planten. In werkelijkheid zal de gehele leiding van de onderneming bij hen berusten. En ook u zult zich onder de reizigers bevinden, San Patrizio; en onze agent in Amsterdam zal overal zorg voor dragen. U zult een edelman uit Savoye zijn die overal het risico loopt tot ballingschap veroordeeld te worden en die derhalve meent er verstandig aan te doen voor zeer lange tijd zijn heil te zoeken op zee. Zoals u ziet zult u niet eens hoeven liegen. U zult zeer ziekelijk zijn – en dat er inderdaad iets aan uw ogen mankeert, zoals ons verteld is, is wederom een kleine bijzonderheid die bijdraagt aan de vervolmaking van ons plan. U zult een reiziger zijn die bijna de hele tijd binnen zal zitten, met een ingewindeld gelaat, en die voor het overige niet verder zal kijken dan zijn neus lang is. Maar u zult al zwervend afwezig afdwalen en in werkelijkheid uw ogen en oren goed openhouden. We weten dat u Engels verstaat, maar u moet doen alsof u die taal niet machtig bent, zodat de vijanden in uw aanwezigheid vrijuit zullen spreken. Als iemand aan boord Italiaans of Frans verstaat, stel dan vragen en onthoud wat ze u vertellen. Acht het niet beneden uw stand een praatje aan te knopen met gewone mensen, die voor een paar geldstukken het achterste van hun tong laten zien. Maar zorg dat het niet te veel geld is, dat het meer weg heeft van een gift dan van een beloning, omdat ze anders argwaan zullen krijgen. Vraag nooit iets op de man af en als u iemand vandaag iets hebt gevraagd, moet u hem diezelfde vraag morgen, in andere bewoordingen, nogmaals stellen, want als hij eerst heeft gelogen, zal hij geneigd zijn zichzelf tegen te spreken: eenvoudige mensen vergeten wat voor onzin ze hebben uitgekraamd en verzinnen de dag daarop het tegenovergestelde. Leugenaars kunt u trouwens herkennen: als ze lachen vormen zich twee kuiltjes in hun wangen en ze hebben erg korte nagels; en pas ook op voor mensen die klein van stuk zijn, want die liegen uit verwatenheid. Houd uw gesprekken met deze mensen in elk geval kort en wek niet de indruk er enig behagen in te scheppen: de persoon met wie u werkelijk zult moeten spreken is doctor Byrd. Het zal geen verwondering wekken dat u tracht in gesprek te komen met de enige die in educatie uw evenknie is. Hij is een zeer geleerd man en spreekt waarschijnlijk Frans, wellicht Italiaans en zeker Latijn. U bent ziek en zult hem om raad en bijstand vragen. Doe niet als degenen die bramen of rode aarde eten en voorwenden bloed op te geven, maar laat hem na het eten uw pols voelen, want op dat uur lijkt het altijd alsof iemand koorts heeft, en vertel hem dat u 's nachts nooit een oog dichtdoet; dit zal verklaren waarom u soms ergens klaarwakker kunt worden aangetroffen, hetgeen wel zal moeten, aangezien ze hun proefnemingen met behulp van de sterren doen. Die Byrd moet een bezetene zijn, zoals overigens alle mannen van de wetenschap: wend voor dat u allerlei vreemde gedachten invallen en spreek daar met hem over, alsof u hem een geheim toevertrouwt, zodat hij geneigd zal zijn u te vertellen over zijn eigen vreemde en geheime gedachte. Toon belangstelling, maar doe net alsof u er weinig of niets van snapt, zodat hij het u een tweede keer beter vertelt. Herhaal wat hij gezegd heeft alsof u het begrepen hebt, en maak dan fouten, zodat hij uit ijdelheid geneigd zal zijn u te verbeteren en tot in de kleinste bijzonderheden uiteen te zetten waarover hij zou moeten zwijgen. Beweer nooit iets, maak altijd toespelingen: toespelingen dienen om de geest te peilen en het hart te onderzoeken. U moet hem vertrouwen inboezemen: als hij dikwijls lacht, lach dan met hem mee; als hij prikkelbaar is, gedraag u dan geprikkeld, maar blijf aldoor zijn kennis bewonderen. Als hij choleriek is en u beledigt, onderga de belediging dan in het besef dat u al begonnen bent hem te straffen voordat hij u beledigde. Op zee zijn de dagen lang en de nachten eindeloos, en voor een Engelsman is er niets dat de verveling beter verdrijft dan vele kruiken gerstewijn, van het soort dat Hollanders in hun ruim altijd in voorraad hebben. U zult voorgeven dat u een groot liefhebber van deze drank bent, en zult uw nieuwe vriend aanmoedigen er meer van te drinken dan u. Hij zou op een dag argwaan kunnen krijgen en uw hut kunnen laten doorzoeken: u mag dus geen enkele opmerking in schrift vastleggen, maar kunt een journaal bijhouden waarin u verhaalt over uw droevig lot, of over de Maagd en de Heiligen, of over uw beminde, van wie u denkt dat u haar nooit zult weerzien, en in dat journaal staan aante- keningen over de goede eigenschappen van de doctor, die u prijst als enige vriend die u aan boord heeft aangetroffen. Neem geen zinnen van hem op die met onze onderneming te maken hebben, maar bon- dige uitspraken, het geeft niet welke: al zijn ze nog zo flauw, als hij ze gezegd heeft, zijn ze dat voor u niet, en hij zal u dankbaar zijn dat u ze onthouden hebt. Kort en goed, we zijn hier niet om u een brevier voor de goede geheime agent te verschaffen: dat zijn geen zaken waar een man van de Kerk erg in thuis is. Vertrouw op uw ingevingen, wees op behoedzame wijze omzichtig en op omzichtige wijze behoed- zaam, en zorg ervoor dat de scherpte van uw blik omgekeerd evenre- dig is met zijn faam en recht evenredig met uw tegenwoordigheid van geest.'

Mazarin stond op om zijn gast duidelijk te maken dat het onder- houd beëindigd was, en om even boven hem uit te kunnen torenen voordat ook hij opstond. 'U gaat nu met Colbert mee. Hij zal u ver- dere instructies geven en u overdragen aan de mensen die u naar Am- sterdam zullen brengen om u in te schepen. Ga heen en veel geluk.'

Ze stonden op het punt de deur uit te gaan toen de Kardinaal hen terugriep: 'Ah, dat vergat ik nog, San Patrizio. U zult begrepen heb- ben dat wij u vanaf nu tot aan het moment van inscheping geen mo- ment uit het oog zullen verliezen, maar u zult zich afvragen waarom we niet bang zijn dat u daarna, in de eerste de beste haven, zult trach- ten ertussenuit te knijpen. Welnu, daar zijn we niet bang voor, omdat u daar niets mee opschiet. U zult hier niet kunnen terugkeren, waar u voor de rest van uw leven een balling zou zijn; en als u een van die verre landen als ballingsoord zou kiezen, zou u voortdurend in angst zitten dat onze agenten u zouden vinden. In beide gevallen zou u afstand moeten doen van uw naam en uw rang. Evenmin zijn we bang dat een man van uw kaliber zichzelf aan de Engelsen zou verkopen. En trouwens, wat valt er te verkopen? Dat u een spion bent is een geheim dat u, om het te verkopen, eerst zult moeten onthullen; en als het eenmaal onthuld is zou het niets meer waard zijn, behalve wellicht een dolksteek. Als u daarentegen terugkeert, al is het maar met de geringste aanwijzing, kunt u rekenen op onze erkentelijkheid. We zouden er slecht aan doen een man weg te zenden die heeft aangetoond dat hij een zo moeilijke missie tot een goed einde weet te brengen. De rest hangt van uzelf af. Om de – eenmaal verkregen – genade der groten niet te verliezen dient men haar zorgvuldig te koesteren, en om haar te behouden dient men haar te voeden met gunsten: u zult dan en daar besluiten of uw loyauteit jegens Frankrijk van dien aard is dat het raadzaam zou zijn uw toekomst in dienst van onze koning te stellen. Ze zeggen dat het ook anderen overkomen is elders geboren te worden en in Parijs het geluk te vinden.'

De Kardinaal stelde zichzelf tot voorbeeld van beloonde loyauteit. Maar Roberto dacht op dat moment helemaal niet aan beloningen. De Kardinaal had hem een avontuur voorgespiegeld met nieuwe einders en hem een zekere levenswijsheid ingeblazen die hij tot dan toe ontbeerd had, hetgeen wellicht de reden was dat anderen hem niet ontzagvol bejegenden. Het was wellicht goed deze uitnodiging van het lot, die hem wegvoerde van zijn smarten, te aanvaarden. Wat die andere uitnodiging van drie avonden daarvoor betreft, dat was hem reeds geheel en al duidelijk geworden toen de Kardinaal zijn betoog hield. Als een ander had deelgenomen aan een samenzwering en iedereen dacht dat híj dat was geweest, had een ander natuurlijk ook samengezworen om haar die zin in te fluisteren die bij hem tot vreugdevolle gekweldheid en verliefde jaloersheid had geleid. Te veel anderen, tussen hem en de werkelijkheid. En dus kon hij zich maar beter afzonderen op zee, waar hij zijn beminde zou kunnen bezitten op de enige manier die hem vergund was. Want de volmaakte liefde is tenslotte niet bemind te worden, maar minnaar te zijn.

Hij maakte een kniebuiging en zei: 'Eminentie, uw nederige dienaar.'

Of tenminste, dat neem ik aan, daar het me niet waarschijnlijk lijkt dat hem een vrijgeleide werd gegeven dat luidde: 'C'est par mon ordre et pour le bien de l'état que le porteur du présent a fait ce qu'il a fait.'

18
$\mathcal{N}$ooitgehoorde
bijzonderheden

Als de *Daphne*, net als de *Amarilli*, erop uit was gestuurd om het *Punto Fijo* te zoeken, dan was de Indringer gevaarlijk. Roberto wist nu dat er tussen de Europese mogendheden een heimelijke strijd woedde om dat geheim als eerste te achterhalen. Hij moest op alles voorbereid zijn en het slim aanpakken. De Indringer was aanvankelijk blijkbaar 's nachts in de weer geweest, maar had vervolgens, vanaf het moment dat Roberto besloten had overdag te waken – zij het dat hij in zijn hut bleef – het daglicht opgezocht. Moest hij zijn plannen dus omgooien, hem weer de indruk geven dat hij overdag sliep en 's nachts waakte? Dat had geen zin, want de ander zou toch van gewoonte veranderen. Nee, hij moest het hem veeleer onmogelijk maken enige voorspelling te doen, hem in het ongewisse laten over zijn plannen, hem doen geloven dat hij sliep terwijl hij waakte, en slapen als de ander dacht dat hij wakker was…

Hij moest zich proberen voor te stellen wat de ander dacht dat hij dacht, of wat de ander dacht dat hij dacht dat de ander dacht… Tot op dat moment was de Indringer zijn schaduw geweest; nu moest Roberto de schaduw van de Indringer worden, leren de sporen te volgen van iemand die hem op de voet volgde. Maar zou die wederzijdse hinderlaag niet eindeloos kunnen duren: de een die een trap op schoot terwijl de ander de tegenoverliggende trap afging, de een die in het ruim was terwijl de ander op het dek op de uitkijk stond, de ander die zich benedendeks haastte terwijl de een misschien buiten langs de regeling naar boven klom?

Ieder verstandig mens zou meteen besloten hebben de rest van het schip te onderzoeken, maar laten we niet vergeten dat Roberto niet langer verstandig was. Hij was opnieuw bezweken voor de verleiding van de brandewijn en hield zichzelf voor dat hij dat deed om aan te sterken. Een man die door de liefde altijd gedwongen was te wachten, kon door dat nepent niet gedwongen worden een besluit te nemen. Hij was dus uiterst traag, terwijl hij dacht dat hij bliksemsnel was. Hij meende een sprong te maken, maar hij kroop. Daar kwam nog bij dat hij overdag nog steeds niet naar buiten durfde en zich 's nachts sterk voelde. Maar 's nachts had hij gedronken en was hij loom. Hetgeen was wat zijn vijand wilde, zoals hij 's ochtends tegen zichzelf zei. En om moed te vatten, zette hij het weer op een drinken.

Hoe dan ook, tegen de avond van de vijfde dag had hij besloten door te dringen tot dat gedeelte van het ruim waar hij nog niet geweest was, onder de provisiekamer. Hij ontdekte dat de ruimte op de *Daphne* naar beste kunnen benut was, en dat onder het benedendek in het ruim schotten en loze plankieren waren aangebracht om zo bergplaatsen te verkrijgen die door middel van gammele trappetjes met elkaar in verbinding stonden; hij was het kabelruim binnengegaan, struikelend over allerlei rollen touw die nog nat waren van het zeewater. Hij was nog verder afgedaald en uitgekomen in het onderste ruim, waar uiteenlopende soorten kisten en balen stonden.

Daar had hij nog meer voedsel en vaten drinkwater aangetroffen. Hij had er blij mee moeten zijn, maar was dat alleen omdat hij zijn jacht nu tot in het oneindige zou kunnen voortzetten en steeds het genot zou kunnen smaken deze te rekken. Hetgeen het genot van de angst is.

Achter de watervaten had hij nog vier vaten brandewijn gevonden. Hij was teruggegaan naar de bottelarij en had de vaatjes die daar stonden aan een nader onderzoek onderworpen. Overal zat water in – teken dat het vaatje brandewijn dat hij er de vorige dag had aangetroffen van beneden naar boven was gebracht teneinde hem in verleiding te brengen.

In plaats van zich zorgen te maken over de valstrik was hij weer naar het ruim afgedaald, had nog een vaatje sterke drank mee naar boven genomen en had nog meer gedronken.

Vervolgens was hij teruggekeerd naar het ruim – we kunnen ons wel voorstellen in welke staat – en was blijven staan toen hij de lucht rook van grondsop dat in de buik van het schip was gelopen. Dieper kon je niet komen.

Hij moest dus terug, richting achtersteven, maar de lamp verglom langzaam en hij was ergens over gestruikeld; hij had begrepen dat hij tussen de ballast door liep, precies daar waar doctor Byrd op de *Amarilli* het hondehok had laten maken.

Maar uitgerekend in het ruim, tussen vochtvlekken en resten gestouwd voedsel, was zijn oog op een voetafdruk gevallen.

Hij was er inmiddels zo zeker van dat er een Indringer aan boord was, dat hij alleen kon bedenken dat nu eindelijk het bewijs was geleverd dat hij niet dronken was – het bewijs waar dronkaards voortdurend naar op zoek zijn. In elk geval was de zaak nu zonneklaar, voor zover daar met dat gestommel in het donker bij het schijnsel van een lantaarn sprake van kon zijn. Omdat hij er zeker van was dat er een Indringer was, kwam het niet bij hem op dat hij die afdruk met al zijn heen en weer geloop weleens zelf gemaakt kon hebben. Hij ging terug naar boven, vastbesloten de strijd aan te gaan.

De zon ging onder. Het was de eerste zonsondergang die hij zag, na vijf etmalen van nacht, zonsopgang en ochtendschemer. Een paar zwarte, bijna evenwijdige wolken dreven langs het verste eiland om zich bij de top samen te pakken, en vervlogen vandaar als pijlen naar het zuiden. De kust stak donker af tegen de nu heldere, inktzwarte zee, terwijl de rest van de hemel een bleke, matte kamillekleur had, alsof de zon daarachter niet haar offerande volbracht, maar langzaam indommelde en de lucht en de zee verzocht haar ondergaan nauw hoorbaar te begeleiden.

Roberto's strijdlust keerde echter terug. Hij besloot zijn vijand in verwarring te brengen. Hij begaf zich naar de bergplaats van de uurwerken, bracht er zoveel hij kon naar het dek en zette ze neer als kegels, één tegen de grote mast, drie op de stuurplecht, één tegen de gangspil, nog een aantal rond de fokkemast, en één bij elke deur en elk luik, zodat iemand die daar in het donker voorbij wilde ertegenop zou lopen.

Vervolgens had hij de mechanieke uurwerken opgewonden (zonder te bedenken dat hij ze hiermee waarneembaar maakte voor de vijand die hij wilde verrassen) en de zandlopers omgekeerd. Hij bekeek het dek dat vol stond met kunstuurwerken, trots op het lawaai dat ze maakten en ervan overtuigd dat dit de Vijand van zijn stuk zou brengen en hem zou ophouden.

Na deze onschadelijke vallen te hebben gezet, werd hij er zelf het eerste slachtoffer van. Terwijl de nacht viel over een uiterst kalme zee, ging hij van de ene metalen mug naar de andere om naar het gezoem van hun dode wezen te luisteren, om te zien hoe die druppels eeuwigheid drop na drop vergingen, om die gulzige meute mondloze motten te vrezen (zo schrijft hij werkelijk), die tandraderen die de dag voor hem in repen van momenten scheurden en het leven met hun doodse melodie verteerden.

Hij herinnerde zich een uitspraak van Pater Emanuele: 'Wat zou het een allerheerlijkst Schouwspel zijn als de roerselen des Harten door een Ruit in de Borst zichtbaar waren, net als bij Uurwerken!' In het licht van de sterren volgde hij de door een zandloper gemompelde trage rozenkrans van zandkorrels en redekavelde over die bundelingen van momenten, over die opeenvolgende ontledingen der tijd, over die openingen waardoor de uren een voor een wegsijpelden.

Maar de cadans van de verstrijkende tijd deed hem zijn eigen dood voorvoelen, die hij met elke beweging meer naderde; hij bracht zijn bijziende oog dichterbij om dat raadsel van ontsnappingen te ontrafelen, veranderde met een wankele waling een wateruurwerk in een vloeibare doodkist en voer ten slotte uit tegen het sterrenwikkersgespuis, dat slechts in staat was hem de reeds verstreken uren aan te kondigen.

En wie weet wat hij verder nog zou hebben geschreven als hij niet de noodzaak had gevoeld zijn dichterlijke wonderheden te laten voor wat ze waren, net zoals hij eerder zijn tijdrekenende wonderheden had verlaten – niet uit eigen wil, maar omdat hij, nu hij meer drank dan drang in zijn aderen had, niet had kunnen voorkomen dat dat getiktak in zijn oren gaandeweg tot een kuchelend wiegeliedje was verworden.

Op de ochtend van de zesde dag zag hij, nadat hij gewekt was door de laatste nog hortende mechanieken, te midden van de uurwerken, die allemaal verplaatst waren, twee kleine kraanvogels (waren het kraanvogels?) scharrelen die, onrustig pikkend, een van de mooiste zandlopers hadden omgegooid en gebroken.

De Indringer was in het geheel niet afgeschrikt (en inderdaad, waarom zou hij ook, hij wist immers heel goed wie er aan boord was) en had, om een absurde grap met een absurde grap te vergelden, de twee dieren van het benedendek gehaald. Om míjn schip te ontregelen, huilde Roberto, om te bewijzen dat hij sterker is dan ik…

Maar waarom die kraanvogels, vroeg hij zich af, gewend als hij was elke gebeurtenis te beschouwen als een teken, en elk teken als een devies. Wat wilde hij daarmee zeggen? Hij probeerde te bedenken, voor zover hij zich iets van Picinelli of Valeriano herinnerde, wat de zinnebeeldige betekenis van kraanvogels was, maar er schoot hem niets te binnen. Nu weten we heel goed dat de opzet en het doel van dat Serrail der Wonderen ten enenmale onduidelijk waren, en dat de Indringer zo langzamerhand even gek werd als hijzelf; maar Roberto kon dit niet weten en trachtte iets te lezen dat niets anders was dan een kwaadwillig kladsel.

Ik krijg je wel, ik krijg je wel, ellendeling, zo had hij geschreeuwd. En nog half slapend had hij zijn rapier gegrepen en was opnieuw het ruim in gestormd, van de trapjes getuimeld en terechtgekomen in een gedeelte dat hij nog niet verkend had, vol takkenbossen en hopen pasgezaagde stammetjes. Maar in zijn val had hij tegen de stammen aan gestoten; deze waren samen met hem naar beneden gerold en hij was met zijn aangezicht op een tralieluik terechtgekomen, waardoor hij opnieuw de smerige lucht uit de buik van het schip inademde. En uit zijn ooghoeken had hij schorpioenen zien lopen.

Waarschijnlijk waren er mét het hout ook insecten gestouwd en ik weet niet of het echt schorpioenen waren, maar Roberto zag ze als zodanig en dacht natuurlijk dat ze daar door de Indringer waren losgelaten om hem te vergiftigen. Om aan dat gevaar te ontsnappen, had hij haastig het trapje op willen klauteren, maar de stammetjes maakten dat hij niet vooruitkwam; sterker nog, hij verloor zijn evenwicht en moest zich aan de trap vastgrijpen. Ten slotte was hij toch bovengekomen en had hij ontdekt dat hij een snee in zijn arm had.

Hij had zich natuurlijk verwond aan zijn eigen rapier. En nu gaat Roberto, in plaats van aan de wond te denken, terug naar de houtopslag, zoekt naarstig tussen de balken naar zijn wapen, dat onder het bloed zit, neemt het mee terug naar de kajuit en giet brandewijn over het lemmer. Als dat niet blijkt te helpen, verloochent hij alle beginselen van zijn wetenschap en giet de drank op zijn arm. Hij roept op al te gemeenzame toon enkele heiligen aan en rent naar buiten, waar het net begint te stortregenen, zodat de kraanvogels wegvliegen. De wolkbreuk schudt hem wakker: hij maakt zich zorgen om de uurwerken en rent af en aan om ze in veiligheid te brengen, doet zich nogmaals pijn, nu aan zijn voet, waarmee hij in het traliewerk blijft steken, gaat weer naar binnen, op één been als een kraanvogel, kleedt zich uit en begint geprikkeld door al die dwaze gebeurtenissen te schrijven, terwijl de regen eerst toeneemt, vervolgens afneemt, de zon nog een paar uur schijnt en de nacht ten langen leste valt.

En het is maar goed dat hij schrijft, want zo zijn wíj in staat te begrijpen wat hem overkomen was en wat hij tijdens zijn reis op de *Amarilli* ontdekt had.

19

Voyage
van het experiment

De *Amarilli* was uit Holland vertrokken en had kort Londen aangedaan. Hier was 's nachts heimelijk iets geladen terwijl de zeelieden een cordon vormden tussen het dek en het ruim, en Roberto had niet kunnen zien wat het was. Daarna hadden ze koers gezet naar het zuidwesten.

Met kennelijk plezier beschrijft Roberto het gezelschap dat hij aan boord had aangetroffen. De schipper had zijn uiterste best gedaan om verdwaasde en zonderlinge reizigers uit te kiezen die als voorwendsel voor zijn vertrek moesten dienen. Of ze de hele reis mee zouden maken, daar bekommerde hij zich niet om. Ze vielen uiteen in drie groepen: degenen die begrepen hadden dat het schip naar het westen zou varen (zoals een echtpaar uit Galicië dat naar hun zoon in Brazilië wilde, en een oude jood die gezworen had over de grootste omweg ter bedevaart naar Jeruzalem te gaan), degenen die nog geen duidelijke gedachten hadden over de omvang van de aardkloot (zoals een paar losbollen die besloten hadden hun geluk te beproeven op de Molukken, hetgeen ze beter via het oosten hadden kunnen proberen) en ten slotte anderen, die lelijk bij de neus waren genomen, zoals een groep ketters uit de dalen van Piemonte, die van plan waren zich aan de noordkust van de Nieuwe Wereld bij de Engelse puriteinen aan te sluiten en niet wisten dat het schip meteen naar het zuiden zou koersen en als eerste Recife zou aandoen. Toen deze laatste groep achter het bedrog kwam hadden ze die colonie – die toentertijd in Hollandse handen was – net bereikt, en dus hadden ze er maar mee ingestemd in die protestantse haven te worden achtergelaten uit vrees dat ze bij de Portugezen in nog grotere moeilijkheden zouden geraken. In Recife had zich vervolgens een Maltezer ridder ingescheept met het gelaat van een vrijbuiter, die het plan had opgevat een eiland te zoeken waar een Venetiaan hem ooit over had verteld en dat Escondida was gedoopt, waarvan hij de ligging niet kende en waar niemand op de *Amarilli* ooit van had gehoord. Teken dat de schipper zijn reizigers met een lantaarntje had gezocht, zoals men pleegt te zeggen.

Om het welzijn van het groepje reizigers, dat benedendeks als haringen in een ton zat, had hij zich evenmin bekommerd: tijdens de oversteek van de Atlantische Zee had het aan voedsel niet ontbroken en aan de Amerikaanse kust was er nog wat proviand ingeslagen. Maar na een lange tocht onder vlokkerige wolkeslierten en een lazuren hemel door de Straat van Magalhães had bijna iedereen, uitgezonderd de gasten van stand, nog minstens twee maanden water moeten drinken waar ze kolder van kregen en scheepsbeschuit moeten eten die naar rattepis stonk. En een aantal manschappen en vele reizigers waren overleden aan scheurbuik.

Op zoek naar proviand was het schip ten westen van de kust van Chily weer noordwaarts gevaren en had aangelegd op een verlaten eiland dat op de scheepskaarten stond aangegeven als Más Afuera. Daar waren ze drie dagen gebleven. Het klimaat was er zo gezond en de plantengroei zo weelderig dat de Maltezer ridder gezegd had dat je je gelukkig kon prijzen als je op een dag op die kust schipbreuk zou lijden en daar lang en gelukkig zou kunnen leven zonder nog naar je vaderland te willen terugkeren – en hij had getracht zichzelf ervan te overtuigen dat het Escondida was. Escondida of niet, als ik er gebleven was – hield Roberto zichzelf op de *Daphne* voor – zou ik nu niet hier zitten, bang voor een Indringer, alleen maar omdat ik zijn voetafdruk heb gezien in het ruim.

Daarna waren er, naar zeggen van de schipper, tegenwinden opgestoken en was het schip tegen alle verwachtingen in nog verder noordwaarts gevaren. Roberto had van tegenwinden niets gemerkt, sterker nog, toen tot die koersverandering besloten werd, voer het schip met volle zeilen en moest het overstag om van koers te veranderen. Waarschijnlijk achtten doctor Byrd en de zijnen het voor de uitvoering van hun proevingen nodig om steeds langs dezelfde meridiaan te varen. Zeker is dat ze bij de Galópegoseilanden waren uitgekomen, waar ze zich vermaakt hadden met enorme schildpadden die ze op hun rug hadden gedraaid en in hun eigen schild hadden gaar gekookt. De Maltezer ridder had langdurig een aantal van zijn kaarten bekeken en was tot de slotsom gekomen dat ook dat Escondida niet was.

Toen ze weer naar het westen koersten en de vijfentwintigste zuiderbreedtegraad waren gepasseerd, namen ze nogmaals drinkwater in, op een eiland dat niet op de kaarten stond. Het bood geen andere bekoringen dan de eenzaamheid, maar de ridder – die het eten aan boord niet verdroeg en een sterke weerzin jegens de schipper koesterde – had tegen Roberto gezegd hoe prachtig het zou zijn om een handjevol nietsontziende dappere mannen om je heen te verzamelen, bezit te nemen van het schip, de schipper en ieder die hem volgen wilde niet meer dan de sloep te laten, de *Amarilli* in brand te steken en zich op dat eiland te vestigen, wederom ver weg van elke bekende wereld, om een nieuwe staat te stichten. Roberto had hem gevraagd of het Escondida was, en hij had bedroefd zijn hoofd geschud.

Nadat ze, voortgeblazen door de passaatwinden, weer naar het noordwesten hadden gekoerst, waren ze op een eilandengroep gestuit die bewoond werd door wilden met een amberkleurige huid, met wie ze geschenken hadden uitgewisseld en waar ze deelgenomen hadden aan zeer uitbundige feesten, opgeluisterd door meisjes die dansten met de bewegingen van de grassen die op het strand vlak boven de waterspiegel heen en weer bewogen. De ridder – die blijkbaar geen kuisheidsgelofte had afgelegd – had onder het voorwendsel een paar van die schepsels te portraitteren (hetgeen hij met een zekere vaardigheid deed) kans gezien zich vleselijk met een aantal van hen te verenigen. De bemanning wilde zijn voorbeeld navolgen, en de schipper vervroegde de afvaart. De ridder was onzeker of hij er zou blijven: hele dagen er flink op los penselen leek hem een prachtige manier om zijn leven te besluiten. Maar ten slotte had hij besloten dat het Escondida niet was.

Daarna koersten ze weer in noordwestelijke richting en vonden een eiland met zeer vriendelijke inlanders. Ze bleven er twee dagen en twee nachten en de Maltezer ridder begon hun verhalen te vertellen: hij vertelde deze in een tongval die zelfs Roberto niet verstond, en zij al helemaal niet, maar hij ondersteunde zijn verhaal met tekeningen in het zand en gebaarde als een toneelspeler, waardoor hij de geestdrift van de inboorlingen wekte, die hem toezongen: 'Tusitala, Tusitala!' De ridder overpeinsde met Roberto hoe mooi het zou zijn je laatste dagen tussen deze mensen te slijten en hun alle fabelen van de wereld te vertellen. 'Maar is dit Escondida?' had Roberto gevraagd. De ridder had zijn hoofd geschud.

Hij is bij de schipbreuk omgekomen, zo dacht Roberto op de *Daphne*, en misschien heb ik zijn Escondida wel gevonden, maar zal ik het hem noch iemand anders ooit kunnen vertellen. Wellicht schreef hij daarom wel aan zijn Dame. Wie overleven wil moet verhalen vertellen.

Het laatste luchtkasteel van de ridder verscheen op een avond, korte tijd voor en niet ver verwijderd van de plek van de schipbreuk. Ze voeren onder de kust van een eilandengroep waar ze, zo had de schipper besloten, niet naar toe zouden varen, omdat doctor Byrd erop gebrand leek opnieuw in de richting van de evenaar te koersen. In de loop van de reis was het Roberto duidelijk geworden dat het gedrag van de schipper niet strookte met dat van de zeevaarders over wie hij had horen vertellen, en die alle nieuwe gebieden zorgvuldig optekenden en hun kaarten bijwerkten, de vormen van wolken natekenden, kustlijnen schetsten, inheemse voorwerpen verzamelden... De *Amarilli* voer voort als was ze de reizende spelonk van een alchimist die zich uitsluitend bezighield met zijn Zwarte Werk, en had geen oog voor de grote wereld die zich voor haar uitstrekte.

Het was zonsondergang. Aan de hemel vormde het wolkenspel aan één kant van een beschaduwd eiland iets als smaragdgroene vissen die boven het hoogste punt ervan zeilden. Aan de andere kant verschenen woeste vuurballen. Erboven, grijze wolken. Meteen daarna zakte een vlammende zon achter het eiland, maar werd een volroze kleur weerkaatst op de wolken, die aan de onderkant bloederig gekarteld waren. Na weer een paar tellen was de brand achter het eiland zo ver uitgedijd dat hij boven het schip hing. De hemel was één grote vuurkorf, tegen een achtergrond van enkele straaltjes menistenblauw.

En nog later overal bloed, alsof een stelletje boetvaardigen door een school haaien verslonden was.

'Misschien zou het goed zijn hier te sterven,' had de Maltezer ridder gezegd. 'Bekruipt u niet het verlangen u van de mond van een kanon in zee te laten glijden? Het zou snel gaan en op dat moment zouden we alles weten...'

'Ja, maar zodra we het wisten, zouden we ophouden het te weten,' had Roberto gezegd.

En het schip had zijn reis voortgezet, steeds verder de sepia zeeën op.

Eentonig gleden de dagen voorbij. Zoals Mazarin had voorzien kon Roberto zich uitsluitend onderhouden met de edellieden. De zeelui waren zulke boeven dat je je doodschrok als je er 's nachts een op de brug tegenkwam. De reizigers waren hongerig en ziek, en ze baden. De drie assistenten van Byrd waagden het niet aan diens tafel plaats te nemen en slopen stilletjes rond om zijn bevelen uit te voeren. De schipper had er net zo goed niet kunnen zijn: vroeg in de avond was hij al dronken en bovendien sprak hij uitsluitend Vlaams.

Byrd was een broodmagere Brit met een enorme bos rood haar die gemakkelijk als vuurtoren dienst had kunnen doen. Roberto, die zich zodra hij maar even kon trachtte te wassen en van de regen profiteerde om zijn kleren uit te spoelen, had hem in al die maanden dat ze onderweg waren nog nooit een ander hemd zien aantrekken. Gelukkig is ook voor een jongeman die gewend is aan de Parijse salons de stank op een schip van dien aard dat men die van zijn medemensen niet langer opmerkt.

Byrd was een stevige bierdrinker en Roberto had geleerd met hem mee te drinken door net te doen of hij het vocht naar binnen klokte, waarbij hij ervoor zorgde dat zijn kroes steeds ongeveer even vol bleef. Het leek namelijk of Byrd geleerd had alleen lege kroezen bij te vullen. En aangezien de zijne altijd leeg was, vulde hij hem bij, waarna hij hem hief om te klinken. De ridder dronk niet, luisterde en stelde af en toe een vraag.

Byrd sprak redelijk Frans, zoals elke Engelsman die toentertijd buiten zijn eiland wenste te reizen, en Roberto had hem voor zich ingenomen met zijn verhalen over de wijnbouw in Montferrat. Roberto had beleefd aangehoord hoe ze in Londen bier maakten. Vervolgens hadden ze over de zee gesproken. Roberto voer voor de eerste maal en Byrd wekte de indruk dat hij het er liever niet al te veel over had. De ridder stelde alleen maar vragen met betrekking tot de plek waar Escondida zich zou kunnen bevinden, maar kreeg, omdat hij geen enkele aanwijzing gaf, geen antwoord.

Ogenschijnlijk maakte doctor Byrd de reis om bloemen te verzamelen, en Roberto had hem over dat onderwerp aan de tand gevoeld. Byrd was zeker geen leek op het gebied van planten, waardoor hij in staat was ellenlange uiteenzettingen te houden, die Roberto ogenschijnlijk met belangstelling aanhoorde. In elk land verzamelden Byrd en de zijnen daadwerkelijk planten, zij het niet met de omzichtigheid van wetenschappers die zo'n reis met dat doel ondernemen, en ze hielden zich avondenlang onledig met het onderzoeken van hetgeen ze hadden gevonden.

De eerste dagen had Byrd geprobeerd iets te weten te komen over Roberto's verleden en over dat van de ridder, alsof hij hen wantrouwde. Roberto had hem de in Parijs overeengekomen lezing gegeven: hij was Savooiaard, had in Casale gevochten aan de kant van de keizerlijken, was eerst in Turijn en later in Parijs door een reeks duellen in moeilijkheden geraakt, had het ongeluk gehad een beschermeling van de Kardinaal te verwonden en had toen de Zuidzee als mogelijkheid gezien om ervoor te zorgen dat er een heleboel water tussen hem en zijn achtervolgers zou komen te liggen. De ridder vertelde talloze verhalen, sommige speelden zich af in Venetië, andere in Ierland, weer andere in Zuidelijk Amerika, maar het bleef onduidelijk welke verhalen van hemzelf waren en welke van anderen.

Uiteindelijk had Roberto ontdekt dat Byrd graag over vrouwen praatte. Roberto had onstuimige liefdesavonturen verzonnen met onstuimige courtisanes, en de ogen van de doctor glommen; hij nam zich voor de zoveelste keer voor Parijs te bezoeken. Toen had hij zich hersteld en opgemerkt dat alle papisten verdorven zijn. Roberto had onder de aandacht gebracht dat veel Savooiaarden in zekere zin hugenoten waren. De ridder had een kruis geslagen en had het gesprek weer op vrouwen gebracht.

Totdat ze aanlegden op Más Afuera leek het leven van de doctor regelmatig te verlopen. Als hij al waarnemingen aan boord had verricht, had hij dat gedaan als de anderen aan land waren. Tijdens het varen vertoefde hij overdag op het bovendek, bleef hij met zijn disgenoten tot in de kleine uurtjes wakker en sliep hij 's nachts, zoveel was zeker. Zijn hut was naast die van Roberto, het waren twee nauwe pijpenladen, gescheiden door een tussenschot, en Roberto bleef wakker om hem af te kunnen luisteren.

Nauwelijks hadden ze echter de Zuidzee bereikt of Byrds gewoonten veranderden. Na het oponthoud op Más Afuera had Roberto gezien dat hij elke ochtend van zeven tot acht uur verdween, terwijl ze vóór die tijd op dat tijdstip samen plachten te ontbijten. Gedurende de gehele tijd dat het schip noordwaarts had gekoerst, tot aan het schildpaddeneiland, verdween Byrd daarentegen rond zes uur 's ochtends. Nauwelijks was het schip opnieuw westwaarts gestevend of hij was nog vroeger, om vijf uur, opgestaan, en Roberto hoorde hoe een van zijn assistenten hem kwam wekken. Daarna was hij geleidelijk aan steeds vroeger opgestaan, om vier uur, drie uur, twee uur.

Roberto kon dat nagaan omdat hij een klein zandglas had meegenomen. Bij zonsondergang ging hij als een dagdief bij de roerganger langs, waar naast het in walvistraan drijvende kompas een schrijftafeltje stond waarop de schipper, uitgaande van de laatste peilingen, hun ligging en de vermoedelijke tijd noteerde. Roberto prentte zich die goed in, ging vervolgens terug om zijn zandglas om te draaien en herhaalde dit als hij vermoedde dat het uur bijna voorbij was. Op deze manier kon hij – zij het dat hij na het eten vaak niet helemaal op tijd was – altijd met enige zekerheid berekenen hoe laat het was. Zo was hij ervan overtuigd geraakt dat Byrd elke dag een beetje vroeger verdween en dat hij, als hij daarmee in dat tempo doorging, op een goede dag rond middernacht zou verdwijnen.

Na hetgeen Roberto zowel van Mazarin als van Colbert en zijn mannen vernomen had, was er niet veel voor nodig om tot de slotsom te komen dat het wegglippen van Byrd gelijke tred hield met het verglijden der lengtecirkels. Het had er dus alle schijn van dat iemand elke dag om twaalf uur 's middags Canarische tijd vanuit Europa, of op een vast tijdstip vanaf een andere plek, een sein zond dat Byrd ergens moest opvangen. En als deze wist hoe laat het aan boord van de *Amarilli* was, was hij dus in staat zijn eigen lengtegraad te berekenen!

Het enige dat Roberto hoefde te doen was Byrd volgen als deze zich verwijderde. Maar dat was niet zo eenvoudig. Zolang hij niet 's ochtends verdween, was het onmogelijk hem onopgemerkt te volgen. Toen Byrd begonnen was zich in de donkere uren te verwijderen, hoorde Roberto precies wanneer hij wegging, maar kon hij hem niet meteen achternagaan. Hij wachtte dus even en dan was het zaak hem weer op het spoor te komen. Maar elke poging was tevergeefs gebleken. Ik kan de talloze keren niet noemen dat Roberto, zich in het donker een weg banend, tussen de hangmakken van de bemanning terechtkwam of struikelde over de bedevaartgangers. Maar keer op keer was hij op iemand gestuit die rond die tijd had moeten slapen: dus er waakte altijd iemand.

Als hij een van deze spionnen tegenkwam, maakte Roberto een toespeling op zijn slapeloosheid en begaf hij zich naar het bovendek, er zodoende in slagend geen argwaan te wekken. Men beschouwde hem al geruime tijd als een zonderling die 's nachts met open ogen droomde en de dagen met gesloten ogen doorbracht. Maar als hij dan eenmaal op het dek stond, waar hij de dienstdoende scheepsmaat trof – met wie hij, als ze toevalligerwijze in staat waren elkaar te verstaan, enkele woorden wisselde – waren zijn kansen voor die nacht al verkeken.

Dat verklaart hoe het mogelijk was dat er maanden verstreken waarin Roberto op het punt stond het mysterie van de *Amarilli* te ontdekken, zonder echter in de gelegenheid te zijn om rond te neuzen waar hij zou willen.

Daarnaast had hij van meet af aan getracht Byrd vertrouwelijkheden te ontlokken. En had hij een wijze bedacht die zelfs Mazarin verzuimd had hem aan de hand te doen. Om zijn nieuwsgierigheid te bevredigen stelde hij overdag vragen aan de ridder, die daarop geen antwoord wist. Vervolgens liet Roberto doorschemeren dat hetgeen hij vroeg van groot belang was als de ridder werkelijk Escondida wilde vinden. Met als gevolg dat deze diezelfde vragen 's avonds aan de doctor stelde.

Toen ze op een nacht op het dek naar de sterren keken, had de doctor opgemerkt dat het middernacht moest zijn. De ridder, die een paar uur daarvoor door Roberto was geïnstrueerd, had gezegd: 'God weet hoe laat het nu op Malta is...'

'Dat is geen moeilijke kwestie,' had de doctor zich laten ontvallen. Daarna had hij zich hersteld: 'Ik bedoel, dat is een moeilijke kwestie, beste vriend.' De ridder had er zijn verbazing over uitgesproken dat zoiets niet viel af te leiden uit de berekening van de meridianen: 'Deed de zon er niet een uur over om vijftien lengtegraden af te leggen? Dan hoeven we dus alleen maar te zeggen dat we zo-en-zoveel lengtegraden van de Middellandse Zee verwijderd zijn, dat getal door vijftien delen, zo goed en zo kwaad als we kunnen bepalen hoe laat het hier is, en we weten hoe laat het daar is.'

'U lijkt wel een van die sterrenkundigen die hun leven lang kaarten hebben geraadpleegd zonder ooit te varen. Anders zou u weten dat we onmogelijk kunnen weten op welke meridiaan we ons bevinden.'

Byrd had min of meer datgene herhaald wat Roberto al wist, maar voor de ridder was het nieuw. Byrd had zich hierover echter zeer spraakzaam betoond: 'De Ouden dachten met hun berekeningen van de maaneclipsen over een onfeilbare methode te beschikken. U weet wat een eclips is: het moment waarop de zon, de aarde en de maan op één lijn staan en de schaduw van de aarde op het maanoppervlak valt. Het is mogelijk de dag en het precieze tijdstip van toekomstige eclipsen te berekenen; daarvoor hoeft men alleen over de tafels van Regiomontanus te beschikken. Stel nu dat u weet dat een bepaalde eclips zich om middernacht in Jeruzalem zou moeten voltrekken en dat u die om tien uur waarneemt. Dan weet u dus ook dat u twee uur van Jeruzalem verwijderd bent en dat uw waarnemingspunt dertig lengtegraden ten oosten van Jeruzalem ligt.'

'Klopt precies,' zei Roberto. 'Hulde aan de Ouden!'

'Jawel, maar deze berekening klopt maar tot op zekere hoogte. De grote Columbus maakte op zijn tweede reis, toen hij op open zee bij Hispaniola voor anker lag, berekeningen aan de hand van een eclips en kwam drieëntwintig graden te ver naar het westen uit, een tijdverschil van anderhalf uur! En op zijn vierde reis zat hij er, weer met een eclips, twee en een half uur naast!'

'Zat híj ernaast of Regiomontanus?' vroeg de ridder.

'God zal het weten! Op een schip dat aldoor in beweging is, zelfs als het voor anker ligt, is het altijd moeilijk nauwkeurige peilingen te verrichten. En wellicht weet u dat Columbus er zeer op gebrand was aan te tonen dat hij Azië had bereikt, en dus maakte zijn verlangen dat hij zich vergiste, omdat hij wilde bewijzen dat hij veel verder was gekomen dan in werkelijkheid het geval was... En de maansafstanden? Die waren de afgelopen honderd jaar zeer in zwang. Het denkbeeld getuigde van (hoe zal ik het zeggen?) een zekere *wit*. Tijdens haar maandelijkse omloop legt de maan een volkomen baan van west naar oost af, tegen de sterrenloop in, en is als het ware de wijzer van een hemeluurwerk, die de wijzerplaat van de dierenriem rondgaat. De sterren bewegen zich door de hemel, van oost naar west, met een snelheid van ongeveer vijftien graden per uur, terwijl de maan in diezelfde tijdspanne veertien en een halve graad aflegt. Dus verspeelt de maan ten opzichte van de sterren een halve graad per uur. Nu dachten de Ouden dat de afstand tussen de maan en een *fixed sterre*, zoals dat heet, een ster die op een bepaald moment stilstaat, voor elke waarnemer vanaf elk punt op de aarde eender was. Men hoefde dus alleen maar, aan de hand van genoemde dagtafels of *ephemerides*, en door gebruik te maken van de *astronomers staffe, the crosse...*'

'De kruisboog?'

'Juist, met deze *crosse* berekent u hoe ver de maan van die ster af staat op een bepaald tijdstip op onze uitgangsmeridiaan, en dan weet u dat het op het tijdstip van de op zee verrichte waarneming in een bepaalde stad zo en zo laat is. Kent u eenmaal het tijdverschil, dan hebt u de lengtecirkel gevonden. Maar, maar...' – en Byrd had even gepauzeerd om de spanning bij zijn toehoorders op te voeren – '...maar er is ook nog zoiets als het verscheellicht. Dat is iets dat zo moeilijk is dat ik me er niet aan waag het u uit te leggen en dat te maken heeft met het verschil in straalbreking tussen de hemellichamen op diverse hoogten boven de horizon. Welnu: uitgaande van het verscheellicht zou de hier gevonden afstand niet dezelfde zijn als die welke onze sterrenkundigen daarginds in Europa zouden vinden.'

Roberto dacht terug aan het verhaal over het verscheellicht van de maan dat hij van Mazarin en Colbert had gehoord, en aan die Morin, die dacht een methode te hebben gevonden om het te berekenen. Om Byrds kennis te toetsen had hij gevraagd of sterrenkundigen dat verscheellicht niet konden berekenen. Byrd had geantwoord dat het wel kon, maar dat het erg lastig was en dat men zich daarbij zeer gemakkelijk kon vergissen. 'En bovendien,' had hij eraan toegevoegd, 'ik ben maar een leek en weet van dit soort dingen weinig af.'

'Dan dient er dus een betrouwbaarder methode te worden gevonden,' had Roberto vervolgens geopperd.

'Weet u wat uw landgenoot Vespucci heeft gezegd? Die heeft gezegd: wat de lengtegraad betreft, dat is iets zeer moeilijks dat weinigen begrijpen, met uitzondering van degenen die het zonder slaap kunnen stellen zodat ze de samenstanden van de maan en de planeten kunnen observeren. En hij zei ook: voor het bepalen van de lengtecirkels heb ik vaak mijn slaap opgeofferd en mijn leven met tien jaar bekort... Verloren tijd, als u het mij vraagt. *But now behold the skie is over cast with cloudes; wherfore let us haste to our lodging, and ende our talke.'*

Enkele avonden later had hij de doctor gevraagd hem de Noordster aan te wijzen. Deze had geglimlacht: die kon je op dat halfrond niet zien, en men diende dus met behulp van andere vaste sterren zijn plaats te bepalen. 'Nog een nederlaag voor hen die zoeken naar de lengtecirkels,' had hij eraan toegevoegd. 'Ze kunnen zich dus niet eens verlaten op de variatiën van de magneetnaald.'

Daarna had hij, daartoe door zijn vrienden aangezet, wederom het brood zijner kennis gebroken.

'De kompasnaald zou altijd naar het noorden moeten wijzen, in de richting van de Noordster dus. Maar het geval wil dat zij, behalve op de meridiaan van het eiland Hierro, op alle andere plekken van het juiste noorden afwijkt en nu eens oostwaarts buigt, dan weer westwaarts, naar gelang de klimaten en de breedtecirkels. Vaart u bijvoorbeeld van de Canarische Eilanden naar Gibraltar, dan weet elke zeeman dat de naald meer dan zes graden van een kompasstreek naar het noordwesten afbuigt en dat er tussen Malta en Tripoli aan de Barbarijse kust een afwijking is van tweederde kompasstreek naar links – en u weet natuurlijk dat een kompasstreek een kwart windrichting is.

Welnu, deze afwijkingen volgen – ik zei het al – vaste regels naar gelang de verschillende lengtecirkels. Met een degelijke tafel van de afwijkingen zou u er dus achter kunnen komen waar u zich bevindt. Maar...'

'Weer een maar?'

'Helaas wel, ja. Er bestaan namelijk geen deugdelijke tafels van de declinatiën van de naald; iedereen die zich daaraan gewaagd heeft, heeft gefaald en er zijn goede redenen om aan te nemen dat de naald niet op elke lengtecirkel eendere variatiën vertoont. En bovendien beweegt de naald erg traag en kunnen de variatiën op zee moeilijk worden gevolgd, nog afgezien van de keren dat het schip zo stampt dat het evenwicht van de naald wordt verstoord. Wie op de naald vertrouwt is gek.'

Op een andere avond had de ridder, die nog zat na te peinzen over een zin die Roberto zich schijnbaar gedachteloos had laten ontvallen, tijdens de maaltijd gezegd dat Escondida wellicht een van de Salomonseilanden was, en had gevraagd of ze daar in de buurt waren.

Byrd had zijn schouders opgehaald: 'De Salomonseilanden! *Ça n'existe pas!*'

'Is schipper Draak daar niet geweest?' vroeg de ridder.

'Nonsens! Drake heeft Nieuw Albion ontdekt, dat ligt geheel ergens anders.'

'De Spanjolen in Casale spraken erover alsof het iets bekends was, en ze zeiden dat zij ze hadden ontdekt,' zei Roberto.

'Dat heeft die Mendaña ruim zeventig jaar geleden gezegd. Maar hij zei dat ze tussen de zevende en de elfde graad zuiderbreedte lagen. Zoiets als: tussen Parijs en Londen. Maar op welke lengte? Queiros zei dat ze op vijftienhonderd zeemijlen van Lima liggen. Belachelijk. Dan hoefde je maar van de kust van Peru te spuwen om ze te raken. Kort geleden nog heeft een Spanjool gezegd dat ze vijfenzeventighonderd mijl van datzelfde Peru af liggen. Te ver, wellicht. Maar wees zo goed deze kaarten eens te bekijken: sommige zijn onlangs gemaakt, maar wel naar het voorbeeld van oudere kaarten, terwijl andere ons worden voorgesteld als het nieuwste van het nieuwste. Kijk, sommige plaatsen de eilanden op de tweehonderdtiende meridiaan, andere op de tweehonderdtwintigste, en weer andere op de tweehonderddertigste, om nog maar te zwijgen van de kaarten die menen dat ze op de honderdtachtigste liggen. Als een van hen gelijk had, zou dat betekenen dat de andere er toch gauw vijftig graden naast zitten, hetgeen ongeveer de afstand is tussen Londen en het land van de Koningin van Sheba!'

'Het is werkelijk bewonderenswaardig hoeveel u weet, doctor,' had de ridder gezegd, Roberto de woorden uit de mond nemend, 'alsof u in uw leven niets anders hebt gedaan dan zoeken naar de lengtecirkels.'

Het met bleke sproeten bezaaide gelaat van doctor Byrd was plotseling rood geworden. Hij had zijn bierkroes bijgevuld en die in één teug achterovergeslagen. 'Ach, de nieuwsgierigheid van de natuurbeschouwer. In werkelijkheid zou ik niet weten waar te beginnen als ik u moest vertellen waar we op dit moment zaten.'

'Maar,' meende Roberto het erop te kunnen wagen, 'bij de kolderstok heb ik gelezen dat...'

'O dat.' De doctor had zich meteen hersteld. 'Een schip vaart natuurlijk niet zomaar wat rond. *They pricke the Carde.* Ze vermelden de dag, de richting van de naald en haar declinatie, waar de wind vandaan komt, de tijd op het scheepsuurwerk, de afgelegde mijlen, de hoogte van de zon en de sterren, en vervolgens de breedtegraad, en daaruit leiden ze af wat volgens hen de lengtegraad is. Wellicht hebt u af en toe een zeeman op de achtersteven zien staan die een touw in het water gooide waaraan een plankje zat vastgebonden. Dat is de log of, zoals sommigen zeggen, het logschuitje. Men laat het touw vieren, in dat touw zitten op vaste afstanden van elkaar knopen die verwijzen naar vaste maten, en met een uurwerk ernaast kan men berekenen in hoeveel tijd een bepaalde afstand wordt afgelegd. Zo zou men, als alles volgens de regels verliep, altijd kunnen berekenen op hoeveel mijl van de laatst bekende meridiaan men zich bevindt, en er vervolgens aan de hand van de juiste berekeningen achter kunnen komen welke men op dat moment passeert.'

'Ziet u wel dat er een manier is,' had Roberto triomfantelijk gezegd, die al wist wat de doctor hem zou antwoorden, namelijk dat de log iets is dat gebruikt wordt bij gebrek aan beter, omdat daarmee alleen bepaald kan worden hoeveel afstand er is afgelegd als het schip altijd in een rechte lijn zou varen. Maar aangezien een schip gaat zoals de winden willen, moet het bij ongunstige wind soms een stuk naar rechts en soms een stuk naar links uitwijken.

'Nu wil het geval,' zei de doctor, 'dat sir Humphrey Gilbert, ongeveer ten tijde van Mendaña, in de buurt van Terranova, toen hij langs de zevenenveertigste breedtegraad wilde varen, *encountered winde always so scant* – winden, hoe zal ik het zeggen, die zo schraal waren dat hij eindeloos tussen de eenenveertigste en eenenvijftigste breedtegraad heen en weer voer, over een afstand van tien breedtegraden, mijne heren, net alsof een enorme ringslang op weg van Napels naar Portugal eerst met zijn kop Le Havre en met zijn staart Rome aandeed, om vervolgens met zijn staart in Parijs en zijn kop in Madrid uit te komen! En dus moeten de afwijkingen berekend worden, dient men te cijferen en zeer goed op te letten; en dat doet een zeeman nu eenmaal niet, net zomin als hij de hele dag een sterrenkundige naast zich kan velen. Vanzelfsprekend kan er worden gegist, zeker als er een bekende route wordt gevaren en de bevindingen van anderen naast elkaar worden gelegd. Daarom geven de kaarten het lengteverschil tussen de Europese en de Amerikaanse kusten vrij nauwkeurig weer. En voorts kunnen ook de vanaf de aarde verrichte peilingen van de sterren redelijke uitkomsten opleveren, en daarom weten we op welke lengtecirkel Lima ligt. Maar wat zien we ook in dat geval gebeuren, beste vrienden?' vroeg de doctor vrolijk, terwijl hij de andere twee een veelbetekenende blik toewierp. 'We zien dat deze man' – en hij tikte met zijn vinger op een kaart – 'Rome op de dertigste graad ten oosten van de meridiaan van de Canarische Eilanden plaatst, terwijl deze' – en hij zwaaide met zijn opgeheven vinger heen en weer als om de maker van de andere kaart vaderlijk te vermanen – 'deze andere man Rome op de veertigste graad plaatst! En dit handschrift bevat tevens het relaas van een Vlaamse wijsneus die de koning van Spanje erop opmerkzaam maakt dat er nooit overeenstemming is geweest over de afstand tussen Rome en Toledo, *por los errores tan enormes, como se conoce por esta línea, que muestra la differencia de las distancias,* enzovoort, enzovoort. Kijk, daar loopt de lijn: als we de eerste meridiaan over Toledo laten lopen (de Spanjolen denken altijd dat ze in het midden van de wereld wonen), zou Rome volgens Mercator twintig graden oostelijker liggen, maar volgens Tycho Brahe tweeëntwintig, volgens Regiomontanus bijna vijfentwintig, volgens Clavius zevenentwintig, volgens onze oude vriend Ptolemaeus achtentwintig en volgens Origanus dertig. Zoveel misrekeningen, alleen maar bij het meten van de afstand tussen Rome en Toledo. Denkt u zich eens in wat er dan gebeurt op routes als deze, waarover de relazen van de andere zeevaarders uiterst vaag zijn en waar wij misschien wel als eersten bepaalde eilanden hebben aangedaan. En voeg daar nog eens bij dat, als een Hollander juiste peilingen heeft verricht, hij dat niet aan de Engelsen vertelt, die op hun beurt weer niets aan de Spanjolen vertellen. Op deze zeeën telt de neus van de schipper, die met zijn armzalige log tot het besluit komt dat hij zich, stel, op de tweehonderdtwintigste meridiaan bevindt, terwijl hij daar misschien wel dertig graden naast zit, de ene of de andere kant op.'

'Maar,' begreep de ridder, 'als iemand een manier zou vinden om de meridianen vast te stellen, zou hij dus heer en meester over de zeeën zijn!'

Byrd werd weer rood, staarde hem aan om erachter te komen of hij dat doelbewust zei, en glimlachte vervolgens alsof hij hem wilde bijten: 'Ga uw gang, zou ik zo zeggen.'

'Mag ik bedanken?' zei Roberto en hief zijn handen ten teken van overgave. En die avond eindigde het gesprek met veel gelach.

Dagenlang achtte Roberto het niet verstandig het gesprek opnieuw op de lengtecirkels te brengen. Hij sneed een ander onderwerp aan, en om dat te kunnen doen nam hij een moedig besluit. Met een mes maakte hij een snee in zijn handpalm. Daarna verbond hij deze met repen van zijn door water en wind zo langzamerhand tot op de draad versleten hemd. 's Avonds toonde hij de kwetsuur aan de doctor: 'Ik ben echt niet goed bij mijn hoofd, ik had mijn mes in mijn zak gestoken en niet in de schede, en toen ik met mijn hand in mijn zak voelde, heb ik me gesneden. Het brandt erg.'

Doctor Byrd onderzocht de wond met de blik van een vakman en Roberto bad God dat hij een spoelbakje op tafel zou zetten en er vitriool in zou oplossen. Byrd beperkte zich er echter toe te zeggen dat het hem niet al te ernstig leek en ried hem aan de wond 's ochtends goed uit te wassen.

Maar gelukkig schoot de ridder hem te hulp: 'Tja, daar zou u wapenzalf voor moeten hebben.'

'Wat is dat in 's hemelsnaam voor iets?' had Roberto gevraagd. En als had hij de boeken gelezen die ook Roberto inmiddels kende, begon de ridder de verdiensten van dat middel aan te prijzen. Byrd zweeg. Na de gelukkige worp van de ridder deed Roberto op zijn beurt een gooi: 'Dat zijn toch bakerpraatjes! Zoals dat verhaal van die zwangere vrouw die haar minnaar zag met een afgehakt hoofd en toen van een kind beviel waarvan het hoofd niet aan de romp vastzat. Zoals die boerinnen die, om de hond te straffen die in de keuken heeft gekakt, een brandend stuk hout in de uitwerpselen steken in de hoop dat het dier zijn gat voelt branden! Ridder, niemand die bij zijn gezonde verstand is gelooft zulke *historiettes*!'

Het was midden in de roos geweest en Byrd had niet langer zijn mond kunnen houden. 'Nee, helemaal niet, beste man, het verhaal van de hond en zijn drek is dermate waar dat iemand hetzelfde heeft gedaan met een man die, om hem te treiteren, voor zijn huis afging, en ik verzeker u dat die geleerd heeft die plek te mijden! De handeling moet natuurlijk verscheidene keren worden herhaald, en dus hebt u een vriend, of een vijand, nodig die veelvuldig op uw drempel zijn gevoeg doet!' Roberto grinnikte alsof de doctor een grapje maakte, waardoor deze zich gebelgd genoodzaakt zag een en ander met redenen te omkleden – die ongeveer net zo luidden als die van d'Igby – en inmiddels geheel en al in vuur geraakt zei: 'Waarachtig wel, mijn beste, u mag hier dan de wijsgeer uithangen en de kennis van de chirurgijnen minachten, maar ik bezweer u, nu we het toch over drek hebben, dat wie slechte adem heeft met zijn mond wijd open boven een beerput moet gaan hangen en zo ten slotte zal genezen: de stank van al die smodderij is veel sterker dan die uit zijn keel, en het sterkere trekt het zwakkere aan en voert het mee!'

'U vertelt me werkelijk de ongelooflijkste dingen, doctor Byrd, en ik ben een en al bewondering voor uw kennis!'

'En ik zal u nog meer vertellen. Als in Engeland iemand door een hond wordt gebeten, doodt men het dier, ook al is het niet dol. Het zou het kunnen worden, en de gist van de hondsdolheid die in het lichaam van de gebeten persoon is achtergebleven zou de geesten van de watervrees aantrekken. Hebt u nooit boerinnen gezien die melk op het houtskoolvuur gooien? Daar gooien ze meteen een hand zout achteraan. Prachtige volkswijsheid! De melk die op de houtskool valt verandert in damp, en door de werking van het licht en de lucht verspreidt deze damp zich, vergezeld van vuuratomen, tot boven de plek waar de koe staat die de melk heeft gegeven. Nu is de uier een zeer klierrijk en teer orgaan dat door het vuur warm en hard wordt, waardoor er zich zweren vormen. En aangezien de uier dicht bij de blaas ligt, wordt die ook geprikkeld, hetgeen leidt tot zwering van de aderen die daar samenkomen, zodat de koe bloed pist.'

Roberto zei: 'De ridder zei dat die wapenzalf iets was dat van nut kan zijn in de geneeskunst, maar uit uw woorden maak ik op dat deze ook gebruikt zou kunnen worden om kwaad te doen.'

'Zeker, en dat is de reden dat bepaalde geheimen niet aan het merendeel der mensen geopenbaard moeten worden, zodat er geen misbruik van wordt gemaakt. Ach, mijnheer, de verscheidene opvattingen over de zalf, of over het poeder, of over dat wat wij Engelsen *Weapon Salve* noemen, staan bol van tegenstrijdigheden. De ridder had het over een wapen dat, als het naar behoren wordt behandeld, de wond verlichting brengt. Maar legt u datzelfde wapen naast het vuur, dan zou de gewonde, ook al zou die mijlenver weg zijn, brullen van de pijn. En als u het nog met bloed bevlekte lemmer in ijskoud water houdt, zal de gewonde bevangen worden door rillingen.'

Ogenschijnlijk werden er tijdens dat gesprek geen dingen gezegd die Roberto niet al wist, met inbegrip van het gegeven dat doctor Byrd behoorlijk wat af wist van het Poeder van Sympathie. En toch had het betoog van de doctor te veel om de kwalijke uitwerkingen van het poeder gedraaid. Dat kon geen toeval zijn. Maar wat dat allemaal te maken had met de lengtecirkels, was een ander verhaal.

Totdat Roberto op een ochtend, toen een zeeman van een ra was gevallen en een gat in zijn hoofd had, zodat er aan dek enorme opschudding was ontstaan en de doctor erbij was geroepen om de ongelukkige te behandelen, zijn kans schoon had gezien en naar het ruim was geglipt.

Bijna op de tast was hij erin geslaagd de juiste weg te vinden. Wellicht had hij geluk gehad, misschien kermde het beest die ochtend meer dan anders: ongeveer op de plek waar hij later op de *Daphne* de vaatjes brandewijn zou ontdekken, ontwaarde Roberto een gruwelijk schouwspel.

Veilig afgeschermd tegen nieuwsgierige blikken lag in een voor hem gemaakt hok, op een dek van oude lappen, een hond.

Misschien was het wel een edelbeest, maar hij was door pijn en ontbering vel over been geworden. En toch leken zijn scherprechters hem in leven te willen houden: ze hadden voor voldoende voedsel en water gezorgd, en zelfs voor voedsel dat niet bestemd was voor honden en ongetwijfeld oorspronkelijk voor de reizigers bedoeld was geweest.

Hij lag op zijn zij, met hangende kop en zijn tong uit zijn bek. In zijn flank gaapte een grote, gruwelijke, verse doch woekerende wond, met twee grote rozerode lippen, en in het midden over de gehele lengte een etterende kern die wrongel leek af te scheiden. Roberto begreep dat de wond er zo uitzag omdat de hand van een chirurgijn de lippen niet had dichtgenaaid, maar er juist voor gezorgd had dat ze open bleven liggen door ze aan de huid vast te maken.

Deze wond, deze stiefdochter der geneeskunst, was dus niet alleen moedwillig toegebracht, maar bovendien dermate onmenselijk behandeld dat ze niet genas en de hond bleef lijden – wie weet hoe lang al. En niet alleen dat: Roberto ontdekte rondom en in de wonde resten van een kristallijne stof, alsof een arts (een arts, die zo meedogenloos omzichtig was!) deze elke dag bestrooide met een bijtend zout.

Niet bij machte iets te doen had Roberto het arme beest, dat nu zacht jankte, geaaid. Hij had zich afgevraagd hoe hij hem kon helpen, maar toen hij hem wat steviger aanraakte, deed hij hem nog meer pijn. Bovendien liet zijn medelijden zich overvleugelen door een gevoel van triomf. Het leed geen twijfel dat dit het geheim van doctor Byrd was, de mysterieuze lading die in Londen aan boord was gebracht.

Uit hetgeen Roberto had gezien kon iemand die wist wat híj wist opmaken dat de hond in Engeland was verwond en dat Byrd ervoor zorgde dat die wond aldoor openbleef. Elke dag op een vaste, overeengekomen tijd deed iemand in Londen iets met het wapen waarmee de hond was toegetakeld, of met een lap die met het bloed van het dier doordrenkt was, om zodoende het een of ander teweeg te brengen – misschien verlichting, of misschien nog heftiger pijn, want doctor Byrd had immers gezegd dat de *Weapon Salve* ook schadelijk kon zijn.

Op die manier was het mogelijk er op de *Amarilli* achter te komen hoe laat het op een bepaald moment in Europa was. En omdat de tijd op de plek waar men langs voer bekend was, kon de meridiaan berekend worden!

Hij hoefde alleen maar te wachten tot zijn vermoedens werden gestaafd. In die dagen verdween Byrd altijd rond een uur of elf: ze naderden dus de meridiaan van de tegenvoeters. Hij zou hem, verborgen in de buurt van de hond, rond die tijd moeten opwachten.

Hij had geluk, voor zover we kunnen spreken van geluk in het geval van een storm die het schip, en allen die erop verbleven, het laatste der ongelukken zou bezorgen. Die middag was de zee al behoorlijk woelig, waardoor Roberto in de gelegenheid werd gesteld te klagen over misselijkheid en maagstoornissen, en van tafel te gaan om zich in bed terug te trekken. Bij het vallen van de duisternis, toen niemand er nog aan dacht de wacht te betrekken, was hij heimelijk naar het ruim afgedaald, met niet meer dan een vuurslag en een stuk pektouw om zichzelf bij te lichten. Bij de hond gekomen had hij boven diens kot een plank gezien vol strobalen, die dienden om de vervuilde kooien van de zeevaarders te verversen. Hij had zich tussen dat spul gewrongen en voor zichzelf een nest gemaakt, van waaruit hij weliswaar de hond niet meer kon zien, maar wel degene kon begluren die voor hem stond en zeker elk gesprek zou kunnen volgen.

Hij had uren moeten wachten, uren die nog langer duurden door het erbarmelijke gekerm van het ongelukkige beest, maar ten slotte had hij andere geluiden gehoord en lichten ontwaard.

Alras was hij getuige van een proeving die een paar passen van hem vandaan plaatsvond, in aanwezigheid van de doctor en zijn drie assistenten.

'Maak je aantekeningen, Cavendish?'

'Aye, aye, doctor.'

'Laten we maar even wachten. Hij jankt te veel vanavond.'

'Hij voelt de zee.'

'Braaf, braaf, Hakluyt,' zei de doctor die de hond kalmeerde met wat schijnheilig geaai. 'Het is dom van ons dat we de volgorde van de handelingen niet hebben vastgelegd. We zouden altijd moeten beginnen met het pijnstillende middel.'

'Dat is niet gezegd, doctor, sommige avonden slaapt hij op het juiste uur en moeten we hem wekken door hem te prikkelen.'

'Opgelet, hij beweegt, geloof ik... Braaf Hakluyt... Ja, hij beweegt!' De hond stootte nu erbarmelijke jammerklachten uit. 'Ze hebben het wapen in het vuur gehouden, neem de tijd op, Withrington!'

'Hier is het ongeveer halftwaalf.'

'Hou de uurwerken in de gaten. Er zouden nu ongeveer tien minuten moeten verstrijken.'

De hond bleef eindeloos doorjammeren. Vervolgens stootte hij een ander geluid uit, dat verstierf tot een steeds zwakker wordend 'wraf, wraf' en ten slotte plaats maakte voor stilte.

'Goed,' zei doctor Byrd, 'hoe laat is het, Withrington?'

'Het zou moeten kloppen. Nog een kwartier tot middernacht.'

'We kraaien nog geen victorie. Laten we de bevestiging afwachten.'

Weer moesten ze eindeloos lang wachten, totdat de hond, die klaarblijkelijk was ingedommeld toen hij verlichting had gevoeld, het opnieuw uitkermde alsof ze op zijn staart waren gaan staan.

'De tijd, Withrington?'

'Het uur is om, nog maar een paar zandkorrels.'

'Het uurwerk geeft al middernacht,' zei een derde stem.

'Hier hebben we wel genoeg aan, lijkt me. En nu, heren,' zei doctor Byrd, 'hoop ik dat ze meteen ophouden hem te kwellen, want de arme Hakluyt kán niet meer. Water en zout, Hawlse, en het doekje. Braaf, braaf, Hakluyt, nu gaat het beter... Slaap maar, slaap maar, kijk, het baasje is bij je, het is klaar... Hawlse, het water met het slaapmiddel...'

'Aye, aye, doctor.'

'Hier, drink, Hakluyt... Braaf, toe, drink lekker wat water...' Een benepen piepen, daarna opnieuw stilte.

'Right, heren,' zei doctor Byrd, 'als dit verdomde schip niet zo onbehoorlijk schudde zouden we van een geslaagde avond kunnen spreken. Morgenochtend, Hawlse, de gewone hoeveelheid zout in de wond. Laten we eens de balans maken. Op het beslissende moment was het hier bijna middernacht en seinden ze uit Londen dat het twaalf uur 's middags was. We zitten op de tegenmeridiaan van Londen en dus op de honderdachtennegentigste meridiaan ten opzichte van de Canarische Eilanden. Als de Salomonseilanden op de tegenmeridiaan van het eiland Hierro liggen, zoals de traditie wil, en we ons op de juiste breedtecirkel bevinden en met een flinke snelheid voor de wind naar het westen varen, zouden we bij San Christoval moeten uitkomen, of hoe we dat vermaledijde eiland ook zullen herdopen. Dan zullen we ontdekt hebben waar de Spanjolen al tientallen jaren naar op zoek zijn, en zullen we tegelijkertijd het geheim van het *Punto Fijo* in handen hebben. Bier, Cavendish, we moeten klinken op Zijne Majesteit, moge God hem immer behoeden.'

'God behoede de koning,' zeiden de anderen als uit één mond – ze waren klaarblijkelijk alle vier groothartige mannen die nog trouw waren aan hun vorst, die toentertijd al op het punt stond zo niet zijn hoofd, dan toch ten minste zijn rijk erbij in te schieten.

Roberto's geest werkte koortsachtig. Toen hij de hond 's ochtends had gezien, was het hem opgevallen dat deze kalmeerde als hij hem aaide, maar het had uitgeschreeuwd van de pijn toen hij hem op een gegeven moment ruw aanraakte. Op een schip dat door de zee en de wind heen en weer werd geslingerd, was er niet veel voor nodig om in een ziek lichaam uiteenlopende aandoeningen teweeg te brengen. Misschien verkeerden die schurken in de veronderstelling dat ze een boodschap van verre ontvingen, terwijl de hond pijn of verlichting voelde naar gelang de golven hem door elkaar schudden dan wel wiegden. Of liet Byrd de hond – als er, zoals Saint-Savin zei, stomme woorden bestonden – met de beweging van zijn handen uiting geven aan zijn eigen heimelijke verlangens. Had hij niet zelf beweerd dat Columbus zich vergist had, juist doordat hij wilde aantonen dat hij verder was gekomen? Hing het lot van de wereld dus samen met de manier waarop die gekken de taal van een hond uitlegden? Kon een buikrommeling van dat arme beest die ellendelingen doen besluiten dat ze afstevenden op de door die al even ellendige Spanjolen, Fransen, Hollanders en Portugezen zo vurig begeerde plek, of daar juist van wegvoeren? En was hij bij dat avontuur betrokken om Mazarin of die knaap van een Colbert op een dag de manier aan de hand te doen om de schepen van Frankrijk te bevolken met opengereten honden?

De anderen waren inmiddels weggegaan. Roberto was uit zijn schuilplaats te voorschijn gekropen en was bij het licht van zijn stuk pektouw voor de slapende hond blijven staan. Hij had heel zacht zijn kop gestreeld. Hij zag in dat arme dier al het lijden van de wereld, het waanzinnige verhaal van een dwaas. Zoveel had zijn trage leerschool hem, vanaf de tijd in Casale tot op dat moment, wel doen inzien. O, was hij maar als schipbreukeling op het verlaten eiland achtergebleven, zoals de ridder wilde, had hij maar, zoals de ridder wilde, de *Amarilli* in brand gestoken, had hij zijn tocht maar op het derde eiland beëindigd, tussen de meisjes met de kleur van Siënese aarde, of was hij op het vierde maar de bard van die mensen daar geworden. Had hij Escondida maar gevonden, waar hij zich kon verbergen voor alle sluipmoordenaars van die meedogenloze wereld!

Hij wist toen niet dat het lot een vijfde eiland voor hem in petto had, wellicht het Laatste.

De *Amarilli* leek buiten zichzelf, en terwijl Roberto zich overal aan vastklampte was hij naar zijn hut teruggekeerd, door zijn zeeziekte de zieke wereld vergetend. Daarna volgde de schipbreuk, waarover al verteld is. Hij had zijn missie tot een goed einde gebracht: als enige overlevende droeg hij het geheim van doctor Byrd met zich mee. Maar hij kon het niemand vertellen. En misschien was het wel een geheim van niets.

Had hij niet moeten inzien dat hij, na aan een krankzinnige wereld te zijn ontkomen, de ware zaligheid had gevonden? De schipbreuk had hem het hoogste geschenk gegeven, de ballingschap, en een Dame die niemand hem nu meer kon afnemen…

Maar het Eiland behoorde hem niet toe en bleef ver weg. De *Daphne* behoorde hem niet toe en een ander eiste het bezit ervan op. Wellicht om er door te gaan met niet minder wrede proevingen dan die van doctor Byrd.

20
*O*pening
en aanwijzing van bekwame middelen

N og steeds had Roberto de neiging te dralen, de Indringer zijn gang te laten gaan om zo diens gangen te kunnen volgen. Hij zette de uurwerken weer op het dek, haastte zich vervolgens om de beesten te voeren teneinde de ander te verhinderen zulks te doen, en bracht daarna elke hut op orde en zette elk ding op het dek weer op zijn plaats, zodat hij het zou merken als de ander daar voorbij zou komen. Overdag zat hij binnen, maar met de deur half open, zodat hij elk geluid van buiten of van beneden zou horen; 's nachts betrok hij de wacht, dronk brandewijn en daalde weer af in de diepten van de *Daphne*.

Op een keer ontdekte hij voorbij het kabelruim, in de boeg, nog twee bergplaatsen: de ene was leeg, de andere welhaast overvol, met overal langs de wanden planken met een opstaande rand, om te voorkomen dat de voorwerpen er bij woelige zee af zouden vallen. Hij zag in de zon gedroogde hagedissehuiden, pitten van vruchten van onnaspeurbare herkomst, verschillende kleuren stenen, door de zee gepolijste kiezels, stukken koraal, insecten die met een speld in een plankje waren geprikt, een vlieg en een spin in een stuk barnsteen, een gedroogde kameleon, glazen potten vol vloeistof waarin slangetjes of kleine aaltjes dreven, enorme graten (hij dacht van een walvis), het zwaard dat op de neus van een vis thuishoorde, en een lange hoorn, volgens Roberto van een eenhoorn, maar ik houd het op een narwal. Kortom, een kamer die getuigde van een voorliefde voor geleerde verzamelingen zoals je die toentertijd op de schepen van ontdekkingsreizigers en natuurgeleerden wel aantrof.

In het midden stond een geopende kist, met stro onderin, leeg. Wat erin gezeten kon hebben, begreep Roberto toen hij terugging naar zijn hut: hij opende de deur ervan en stond oog in oog met een rechtopstaand dier, waar hij bij die gelegenheid meer van schrok dan wanneer het de Indringer in hoogsteigen persoon zou zijn geweest.

Een muis, een rioolrat, ach wat, een meerkat, meer dan half zo groot als een mens, met een lange staart die zich op de vloer uitstrekte, starende ogen, stevig op twee poten, de andere twee als armpjes naar hem uitgestrekt. Het dier was kortharig en had een buidel op zijn buik, een opening, een natuurlijke zak van waaruit een gelijksoortig monstertje naar buiten gluurde. We weten dat Roberto zich de eerste twee avonden allerlei voorstellingen van ratten had zitten maken en dat hij zich die zo groot en woest had voorgesteld als je ze alleen op schepen aantreft. Maar deze overtrof zijn stoutste verwachtingen. Hij vermoedde dat het menselijk oog nog nooit zulk soort ratten had gezien – en terecht, want later zullen we zien dat het, voor zover ik heb kunnen nagaan, een buideldier betrof.

Toen hij van de eerste schrik bekomen was, bleek uit de bewegingloosheid van de ongenode bezoeker dat het om een opgezet dier ging, en nog slecht opgezet ook, of slecht opgeborgen in het ruim: de huid verspreidde de stank van ontbonden organen en uit de rug staken al plukjes stro.

Vlak voordat hij de schatkamer was binnengegaan had de Indringer daar het indrukwekkendste stuk weggehaald en het, terwijl Roberto dat museum bewonderde, in diens hut neergezet, wellicht in de hoop dat zijn slachtoffer zich buiten zinnen overboord zou storten en in zee zou verdwijnen. 'Hij wil me dood hebben, hij wil me gek maken,' mompelde Roberto, 'maar ik zal hem die rat door zijn eigen strot duwen, ik zal hém weleens even balsemen en daar op een plank zetten, waar verschuil je je, vervloekte, waar zit je, zit je soms naar me te kijken om te zien of ik waanzinnig word? Wacht maar, ik zal jóu tot waanzin drijven, schurk.'

Hij had het dier met de kolf van zijn vuurroer het dek op geduwd en het, na zijn walging overwonnen te hebben, opgepakt en in zee gegooid.

Vastbesloten de schuilplaats van de Indringer te ontdekken was hij weer teruggegaan naar de houtopslag, erop lettend dat hij niet weer over de stammetjes struikelde, die nu her en der op de grond lagen. Achter de houtopslag was hij op de ruimte gestuit waar zich op de *Amarilli* de broodkamer (of *soute*, of *sota*) voor de scheepsbeschuit had bevonden: onder een zeildoek had hij allereerst een zeer grote verrekijker gevonden, die deugdelijk was ingepakt en sterker was dan die in zijn hut, wellicht een Grootspraak van de Ogen, die bestemd was voor de onderzoeking van het firmament. Maar de sterrekijker stond in een groot bekken van licht metaal en naast het bekken lagen zorgvuldig in nog meer doeken gewikkelde instrumenten van onduidelijke aard, metalen armen, een ronde doek met ringen aan de rand, een soort helm en ten slotte drie dikbuikige kruiken die, te oordelen naar de geur, dikke, ranze olie bevatten. Waar dit alles toe kon dienen vroeg Roberto zich niet af: op dat moment was hij op zoek naar een levend wezen.

Hij was in plaats daarvan nagegaan of er zich onder de broodkamer nog een ruimte bevond. Die was er, maar zo laag dat je er alleen kruipend doorheen kon. Hij had de ruimte verkend, waarbij hij de lamp naar beneden had gehouden om zich tegen schorpioenen te beschermen en omdat hij bang was dat hij anders de zoldering in brand zou steken. Hij had een stukje gekropen en had toen niet meer verder gekund omdat hij met zijn hoofd tegen het harde larikshout was gestoten, het Ultima Thule van de *Daphne*, waarachter je het water tegen de romp hoorde klotsen. Achter die blinde gang kon dus onmogelijk nog iets anders zitten.

Daarna was hij opgehouden met zoeken, alsof de *Daphne* verder geen geheimen meer voor hem kon hebben.

Het moge vreemd lijken dat Roberto er in meer dan een week van ledigheid niet in was geslaagd alles te zien, maar we hoeven maar te bedenken wat een jongen overkomt die op onderzoek uitgaat op de zolders of in de kelders van een enorm grootouderlijk huis met een onoverzichtelijke plattegrond. Bij elke stap stuit hij op kisten met oude boeken, afgedankte kleren, lege flessen, stapels takkenbossen, kapotte meubels en stoffige en wankele kasten. De jongen gaat op pad, talmt in de hoop een of andere schat te ontdekken, ziet een hal, een donkere gang en meent er iets alarmerends te zien, stelt zijn zoektocht uit tot een volgende keer en vordert elke keer een beetje, enerzijds bang te ver door te dringen, anderzijds als het ware vol van in het verschiet liggende ontdekkingen en bedrukt door de beroering die zijn allerlaatste ontdekkingen teweegbrachten; en aan die zolder of kelder komt nooit een einde, en deze kan hem zijn hele jeugd lang, en ook daarna nog, verrassen met nieuwe hoekjes.

En als de jongen elke keer zou schrikken van nieuwe geluiden, of men hem, om hem verre te houden van die meanders, elke dag ijzingwekkende legenden zou vertellen – en als die jongen bovendien ook nog dronken was – valt te begrijpen dat de ruimte bij elk nieuw avontuur groter werd. En dit is wat Roberto ervoer op dat hem nog vijandige terrein.

Het was 's ochtends vroeg en Roberto droomde weer. Hij droomde over Holland. Het was gebeurd toen de mannen van de Kardinaal hem naar Amsterdam brachten om hem in te schepen op de *Amarilli*. Op reis hadden ze halt gehouden in een stad en was hij de kerk binnengegaan. De properheid van het schip – zo anders dan dat van Italiaanse en Franse kerken – had hem getroffen. Er waren geen versieringen, aan de kale pilaren hingen alleen wat vaandels, de ramen waren helder en zonder afbeeldingen, het melkwitte licht van de doorgelaten zonnestralen werd beneden slechts doorbroken door de zwarte gestalten van enkele gelovigen. In die vredigheid was er maar één geluid hoorbaar, een treurige melodie die aan de kapitelen of de sluitstenen ontsproot en vandaar door de ivorige lucht leek te zweven. Daarna had hij gezien dat er in een kapel, in de koorgang, nog een zwartgeklede figuur alleen in een hoekje op een blokfluit zat te spelen, met wijd open ogen leeg voor zich uit starend.

Later, toen de muzikant was opgehouden, ging hij naar hem toe, zich afvragend of hij hem wat centen moest geven. De ander bedankte hem voor zijn lof, zonder hem aan te kijken, en Roberto begreep dat hij blind was. Het was de beiaardier (*Musicyn en Directeur van de Klokwercken, le carillonneur, der Glockenspieler*, probeerde hij Roberto uit te leggen), maar deel van zijn werk was tevens de gelovigen die zich 's avonds op het kerkplein ophielden met de klank van zijn fluit verstrooiing te bieden. Hij kende vele melodieën en op elk maakte hij twee, drie, soms vijf variatiën die steeds ingewikkelder werden, zodat hij geen noten hoefde te lezen. Hij was blind geboren en kon zich in die mooie, lichtende ruimte (zo zei hij het, lichtend) van zijn kerk voortbewegen doordat hij, zei hij, de zon met zijn huid zag. Hij legde hem uit dat zijn instrument een levend ding was, dat onderhevig was aan de invloed van de jaargetijden en de frisheid van de ochtend en van de avondschemer, maar in de kerk was het steeds overal zoel, en die zoelte zorgde ervoor dat het hout altoos in volmaakte staat verkeerde – en Roberto probeerde te bedenken wat een man uit het noorden zich bij zoelte voorstelde, aangezien hijzelf in die helderheid geheel verkild raakte.

De muzikant speelde hem de eerste melodie nog twee keer voor en vertelde dat deze 'Doen Daphne d'over schoone Maeght' heette. Hij weigerde elke gift, raakte Roberto's gelaat aan en vertelde hem, of dat begreep Roberto tenminste, dat 'Daphne' iets lieflijks was dat hem zijn hele leven zou vergezellen.

Nu opende Roberto, op de *Daphne*, zijn ogen en hoorde van beneden, door de spleten in het hout, onmiskenbaar de tonen van 'Daphne' opklinken, maar dan gespeeld op een metaalachtiger instrument dat, zonder te durven variëren, met regelmatige tussenpozen de eerste regel van de melodie herhaalde, als een steeds terugkerend refrein.

Hij besefte meteen dat het zinnebeeldig gezien veelbetekenend was dat hij zich op een fluit bevond die *Daphne* heette, en een muziekstuk voor fluit hoorde dat de titel 'Daphne' droeg. Het was zinloos zich in te beelden dat het een droom was. Het was een nieuwe boodschap van de Indringer.

Hij had zijn wapen weer opgepakt, had nogmaals kracht uit het vaatje geput en was op het geluid afgegaan. Het leek uit de bergplaats van de uurwerken te komen. Maar die ruimte was leeg, aangezien hij ze allemaal op het dek had uitgestald. Hij ging er nogmaals naar binnen. Nog steeds leeg, maar de muziek kwam van achter de achterwand.

Omdat hij de eerste keer verrast was geweest door de uurwerken en de tweede keer uitgeput doordat hij ze naar buiten had gedragen, had hij er nooit over nagedacht of dat hok wel helemaal tot aan de romp doorliep. Als dat zo was, zou er een welving in de achterwand moeten zitten. Maar was dat ook het geval? Het grote doek waarop al die uurwerken geschilderd waren gaf een vertekend beeld en het was op het eerste gezicht niet duidelijk of de achterwand vlak of bol was.

Roberto probeerde het doek naar beneden te trekken en merkte dat hij het opzij moest schuiven, als een toneelgordijn: achter het gordijn zat nog een deur, ook deze vergrendeld.

Met de moed van de aanbidders van Bacchus en alsof hij aan één mortierschot genoeg had om met die vijanden af te rekenen, richtte hij zijn vuurroer, riep met luide stem (en God weet waarom): 'Nevers et Saint-Denis!', gaf een trap tegen de deur en stortte zich onverschrokken naar voren.

Het voorwerp dat de nieuwe ruimte geheel en al in beslag nam, was een orgel met bovenop een twintigtal pijpen; uit de openingen ervan weerklonken de tonen van de melodie. Het orgel was aan de wand bevestigd en bestond uit een houten kast die steunde op een staketsel van metalen zuiltjes. Midden op het bovenblad stonden de pijpen, maar aan de zijkant ervan bewogen zich kleine automata. Aan de linkerkant bevond zich iets als een grote ronde schijf met daar bovenop een aambeeld, dat ongetwijfeld hol was van binnen, net als een klok: rond de schijf stonden vier figuren die regelmatig hun armen op en neer bewogen en met metalen hamertjes op het aambeeld sloegen. De hamertjes waren verschillend van gewicht en brachten zilveren klanken voort, die gestemd waren volgens de door de pijpen gezongen melodie en deze van commentaar voorzagen door middel van een reeks samenklanken. Roberto herinnerde zich de gesprekken in Parijs met een franciscaan die hem verteld had over zijn onderzoek naar de algehele eenstemmigheid, en herkende, meer aan hun muzikale bezigheid dan aan hun uiterlijk, Vulcanus en de drie Cyclopen, naar wie volgens de legende Pythagoras verwees toen hij beweerde dat het verschil tussen de intervallen in de muziek afhangt van aantal, gewicht en lengte.

Rechts van de pijpen sloeg een kleine Amor, met een stokje dat hij in zijn hand hield, op een houten boek de driekwartsmaat waarin, hoe kon het ook anders, de melodie van 'Daphne' geschreven was.

Iets lager bevond zich het klavier van het orgel, waarvan de toetsen, afhankelijk van de noten die uit de pijpen opklonken, omhoog- en omlaaggingen, alsof er een onzichtbare hand overheen gleed. Onder het klavier, daar waar de orgelspeler doorgaans met zijn voeten de blaasbalgen bedient, zat een rol waarop tandjes zaten, pinnen, stelselmatig onvoorspelbaar of onvermoed stelselmatig gerangschikt, zoals ook noten gerangschikt zijn in stijgingen en dalingen, onvoorziene pauzes, grote stukken wit en opeenhopingen van achtsten op de balken van een vel muziekpapier.

Onder de rol zat een horizontale balk waarop hefboompjes rustten waar de tanden bij het draaien van de rol tegenaan kwamen en die, door middel van half verborgen stangen, de toetsen bewerkten – en die weer de pijpen.

Maar het verbazingwekkendst was de wijze waarop de rol werd aangedreven en de pijpen lucht kregen. Aan de zijkant van het orgel was een glazen hevel bevestigd die in vorm deed denken aan het spinsel van een zijderups; daar binnenin waren twee zeven te zien, boven elkaar, die de hevel in drie verschillende kamers verdeelden. Een flinke straal water gutste in de hevel naar binnen door een buis die er aan de onderkant in stak en naar de geschutpoort leidde, waarvan het luik openstond zodat het vertrek verlicht werd. De vloeistof die erin stroomde werd klaarblijkelijk (door middel van een of andere verborgen pomp) rechtstreeks uit zee opgezogen, maar zodanig dat deze vermengd met lucht in de hevel terechtkwam.

Het water spoot met kracht in het onderste gedeelte van de hevel, alsof het kookte, en kolkte tegen de wanden zodat de lucht vrijkwam, die door de twee zeven werd opgezogen. Via een buis die de bovenkant van de hevel met de onderkant van de pijpen verbond, veranderde de lucht zich door middel van adembewegingen in gezang. Het water daarentegen, dat zich in het onderste gedeelte had verzameld, liep er via een pijpje uit en zette de schoepen van een klein waterrad in beweging, om vervolgens in een eronder staande metalen vergaarbak te stromen en vandaar, via een andere buis, de geschutpoort uit.

Het rad dreef een stang aan die in de rol greep en zo zijn beweging daarop overbracht.

Roberto, die dronken was, vond dit alles zo vanzelfsprekend dat hij zich verraden voelde toen de rol langzamer begon te draaien, de pijpen hun melodie floten alsof deze in hun keel verstierf en de Cyclopen en de kleine Amor ophielden met hun gehamer. Klaarblijkelijk – hoewel er in zijn tijd veel gesproken werd over het perpetuum mobile – kon de verborgen pomp die de lucht- en de watertoevoer regelde, als deze aan de gang was gebracht slechts een bepaalde tijd in werking blijven, maar raakte ze op een gegeven moment aan het eind van haar krachten.

Roberto wist niet of hij zich meer moest verbazen over dit vernuftige bouwwerk – want hij had horen praten over andere, vergelijkbare kunstigheden waarmee je gestorven kinderen of gevleugelde putti kon laten dansen – of over het gegeven dat de Indringer – want iemand anders kon het niet geweest zijn – het orgel die ochtend en op dat tijdstip in werking had gesteld.

Welke boodschap wilde hij hem mededelen? Misschien dat hij reeds verslagen was voordat hij begon. Was het mogelijk dat de *Daphne* nog zoveel van dergelijke verrassingen verborg dat hij zijn hele verdere leven zou kunnen trachten haar te bedwingen, zonder daar ooit werkelijk in te slagen?

Een wijsgeer had hem gezegd dat God de wereld beter kende dan wij omdat hij haar gemaakt had. En dat we, als we de goddelijke kennis ook maar enigszins wilden evenaren, de wereld moesten zien als een groot gebouw dat we moesten trachten na te bouwen. Dát was wat hij ook moest doen. Om de *Daphne* te leren kennen moest hij haar nabouwen.

Hij was dus aan tafel gaan zitten en had het zijaanzicht van het schip getekend, zich zowel verlatend op de indeling van de *Amarilli* als op hetgeen hij tot dan toe van de *Daphne* had gezien. Kijk, zei hij bij zichzelf, we hebben de verblijven in de kajuit en de stuurplecht; daaronder de loze ruimte waar de roerpen doorheen loopt. Deze moet door het hennegat naar buiten steken en daarachter houdt het schip op. Dit alles bevindt zich op gelijke hoogte met de kombuis in de bak aan de voorzijde. Daarvóór nog heb je de boegspriet, die ook op een verhoginkje rust, en daar – als ik de schutterige omschrijvingen van Roberto juist begrijp – bevonden zich waarschijnlijk die hokjes waar men, met het zitvlak buiten boord, in die tijd zijn behoefte deed. Als je afdaalde onder de kombuis kwam je in de provisiekamer. Die had hij onderzocht tot aan de voorsteven, tot aan de wand van de boeg, en ook daarachter zat niets meer. Daaronder had hij de kabels en de verzameling versteningen gevonden. Verder kon je niet gaan.

Maar weer terug dus, het hele benedendek met de volière en de moestuin over. Vooropgesteld dat de Indringer zich niet naar believen kon veranderen in een dier of een plant, kon hij zich daar niet verborgen houden. Onder de roerpen bevonden zich het orgel en de uurwerken. En ook daarachter zat meteen de romp.

Nog verder naar beneden was hij in het wijdste gedeelte van het ruim gekomen, met nog meer proviand, de ballast en de houtvoorraad; hij had al op de zijwand geklopt om te horen of het wellicht ergens hol klonk – teken dat er een loze ruimte zat. Als het een gewoon schip was, was er in de buik van het schip geen plaats voor verdere schuilplaatsen. Tenzij de Indringer onder water, als een bloedzuiger, tegen de kiel zat geplakt en 's nachts aan boord kroop, met achterlating van een slijmspoor; maar van alle verklaringen – en hij was bereid er vele te opperen – leek deze hem de minst wetenschappelijke.

Tegen de achtersteven, min of meer onder het orgel, zat de afschutting met daarachter het bekken, de sterrekijker en de andere instrumenten. Hij bedacht dat hij, toen hij dit onderzocht had, niet was nagegaan of de ruimte ook werkelijk bij de achterwand ophield; maar uit de tekening die hij aan het maken was meende hij te kunnen opmaken dat hij op het papier onmogelijk nóg een loze ruimte kwijt kon – als hij de kromming van de achtersteven goed had getekend tenminste. Daaronder zat alleen nog de blinde gang, en daarachter zat niets meer, dat wist hij zeker.

Nu hij het schip helemaal had ingedeeld en alle vertrekken op zijn tekening had ingevuld, was er geen ruimte meer voor nog een nieuwe bergplaats. Conclusio: de Indringer had geen vaste plek. Hij verplaatste zich naar gelang híj zich verplaatste, hij was als de achterkant van de maan, die er, naar we weten, zijn moet, maar die we nooit zien.

Wie kon de achterkant van de maan zien? Een bewoner van de vaste sterren: die hoefde, om dat verborgen gelaat te verrassen, slechts te wachten zonder zich te verplaatsen. Zolang hij de gangen van de Indringer volgde, of de Indringer de keus liet de zijne te volgen, zou hij hem nooit te zien krijgen.

Hij moest een vaste ster worden en de Indringer dwingen zich te verplaatsen. En aangezien de Indringer zich blijkbaar bovendeks bevond als hij benedendeks was, en andersom, moest hij hem laten geloven dat hij benedendeks was en hem dan bovendeks verrassen.

Om de Indringer te misleiden had hij in de hut van de schipper licht laten branden, zodat de Ander zou denken dat hij zat te schrijven. Vervolgens had hij zich verscholen op de bak, vlak achter de scheepsklok, zodat hij, als hij zich omdraaide, het gebied onder de boegspriet in de gaten kon houden en hij vóór zich het dek en het achterschip kon overzien, tot aan de lantaarn op de achtersteven. Hij had zijn vuurroer naast zich neergezet – en, vrees ik, ook het vaatje brandewijn.

Hij was de hele nacht op elk geluid gespitst geweest, alsof hij doctor Byrd nog moest bespioneren, en had zich in de oren geknepen om niet door slaap overmand te worden – tot zonsopgang. Tevergeefs.

Hij was teruggegaan naar zijn hut, waar het licht inmiddels gedoofd was. En had gezien dat zijn papieren door de war lagen. De Indringer had er de nacht doorgebracht, had misschien wel de brieven aan zijn Dame gelezen, terwijl hij de nachtelijke kou en de morgendauw had moeten verduren!

De Tegenstander was zijn herinneringen binnengedrongen... Hij herinnerde zich de waarschuwingen van Salazar: door zijn hartstochten te tonen had hij een bres in zijn eigen geest geslagen.

Hij had zich naar het dek gehaast en had in het wilde weg een kogel afgevuurd, waardoor de splinters van de mast in het rond vlogen, en toen had hij nogmaals geschoten, totdat het tot hem doordrong dat hij daarmee niemand doodde. In aanmerking genomen hoe lang men er toentertijd over deed om een vuurwapen te herladen, had de Vijand tussen de twee schoten door gemakkelijk aan de wandel kunnen gaan, in zijn vuistje lachend om alle verwarring – die alleen indruk had gemaakt op de dieren, die je beneden hoorde klapwieken.

Hij lachte dus. En waar lachte hij? Roberto was teruggegaan naar zijn tekening en zei bij zichzelf dat hij werkelijk niets van scheepsbouw af wist. De tekening liet alleen de bovenkant, de onderkant en de lange kant zien, niet de korte kant. Als je de lange kant (wij zouden zeggen: de lengtedoorsnede) bekeek, vielen er op het schip geen andere mogelijke schuilplaatsen te bespeuren, maar als je het van de korte kant zou bekijken, zouden er tussen de al ontdekte afschuttingen nog andere kunnen zitten.

Het viel Roberto nu pas op dat er op dat schip nog te veel dingen ontbraken. Zo had hij bijvoorbeeld geen andere wapenen gevonden. En dat zou nog kunnen, die hadden de zeelieden waarschijnlijk gewoon meegenomen – als ze het schip tenminste uit vrije wil hadden verlaten. Maar op de *Amarilli* had er in het ruim een berg bouwhout gelegen om in het geval van door guur weer veroorzaakte schade de masten, het roer of de boorden te kunnen herstellen; hier echter had hij wel wat pasgedroogde houtjes gevonden om de haard in de kombuis mee te stoken, maar niets dat leek op eiken of lariks of droog sparrehout. En er was niet alleen geen timmerhout; ook het timmergereedschap, de zagen, de verschillende bijlen, hamers en spijkers ontbraken...

Waren er nog meer bergplaatsen? Hij maakte een nieuwe tekening en probeerde het schip zo weer te geven dat het leek alsof je het niet van de zijkant zag, maar alsof je er vanuit de mars op neerkeek. En hij besloot dat hij in de bijenkorf die hij zo voor zich zag nog een opening kon tekenen, onder de plek waar het orgel stond, waardoor je, hoewel er geen trap was, in de blinde gang zou kunnen afdalen. Het was in elk geval nog een ruimte, hoewel deze niet groot genoeg was om alles te kunnen bevatten wat ontbrak. Als er in de lage zoldering van de blinde gang een doorgang zat, een gat waar je doorheen kon klimmen zodat je in die splinternieuwe ruimte terechtkwam, dan kon je vandaar naar boven naar de uurwerken en vervolgens het hele benedendek over.

Roberto was er nu van overtuigd dat de Vijand nergens anders kon zitten dan daar. Hij rende naar beneden, kroop de gang in en belichtte ditmaal de zoldering. Er zat inderdaad een luikje. Hij onderdrukte zijn eerste opwelling om het te openen. Als de Indringer daarboven zat, zou hij wachten totdat deze zijn hoofd erdoorheen stak en dan met hem afrekenen. Hij moest hem dáár zien te verrassen waar hij er het minst op bedacht was, zoals ze ook in Casale hadden gedaan.

Als er zich daar een loze ruimte bevond, grensde deze aan die van de sterrekijker en moest hij daar dus heen.

Hij ging naar boven, liep de broodkamer door, stootte de instrumenten om en stond voor een wand die – hij zag het nu pas – niet van hetzelfde harde hout was als de romp.

De wand was tamelijk dun: net als toen hij naar binnen wilde in de ruimte waar de muziek vandaan kwam, had hij er een flinke trap tegen gegeven en het hout was bezweken.

Hij bevond zich in een zwak verlicht muizehol met in de gewelfde achterwand een raampje. En daar, op een strozak, zijn knieën opgetrokken tegen zijn kin, en zijn hand waarin hij een groot pistool klemde voor zich uit gestrekt, zat de Ander.

Het was een oude man, met wijd opengesperde ogen, een ingevallen gelaat dat omlijst werd door een peper-en-zoutkleurig baardje, op zijn hoofd een paar recht overeind staande grijze haren en een bijna tandeloze mond met bosbeskleurig tandvlees. Hij was gehuld in een lap die wellicht ooit zwart was geweest maar nu helemaal verschoten was.

Met trillende armen hield hij het pistool, waaraan hij zich welhaast met beide handen vastklampte, voor zich uit gericht, en hij schreeuwde met verzwakte stem. De eerste zin was in het Duits, of in het Vlaams, en de tweede, waarin hij dezelfde boodschap ontwijfelijk herhaalde, was in gebrekkig Italiaans – teken dat hij ontdekt had waar zijn gesprekgenoot vandaan kwam toen hij in diens papieren had gesnuffeld.

'Als jij jou beweegt, vermoord ik!'

Roberto was zo verbouwereerd door deze verschijning dat hij niet wist wat te doen. En dat was maar goed ook, want zo ontdekte hij op tijd dat de haan van het wapen niet gespannen was en dat de Vijand dus niet bepaald bedreven was in de krijgskunst.

En dus was hij welgezind op hem afgelopen, had het pistool bij de loop gepakt en geprobeerd het uit die rond de kolf geklemde handen los te wringen, terwijl het wezen hem in het Duits boze kreten toevoegde.

Met moeite had Roberto hem het wapen ten slotte afhandig gemaakt; de ander had zich achterover laten zakken. Roberto was naast hem neergeknield en had zijn hoofd ondersteund.

'Mijnheer,' had hij gezegd, 'ik wil u geen kwaad doen. Ik ben een vriend. Begrepen? Amicus!'

De ander opende en sloot zijn mond, maar zei niets. Alleen het wit, of liever het rood, van zijn ogen was zichtbaar en Roberto was bang dat hij stervende was. Hij nam hem in zijn armen, zwak als hij was, en droeg hem naar zijn verblijf. Hij gaf hem een beetje water, liet hem wat brandewijn drinken, en de ander zei: 'Gratias ago, domine', hief zijn hand als om hem te zegenen, en op dat moment zag Roberto, toen hij beter naar zijn kleren keek, dat de man een geestelijke was.

21

telluris *theoria* sacra

We zullen het gesprek dat daarop volgde en twee dagen duurde niet letterlijk weergeven. Ook omdat vanaf dat moment Roberto's aantekeningen steeds beknopter worden. Omdat zijn ontboezemingen aan de Dame wellicht door vreemde ogen waren gelezen (hij durfde zijn nieuwe vriend nooit te vragen of dat zo was), houdt hij dagenlang op met schrijven en noteert slechts puntsgewijs wat hij hoort en wat er gebeurt.

Roberto stond dus oog in oog met Pater Caspar Wanderdrossel, *e Societate Iesu, olim in Herbipolitano Franconiae Gymnasio, postea in Collegio Romano Mathematum Professor*, en dat niet alleen, maar ook sterrenkundige en geleerde in vele andere disciplinen, bij de Curie van de Generaal der Sociëteit. Onder bevel van een Hollandse schipper, die deze vaarroute al eens voor de Vereenigde Oostindische Compagnie bevaren had, had de *Daphne* vele maanden daarvoor de kust van de Middellandse Zee achter zich gelaten en was om Afrika heen gevaren, met de bedoeling uit te komen bij de Salomonseilanden. Precies zoals doctor Byrd met de *Amarilli* had willen doen, met dien verstande dat de *Amarilli* de Salomonseilanden zocht en het oosten voor het westen hield terwijl de *Daphne* het tegenovergestelde had gedaan, maar dat doet er weinig toe: langs beide kanten kom je uit bij de tegenvoeters. Op het Eiland (en Pater Caspar wees voorbij het strand, achter de bomen) moest de Specula Melitensis worden opgesteld. Wat die Specula was, was niet duidelijk en Caspar fluisterde erover als was het een zo beroemd geheim dat de gehele wereld erover sprak.

De *Daphne* had er lang over gedaan om daar te komen. Het is bekend hoe het in die tijd op die zeeën toeging. Eenmaal voorbij de Molukken, op weg in zuidwestelijke richting naar Porto Sancti Thomae op Nieuw-Guinea – omdat plaatsen moesten worden aangedaan waar zich vestigingen van de Sociëteit van Jezus bevonden – was het schip, voortgeblazen door een storm, op onbekende zeeën verdwaald en op een eiland terechtgekomen dat bewoond werd door ratten die wel zo groot waren als kinderen, met een erg lange staart en een buidel op hun buik, zo een waarvan Roberto er al eens een ontmoet had, maar dan opgezet (en Pater Caspar verweet hem zelfs dat hij 'een Wunder dat een Kapital waard was' had weggegooid).

Het waren, vertelde Pater Caspar, vriendelijke dieren, die de ontscheepte mannen omringden, hun handjes uitstrekten om hun om voedsel te vragen en hen zelfs aan hun kleren trokken, maar die toen puntje bij paaltje kwam aartsdieven bleken die beschuit uit de zakken van een zeeman hadden gestolen.

Het zij mij vergund Pater Caspars betoog te onderschrijven: een dergelijk eiland bestaat echt en het lijkt in niets op enig ander. Die pseudo-kangoeroes heten quokkas en leven alleen daar, op Rottnest Island, dat de Hollanders kort voor 1643 ontdekt hadden en dat ze Rattenest hadden genoemd. Maar aangezien het eiland vlak voor Perth ligt, betekent dit dat de *Daphne* de westkust van Australië had bereikt. Als we voorts bedenken dat ze zich bijgevolg op dertig graden zuiderbreedte bevond, en ten westen van de Molukken, terwijl ze naar het oosten moest en vlak onder de evenaar moest uitkomen, kunnen we wel stellen dat de *Daphne* uit koers was geraakt.

Maar bleef het daar maar bij. De bemanning van de *Daphne* had waarschijnlijk niet ver van dat eiland een kust gezien, maar zal gedacht hebben dat het weer een ander eilandje met weer een ander knaagdier betrof. Ze zochten heel wat anders, en god weet wat de navigatie-instrumenten Pater Caspar vertelden. Vast staat dat ze maar een paar riemslagen verwijderd waren van de Terra Incognita Australis, waar de mensheid al eeuwen van droomde. Wat moeilijk valt te bevatten is hoe ze het – aangezien de *Daphne* uiteindelijk (zoals we nog zullen zien) zou uitkomen op zeventien graden zuiderbreedte – voor elkaar hadden gekregen half Australië te omzeilen zonder het ooit te zien: of ze waren weer noordwaarts gekoerst en dus tussen Australië en Nieuw-Guinea door gevaren, op gevaar af elk moment óf op het ene, óf op het andere strand vast te lopen, of ze waren zuidwaarts gevaren, tussen Australië en Nieuw-Zeeland door, en hadden voortdurend open zee gezien.

Het lijkt wel of ik hier een ongelooflijk verhaal vertel, ware het niet dat ook Abel Tasman, zo ongeveer in de maanden waarin ons verhaal speelt, komend vanuit Batavia op een land was gestuit dat hij Van Diemensland had genoemd en dat we heden ten dage kennen als Tasmanië. Maar omdat ook hij de Salomonseilanden zocht, had hij de zuidkust van dat land links laten liggen – zonder op het idee te komen dat daarachter een continent lag dat honderd keer zo groot was – was ten zuidoosten van Nieuw-Zeeland uitgekomen, was daar in noordelijke richting langs gevaren en had, nadat hij dat achter zich had gelaten, de Tonga-eilanden aangedaan. Daarna kwam hij, meen ik, grosso modo daar uit waar de *Daphne* was uitgekomen, maar ook daar voer hij tussen de koraalriffen door om koers te zetten naar Nieuw-Guinea. Zodat hij meer weg had van een bricolerende biljartbal; maar het schijnt dat zeelieden nog jarenlang gedoemd waren Australië tot op een steenworp afstand te naderen zonder het te zien.

Laten we dus aannemen dat het verhaal van Pater Caspar waar was. Geleid door de grillen van de passaatwinden was de *Daphne* in een volgende storm terechtgekomen en dermate toegetakeld geraakt dat ze hadden moeten aanleggen bij een of ander godvergeten eiland, zonder bomen, met niets dan zand dat ringsgewijs rond een in het midden gelegen meertje lag. Daar hadden ze het schip weer gekalefaterd, hetgeen verklaarde waarom er aan boord geen timmerhout meer voorradig was. Daarna waren ze weer doorgevaren en ten slotte in die baai beland, waar ze het anker hadden uitgeworpen. De schipper had de sloep met verkenners naar de wal gestuurd en had van hen begrepen dat het eiland onbewoond was; voor alle zekerheid had hij zijn weinige kanonnen geladen en gericht, en vervolgens waren ze aan land gegaan voor een viertal ondernemingen die alle even wezenlijk waren.

Ten eerste het zoeken naar water en proviand, want dat was zo langzamerhand bijna op; ten tweede het vangen van dieren en vinden van planten om mee terug te nemen naar het vaderland, teneinde de natuurgeleerden van de Compagnie te plezieren; ten derde het vellen van bomen om een nieuwe voorraad dikke stammen, planken en ander materiaal aan te leggen voor toekomstige tegenslagen; en ten slotte hadden ze op een heuvel van het Eiland de Specula Melitensis opgesteld, en dat was het bewerkelijkst geweest. Ze hadden al het timmermansgereedschap en de verschillende onderdelen van de Specula uit het ruim te voorschijn moeten halen en aan wal moeten brengen, en al die werkzaamheden hadden flink wat tijd gekost, niet in de laatste plaats omdat ze niet rechtstreeks in de baai aan land konden gaan: tussen het schip en de oever strekte zich vlak onder de zeespiegel, met maar enkele te nauwe doorgangen, een wering uit, een onderwal, een Erdwall die geheel uit koraal bestond – kortom, iets dat we heden ten dage een koraalrif zouden noemen. Na veel vruchteloze pogingen waren ze tot de ontdekking gekomen dat ze elke keer de kaap aan de zuidkant van de baai moesten ronden, waarachter een wik lag waar ze konden aanmeren. 'Und ziedaar waarom wij die van zeelieden verlaten sloep nu nicht zien, hoewel zij nog immer da ist, heu me miserum!' Zoals uit de transcriptie van Roberto valt af te leiden, leefde die Teutoon in Rome, waar hij met zijn uit honderden landen afkomstige medebroeders Latijn sprak, maar met het Italiaans had hij nog niet veel ervaring.

Toen de Specula gereed was, was Pater Caspar begonnen met zijn peilingen, die bijna twee maanden in beslag hadden genomen en goede uitkomsten hadden opgeleverd. En wat deed de bemanning intussen? Die werd lui en de tucht aan boord verslapte. De schipper had vele vaatjes brandewijn ingenomen die uitsluitend, en dan nog met mate, tijdens stormen als hartversterkertje genuttigd mochten worden of als ruilmiddel met de inlanders moesten dienen; tegen elk gebod in was de bemanning er echter toe overgegaan ze naar het bovendek te brengen en was iedereen zich eraan te buiten gegaan, zelfs de schipper. Pater Caspar werkte, zij leefden als beesten, en hun liederlijk gezang was tot bij de Specula te horen.

Op een dag dat Pater Caspar alleen in de Specula werkte, had hij, omdat het erg warm was, zijn habijt uitgetrokken (hij had daarmee, zei de brave jezuïet beschaamd, gezondigd tegen de zedigheid; dat

God hem nu vergiffenis mocht schenken, daar hij hem toen meteen had gestraft!) en was hij door een insect in zijn borst gestoken. Aanvankelijk had hij alleen maar een stekende pijn gevoeld, maar 's avonds toen hij nog maar net terug aan boord was gebracht om er de nacht door te brengen, had hij hevige koorts gekregen. Hij had niemand over het gebeurde verteld, 's nachts waren zijn oren gaan bonken en was zijn hoofd zwaar geworden, de schipper had zijn habijt losgemaakt, en wat zag hij? Een peukel zoals wespen kunnen veroorzaken, wat zeg ik, zelfs muggen van grote afmetingen. In zijn ogen was die zwelling echter meteen uitgegroeid tot een carbunculus, een negenoog, een zwartige furunkel – om kort te gaan – een buil, overduidelijk symptoom van de *pestis, quae dicitur bubonica*, zoals meteen in het scheepsjournaal was aangetekend.

Aan boord was paniek uitgebroken. Het mocht niet baten dat Pater Caspar over het insect vertelde: pestlijders liegen om niet te worden uitgestoten, dat was bekend. Het mocht evenmin baten dat hij verzekerde dat hij zeer goed met de pest bekend was en dat dit om vele redenen geen pest was. De bemanning had hem eigenlijk het liefst in zee gegooid, om besmetting te voorkomen.

Pater Caspar trachtte uit te leggen dat hij tijdens de grote pest die Milaan en Noord-Italië een twaalftal jaar daarvoor had getroffen, samen met een aantal van zijn medebroeders naar de lazaretten was gezonden om hulp te verlenen en het verschijnsel van dichtbij te onderzoeken. En dat hij dus veel af wist van die besmettelijke lues. Er zijn ziekten die alleen door afzonderlijke individuen op steeds verschillende plekken en tijden worden opgelopen, zoals Sudor Anglicus, andere die alleen voorkomen in een bepaald gebied, zoals Dysenteria Melitensis of Elephantiasis Aegyptia, en ten slotte weer andere, zoals de pest, die gedurende lange tijd alle bewoners van vele gebieden treffen. De pest wordt aangekondigd door zonnevlekken, eclipsen, kometen, onderaardse dieren die uit hun holen te voorschijn kruipen, planten die verwelken door stiklucht. En geen van deze tekenen had zich geopenbaard, aan boord noch aan land, aan de hemel noch op zee.

In de tweede plaats stond vast dat de pest wordt veroorzaakt door stinkende dampen die uit moerassen opstijgen, door het ontbinden van de vele lijken in tijden van oorlog, of zelfs door plagen van sprinkhanen, die bij bosjes in zee verdrinken en vervolgens op de kusten aanspoelen. De besmetting vindt namelijk plaats door dergelijke uitwasemingen, die door de mond en de longen binnenkomen en door de holle ader het hart bereiken. De zeelieden echter hadden op hun reis, afgezien van de walgelijke stank van het water en van het eten – waar je overigens scheurbuik van kreeg, maar niet de pest – niet te lijden gehad van enige schadelijke uitwaseming, maar hadden daarentegen frisse lucht en de allerheilzaamste winden ingeademd.

De schipper zei dat de sporen van die uitwasemingen zich op kleren en allerlei andere voorwerpen vastzetten en dat er misschien iets aan boord was dat de besmetting lang had vastgehouden en vervolgens had overgebracht. En hij had zich het verhaal van de boeken herinnerd.

Pater Caspar had een paar goede boeken over de kunst van de zeevaart meegenomen, zoals bijvoorbeeld *L'Arte de navegar* van Medina, *Typhis Batavus* van Snellius en *De rebus oceanicis et orbe novo decades tres* van Petrus Martyrus, en had de schipper op een dag verteld dat hij ze voor een habbekrats op de kop had getikt, en wel in Milaan: na de pest was op de muurtjes langs de Navigli de gehele bibliotheek van een vroegtijdig gestorven heer te koop aangeboden. En zo had hij een kleine verzameling aangelegd, die hij ook meenam naar zee.

Voor de schipper was het duidelijk dat de boeken, die immers hadden toebehoord aan een pestlijder, de aanstichters waren van de besmetting. Iedereen weet dat de pest wordt overgebracht door middel van vergiftige zalfjes, en hij had gelezen over mensen die dood waren gegaan toen ze hun vinger met speeksel bevochtigden terwijl ze bladerden in boeken waarvan de bladzijden met gif waren ingesmeerd.

Pater Caspar bewoog hemel en aarde: nee, in Milaan had hij het bloed van de pestlijders onderzocht met een gloednieuwe vinding, een kunstwerk dat ocularium of microscoop heette, en had hij in dat bloed iets zien drijven dat leek op *vermiculi*, en het zijn de elementen van dát *contagium animatum* die door een *vis naturalis* ontstaan uit alles wat maar verrot is en daarna, *propagatores exgui*, door de zweetporen, door de mond of soms zelfs door het oor worden overgedragen. Maar dat gewriemel is iets levends en heeft bloed nodig om zich te voeden; het overleeft geen twaalf jaar of langer tussen dode papiervezels.

De schipper was niet voor rede vatbaar geweest en het mooie, kleine bibliotheekje van Pater Caspar was uiteindelijk door de stroming meegevoerd. Maar dat was niet genoeg: hoewel Pater Caspar bezwoer dat de pest kan worden overgebracht door honden en muggen, maar bij zijn weten beslist niet door ratten, was de gehele bemanning op rattejacht gegaan, waarbij ze in het wilde weg om zich heen schoten, op gevaar af lekken in het ruim te maken. En ten slotte had de schipper, omdat Pater Caspars koorts na een dag niet afnam en niets erop wees dat diens gezwel zou slinken, een besluit genomen: iedereen zou naar het Eiland gaan en daar zouden ze wachten tot de Pater stierf dan wel genas, en het schip gezuiverd zou zijn van elke schadelijke vloed en invloed.

Zo gezegd, zo gedaan, en elke andere levende ziel aan boord was in de met wapens en gereedschap volgeladen sloep gestapt. En aangezien ze voorzagen dat er met de dood van Pater Caspar en de tijdspanne waarin het schip gezuiverd zou worden wel twee tot drie maanden heen zouden gaan, hadden ze besloten dat ze aan land hutten moesten bouwen en hadden ze alles wat de *Daphne* tot timmermanswerkplaats kon maken aan land gesleept.

Met inbegrip van het merendeel van de vaatjes brandewijn. 'Aber zij hebben één zaak slecht gedaan,' had Caspar bitter gezegd, bedroefd over de straf die de hemel hun had voorbehouden omdat ze hem zo moederziel alleen hadden achtergelaten.

Ze waren namelijk nog maar nauwelijks aan land of ze hadden meteen in het bosschage een aantal dieren gedood, hadden 's avonds op het strand grote vuren ontstoken en drie dagen en drie nachten lang gebrast.

Waarschijnlijk hadden de vuren de aandacht van de wilden getrokken. Alhoewel het Eiland onbewoond was, leefden er in de eilandengroep mensen die zo zwart waren als Afrikanen en die goed met boten overweg konden. Op een ochtend had Pater Caspar van achter het grote eiland in het westen een tiental 'pirogves' aan zien komen die god weet waarvandaan kwamen en zich naar de baai begaven. Het waren uit één boomstam vervaardigde bootjes, zoals die van de Indianen uit de Nieuwe Wereld, maar dan dubbel: in het ene zat de bemanning en het andere gleed als een slee over het water.

Pater Caspar was eerst bang geweest dat ze op de *Daphne* afkwamen, maar daar leken ze geen belang in te stellen; ze koersten naar de wik waar de zeelieden aan land waren gegaan. Hij had al schreeuwend geprobeerd de mannen op het Eiland te waarschuwen, maar die sliepen hun roes uit. Om kort te gaan, de zeelieden waren volkomen verrast toen ze hen plotseling van achter de bomen zagen opduiken.

Ze waren opgesprongen, de inlanders hadden zich meteen strijdlustig betoond, maar niemand wist meer hoe of wat en al helemaal niet waar ze hun wapens hadden gelaten. Alleen de schipper was op hen afgestapt en had een van de aanvallers met een pistoolschot geveld. Toen ze het schot hoorden en zagen dat hun kameraad dood neerviel zonder dat hij door enig lichaam was aangeraakt, hadden de inboorlingen gebaard dat ze zich wilden overgeven en was een van hen op de schipper toegelopen om hem de ketting aan te bieden die hij om zijn nek had hangen. De schipper had een buiging gemaakt, had vervolgens natuurlijk gezocht naar een voorwerp dat hij hem in ruil kon geven en had zich omgedraaid om zijn mannen iets te vragen.

Waarbij hij de inboorlingen de rug toekeerde.

Pater Wanderdrossel had de indruk dat de inboorlingen al meteen, nog vóór het schot, onder de indruk waren geweest van de verschijning van de schipper, een reusachtige Batavier met een blonde baard en blauwe ogen, eigenschappen die de inboorlingen waarschijnlijk toedichtten aan de goden. Maar zodra ze zijn rug zagen had de hoofdman van de inboorlingen (aangezien die wilde volken het klaarblijkelijk niet voor mogelijk hielden dat godheden ook een rug hebben), hem met zijn knots in de hand besprongen en hem het hoofd ingeslagen; hij was plat op zijn aangezicht gevallen en had niet meer bewogen. De zwarte mannen hadden zich op de zeelieden gestort, die zich niet meer hadden weten te verdedigen en tot op de laatste man waren afgeslacht.

Toen was er een gruwelijk banket begonnen dat drie dagen had geduurd. Pater Caspar, die nog steeds ziek was, had alles door zijn kijker gevolgd, zonder iets te kunnen doen. De bemanning was tot slachtvee verlaagd: Caspar had eerst gezien hoe ze werden uitgekleed (onder vreugdekreten van de wilden, die voorwerpen en kleren onderling verdeelden), van hun ledematen werden ontdaan, gekookt werden en ten slotte doodgemoedereerd werden opgepeuzeld, afgewisseld met slokken van een dampende drank en liederen die, als ze niet gevolgd waren op zo'n goddeloos festijn, op eenieder een vreedzame indruk zouden hebben gemaakt.

Vervolgens hadden de verzadigde inboorlingen naar het schip gewezen. Waarschijnlijk brachten ze het niet in verband met de aanwezigheid van de zeelieden: majesteitelijk als het was met al zijn masten en zeilen, in niets te vergelijken met hun canoa's, was het niet bij hen opgekomen dat het mensenwerk was. Volgens Pater Caspar (die beweerde zeer goed op de hoogte te zijn van de geestesgesteldheid van afgodendienaars over de gehele wereld, over wie reizende jezuïeten hem bij hun terugkomst in Rome vertelden) dachten ze dat het een dier was, en dat het zich afzijdig had gehouden toen ze zich aan hun cannibaalse ceremoniën overgaven, had hen in die overtuiging gesterkt. Bovendien, zo verzekerde Pater Caspar, verhaalde Magalhães reeds dat er inboorlingen waren die geloofden dat de schepen, die door de lucht aan waren komen vliegen, de natuurlijke moeders waren van de sloepen, die ze zoogden door ze aan de scheepswand te laten hangen en daarna speenden door ze in het water te gooien.

Maar nu had er waarschijnlijk iemand geopperd dat, als het dier mak was en zijn vlees net zo sappig als dat van de zeelieden, het de moeite loonde het te overmeesteren. En ze waren op de *Daphne* afgestevend. Op dat moment had de vredelievende jezuïet, om hen op een afstand te houden (zijn Orde gebood hem te leven *ad majorem Dei gloriam* en niet te sterven voor het plezier van een stelletje heidenen *cujus Deus venter est*), de lont van een reeds geladen en op het Eiland gericht kanon aangestoken en een kogel afgeschoten. Die met veel geraas, terwijl de flank van de *Daphne* in rook gehuld werd alsof het dier brieste van woede, midden tussen hun boten terecht was gekomen en er twee had doen omslaan.

Het mirakel had duidelijke taal gesproken. De wilden waren naar het Eiland teruggekeerd, in het bosschage verdwenen en daar korte tijd later weer uit te voorschijn gekomen met kransen van bloemen en bladeren, die ze met eerbiedige gebaren in het water hadden geworpen, daarna hadden ze hun steven zuidwestwaarts gewend en waren achter het westelijke eiland verdwenen. Ze hadden het grote, toornige dier datgene betaald wat ze een afdoend tribuut achtten, en zouden zich ongetwijfeld nooit meer op die kust vertonen: ze waren tot het besluit gekomen dat het gebied geteisterd werd door een prikkelbaar en wraakzuchtig schepsel.

Tot zover het verhaal van Pater Caspar Wanderdrossel. Voor Roberto's komst had hij zich nog ruim een week ziek gevoeld, maar dankzij enige toebereidselen van eigen hand ('Spiritus, Olea, Flores, und andere dergleichen Vegetabilische, Animalische, und Mineralische Medicamenten') was hij al enigszins opgeknapt toen hij op een nacht voetstappen op het dek had gehoord.

Op dat moment was hij van angst weer ziek geworden, had de kajuit verlaten en had zich, met medeneming van zijn medicamenten en een pistool waarvan hij niet eens wist dat het niet geladen was, in dat hok verschanst. En hij was er alleen uit gekomen om voedsel en water te zoeken. Aanvankelijk had hij eieren gestolen om weer op krachten te komen, daarna had hij alleen maar zoveel mogelijk fruit weggenomen. Hij was tot de sluitsom gekomen dat de Indringer (in het verhaal van Pater Caspar was Roberto natuurlijk de Indringer) een onderlegd man was, die nieuwsgierig was naar het schip en zijn inhoud, en de gedachte had bij hem post gevat dat hij wellicht geen schipbreukeling was, maar de agent van een of ander ketters land, die uit was op de geheimen van de Specula Melitensis. En de goede Pater had zich dus zo kinderlijk gedragen om Roberto te dwingen die door demonen geteisterde schuit te verlaten.

Daarna was het Roberto's beurt zijn verhaal te doen en omdat hij niet wist hoeveel Caspar van zijn aantekeningen had gelezen, had hij in het bijzonder stilgestaan bij zijn opdracht en de reis van de *Amarilli*. Hij deed zijn verhaal toen ze, aan het einde van die dag, een haantje hadden gekookt en de laatste fles van de schipper hadden ontkurkt. Pater Caspar moest op krachten komen en nieuw bloed aanmaken, en ze vierden datgene wat ze beiden ervoeren als een terugkeer tot de mensheid.

'Lächerlijk!' had Pater Caspar gezegd nadat hij het ongelooflijke verhaal over doctor Byrd had gehoord. 'Van zulke bestialiteiten heb ik nog nooit gehoord. Waarom hebben zij hem dat aangedaan? Ik dachte dat ik alles over het lengtecirkelmysterium gehoord had, maar nooit dat men met hulp van ungventum armarium zoeken kan! Was dat mogelijk, dan was een jezuïet erop gekomen. Dat heeft geen enkele verbinding met lengtezirkels, ik zal je verklaren hoe goed ik mijn arbeid doe en jij ziet dat het anders is...'

'Maar hoe zit het nu,' vroeg Roberto, 'zocht u nu de Salomonseilanden of wilde u het mysterie van de lengtecirkels oplossen?'

'Allebeide zaken, niet waar? Wanneer jij die Salomonseilanden vindt, dan weet jij waar zich der hunderdachtzigste...'

'Honderdtachtigste.'

'...honderdachtigste meridiaan bevindet, en vind jij die hunderdachtigste meridiaan, dan weet jij waar sich die Salomonseilanden befinden!'

'Maar waarom zouden die eilanden op die meridiaan liggen?'

'O, mein Gott, der Herr vergeve mij dat ik Zijn Allerheiligste Naam ijdel uitgesproken heb. In primis, nadat Salomon de Tempel gebaut had, had hij een grote Flotte samengesteld, zoals in het Boek Könige staat, en deze Flotte komt bij het eiland Ofir aan, vanwaar zij, hoe heet dat... quadringenti und viginti...'

'Vierhonderdtwintig.'

'Vierhundertwentig gouden talenten voor hem terugbrengen, een zeer grote rijkdom: de Bibel zegt zeer weinig om gans veel te zeggen, zo te zeggen pars pro toto. En geen land nabij Israël had zo een grote rijkdom, quod significat dat deze Flotte aan die uiterste wereldgrenze was aangekomen. Hier.'

'Maar waarom hier?'

'Weil hier de honderd en tachtig meridiaan is die genau degene is die de aarde in tweeën deelt, en op de andere kant is de eerste meridiaan: jij telt een, twee, drie alle die driehonderdzestig meridiaangraden, en als jij bij honderdachtig bent, is het hier middernacht en op de eerste meridiaan twaalf uur middags. Verstanden? Raad jij nu waarom die Salomonseilanden zo genaamd worden zijn? Salomon dixit snij kind in tweeën, Salomon dixit snij aarde in tweeën.'

'Ik begrijp het, als we op de honderdtachtigste meridiaan zitten, bevinden we ons op de Salomonseilanden. Maar wie zegt u dat we op de honderdtachtigste meridiaan zitten?'

'Die Specula Melitensis, of niet? En als al mijn vroegere proeven niet genoeg getoond hebben dat de honderdachtigste meridiaan genau da läuft, dan heeft die Specula mij dat getoond.'

Hij had Roberto meegetrokken naar het dek en hem de baai gewezen: 'Zie jij dat promontorium in het noorden, daar waar grote bomen staan met grote poten die op het water lopen? Et ora dat andere promontorium in het zuiden? Jij trekt een lijn tussen die twee promontoria, jij ziet dat die lijn tussen hier en de oever loopt, een beetje meer apud de oever dan apud het schip... Heb jij die lijn gezien, ik meen een geistige lijn die men met de ogen der inbeelding ziet? Gut, dat is die meridiaanlijn!'

De volgende dag deelde Pater Caspar, die nooit verzuimd had de tijd bij te houden, mee dat het zondag was. Hij droeg de mis op in zijn hut en consacreerde een partikel van de paar hostiën die hem nog restten. Daarna ging hij verder met zijn les, eerst in de kajuit met een aardglobe en kaarten, daarna op het dek. En toen Roberto zich erover beklaagde dat hij niet tegen het volle daglicht kon, had hij uit een van zijn kasten een bril te voorschijn gehaald, maar dan met berookte glazen, die hij met goed succes had gebruikt om de mond van een vulkaan te bekijken. Roberto zag de wereld nu in zachtere en welbeschouwd uiterst aangename kleuren en begon zich langzaam te verzoenen met de gestrengheid van de dag.

Om te kunnen begrijpen wat nu volgt moet ik eerst een beknopte uiteenzetting geven, want als ik dat niet doe kan ik er zelf ook helemaal geen wijs meer uit worden. Pater Caspar was de overtuiging toegedaan dat de *Daphne* zich tussen zestien en zeventien graden zuiderbreedte op de honderdtachtigste meridiaan bevond. Wat de breedte betreft kunnen we ons op hem verlaten. Maar laten we er eens van uitgaan dat hij ook de lengte juist had geraden. Uit de warrige aantekeningen van Roberto valt op te maken dat Pater Caspar uitgaat van precies driehonderdzestig graden, te beginnen bij het eiland Hierro, achttien graden ten westen van Greenwich, zoals de traditie al sinds Ptolemaeus wilde. Als hij dus van mening was dat hij zich op zíjn honderdtachtigste meridiaan bevond, houdt dat in dat hij zich in werkelijkheid op honderdtweeënzestig graden oosterlengte bevond (gerekend vanuit Greenwich). Nu liggen de Salomonseilanden inderdaad ongeveer op honderdzestig graden oosterlengte, maar tussen vijf en twaalf graden zuiderbreedte. In welk geval de *Daphne* zich dus te ver zuidelijk zou bevinden, ten westen van de Nieuwe Hebriden, in een gebied met uitsluitend koraalbanken, die later bekend zouden worden als de Récifs d'Entrecasteaux.

Kon Pater Caspar bij zijn berekeningen uitgaan van een andere meridiaan? Zeker. Zoals Coronelli aan het einde van die eeuw in zijn *Libro dei Globi* zal zeggen, werd de eerste meridiaan 'door Eratosthenes getrokken over de Zuilen van Hercules, door Martinus van Tyrus over de Gelukzalige Eilanden, was Ptolemaeus in zijn *Geografia* dezelfde mening toegedaan, maar heeft hij hem in zijn *Astronomia* over Alexandrië in Egypte laten lopen. Van de modernen trekt Ismael Abulfeda hem over Cadiz, Alfonso over Toledo, en hebben Pigafetta en Herrera hetzelfde gedaan. Copernicus trekt hem over Frauenburg; Reinhold over Monte Reale, ofwel Königsberg; Kepler over Uraniborg; Longomontanus over Kopenhagen; Lansbergius over Goes; Ricciolo over Bologna. De atlassen van Janssonius en Blaeu over de Monte Pico. En om door te gaan met de uiteenzetting van mijn Geografie: ik heb de Eerste Meridiaan op deze aardglobe over het westelijkste deel van het eiland Hierro getrokken, mede om het Decreet van Lodewijk XIII na te leven, die met het Geo. Consiglium van 1634 bepaalde dat dit de juiste plek was.'

Had Pater Caspar er echter voor gekozen het decreet van Lodewijk XIII naast zich neer te leggen en zijn eerste meridiaan bijvoorbeeld over Bologna te laten lopen, dan zou de *Daphne* zo ongeveer tussen Samoa en Tahiti voor anker liggen. Maar daar hebben de inlanders niet zo'n donkere huid als hij beweerde gezien te hebben.

Wat is de reden om vast te houden aan de traditie van het eiland Hierro? We moeten ons om te beginnen realiseren dat Pater Caspar de Eerste Meridiaan zag als een vaste lijn die bij goddelijk decreet al vanaf de schepping vast stond. Wat zou volgens God de natuurlijkste plek zijn geweest om die overheen te laten lopen? Over de hof van Eden, dat oord dat beslist ergens in het oosten moest liggen, al wist men niet precies waar? Over het Ultima Thule? Over Jeruzalem? Tot dan toe had niemand nog een theologische beslissing durven nemen, en terecht: God redeneert niet als de mensen. Adam bijvoorbeeld was pas op aarde verschenen toen de zon, de maan, de dag en de nacht, en dus de meridianen, er al waren.

De oplossing moest dus niet gezocht worden op het gebied van de geschiedenis, maar op dat van de Heilige Astronomie. We dienden het woord van de Bijbel te laten samenvallen met onze kennis van de hemelwetten. Welnu, in Genesis staat dat God eerst de hemel en de aarde schiep. Op dat moment heerste er boven de waterdiepten nog duisternis, en *spiritus Dei ferebatur super aquas*, maar die wateren konden niet de wateren zijn die we nu kennen en die God pas op de tweede dag scheidde, te weten in de wateren die boven het uitspansel zijn (en waar de regens nog steeds vandaan komen) en de wateren die beneden zijn, dat wil zeggen van de rivieren en de zeeën.

Hetgeen inhoudt dat het eerste voortbrengsel van de schepping Materia Prima was, vormeloos en zonder afmetingen, hoedanigheden, eigenschappen en neigingen, gespeend van beweging en rust, louter de oorspronkelijke baaierd, *hyle* die nog geen licht of duisternis was. Het was een onverteerde brij waarin de vier hoofdstoffen nog in elkaar overliepen, evenals het koude en het warme, het droge en het vochtige, opborrelende vuursoep die uiteenspatte in gloeiende druppels, als een pan met bonen, een buik met loop, een verstopte buis, een vijver waarin door het plotse op- en weer onderduiken van blinde larven kringen verschijnen en weer verdwijnen. En wel zo, dat ketters eruit afleidden dat die zo duistere stof, die bestand was tegen elke scheppende ademtocht, minstens even eeuwig was als God.

Maar ook al was dat het geval, dan nog was er een goddelijk fiat nodig opdat zich daaruit en daarin en daarover de afwisseling van licht en duisternis, van dag en nacht, kon verspreiden. Dit licht (en die dag) waarvan sprake is op de eerste scheppingsdag was nog niet het licht dat we vandaag de dag kennen, dat van de sterren en de twee grote hemellichten, die pas op de vierde dag worden geschapen. Het was scheppend licht, goddelijke kracht in zuivere staat, zoals de ontbranding van een kruitvat, dat eerst alleen maar bestaat uit tot een ondoorschijnende hoeveelheid samengeperste zwarte korreltjes en dan in één klap verandert in een uitstorting van dampen, een dicht opeengepakte schittering die zich verspreidt tot aan de eigen uiterste omtrek, waarachter zich als tegenhanger de duisternis vormt (ook al had die ontploffing bij ons overdag plaats). Alsof er uit een ingehouden zucht, uit een kooltje dat roodgloeiend leek te worden door een innerlijke ademhaling, uit die *goldene Quelle des Universums*, een waaier van lichtende voortreffelijkheden ontstond die geleidelijk aan verbrokkelden tot de onherstelbaarste der onvolmaaktheden; alsof de scheppende adem uit de oneindige en gebundelde lichtende kracht van de godheid wegtrok, een kracht zo roodgloeiend dat deze ons donkere nacht toescheen, en afdaalde, via de relatieve volmaaktheid van de Cherubijnen en de Serafijnen, via de Tronen en de Heerschappijen, tot aan de allerlaagste rand, waar de regenworm kruipt en de steen gevoelloos overleeft, aan de uiterste grens van het Niets. 'En dat was de Offenbarung gottlicher Majestät!'

En als er op de derde dag al grassen en bomen verschijnen, en weidegronden, is dat omdat de Bijbel nog niet rept van een landschap dat aangenaam is om te zien, maar van een duistere vegetatieve kracht, paring van zaadcellen, sidderen van lijdende, verwrongen wortels die de zon zoeken, die er echter op de derde dag nog niet is.

Het leven komt op de vierde dag, waarop de maan en de zon en de sterren worden geschapen, om de aarde licht te geven en de dag te scheiden van de nacht, in de betekenis die wij eraan geven als we het tijdsverloop berekenen. Dat is de dag waarop de kring der hemelen zich ordent, van het Primum Mobile en de vaste sterren tot aan de maan, met de aarde in het midden, een harde steen die ternauwernood wordt belicht door de stralen van de hemellichten, met daaromheen een guirlande van edelstenen.

Omdat ze onze dag en onze nacht bepaalden, werden de zon en de maan tot het eerste, onovertroffen model voor alle latere uurwerken die, het uitspansel naäpend, de menselijke tijd op de wijzerplaat van de dierenriem aangeven, een tijd die niets heeft uit te staan met de tijd van het heelal: hij bezit namelijk richting, een onrustige ademhaling die bestaat uit gisteren, vandaag en morgen, en niet de kalme ademtocht der eeuwigheid.

Laten we daarom stilstaan bij deze vierde dag, zei Pater Caspar. God schept de zon en als de zon geschapen is – en niet daarvóór, dat spreekt – begint ze te bewegen. Welnu, op het moment waarop de zon haar omloop begint om nooit meer te stoppen, in die *Blitz*, in die oogwenk voordat ze haar eerste stap zet, staat ze loodrecht boven een lijn die de aarde precies in tweeën deelt.

'En de Eerste Meridiaan is die waarop het opeens twaalf uur 's middags is!' merkte Roberto op, die dacht alles te hebben begrepen.

'Nein!' wees zijn leermeester hem terecht. 'Geloof jij dat Gott zo dom is als jij? Hoe kan de eerste dag van de Schepping om twaalf uur middags aanvangen? Vang jij, in prinzipio des Heyls, de Schepping misschien met een slecht gelungen dag aan, een Leibesfrucht, een foetus van een dag met nur twaalf uren zon?'

Vanzelfsprekend niet. Op de Eerste Meridiaan zou de baan van de zon hebben moeten beginnen bij het licht der sterren, als het nog maar net middernacht was, en daarvóór was het on-tijd geweest. Op die meridiaan was – 's nachts – de eerste dag van de schepping begonnen.

Roberto had daartegen ingebracht dat, als het op die meridiaan nacht was, er aan de andere kant een afgebroken dag zou zijn, waar plotseling de zon zou verschìjnen, terwijl het daarvoor geen nacht noch iets anders was geweest, maar slechts een duistere baaierd zonder tijd. En Pater Caspar had gezegd dat het heilige boek ons niet zegt dat de zon als bij toverslag is verschenen en dat hij niet onwelwillend stond tegenover het denkbeeld (dat ook strookte met elke natuurlijke en goddelijke redenkunst), dat God de zon had geschapen door haar de eerste uren langs de hemel te laten gaan als een gedoofde ster die in haar gang van de Eerste Meridiaan naar zijn tegenvoeter allengs ontbrand was. Wellicht was ze beetje bij beetje ontvlamd, zoals jong brandhout dat, beroerd door de eerste vonk van een vuurslag, eerst heel zachtjes rookt en dan, aangewakkerd door een briesje, begint te knetteren om ten slotte op te gaan in een hoog en levendig vuur. Was het soms niet prachtig je de Vader van het Al voor te stellen, die tegen die nog groene bol blies teneinde deze, twaalf uur na de geboorte van de Tijd, precies op de Meridiaan van de Tegenvoeters waarop zíj zich op dat ogenblik bevonden, te laten triomferen?

Restte nog te bepalen welke meridiaan de eerste was. En Pater Caspar erkende dat het eiland Hierro hiervoor nog het meest in aanmerking kwam, omdat – Roberto had het al van doctor Byrd gehoord – de kompasnaald op die plek geen afwijkingen vertoont en deze lijn over het punt vlak bij de pool loopt waar de ijzerbergen het hoogst zijn. Hetgeen beslist een teken van standvastigheid is.

Als we, samenvattend, zouden aannemen dat Pater Caspar van die nulmeridiaan was uitgegaan en de juiste lengte van hun huidige ligging had gevonden, zou het voldoende zijn toe te geven dat hij, hoewel hij de route als zeeman goed had uitgestippeld, als geograaf schipbreuk had geleden: de *Daphne* lag niet bij onze Salomonseilanden maar ergens ten westen van de Nieuwe Hebriden, en daarmee was de kous dan af geweest. Maar ik vind het vervelend om me, als ik een verhaal vertel dat zich, zoals we zullen zien, op de honderdtachtigste meridiaan móet afspelen – anders verliest het alle kleur – erbij neer te moeten leggen dat het zich een graadje meer naar links of naar rechts afspeelt.

Ik opper daarom een hypothese die ik elke lezer tart te logenstraffen. Pater Caspar had zich dermate vergist dat hij zich zonder het te weten op ónze honderdtachtigste meridiaan bevond, ik bedoel op die welke wij berekenen vanuit Greenwich – de laatste plek op de wereld waaraan hij had kunnen denken, omdat dat op het grondgebied van antipapistische schismatici lag.

In dat geval had de *Daphne* zich bij de Fiji-eilanden bevonden (waar de inlanders inderdaad een zeer donkere huid hebben), precies op het punt waar vandaag de dag onze honderdtachtigste meridiaan overheen loopt, oftewel bij het eiland Taveuni.

Dan zou het gedeeltelijk kloppen. Het profiel van Taveuni vertoont net zo'n vulkanenrij als het grote eiland dat Roberto in het westen zag liggen. Ware het niet dat Pater Caspar tegen Roberto had gezegd dat de gewraakte meridiaan precies voor de baai van het eiland langs liep. Dus als de meridiaan zich ten oosten van ons bevindt, zien we Taveuni in het oosten, niet in het westen. En als we in het westen een eiland zien dat met de beschrijvingen van Roberto overeen lijkt te komen, dan liggen er in het oosten kleinere eilanden (ik zou Qamea kiezen), maar dan zou de meridiaan achter iemand die naar het Eiland uit ons verhaal kijkt langs lopen.

De waarheid is dat aan de hand van de door Roberto opgeschreven gegevens niet precies valt te bepalen waar de *Daphne* terecht was gekomen. Daar komt nog bij dat al die kleine eilandjes net Japanners waren in de ogen van Europeanen, en omgekeerd: ze leken allemaal op elkaar. Maar het viel te proberen. Ooit zou ik dezelfde reis willen maken als Roberto en in zijn voetsporen willen treden. Maar mijn geografie is één ding, zijn verhaal een tweede.

Onze enige troost is dat al deze spitsvondigheden uit het oogpunt van onze wankele roman absoluut irrelevant zijn. Wat Pater Wanderdrossel tegen Roberto zegt, is dat ze zich op de honderdtachtigste meridiaan bevinden, de tegenvoeter der tegenvoeters; en daar op die honderdtachtigste meridiaan liggen niet ónze Salomonseilanden, maar zijn Salomonseiland. Wat doet het ertoe of het zich daar ook werkelijk bevindt? Dit zal hooguit het verhaal zijn over twee mensen die denken dat ze zich daar bevinden, niet over twee mensen die zich er daadwerkelijk bevinden, en als men naar verhalen wil luisteren dient men – zo luidt het dogma van de liberaalste geesten – zijn ongeloof op te schorten.

Dus: de *Daphne* lag vlak voor de honderdtachtigste meridiaan, precies bij de Salomonseilanden, en van al die Salomonseilanden was ons Eiland het eigenlijke Salomonseiland, net zoals mijn oordeel een Salomonsoordeel is waarmee ik de knoop eens voor al doorhak.

'Ja, verder?' had Roberto aan het einde van de uitleg gevraagd. 'Denkt u werkelijk op dat eiland alle rijkdommen te vinden waar Mendaña van sprak?'

'Maar dat zijn Lügen der spanischen Monarchie! Wij staan voor het grösste wonder van de hele humana et sacra historia, dat je dat niet begrijpen kan! In Paris bekeek jij de vrouwen en volgde jij de ratio studiorum van de Epicureer, statt over de grote mirakels van ons Universum na te denken, fiat semper laudato de Allerheiligste Name van zijn Schepper!'

De redenen waarom Pater Caspar vertrokken was, hadden dus weinig uit te staan met de rooflustige bedoelingen van de verschillende zee-vaarders uit andere landen, maar alles met het monumentale werk over het Diluvium Universalis dat hij aan het schrijven was en dat voorbestemd was duurzamer te zijn dan brons.

Als man van de Kerk wilde hij aantonen dat de Bijbel niet gelogen had, maar als man van de wetenschap wilde hij de Heilige Schrift en de ervarenheden uit zijn tijd met elkaar in overeenstemming bren-gen. En daarom had hij versteningen verzameld, de landen in het oosten verkend, op zoek naar iets op de top van de berg Ararat, en zeer precies berekend welke afmetingen de Ark kon hebben gehad dat deze zoveel dieren had kunnen bevatten (zeven paren van elk, nota bene) terwijl dat wat zich boven en dat wat zich onder water bevond zich toch zodanig tot elkaar verhield dat de Ark niet onder al dat ge-wicht bezweek of omsloeg door toedoen van stortzeeën, die haar tij-dens de Zondvloed flink gegeseld moeten hebben.

Hij had een schets gemaakt om Roberto de doorsnede van de Ark te laten zien, een enorm vierkant bouwwerk van zes verdiepingen, de vogels bovenin zodat ze het zonlicht konden zien, de zoogdieren in palissaden die niet alleen katjes maar ook olifanten konden herber-gen, en de reptilia in een soort hoosgat, waar ook de amphibia in het water onderdak konden vinden. Geen ruimte voor de Reuzen, en daarom was die soort uitgestorven. En om de vissen had Noach zich niet hoeven bekommeren, want zij waren de enige die niets van de Zondvloed te vrezen hadden.

Bij het denken over de Zondvloed was Pater Caspar evenwel ge-stuit op een *problema physico-hydrodynamicum* dat ogenschijnlijk onoplosbaar was. God, zo zegt de Bijbel, deed het veertig dagen en veertig nachten op aarde regenen, en de wateren wiesen boven de aarde totdat ze zelfs de hoogste bergtoppen bedekten, en stopten pas vijftien el boven de allerhoogste bergen, en zo bedekten de wateren de aarde honderdvijftig dagen lang. Tot zover niets aan de hand.

'Maar heb jij probeert regen te zamelen? Het regent een ganse dag, en jij hebt een kleine laag in de tonne gezameld! En regende het een week lang, dan zou jij die tonne nog niet vullen! En stel jij maal een ungeheuere regen voor, dat jij daar niet onder staan kunt, dat de ganse himmel zich over jou arme kop uitgiet, een regen die erger is als de orkaan waardoor jij schipbreuk leed... In viertig dagen ist das unmöglich, niet mogelijk dat jij die ganse aarde tot aan die hoogste bergen vult!'

'Wilt u beweren dat de Bijbel heeft gelogen?'

'Nein! Zeker niet! Maar ik moet demonstrieren waar Gott al dat water her hat, dat het niet mogelijk is dat Hij dat uit de himmel heeft vallen laten! Dat ist nicht genoeg!'

'En dus?'

'Also dumm bin ich nicht! Pater Caspar heeft zich iets uitgedacht dat vorher nog niemals van menselijke wezens uitgedacht worden is. In primis heeft hij de Bibel goed gelezen, die zegt dat Gott, jawohl, alle sluizen des himmels geopend heeft, maar ook alle Quellen heeft laten openbreken, de Fontes Abyssi Magnae, alle kolken van de grote abyssus, Genesis zeven, elf. Nadat de Zondvloed voorbij was, heeft Hij de kolken van die abyssus afgesloten, Genesis acht, twee! Wat zijn deze kolken van de abyssus?'

'Ja, wat zijn dat?'

'Dat zijn de wateren die zich in der tiefe van de see bevinden. Gott heeft niet nur de regen genommen maar ook de wateren uit de tiefste see en die over de aarde uitgegoten! En Hij heeft ze vandaar genommen omdat, als de hoogste bergen der aarde zich rond de eerste meridiaan befinden, tussen Jeruzalem und der Insel Hierro, de tiefste afgronden van de see hier zijn moeten, op de tegenmeridiaan, wegens de symmetria.'

'Ja, maar de wateren van alle zeeën van de aardkloot volstaan niet om de bergen te bedekken, anders zouden ze dat wel altijd doen. En als God de wateren van de zee over de aarde uitgoot, zou hij de aarde bedekken maar de zee legen, en dan werd de zee een groot leeg gat en viel Noach daar met zijn hele Ark in...'

'Daar zeg jij iets waars. En niet alleen dat: wanneer Gott al dat water van de Terra Incognita nam en dat over de Terra Cognita uitgoot, dan zou de aarde, zonder dat water in deze Hemispheer, haar ganse Zentrum Gravitatis veranderen en zich gans omdraaien, en vielleicht in die luft springen als een bal die jij een trap geeft.'

'En dus?'

'Nun, probeer maal te denken wat jij doen zou als jij Gott wärest.'

Roberto had de smaak te pakken: 'Als ik God wäre,' zei hij – daar ik aanneem dat hij zo langzamerhand niet meer in staat was de werkwoorden zo te verbuigen als de God der Italianen gebiedt – 'schiep ik nieuw water.'

'Jij ja, maar Gott niet. Gott kan dat water ex nihilo scheppen, maar waar brengt Hij het na het Diluvium heen?'

'Dus God had vanaf het begin der tijden in de diepte een grote voorraad water aangelegd, verborgen in het midden van de aarde, en heeft dat bij die gelegenheid, slechts veertig dagen lang, naar buiten laten stromen, alsof het uit vulkanen spoot. Dat is zeker wat de Bijbel bedoelt als we lezen dat Hij de kolken der grote waterdiepten heeft doen openbreken.'

'Geloof jij? Maar uit de vulkanen komt vuur. Dat ganse aardzentrum, het hart van de Mundus Subterraneus, is een grote vuurhoop! Als in dat zentrum vuur is, kan het daar geen water geven! Als het daar water gaf, dan waren de vulkanen kolken,' besloot hij.

Roberto gaf niet op. 'Als ik God was, haalde ik het water gewoon uit een andere wereld, want daarvan zijn er toch ontallijke, en goot dat over de aarde uit.'

'Jij hebt in Paris die atheïsten gehoord die van de ontallijke werelden spreken. Maar Gott heeft nur eine wereld gemaakt, en dat is genoeg voor zijn glorie. Nee, denk beter na, als jij geen ontallijke werelden hebt, en jij hebt geen tijd om ze spezial voor het Diluvium te maken en later werp jij ze wieder in dat Nichts, wat machst du dan?'

'Ik zou het echt niet weten.'

'Weil jij een kleines denkvermogen hebt.'

'Ik zal wel een kleines denkvermogen hebben, ja.'

'Zeer klein, ja. Denk nu na. Als Gott dat water nemen kon dat het gisteren op de ganse wereld gaf, en het vandaag neerleggen kon, en morgen al dat water nemen kan dat het vandaag geeft, und dat is al het dubbele, en dat overmorgen neerleggen kan, en zo ad infinitum, komt dan misschien de dag dat Hij onze hele aardbol vullen kan, bis alle bergen bedekt worden zijn?'

'Ik ben niet zo goed in rekenen, maar ik zou zeggen, ja, op een gegeven moment wel, ja.'

'Jawohl! In viertig dagen vult Hij de aarde met viertig maal het water dat zich in de zeeën bevindet, en als jij viertig maal de diepte der zeeën nimmst, dan bedek jij bestimmt die berge: de afgronden zijn veel dieper of evenzo diep als de bergen hoog zijn.'

'Maar waar haalde God het water van gisteren vandaan, als gisteren al voorbij was?'

'Van hier! Hoor me toe. Stel jou voor dat jij op de Eerste Meridiaan bent. Kan jij dat?'

'Ik wel.'

'Denk nu dat het twaalf uur middags is, zeggen we twaalf uur op Groene Donnersdag. Hoe laat is het dan in Jeruzalem?'

'Na alles wat ik heb geleerd over de zonnebaan en over de meridianen, zal de zon in Jeruzalem de meridiaan al een flinke tijd voorbij zijn en is het daar laat in de middag. Ik begrijp waar u heen wilt. Goed dan: op de Eerste Meridiaan is het twaalf uur 's middags en op meridiaan honderdtachtig is het middernacht, want de zon is daar al twaalf uur eerder gekomen.'

'Gut. Hier is het also middernacht, also het ende van Groene Donnersdag. Wat passeert hier dan gelijk daarna?'

'Dan beginnen de eerste uren van Goede Vrijdag.'

'En niet op de Eerste Meridiaan?'

'Nee, daar zal het nog wel donderdagmiddag zijn.'

'Wunderbar. Hier is het also bereits vrijdag en da is het nog donnersdag, ja? Aber als het op de Eerste Meridiaan nog vrijdag is, is het hier al zaterdag. Also zal de Herr hier verrijzen, als Hij daar nog dood is, oder?'

'Ja, dat is zo, maar ik begrijp niet...'

'Nu begrijp jij het. Als het hier middernacht en één minuut is, of een winzig deel van een minuut, zeg jij dan dat het hier bereits vrijdag is?'

'Jazeker.'

'Maar denk nu dat jij in dit moment niet hier op het schip bent maar op de Insel die jij daar ziet, in het oosten van de Mittaglijn. Zeg jij dan dat het da bereits vrijdag is?'

'Nee, daar is het nog donderdag. Het is middernacht min één minuut, min één seconde, maar nog wel donderdag.'

'Gut! In ditzelfde moment is het hier vrijdag en daar donnersdag!'

'Ja, en...' Plotseling stopte Roberto omdat hem iets daagde. 'En dat niet alleen! U hebt me laten inzien dat het, als ik me op dat moment op de middaglijn zou bevinden, precies middernacht zou zijn, maar dat ik, als ik naar het westen zou kijken, de middernacht van vrijdag zou zien en als ik naar het oosten zou kijken de middernacht van donderdag. Godallemachtig!'

'Zeg niet God Allemachtig, bitte.'

'Neem me niet kwalijk, Pater, maar het is een mirakel!'

'En bij een miraculum gebruik jij den Namen Gottes niet ijdel! Zeg liever Sacro Bosco. Maar het grote miraculum is dat het geen miraculum is! Alles was ab initio voorzien! Als de zon vierentwintig uur voor een ronde om die aarde nodig heeft, vangt westlijk van de hondertachtigste meridiaan een nieuwe dag aan en in het oosten hebben we nog de vorige dag. Middernacht van vrijdag hier op dit schip, is middernacht van donnersdag op deze Insel. Weet jij niet wat de matrozen van Magalhães passeert is als zij hun reis om de wereld beëindigd hebben, zoals Petrus Martyrus vertelt? Zij zijn teruggekeerd en dachten dat het een dag vroeger war, maar het was een dag later, und zij dachten dat Gott ze gestraft en hun een dag gestolen had, omdat zij op Goede Vrijdag niet gevastet hadden. Maar het was gans vanzelfsprekend: ze waren naar het westen gereisd. Als jij van Amerika naar Azië reist, verlies jij een dag, en als jij in die andere richtung reist, gewin jij een dag: dat is warum die *Daphne* de weg via Azië genommen heeft, en Ihr Dummköpfe de weg via Amerika. Jij bent nu een dag ouder als ik! Moet je daarover niet lachen?'

'Maar als ik terugging naar het Eiland zou ik een dag jonger zijn!' zei Roberto.

'Dat was mijn kleine jocus. Maar mij maakt het niets uit of jij jonger of ouder bent. Voor mij is het wichtig dat het op dit punt van de aarde een lijn geeft waar het op deze kant de volgende dag is, en op de andere kant de vorige dag. En niet alleen om twaalf uur nachts, maar ook om zeven uur, om tien uur, ieder uur! Gott nam dus uit deze abyssus het water van gisteren (dat jij daar ziet) en goot dat over de wereld van vandaag uit, en de dag daarna weer, enzovoort! Sine miraculo, naturaliter! Gott had de Natura voorbestemd als een grosses Horologium! Het is alsof ik een horologium had dat niet twaalf, maar vierentwentig uur aangeeft. In dat horologium beweegt zich de wijzer, of de pijl, in de richtung van de vierentwentig, und rechts van de vierentwentig was het gisteren und links daarvan morgen!'

'Maar hoe kon de aarde van gisteren nu aan de hemel stil blijven staan als er op dit halfrond geen water meer was? Raakte ze haar Centrum Gravitatis dan niet kwijt?'

'Jij denkt met de humana conceptione van tijd. Voor ons Menschen bestaat het gisteren niet meer, en het morgen nog niet. Tempus Dei, quod dicitur Aevum, is gans iets anders.'

Roberto redekavelde dat als God het water van gisteren weghaalde en dat vandaag uitgoot, de aarde van gisteren wellicht een schudding kreeg vanwege dat vermaledijde zwaartepunt, maar dat dit voor de mensen niets uit hoefde te maken: in hun gisteren had zich geen schudding voltrokken, omdat die zich namelijk voltrok in een gisteren van God, die duidelijk geen moeite had met verschillende tijden en verschillende verhalen, zoals een Verteller die verschillende romans schrijft met allemaal dezelfde personages, maar hun in elk verhaal verschillende dingen laat overkomen. Alsof er een Roelandslied bestond waarin Roeland onder een pijnboom stierf, en een ander waarin hij bij de dood van Karel de Grote koning van Frankrijk werd en de huid van Ganelon als tapijt gebruikte. Een gedachte die Roberto, zoals later zal blijken, nog lang zou achtervolgen en hem er uiteindelijk van zou overtuigen dat werelden niet alleen ontallijk in de ruimte kunnen zijn, maar ook evenwijdig in de tijd. Maar daarover wilde hij het met Pater Caspar niet hebben, aangezien die het denkbeeld van verscheidene werelden in één ruimte al uiterst ketters vond en God weet wat gezegd zou hebben van zijn uiteenzetting. Hij beperkte zich er dus toe te vragen hoe God in staat was geweest al dat water van gisteren naar vandaag te verplaatsen.

'Met de eruptio van de onderzeese vulkanen, natürlich! Wat denk jij? Zij blazen vuurwinden, en wat passeert wanneer een pan melk heet wordt? De melk zwelt op, komt hoog, rijst de pan uit, verspreidt zich over den herd! Maar toen was het geen melk, maar siedendes water! Grote catastrophe!'

'En hoe heeft God al dat water na veertig dagen weer weggehaald?'

'Als het niet meer regende, was de zon daar, und so verdampte het water langzaam. De Bibel zegt dat het honderdvijftig dagen geduurd heeft. Als jij jouw kleren in een dag wast en droogt, droogt de aarde in honderdvijftig dagen. En ook is veel water teruggestroomd in grote onderaardse meren die het nu nog immer tussen de oppervlakte en dat zentrale vuur geeft.'

'U hebt me bijna overtuigd,' zei Roberto, die niet zozeer belang stelde in de vraag hoe dat water was verplaatst, als wel in de ontdekking dat hij zich op een steenworp afstand van gisteren bevond. 'Maar wat hebt u, toen u hier kwam, aangetoond dat u eerder niet met het gezonde verstand had kunnen aantonen?'

'Der gezonde Verstand ist etwas voor de oude theologia. Vandaag vraagt de wetenschap om de bewijs van die experientia. En de bewijs van die experientia is dat ik hier ben. En voordat ik hierher kwam heb ik veel onderzoeken gemaakt, en ik weet hoe diep de zee daar is.'

Pater Caspar had zijn aard- en hemelkleurige uiteenzetting onderbroken om zich uit te putten in een beschrijving van de Zondvloed. Nu sprak hij in zijn geleerde Latijn, zwaaide met zijn armen als wilde hij de verschillende hemelse en helse verschijnselen oproepen en beende met grote passen heen en weer over het dek. Terwijl hij zo bezig was, trok de hemel boven de baai weer dicht en kondigde zich een onweer aan zoals zich dat alleen, onverwachts, op zee in de tropen kan voordoen. Wat een horrendum et formidandum spectaculum moet zich niet voor Noach en zijn gezin ontrold hebben, toen alle kolken der grote waterdiepten en sluizen des hemels zich openden!

De mensen vluchtten eerst de daken op, maar hun huizen werden weggeslagen door vloedgolven die vanaf de andere zijde van de aarde kwamen opzetten met de kracht van de goddelijke wind die hen had opgetild en voortgeduwd; ze klampten zich vast aan de bomen, maar die werden als sprietjes ontworteld; ze zagen nog toppen van zeer oude eiken en grepen zich daaraan vast, maar de winden schudden hen met zoveel woede heen en weer dat ze los moesten laten. In de zee, die inmiddels dalen en bergen bedekte, zag je opgeblazen lijken drijven, waarop de laatste verschrikte vogels trachtten neer te strijken als op een allergruwelijkst nest, maar al snel verloren ze ook dit laatste toevluchtsoord, bezweken ook zij uitgeput onder de storm, hun veren loodzwaar, hun vleugels krachteloos. 'O, horrenda justitiae divinae spectacula,' jubelde Pater Caspar, en dat was nog niets – verzekerde hij – vergeleken bij wat er te zien zal zijn op de dag dat Christus zal terugkeren om de levenden en de doden te richten...

En het enorme geraas van de natuur werd beantwoord door de dieren op de Ark, het huilen van de wind werd nagedaan door de wolven, het brullen van de donder verstrengelde zich met dat van de leeuw, bij het knetteren van de bliksem trompetterden de olifanten, de honden jankten bij het horen van hun stervende soortgenoten, de schapen blèrden bij het huilen der kinderen, de kraaien krasten bij het kletteren van de regen op het dak van de Ark, de ossen bulkten bij het bulderen van de golven, en alle schepselen der aarde en uit de lucht deelden met hun smartelijk jammeren of droevig klagen in de rouw van de aardkloot.

Maar, zei Pater Caspar, het was bij deze gelegenheid dat Noach en zijn gezin de taal herontdekten die Adam in de hof van Eden had gesproken en die zijn zonen, nadat hij verdreven was, vergeten waren en die de nazaten van Noach bijna allemaal verbeurd hadden op de dag van de grote Babylonische spraakverwarring, ware het niet dat de erfgenamen van Gomer haar mee hadden genomen naar de wouden in het noorden, waar het Duitse volk haar trouw had bewaard. Alleen de Duitse taal spreekt de taal der natuur – en nu brulde Pater Caspar als een bezetene in zijn moedertaal – 'redet mit der Zunge, donnert mit dem Himmel, blitzet mit den schnellen Wolken', of, zoals hij vervolgens vindingrijk vervolgde, waarbij hij de rauwe klanken uit verschillende talen dooreenmengde, alleen de Duitse taal 'blitzt met de Wolken, brummt als der Cerf, knort als das Schwein, zischt als die Serpente, mauwt als die Katze, snattert als die Gans, quaakt als die Canard, toktokt als das Hoen, klappert als der Stork, krächzt als die Kraai, schwirrt als die Hirondel!' Maar uiteindelijk was hij schor van al dat gebabeliseer en was Roberto ervan overtuigd dat de ware taal van Adam, zoals die bij de Zondvloed was teruggevonden, uitsluitend beklijfd had in de landen van de Heilige Roomse Keizer.

Druipend van het zweet had de geestelijke zijn bezwering besloten. Alsof de hemel bang was geworden voor de gevolgen van alle Zondvloeden had hij het onweer teruggeroepen, als een niesbui die op het punt staat los te barsten maar met enig geproest wordt ingehouden.

22

de Oranjekleurige duif

In de dagen die volgden werd duidelijk dat de Specula Melitensis onbereikbaar was omdat ook Pater Wanderdrossel niet kon zwemmen. De sloep lag nog in de wik en bestond dus als het ware niet.

Nu hij een jonge, sterke man tot zijn beschikking had, had Pater Caspar hem wel kunnen vertellen hoe hij een vlot met een grote roeispaan had kunnen bouwen, ware het niet, zo legde hij uit, dat de materialen en de gereedschappen op het Eiland waren achtergebleven. Zonder een bijl viel er geen mast of ra te kappen, zonder hamers konden de deuren niet uit hun hengsels worden getikt en aan elkaar gespijkerd.

Daar stond tegenover dat Pater Caspar niet al te bezorgd leek over die langdurige schipbreuk; sterker nog, hij verheugde zich erover dat hij weer over de kajuit, het dek en een aantal instrumenten kon beschikken om zijn studiën en waarnemingen voort te zetten.

Het was Roberto nog niet duidelijk wie Pater Caspar Wanderdrossel was. Een geleerde? Dat zeker, of in elk geval iemand die belezen was en die belangstelling had voor natuurwetenschappen en godgeleerdheid. Een dweper? Zonder meer. Op een bepaald moment had de Pater laten doorschemeren dat het schip niet was uitgerust op kosten van de Compagnie, maar op kosten van hemzelf, of liever van zijn broer, een rijk geworden handelaar die net zo'n gek was als hij. Bij andere gelegenheden had hij zich over sommigen van zijn medebroeders beklaagd en zich laten ontvallen dat ze hem 'viele zeer vruchtbare ideeën gestohlen hadden', na deze aanvankelijk te hebben afgedaan als kolder. Hetgeen deed vermoeden dat de eerwaarde paters daarginds in Rome het vertrek van die waanwijze man bepaald niet met lede ogen hadden aanschouwd en dat ze hem, aangezien hij op eigen kosten scheep ging en er goede hoop was dat hij op die onbegane vaarroutes zou verdwalen, zelfs hadden aangemoedigd, om van hem af te zijn.

Roberto had in de Provence en in Parijs zoveel gehoord over natuurgeleerdheid en natuurkennis dat hij over de uitlatingen van de oude man zo zijn twijfels had. Maar we hebben gezien dat Roberto de kennis waaraan hij was blootgesteld had opgezogen als een spons en er niet al te zeer voor was teruggedeinsd te geloven in tegenstrijdige waarheden. Wellicht niet zozeer omdat hij wars was van een stelselmatige aanpak, als wel omdat hij zulks verkoos.

In Parijs was de wereld hem voorgekomen als een schouwtoneel van bedrieglijke schijnvertoningen, waar elke toeschouwer elke avond getuige wilde zijn van weer nieuwe wonderlijke gebeurtenissen, alsof de gewone dingen, zelfs al waren die wonderbaarlijk, niemand meer konden verlichten en uitsluitend ongewoon onbestemde of onbestemd ongewone dingen nog in staat waren hen op te winden. De Ouden beweerden dat er op elke vraag slechts één antwoord mogelijk was, terwijl het grote theater dat Parijs was hem een schouwspel had geboden waarin op één vraag de meest uiteenlopende antwoorden konden volgen. Roberto had besloten slechts de helft van zijn geest in te ruimen voor de dingen waarin hij geloofde (of geloofde te geloven), om de andere helft beschikbaar te houden voor het geval het tegendeel zou blijken.

Het valt dus te begrijpen dat hij met deze instelling niet echt reden zag ook de minst geloofwaardige onthullingen van Pater Caspar in twijfel te trekken. Van alle verhalen die hij had gehoord, was dat wat de jezuïet hem had verteld zonder twijfel het buitenissigste. Waarom zou hij het dan voor onwaar houden?

Ik durf te wedden dat iedereen die zich op een verlaten schip tussen hemel en zee op een volkomen afgelegen punt in de ruimte bevindt, bereid is te dromen dat het hem in zijn enorme ellende ten minste vergund is in het middelpunt van de tijd terecht te zijn gekomen.

Hij kon dus, ter verstrooiing, allerlei bewijsredenen tegen die verhalen aanvoeren, maar dikwijls stelde hij zich op als de leerlingen van Socrates, die hun nederlaag bijna afsmeekten.

Bovendien, hoe kon hij de kennis van de hand wijzen van iemand die inmiddels een vaderfiguur voor hem was geworden en hem in één klap van een verbijsterde schipbreukeling had doen verkeren in een reiziger op een schip dat in deskundige handen was? Of het nu kwam door het gezag dat zijn kleed uitstraalde of doordat hij oorspronkelijk de heer van dat zeekasteel was, Pater Caspar vertegenwoordigde in zijn ogen de Macht en Roberto was voldoende bekend met de opvattingen uit zijn tijd om te weten dat men zich, in schijn tenminste, naar gezag moet schikken.

En als Roberto aan zijn gastheer begon te twijfelen, troonde deze hem onverwijld mee op een nieuwe onderzoekingstocht over het schip en toonde hem instrumenten die aan zijn aandacht waren ontsnapt, waardoor hij in de gelegenheid was zovele en zodanige dingen te leren dat hij zijn vertrouwen herwon.

Zo had Pater Caspar hem bijvoorbeeld gewezen op het bestaan van netten en angels. De *Daphne* lag voor anker in zeer rijk viswater en het was onzin om de scheepsvoorraden aan te spreken als ze ook verse vis konden eten. Roberto, die nu overdag met zijn berookte bril rondliep, had snel geleerd hoe hij de netten moest laten zakken en de angels moest uitwerpen, en had zonder al te veel moeite dieren van dermate bovenmatige afmetingen gevangen dat hij meer dan eens de kans had gelopen overboord te worden getrokken door de plotse kracht waarmee ze toehapten.

Hij legde ze op het dek en Pater Caspar leek van elke vis te weten wat voor een het er was en zelfs hoe die heette. Maar of hij ze naar gelang hun aard benoemde of ze naar eigen goeddunken doopte, wist Roberto niet te zeggen.

Waren de vissen op zijn eigen halfrond grijs, of hooguit kwikzilverig, hier waren ze azuurblauw met maraskijnkleurige vinnen, hadden ze saffrane baarden, of kardinaalrode bekken. Hij had een juffervis gevangen met aan beide uiteinden van het lichaam een kop met oogvlekken, maar Pater Caspar had hem erop opmerkzaam gemaakt dat de tweede kop eigenlijk een staart was die door de natuur zo was getekend dat het dier, door deze te bewegen, zijn tegenstanders ook van achteren angst kon aanjagen. Ze vingen een vis met een bontgevlekte buik en inktstrepen op zijn rug, met alle kleuren van de regenboog rond zijn ogen en een geitebek, maar Pater Caspar liet hem meteen in zee teruggooien omdat hij wist (verhalen van zijn medebroeders, reiservaring, zeemanslegende?) dat die giftiger was dan een satansboleet.

Van een andere vis, met gele ogen, een bolle bek en tanden als spijkers, had Pater Caspar meteen gezegd dat het een creatuur van Beëlzebub was. Dat ze hem op het dek naar lucht moesten laten happen tot de dood erop volgde, en dan vort terug naar waar hij vandaan kwam. Zei hij dat omdat hij die kennis ergens had opgedaan of ging hij op het uiterlijk af? Overigens bleken alle vissen die volgens Pater Caspar eetbaar waren, verrukkelijk – en van één had hij zelfs weten te melden dat deze gekookt lekkerder was dan gebakken.

Toen de jezuïet Roberto inwijdde in de geheimen van die Salomonszee, had hij ook uitgebreid verteld over het Eiland, waar de *Daphne* bij haar aankomst helemaal omheen was gezeild. Aan de oostkant lagen enkele kleine stranden, waar echter pal de wind op stond. Vlak achter de zuidkaap, waar ze later met de sloep aan land waren gegaan, lag een rustige baai, maar daar was het water zo ondiep dat de *Daphne* er niet kon meren. Het schip lag nu op de gunstigste plek: wie het Eiland naderde zou op een zandbank lopen en wie ervan wegvoer zou midden in een zeer sterke stroming terechtkomen, die door de geul tussen de twee eilanden van het zuidwesten naar het noordoosten liep. Dat kon hij Roberto gemakkelijk laten zien. Pater Caspar vroeg hem het smerige kreng van de Beëlzebubvis met alle kracht die hij bezat aan de westzijde in zee te gooien, en het kadaver van het monster werd, zolang ze het zagen drijven, met geweld door de onzichtbare stroom meegesleurd.

Zowel Pater Caspar als de zeelieden hadden het Eiland grotendeels, zij het niet geheel, verkend. Genoeg om tot de slotsom te komen dat je vanaf de kruin, die ze dan ook hadden uitgekozen om er de Specula neer te zetten, het gehele Eiland kon overzien, dat ongeveer zo groot was als de stad Rome.

Meer landinwaarts bevond zich een waterval en ze hadden er een weelderige plantengroei aangetroffen: niet alleen kokospalmen en bananen, maar ook een aantal bomen met stervormige stammen en stekels die spits toeliepen, als klingen.

Van de dieren had Roberto er een aantal benedendeks gezien: het Eiland was een vogelparadijs, er waren zelfs vliegende vossen. In het kreupelhout hadden ze varkens ontdekt, maar die hadden ze niet kunnen vangen. Er zaten slangen, maar geen daarvan was vergiftig of gevaarlijk gebleken, terwijl de verscheidenheid aan hagedissen onuitputtelijk was.

De bontste verzameling dieren bevond zich echter bij de koralen wering: allerlei schildpadden, schaaldieren en oesters, nauwelijks te vergelijken met die uit onze zeeën, zo groot als manden, als pannen, als dekschalen, die vaak moeilijk waren open te krijgen, maar als ze eenmaal open waren een overvloed van wit vlees bleken te bevatten, zo zacht en vet dat het een ware lekkernij was. Jammer genoeg konden ze niet aan boord worden gehaald: zodra ze uit het water waren, bedierven ze onder de hitte van de zon.

Ze hadden geen van de grote wilde dieren gezien waar andere gebieden in Azië zo rijk aan zijn, geen olifanten, geen tijgers of krokodillen. En trouwens ook niets dat leek op een os, een stier, een paard of een hond. Het leek wel of elke vorm van leven op dat Eiland niet door een bouwmeester of een beeldhouwer was bedacht, maar door een goudsmid: de vogels waren gekleurde kristallen, de bosdieren klein, de vissen plat en bijna doorschijnend.

Noch Pater Caspar noch de schipper noch de zeelieden hadden de indruk dat er in die wateren haaien zaten, want die kon je van veraf herkennen aan hun vin, die zo scherp was als een bijl. En dan te bedenken dat die zeeën er vol mee zitten. Dat er voor en rond het Eiland geen haaien zouden zitten, was naar mijn mening een hersenschim van die zonderlinge onderzoeker, of wellicht was zijn gevolgtrekking juist, namelijk dat die dieren zich liever iets westelijker ophielden omdat zich daar een sterke stroming bevond waar ze zeker voedsel in overvloed zouden vinden. Hoe het ook zij, voor het verloop van het verhaal is het goed dat Caspar noch Roberto beducht waren voor de aanwezigheid van haaien, anders zouden ze later niet de moed hebben gehad het water in te gaan en had ik niets te vertellen gehad.

Roberto hoorde deze beschrijvingen aan, ging steeds meer naar het verre Eiland verlangen, trachtte zich de vorm, de kleur en de beweging van de schepselen waarover Pater Caspar hem vertelde voor te stellen. En dat koraal, hoe was dat koraal, dat hij alleen kende als sieraad en dat in gedichten de kleur had van de lippen van een mooie vrouw?

Pater Caspar kon het koraal niet met woorden beschrijven en beperkte zich ertoe met een gelukzalige uitdrukking op zijn gelaat zijn ogen ten hemel te slaan. Dat wat Roberto voor ogen had, was dood koraal, net zo dood als de deugd van de courtisanes op wie de libertijnen die onjuiste vergelijking toepasten. Inderdaad zaten er op het strandrif ook dode koralen, en als je die stenen aanraakte, verwondde je je eraan. Maar die waren in niets te vergelijken met levende koralen, die – hoe zei je dat nu – onderzeebloemen, anemonen, hyacinten, amaranten, ranonkels, violieren waren – ach nee, dat zei nog niets – een feest van galappels, bolsters, denneappels, knoppen, klitten, scheuten, kroppen, nerfjes – maar nee, ze waren anders, beweeglijk, kleurig als de tuin van Armida, nabootsingen van alle gewassen van het veld, de moestuin en het bos, van de konkommer tot de eierzwam en de sluitkool...

Hij had zulke koralen elders gezien, met behulp van een instrument dat een medebroeder van hem had vervaardigd (en toen hij een kist in zijn hut doorzocht, kwam het instrument inderdaad te voorschijn): het was een soort masker van leer met een groot kijkglas erin, waarvan de rand omzoomd en verstevigd was. Je kon het met twee riemen achter in je nek vastbinden, zodat het van je voorhoofd tot je kin tegen je aangezicht zat. Drijvend op een platte schuit die niet zou vastlopen op een onderzeese wal, diende je je hoofd voorover te buigen zodat het juist in het water kwam en je de bodem kon zien – terwijl iemand die zijn hoofd er zonder meer in zou steken niet alleen een brandig gevoel aan zijn ogen zou krijgen, maar bovendien niets zou zien.

Caspar dacht dat het geval – dat hij Perspicillum, Oogglas, Kijker of ook wel Persona Vitrea noemde (een masker dat niet verhult maar juist openbaart) – ook gedragen zou kunnen worden door iemand die tussen de rotsen zwom. Niet dat het water niet vroeg of laat naar binnen sijpelde, maar als je je adem inhield kon je een tijdje om je heen kijken. Waarna je weer naar boven moest komen, het ding moest legen en opnieuw moest beginnen.

'Als jij schwimmen lernen zou, kon jij deze zaken da zien,' zei Caspar tegen Roberto. En Roberto, die hem nadeed: 'Als ik schwimmen zou, werd mijn borst een veldfles!' Maar hij betreurde het wel dat hij daar niet heen kon.

En verder, en verder, voegde Pater Caspar daar nog aan toe, op het Eiland zat de Gevlamde Duif.

'De Gevlamde Duif? Wat is dat?' vroeg Roberto, mijns inziens overdreven gretig. Alsof het Eiland hem al sinds tijden een duister zinnebeeld voorhield, dat nu pas volkomen helder werd.

Pater Caspar legde uit dat de schoonheid van deze vogel moeilijk te beschrijven was, en dat je hem moest zien om erover te kunnen praten. Hij had hem al meteen op de dag dat ze waren aangekomen door zijn verrekijker gezien. En van verre was het net een vurige gouden bal, of een gouden vuurbal, geweest die uit de toppen van de hoogste bomen de lucht in schoot. Zodra hij voet aan wal had gezet, had hij er het zijne van willen weten en de zeelieden opgedragen de vogel op te sporen.

Ze hadden lange tijd op hem geloerd, totdat ze door hadden in welke bomen hij huisde. Hij maakte een zeer eigenaardig geluid, een soort 'klok-klok', het geluid dat je krijgt door met je tong tegen je gehemelte te klakken. Caspar had ontdekt dat je die lokroep met je mond of met je vingers kon nabootsen en dat het dier dan antwoordde, en een paar keer had het zich laten betrappen terwijl het van tak tot tak vloog.

Caspar was een aantal keren teruggekeerd om hem te bespieden, maar nu met een kijker, en had de bijna roerloze vogel ten minste eenmaal goed kunnen zien: zijn kop was diep olijfgroen – nee, wellicht aspergegroen, net als zijn poten – en het wouwgeel van de bek liep als een masker door en omsloot ook de ogen, die op Turkse tarwekorrels leken, met een glanzende, zwarte pupil. Zijn keel was goudkleurig, net als de uiteinden van zijn vleugels, maar zijn lijf was, van de borst tot aan de staartveren – heel fijne donsveertjes die op vrouwenhaar leken – zijn lijf was (hoe zeg je dat nu?) – nee, rood was niet het goede woord…

Kardinaalrood, scharlakenrood, vermiljoenrood, bloedrood, karmozijnrood, steenrood, koperrood, vosrood, opperde Roberto. *Nein, nein,* zei Pater Caspar geërgerd. En Roberto: als een aardbezie, een roos, een framboos, een morel, een radijs; als de beziën van de hulst, de buik van de mistellijster of de rode rotslijster, de staart van het roodstaartje, de borst van het roodborstje... Nee, nee, nee, bleef Pater Caspar zeggen, worstelend met zijn eigen en andermans talen om de juiste woorden te vinden: en – uit de samenvatting die Roberto er vervolgens van geeft valt niet meer op te maken of hier degene spreekt die de informatie verstrekt dan wel degene die de informatie krijgt – het dier moest de uitbundige kleur van een oranjeappel hebben, of van een appelsina, het was een gevleugelde zon, kortom, als je het in de witte hemel zag vliegen, was het alsof de dageraad een granaatappel op de sneeuw uiteen deed spatten. En als hij omhoogschoot naar de zon, schitterde hij meer dan een cherubijn!

Deze oranjekleurige vogel, zei Pater Caspar, kon enkel en alleen op de Salomonseilanden leven, want in het Hooglied van die grote Koning was sprake van een duif die opgaat als de dageraad, stralend is als de zon, *terribilis ut castrorum acies ordinata.* Zijn vleugels waren, zoals in een andere psalm staat, bedekt met zilver en zijn staart had een gouden weerschijn.

Ook had Pater Caspar nog een tweede vogel gezien, die bijna hetzelfde was, met dien verstande dat zijn veren niet oranjekleurig waren maar hemelsblauw, en afgaand op de manier waarop ze in de regel getweeën op dezelfde tak zaten, moesten het wel een mannetje en een vrouwtje zijn. Uit hun vorm en hun onophoudelijke gekoer viel af te leiden dat het mogelijkerwijze duiven waren. Welke van de twee het mannetje was, viel moeilijk te zeggen, en bovendien had hij de zeelieden verboden ze te doden.

Roberto vroeg hoeveel duiven er op het Eiland zouden kunnen zitten. Voor zover Pater Caspar wist, die elke keer slechts één oranjeappel naar de wolken had zien schieten, en altijd maar één paartje tussen het hoge gebladerte had ontwaard, was het heel wel mogelijk dat er op het Eiland maar twee duiven zaten, en slechts één oranjekleurige.

Een onderstelling die Roberto deed smachten naar die uitheemse schoonheid – die, als zij op hém wachtte, al vanaf de eerste dag op hem wachtte.

Maar als Roberto wilde, zei Caspar, zou hij haar ook vanaf het schip kunnen zien, als hij zich maar urenlang achter de kijker opstelde. Dan moest hij echter wel die beroete bril afzetten. Op Roberto's verweer dat zijn ogen dit niet verdroegen, had Caspar geantwoord met enkele meesmuilende opmerkingen over vrouwenkwaaltjes en had hij hem de watertjes aangeraden waarmee hij zijn eigen buil had genezen (Spiritus, Olea, Flores).

Het wordt niet duidelijk of Roberto ze gebruikt heeft of dat hij zich langzaam, eerst bij ochtend- en avondschemer en daarna op klaarlichte dag, heeft aangewend zonder bril om zich heen te kijken, en of hij die nog op had toen hij, zoals we zullen zien, probeerde te leren zwemmen – maar vast staat dat hij zijn ogen vanaf dat moment niet meer gebruikt als voorwendsel om te vluchten of zich te verbergen. Zodat het geoorloofd is hieruit af te leiden dat Roberto, beetje bij beetje, wellicht door de heilzame werking van de verkwikkende lucht of van het zeewater, genas van een aandoening die, echt of voorgewend, al meer dan tien jaar een weerwolf van hem maakte (tenzij de lezer wil insinueren dat ik hem van nu af aan voortdurend aan dek nodig heb en hem, omdat ik daarvoor geen aanwijzingen in zijn aantekeningen heb gevonden, met auctoriale aanmatiging van al zijn kwalen verlos).

Maar wellicht wilde Roberto genezen om tot elke prijs de duif te zien. En hij zou meteen naar de regeling zijn gesneld om de hele dag de bomen af te speuren als hij niet was afgeleid door een ander onoplosbaar vraagstuk.

Toen hij klaar was met de beschrijving van het Eiland en zijn rijkdommen, had Pater Caspar opgemerkt dat zoveel luisterrijke zaken zich alleen maar hier, op de meridiaan van de tegenvoeters, konden bevinden. Roberto had toen gevraagd: 'Maar eerwaarde vader, u hebt me verteld dat de Specula Melitensis u bevestigd heeft dat u zich op de meridiaan van de tegenvoeters bevindt, en ik geloof het. Maar u hebt de Specula niet op elk eiland dat u op uw reis bent tegengekomen opgesteld, maar alleen op dit. En dus moest u er, voordat de Specula u dat vertelde, op een of andere manier al zeker van zijn geweest dat u de lengtecirkel had gevonden die u zocht!'

'Jij hebt recht. Wanneer ik hierher gekomen was zonder te weten dat hier hier was, had ik niet weten kunnen dat ik hier was... Ik verklaar jou dat: omdat ik wist dat die Specula dat enige juiste instrument was, heb ik, om op de plek te komen waar ik die Specula probieren moest, falsche methoden gebruiken moeten. En zo heb ik het gemacht.'

23

wiskunstige ***rekening***

in hemelklootse
voorstellen

Toen hij zag dat Roberto zo zijn twijfels had en voorwendde op
hoogte te zijn van de verschillende methoden om de lengtecirkels te
bepalen, waarvan hij beweerde dat ze volslagen nutteloos waren, had
Pater Caspar hem gezegd dat ze dan misschien elk op zich gebrekkig
mochten zijn, maar dat je, als je alle methoden combineerde, de verschillende uitkomsten tegen elkaar af kon zetten waardoor de gebre-
ken van elke methode afzonderlijk vereffend werden. 'En dat is ma-
thematik!'

Natuurlijk is het niet zeker dat een uurwerk na duizenden mijlen
nog steeds de tijd aangeeft van de plaats van vertrek. Maar hoeveel
verschillende uurwerken, waarvan sommige speciaal en met de uiterste zorgvuldigheid voor dat doel waren vervaardigd, had Roberto niet
op de *Daphne* ontdekt? Jij vergelijkt hun onnauwkeurige tijden, legt
dagelijks de antwoorden van de een naast de verordening van de ander, en dan krijg jij wel enige zekerheid.

En de log of het logschuitje of hoe het ook heette? Die welke doorgaans gebruikt worden voldoen niet, maar kijk eens wat Pater Caspar
gebouwd had: een kistje met twee rechtopstaande stangen, waarlangs
een touw dat in lengte overeenkwam met een bepaald aantal mijlen
op- dan wel afrolde. De stang waarlangs het oprolde was getooid met
een heleboel schoepjes, die als in een molen ronddraaiden, voortgestuwd door de wind die ook de zeilen deed bollen, en die hun gang
versnelden dan wel vertraagden – waardoor het touw meer of minder
werd opgerold – naar gelang de kracht van de wind die er óf recht óf

schuin tegenaan blies, waarbij zelfs afwijkingen die het gevolg waren van het rollen of het door de wind gaan, werden vastgelegd. Niet de allerbetrouwbaarste methode, maar zeer bruikbaar als je de uitkomsten zou vergelijken met andere peilingen.

En maansverduisteringen? Reken maar dat je, als je die op reis wilde waarnemen, op ontallijk veel onduidelijkheden stuitte. Maar wat evenwel te denken van die welke op het vasteland waren waargenomen?

'Wij moeten viele waarnemer hebben en in viele plaatsen der wereld, die bereid zijn ad majorem Dei gloriam tezamen te werken, en elkaar niet beleidigen of honen en verachten. Hoor toe: in 1621, die achte november, registreert de zeer eerwaarde Pater Julius de Alessis in Macao een eclipsis van acht uur dertig tot elf uur dertig avonds. Hij stelt de zeer eerwaarde Pater Carolus Spinola daarvan in kennis, die diezelfde eclipsis om negen uur dertig van dezelfde avond in Nangasaki, in Iaponia, waargenomen had. En Pater Christophorus Schneider had dieselfde eclipsis in Ingolstadt waargenommen, om vijf uur namiddags. De differenz van een stunde maakt vijftien meridiaangraden, en dat is also de afstand tussen Macao und Nangasaki, niet zestien graden en twintig minuten, zoals Blaeu zegt. Verstanden? Natuurlijk moet men bij dit soort waarnemingen op de hoede zijn voor schaduw en mist, de juiste uurwerken hebben, zich niet het initium totalis immersionis ontgaan laten en die juiste midden houden tussen initium et finis eclipsis, de tussenmomenten waarnemen waarin die vlekken dunkel worden, et coetera. Als die plekken weit weg zijn, maakt een gans kleine fehler niet uit, maar als die plekken zeer na zijn, kan een fehler van een paar minuten een gans grote differenz maken.'

Los van mijn overtuiging dat Blaeu het met betrekking tot Macao en Nagasaki meer bij het rechte eind had dan Pater Caspar (hetgeen bewijst dat de kwestie van de lengtecirkels toentertijd werkelijk erg lastig was), zien we dat de jezuïeten, door de door hun medebroeders verrichte waarnemingen te verzamelen en te combineren, een Horologium Catholicum tot stand hadden gebracht – hetgeen niet betekende dat het zeer trouw was aan de paus, maar dat het een wereldomspannend uurwerk was. Het was namelijk een soort planisfeer, waarop alle vestigingen van de Sociëteit stonden aangegeven, van Rome tot aan de grenzen van de bekende wereld, en waarop bij elke vestiging de plaatselijke tijd stond vermeld. Dat was de reden, legde Pater Caspar uit, dat hij niet al vanaf het begin van de reis de tijd in de gaten had hoeven houden, maar pas vanaf de laatste wachtpost van de christelijke wereld waarvan de lengtecirkel onbetwist was. En zo was de kans op vergissingen danig afgenomen, en had hij tussen de verschillende aanlegplaatsen ook methoden gebruikt die op zich geen enkele zekerheid verschaften, zoals de variatiën van de magneetnaald of de berekening op grond van de maanvlekken.

Gelukkig zaten zijn medebroeders werkelijk zo'n beetje overal, van Pernambuco tot Goa, van Mindanao tot Porto Sancti Thomae, en als de wind hem belette in de ene haven aan te leggen was er meteen een volgende. In Macao bijvoorbeeld, ach, Macao, alleen al bij de gedachte aan dat avontuur raakte Pater Caspar van streek. Het was in Portugese handen, en de Chinezen noemden de Europeanen dan ook langneuzen, omdat de eerste mensen die op hun kust ontscheepten Portugezen waren geweest, die inderdaad een zeer lange neus hebben, evenals de jezuïeten die met hen meereisden. De stad was dus één grote kroon van op de heuvel gelegen wit met blauwe forten die onder toezicht stonden van de paters van de Sociëteit, die zich ook gedwongen zagen zich met krijgszaken in te laten, aangezien de stad bedreigd werd door Hollandse ketters.

Pater Caspar had besloten naar Macao te koersen, waar hij een medebroeder kende die zeer goed onderlegd was in de wetenschap der sterrenlopen, maar was vergeten dat hij op een fluit voer.

Wat hadden die beste paters van Macao gedaan? Toen ze een Hollands schip ontwaarden, hadden ze hun toevlucht genomen tot kanonnen en veldslangen. Het had niet mogen baten dat Pater Caspar op de voorplecht met zijn armen had staan zwaaien en meteen het vaandel van de Sociëteit had ontploken, want het was die vermaledijde langneuzen – die Portugese medebroeders van hem, gehuld in kruitdampen die hen aanspoorden tot het aanrichten van een heilig bloedbad – niet eens opgevallen en ze waren rustig doorgegaan de *Daphne* met kogels te bestoken. Het was uitsluitend bij de gratie Gods dat ze op het nippertje de zeilen in top hadden kunnen halen, hadden kunnen wenden en het ruime sop hadden kunnen kiezen, terwijl de schipper die heetgebakerde paters in dat lutherse taaltje van hem allerlei verwensingen naar het hoofd slingerde. En dit keer had hij gelijk: Hollanders in de grond boren was geoorloofd, maar niet als er een jezuïet aan boord was.

Gelukkig was het niet moeilijk daar in de buurt andere vestigingen te vinden, en ze waren afgestevend op het gastvrijere Mindanao. En zo hadden ze van aanlegplaats tot aanlegplaats de lengtecirkels kunnen bijhouden (en god mag weten hoe, voeg ik eraan toe, aangezien ze op een handpalm afstand van Australië uitkwamen en dus elk gevoel voor richting hadden verloren).

'En nu moeten wij Novissima Experimenta maken om clarissime et evidenter demonstrieren te kunnen dat wij op de honderdachtigste meridiaan zijn. Anders denken mijn confratres van het Collegium Romanum dat ik malende ben.'

'Nieuwe experimenten?' vroeg Roberto. 'Hebt u me niet net verteld dat de Specula u eindelijk de zekerheid heeft verschaft dat u zich op de honderdtachtigste meridiaan voor het Salomonseiland bevindt?'

Ja, antwoordde de jezuïet, daar was hij zeker van: hij had de verschillende, door anderen uitgedachte, onvolmaakte methoden naast elkaar gelegd, en de overeenkomst tussen zoveel verschillende zwakke methoden kon niet anders dan leiden tot een zeer grote zekerheid, zoals bij het Godsbewijs gebeurt door de *consensus gentium*. Want het is weliswaar zo dat veel mensen die in God geloven tot dwaling geneigd zijn, maar het is onmogelijk dat iedereen het bij het verkeerde eind heeft, van de oerwouden in Afrika tot aan de woestijnen in China. Zo geloven we ook dat de zon en de maan en de andere planeten bewegen, of dat de stinkende gouwe een verborgen kracht bezit, of dat er in het midden der aarde een onderaards vuur brandt. De mensen hebben dat duizenden en duizenden jaren geloofd en door dat te geloven hebben ze op deze planeet kunnen leven en hebben ze allerlei nuttige zaken ontleend aan de wijze waarop ze het grote boek der natuur hadden gelezen. Maar een grote ontdekking als deze diende door vele andere bewijzen gestaafd te worden, opdat ook de sceptici zouden zwichten voor de onloochenbaarheid ervan.

Daar komt nog bij dat kennis niet alleen moet worden nagejaagd uit liefde voor het weten, maar ook om de eigen broeders erin te laten delen. En omdat het hem zoveel moeite had gekost de juiste lengtecirkel te vinden, diende hij daar nu dus de bevestiging voor te vinden met behulp van eenvoudiger methoden, opdat deze kennis tot erfgoed zou worden van al onze broeders, 'of jedenfalls van alle christliche broeder, of liever, de katholische broeder, omdat het veel besser zijn zou als deze geheimen niet die ketzer aus Holland of England, of, nog erger, die Moravier te oren komen zou.'

Welnu, van alle methoden om de lengte te berekenen, waren er zijns inziens twee betrouwbaar. De eerste, die goed was voor het vasteland, was dat juweel van een methode, de Specula Melitensis; de tweede, die goed was voor waarnemingen op zee, was het Instrumentum Arcetricum, dat benedendeks lag en nog niet gebruiksklaar was gemaakt, omdat hij eerst met behulp van de Specula zekerheid had willen krijgen omtrent hun huidige ligging, om vervolgens te kijken of dat Instrumentum die onderschreef, waarna deze methode beschouwd kon worden als de betrouwbaarste.

Pater Caspar zou dat experimentum al veel eerder hebben uitgevoerd, ware het niet dat gebeurd was wat er gebeurd was. Maar nu was het moment aangebroken, en wel diezelfde nacht nog: de hemel en de dagtafels zeiden dat het de juiste nacht was.

Wat was dat Instrumentum Arcetricum? Het was een kunstwerk dat vele jaren daarvoor door Galileus Galilei was uitgedacht – maar let wel: uitgedacht, beschreven, in het vooruitzicht gesteld, maar nooit verwezenlijkt, totdat Pater Caspar aan het werk ging. En toen Roberto vroeg of die Galileus Galilei dezelfde was als de man die de alom veroordeelde gedachte had geopperd dat de aarde bewoog, luidde Pater Caspars antwoord dat zulks inderdaad het geval was, ja, dat die Galilei zich met de metaphysica en de Heilige Schrift had bemoeid en de vreselijkste dingen had gezegd, maar dat hij een uiterst vernuftig en groots werktuigkundige was. En op de vraag of het niet slecht was de denkbeelden te gebruiken van een man die door de Kerk was verworpen, had de jezuïet geantwoord dat zelfs de denkbeelden van een ketter, als die op zich maar niet ketters zijn, kunnen bijdragen tot meerdere eer van God. En het spreekt vanzelf dat Pater Caspar, die alle bestaande methoden omarmde en er nooit één boven de ander stelde maar zijn voordeel deed met hun roerig conciliabulum, ook de methode van Galilei afroomde.

Nee, het was zowel voor de wetenschap als voor het geloof juist van groot belang zo snel mogelijk de vruchten te plukken van de opvattingen van Galilei; deze had ze al trachten te verkopen aan de Hollanders die, net als de Spanjaarden enkele tientallen jaren eerder, gelukkig zo hun bedenkingen hadden gehad.

Galilei had allerlei bizarrieën ontleend aan een voorstel dat op zich zeer juist was, namelijk om de vondst van de verrekijker te stelen van de Vlamingen (die hem uitsluitend gebruikten om naar schepen in de haven te kijken) en dat instrument op de hemel te richten. En daar had hij, naast allerlei andere dingen die Pater Caspar niet in twijfel zou durven trekken, ontdekt dat Jupiter vier omlopers had, oftewel vier manen, die tot op dat moment nog nooit door iemand waren waargenomen. Vier sterretjes die eromheen draaiden, terwijl hijzelf om de zon draaide – en we zullen zien dat Pater Caspar het wél toelaatbaar achtte dat Jupiter om de zon draaide, mits de aarde maar met rust werd gelaten.

Dat onze maan af en toe verduistert als ze in de schaduw van de aarde komt, was algemeen bekend, net zoals het alle sterrenkundigen bekend was wanneer de maansverduistering zou plaatsvinden, en de dagtafels golden in dezen als doorslaggevend. Zo verbazend was het dus niet dat ook de manen van Jupiter hun verduisteringen hadden. Sterker nog, voor ons hadden ze er twee, een echte verduistering en een occultatie.

De maan verdwijnt namelijk uit ons gezichtsveld als de aarde tussen de maan en de zon komt te staan, maar de omlopers van Jupiter verdwijnen twee keer uit het zicht, als ze erachter langs gaan, en als ze ervoor langs gaan en daarbij geheel versmelten met zijn licht. Met een goede verrekijker kunnen hun verschijningen en verdwijningen zeer goed worden gevolgd. En terwijl maansverduisteringen slechts bij hoge uitzondering plaatsvinden en uitermate lang duren, komen die van de omlopers van Jupiter zeer vaak voor en voltrekken zich erg snel, hetgeen een onschatbaar voordeel is.

Stel nu dat het uur en de minuten van de verduisteringen van elke omloper (die elk hun eigen baan hebben) nauwkeurig getoetst zijn aan de hand van een bekende meridiaan en dat dit in de dagtafels vermeld staat; dan hoef je alleen nog maar te trachten het uur en de minuut vast te stellen waarop de verduistering zichtbaar is boven de (onbekende) meridiaan waarop je je bevindt, en is de berekening snel gemaakt, waarna het mogelijk is daaruit de lengtecirkel van de plek van waarneming af te leiden.

Het is waar dat er enige bezwaren aan kleefden, maar die waren zo onbeduidend dat je daar een leek niet mee hoefde te vervelen; de onderneming zou echter geen grote opgave zijn voor een goed rekenaar die beschikte over een instrument om de voortgang van de tijd te meten, te weten een perpendiculum of slinger – of Horologium Oscillatorium, als men het zo wilde noemen – waarmee volslagen nauwkeurig zelfs het verschil van een enkele tel kon worden gemeten; item, die twee gewone uurwerken had die hem getrouw vertelden wat de begin- en de eindtijd van het verschijnsel was, zowel boven de meridiaan van waarneming als boven die van het eiland Hierro; item, die aan de hand van de sinustafel de grootte kon meten van de hoek die het oog met de onderzochte lichamen maakte – een hoek die, indien opgevat als de stand van de wijsnaalden van een uurwerk, de afstand tussen twee lichamen en de voortschrijdende variatie van die afstand in minuten en seconden zou uitdrukken.

Mits, het dient te worden herhaald, men beschikte over de goede dagtafels die Galilei, oud en ziek als hij was, niet meer had kunnen voltooien, maar die de medebroeders van Pater Caspar, die ook al zo goed waren in het berekenen van de maansverduisteringen, nu volledig hadden volmaakt.

Wat waren die onbeduidende bezwaren waar de tegenstanders van Galilei zich zo over opwonden? Wellicht dat het waarnemingen betrof die niet met het blote oog verricht konden worden en waar een goede verrekijker – of sterrekijker als men het zo wilde noemen – voor nodig was? Welnu, Pater Caspar bezat er een van uitstekende makelij, een waarvan zelfs Galilei nooit had kunnen dromen. Of dat diergelijke metingen en berekeningen te veel gevraagd waren van gewone zeelieden? Maar als voor alle andere methoden om de lengtecirkels te bepalen, met uitzondering wellicht van het logschuitje, al een sterrenkundige nodig was! Als schippers geleerd hadden met het astrolabium om te gaan – iets dat toch niet binnen het bereik van de gemene leek lag – zouden ze ook wel kunnen leren met verrekijkers om te gaan.

Maar, zeiden de betweters, zulke nauwkeurige waarnemingen, waarvoor zoveel nauwgezetheid vereist was, konden misschien wel op het land worden verricht, maar niet op een bewegend schip, waar niemand een kijker op een hemellichaam gericht kon houden dat niet met het blote oog zichtbaar was... Welnu, Pater Caspar bevond zich daar om aan te tonen dat die waarnemingen met een beetje handigheid ook vanaf een bewegend schip verricht konden worden.

Ten slotte hadden een paar Spanjaarden tegengeworpen dat de verduisterde omlopers niet overdag zichtbaar waren, en niet op stormachtige nachten. 'Geloven zij soms dat men in die hände klatscht en die maaneclipses stante pede ter disposition heeft?' zei Pater Caspar geërgerd. En wie had ooit beweerd dat een waarneming op elk moment verricht moest kunnen worden? Wie van het ene naar het andere Indië heeft gereisd, weet dat het bepalen van de lengtecirkel niet vaker hoeft te geschieden dan vereist is voor de waarneming van de breedtecirkel, en ook die waarneming kan noch met het astrolabium noch met de graadboog verricht worden wanneer de zee erg woelig is. Ook als men die gebenedijde lengte maar eens in de twee, drie dagen zou kunnen bepalen, zou men tussen de waarnemingen in met behulp van het logschuitje de tijd en afgelegde afstand kunnen bijhouden, zoals men al deed. Met dien verstande dat men zich tot dan toe in de regel maand in maand uit tot dat laatste beperkte. 'Zij erschijnen mij,' zei de goede Pater nog verontwaardigder, 'als een mensch die jij in grote schaarste helpt met een korf brood en die, in plaats van dankbaar te zijn, ontevreden is dat jij niet ook schweinebraten und hasenbraten op zijn tafel neerzet. O Sacrobosco! Zou jij soms de kanonnen van dit schip overboord werpen omdat jij weet dat van de honderd schoten er negentig in het water plof maken?'

En zo betrok Pater Caspar Roberto dus bij de voorbereiding van een experimentum dat verricht moest worden op een avond zoals die zich nu aankondigde: sterrenkundig gezien gunstig, met een heldere hemel, maar een matig woelige zee. Als het experimentum werd uitgevoerd op een windstille avond, legde Pater Caspar uit, was het net of je het aan land uitvoerde, en dat het daar zou slagen was bekend. Het experimentum moest de waarnemer een toestand van schijnbare windstilte verschaffen op een schip dat van voor naar achter en van bakboord naar stuurboord heen en weer schudde.

Vooreerst moest er tussen de uurwerken, die in de dagen daarvoor zo te lijden hadden gehad, gezocht worden naar één dat nog naar behoren liep. Eén slechts, in dit gelukkige geval, en niet twee: het uurwerk zou namelijk, op grond van een juiste dagpeiling (die al verricht was) afgestemd worden op de plaatselijke tijd, en aangezien ze er zeker van waren dat ze zich op de meridiaan van de tegenvoeters bevonden, was er geen tweede nodig dat de tijd van het eiland Hierro aangaf. Het volstond te weten dat het verschil precies twaalf uur was. Middernacht hier, twaalf uur 's middags daar.

Bij nadere beschouwing lijkt deze beslissing op een cirkelredenering te stoelen. Dat ze zich op de meridiaan der tegenvoeters bevonden, was iets dat door het experimentum moest worden aangetoond, en niet iets waarvan kon worden uitgegaan. Maar Pater Caspar was zo zeker van zijn eerdere waarnemingen dat hij deze uitsluitend bevestigd wilde zien, en bovendien was er na al dat tumult – waarschijnlijk – geen enkel uurwerk meer op het schip dat nog de tijd van de andere kant van de aardkloot aangaf, en dus moest die hindernis genomen worden. Overigens was Roberto niet zo bijdehand dat hij het verborgen feilen van deze methode onderkende.

'Wanneer ik zeg "nu", schau jij hoe laat het is, en schrijf jij het op. En gelijktijdig geef jij dat perpendiculum een klaps.'

Het perpendiculum bestond uit een metalen kastje waaraan, als aan een galg, een koperen staaf hing die eindigde in een ronde bol. Op het laagste punt waar de slinger langs ging, bevond zich een horizontaal rad waarop tanden waren bevestigd, die echter zodanig gevormd waren dat de ene kant van de tand loodrecht op het oppervlak van het rad stond, en de andere kant schuin. Heen en weer gaand stootte de slinger – op de heenweg – met een uitsteekseltje tegen een stugge varkenshaar, die op zijn beurt tegen het rechte gedeelte van een tand stootte en het rad voortbewoog; maar als de slinger terugkeerde, gleed de haar langs de schuine kant van de tand en bewoog het rad niet. Door de tanden te nummeren kon men, als de slinger stopte, tellen hoeveel tanden het rad was opgeschoven, en kon dus het aantal verstreken tijdsdeeltjes worden berekend.

'Zo moet jij niet jedes maal, een, twee, drie et coetera tellen, maar wanneer ik aan het eind "basta" zeg, dan houd jij dat perpendiculum vast en tel jij die tanden, verstanden? En schrijf jij op hoeveel tanden. En dan schau jij op dat horologium und schrijf jij: hora so und so. En als ik dan wieder "nu" zeg, geef jij gans krachtig een stoot daaraan, und vangt die oscillatio wieder aan. Simpel, zelfs een kind verstaat het.'

Het betrof hier natuurlijk geen indrukwekkend perpendiculum, dat besefte Pater Caspar wel, maar de kwestie was nog maar sinds kort onderwerp van gesprek en pas later zouden er betere kunnen worden gemaakt.

'Een quaestio difficillima, en wij moeten nog veel lernen, maar als Gott die Wette... hoe zeg jij dat, *le pari*...'

'Wedschap.'

'Genau. Als Gott die wedschap niet verboden had, kon ik een wedschap maken dat in toekomst alle menschen naar die lengtezirkels en alle andere aardse phaenomena zoeken gaan met een perpendiculum. Maar op een schip is dat zeer moeilijk, en jij moet goed oppassen.'

Caspar droeg Roberto op de twee instrumenten en dat wat hij nodig had om mee te schrijven op het kajuitdek neer te zetten, aangezien dat de hoogste waarnemingsplek op de gehele *Daphne* was en ze daar het Instrumentum Arcetricum in elkaar zouden zetten. Ze hadden de spullen uit de broodkamer gehaald die Roberto daar had zien liggen toen hij nog op jacht was naar de Indringer, en die naar het dek gebracht. Ze waren gemakkelijk te dragen, met uitzondering van het metalen bekken, dat ze, omdat het niet over de smalle trappen kon, na ettelijke pogingen onder veel gevloek op het dek hadden weten te hijsen. Maar mager en pezig als hij was, bleek Pater Caspars lichaamskracht, nu het erop aankwam zijn plannen te verwezenlijken, evenredig aan zijn wilskracht.

Met een werktuig om de nagels vast te klinken zette hij zo goed als alleen een staketsel van ijzeren halve cirkels en staafjes in elkaar, dat een cirkelvormige houder bleek te zijn waarop met ringen het ronde zeildoek werd vastgemaakt, zodat er ten slotte een grote schaal ontstond, in de vorm van een halve bol, van ongeveer twee meter doorsnee. Deze diende te worden geteerd, opdat de onwelriekende olie uit de vaatjes waar Roberto – zich beklagend over de stinkende walm – hem nu mee vulde, er niet doorheen zou sijpelen. Maar serafijns als een kapucijn wees Pater Caspar hem er fijntjes op dat er geen ajuinen in hoefden te worden gebakken.

'Waar is het dan wel voor?'

'Wij probieren in deze kleine zee een nog kleinere boot te plaatsen.' Hij liet zich helpen om het bijna platte metalen bekken, dat een iets kleinere doorsnee had, in de grote schaal van zeildoek te plaatsen. 'Heb jij nooit iemand zeggen horen die zee is glad als oleum? Schau, daar zie jij het, het dek neigt zich naar links en het oleum in die grote bak neigt zich naar rechts, et vice versa, of dat komt jou zo voor; in werkelijkheid blijft het oleum immer in gelijkgewicht zonder te steigen of te zinken, en parallel aan de horizont. Als het water was zou dat ook passieren, maar die kleine schotel ligt op het oleum als op een windstille zee. En ik heb in Rome al een kleines experimentum gemaakt, met twee kleine schotels, die grössere vol water en die kleinere vol zand, en dan heb ik een staafje in de zand gestekt, en ik heb die kleine in die grote drijven laten, en die grote beweegde, en men kon zien dat dat staafje recht was als een klokketoren, niet zo scheef als de torens van Bononia!'

'Wunderbar,' beaamde Roberto xenoglottisch. 'En nu?'

'Nu nemen wij dat kleine bekken heraus, want wij moeten daarop een gans bouwwerk errichten.'

Aan de onderkant van het bekken zaten aan de buitenkant kleine springveren omdat het, zo verklaarde de Pater, als het eenmaal met zijn last in het grotere bekken dreef ten minste een vingerlengte van de bodem verwijderd moest blijven; en als een overmaat aan beweging van zijn gast het te veel naar de bodem zou duwen (welke gast, vroeg Roberto – dat zie jij nog, antwoordde de pater), moesten die veren ervoor zorgen dat het zonder schokken weer omhoogkwam. Precies op het midden moest een stoel met een schuine rugleuning worden bevestigd, waarin een man bijna liggend kon zitten en naar boven kon kijken, met zijn voeten op een ijzeren plaat die als tegenwicht diende.

Toen het bekken eenmaal op het dek stond en met een enkele wig was verankerd, ging Pater Caspar op de stoel zitten en legde hij Roberto uit hoe deze een tuig van singels en linnen en lederen riemen, waar een kap in de vorm van een stormhoed aan diende te worden vastgemaakt, op zijn schouders moest bevestigen en om zijn middel vast moest maken. In de stormhoed zat een gat voor één oog, terwijl er ter hoogte van het neusstuk een stang uit stak waarop een ring was bevestigd. Door die ring werd de kijker gestoken, waaronder weer een rechte staaf zat die eindigde in een haak. De Grootspraak van de Ogen kon vrijelijk worden bewogen totdat de uitverkoren ster was gevonden; maar bevond deze zich eenmaal in het midden van de lens, dan haakte men die rechte staaf aan het borststuk vast en was men, ongeacht de mogelijkerwijs optredende bewegingen van die cycloop, vanaf dat moment verzekerd van een bestendig gezichtsveld.

'Perfecto!' jubelde de jezuïet. Als het bekken eenmaal op de kalme olie dreef, konden zelfs de vluchtigste hemellichamen langere tijd worden waargenomen zonder dat enige beroering van de woelige zee het uurschouwende oog van de uitverkoren ster kon doen afbuigen! 'En dat heeft deze herr Galilei beschreven, en ik heb het gemacht.'

'Het is heel mooi,' zei Roberto. 'Maar wie zet dit alles nu in die bak met olie?'

'Nu maak ik mijzelf los en kom herunter, dan plaatsen wij die lege schaal in het oleum, en dan stijg ik weer daarop.'

'Dat zal zo gemakkelijk niet gaan.'

'Viel makkelijker als wanneer wij die schaal met mij daarop da zetten moeten.'

Het bekken werd, zij het met enige moeite, met stoel en al omhooggehesen en in de olie te drijven gelegd. Daarna trachtte Pater Caspar, met helm en tuig en met de op de helm aangebrachte verrekijker, op het geval te klimmen, terwijl Roberto hem met de ene hand ondersteunde door zijn hand vast te houden en hem met de andere een kontje gaf. De poging werd een aantal keren herhaald, maar het haalde weinig uit.

Niet dat het metalen gevaarte waarop de grootste bak steunde niet ook nog een gast kon dragen, maar het bood hem niet voldoende steun. Want zodra Pater Caspar, zoals hij enkele malen deed, ook maar probeerde een voet op de metalen rand te zetten en de andere meteen in de kleinere schaal plaatste, schoof deze door de snelle in- stapbeweging langzaam maar zeker over de olie naar de andere kant van de bak en trok de benen van Pater Caspar als een passer uit el- kaar, zodat deze allerlei noodkreten slaakte en Roberto hem bij zijn middel greep en hem naar zich toe trok, het vasteland van de *Daphne* op – terwijl Roberto intussen de nagedachtenis van Galilei vervloekte en diens vervolgers, die scherprechters, prees. Waarop Pater Caspar tussenbeide kwam en hangend in de armen van zijn verlosser ver- zuchtte dat die vervolgers geen scherprechters waren, maar zeer ach- tenswaardige mannen van de Kerk, die uitsluitend het behoud van de waarheid voorstonden en zich tegenover Galilei vaderlijk en barm- hartig hadden betoond. Nog steeds stokstijf in zijn cuiras met zijn blik op het firmament gericht, de verrekijker haaks voor zijn aange- zicht, als een Jan Klaasz met een mechanieke neus, herinnerde hij Roberto er vervolgens aan dat Galilei zich met deze uitvinding in elk geval níet had vergist en dat ze het moesten blijven proberen. 'En dus, mein lieber Robertus,' zei hij vervolgens, 'heb jij mij misschien vergessen en denk jij dat ik een schildkröte ben die men met de buik in der luft vangt? Kom, stoot mij weer aan, ja, gut so, maak dat ik deze rand raak, ja, zo ja, want het schikt zich voor een mensch erectus te zijn.'

Tijdens al deze onhandige manoeuvres bleef de olie niet zo glad als olie, en na enige tijd waren beide proefnemers glibberig, en wat erger was, olievol – als het zinsverband het de kroniekschrijver toestaat dit woord van eigen maaksel te gebruiken zonder dat de bron aansprake- lijk kan worden gesteld.

Terwijl Pater Caspar al wanhoopte of hij ooit op die stoel terecht zou komen, merkte Roberto op dat het wellicht beter was eerst de olie uit de schotel te gieten, daarna het bekken erin te plaatsen, vervol- gens de Pater erop te laten plaatsnemen en ten slotte de olie er weer in te gieten, zodat als het oliepeil steeg ook het bekken en de oude man al drijvend omhoog zouden komen.

Aldus geschiedde, en de meester prees de scherpzinnigheid van zijn leerling uitbundig, terwijl het inmiddels tegen middernacht liep. Niet dat het geheel nu de indruk wekte erg stabiel te zijn, maar als

Pater Caspar erop lette dat hij geen onverhoedse bewegingen maakte, was er goede hoop dat het zou lukken.

Op een zeker moment riep Pater Caspar triomfantelijk uit: 'Ik zie ze!' De kreet maakte dat zijn neus bewoog, en de kijker, die tamelijk zwaar was, dreigde uit de ring te glijden; hij spande zijn arm om zijn greep niet te hoeven verslappen, de beweging van zijn arm bracht zijn schouder uit balans en het scheelde maar een haar of het bekken sloeg om. Roberto liet zijn papier en de uurwerken voor wat ze waren, ondersteunde Caspar, bracht het gevaarte weer in evenwicht en ried de sterrenkijker aan onbeweeglijk te blijven zitten, de kijker niet dan met de uiterste omzichtigheid te verplaatsen en vooral geen blijk te geven van enige aandoening.

Diens volgende mededeling werd dermate zacht gefluisterd dat ze, versterkt door de enorme stormhoed, hees leek te klinken als een trompet uit de Tartarus: 'Ik zie ze wieder.' Met een behoedzaam gebaar haakte hij de verrekijker aan zijn borststuk vast. 'Oh, wunderbar! Drie kleine sterne zijn aan de oostseite van Jupiter, één alleen aan de westseite... Der gans nabij is, lijkt de kleinste, en die bevindet zich... warte... ja, op nul minuten en dreissig seconden van Jupiter. Schrijf op. Nu beroert hij Jupiter bijna, verdwijnt bijna, pas auf, schrijf de tijd op als hij uit zicht raakt...'

Roberto, die zijn plek had verlaten om zijn leermeester te hulp te schieten, had het papier waarop hij de tijden moest neerschrijven weer opgepakt, maar was met zijn rug naar de uurwerken gaan zitten. Hij draaide zich met een ruk om, waardoor het perpendiculum omviel. Het staafje gleed uit de strop, Roberto pakte het en trachtte het er weer in te stoppen, maar kreeg het niet voor elkaar. Terwijl Pater Caspar riep dat hij de tijd moest noteren, draaide Roberto zich om naar het uurwerk en raakte daardoor met zijn pen de inktkoker. Onwillekeurig zette hij hem rechtop zodat niet alle vloeistof eruit zou lopen, maar daardoor viel het uurwerk om.

'Heb jij die tijd opgeschreven? Nu, met dat perpendiculum!' schreeuwde Pater Caspar. En Roberto antwoordde: 'Het gaat niet, het gaat niet.'

'Wieso gaat het niet, schaapskop?!' En toen hij geen antwoord kreeg, bleef hij doorschreeuwen. 'Wieso gaat het niet, stommeling?!

Heb jij notiert, heb jij opgeschreven, heb jij gestoten? Hij verdwijnt, tu etwas!'

'Alles is verloren, nee, niet verloren, gebroken,' zei Roberto. Pater Caspar hield de verrekijker een eindje van de stormhoed af, gluurde schuins uit zijn ooghoeken, zag het perpendiculum aan stukken op de grond liggen, het omgegooide uurwerk, Roberto met zijn handen vol inktvlekken, en kon zich niet beheersen en barstte uit in een 'Himmelpotzblitzsherrgottsakrament!' dat zijn hele lichaam deed schudden. Door die ondoordachte beweging had hij het bekken te veel doen overhellen en was hij in de olie van de bak gegleden; de verrekijker was uit zijn hand en zijn halsberg geglipt en was vervolgens door het stampen van het schip holderdebolder het hele kajuitdek over gerold, van het trapje gestuiterd, op de overloop gekletterd en tegen het rampaard van een kanon geslingerd.

Roberto wist niet of hij eerst de man of eerst het instrument te hulp moest schieten; de man, die wild lag te spartelen in die ranze troep, had hem edelmoedig toegeschreeuwd zich om de verrekijker te bekommeren, Roberto was die voortvluchtige Grootspraak op een holletje achternagegaan en had deze geheel geblutst teruggevonden, met twee gebroken lenzen.

Toen Roberto Pater Caspar, die op een panklaar varkentje leek, uiteindelijk uit de olie had getrokken, had deze zich er met heroïeke eigenzinnigheid toe beperkt te zeggen dat niet alles verloren was. Er was nog een kijker die even krachtig was, en die zat bevestigd op de Specula Melitensis. Er zat niets anders op dan die van het Eiland te halen.

'Maar hoe dan?' had Roberto gezegd.

'Met de schwimmkunst.'

'Maar u hebt gezegd dat u niet kunt zwemmen en dat u dat op uw leeftijd ook niet meer…'

'Ik niet. Jij wel.'

'Maar ik ben die vermaledijde zwemkunst ook niet meester!'

'Dan lern het.'

24
Samenspraken
over de voornaamste
wereldstelsels

W at dan volgt is nogal vaag: ik begrijp niet of het de verslagen betreft van de gesprekken die Roberto en Pater Caspar hebben gevoerd, of de aantekeningen die eerstgenoemde 's nachts maakte om laatstgenoemde overdag van repliek te kunnen dienen. Hoe het ook zij, het is duidelijk dat Roberto de hele tijd dat hij zich met de oude man aan boord bevond, geen brieven aan zijn Dame schreef. En dat hij het nachtleven allengs verruilde voor het leven overdag.

Hij had tot dan toe bijvoorbeeld 's ochtends vroeg naar het Eiland gekeken, en steeds maar heel even – of 's avonds, als het gevoel voor grenzen en afstanden vervaagde. Nu pas ontdekte hij dat het water door de getijdenbeweging een gedeelte van de dag de strook zand bespoelde die het van het bos scheidde, terwijl het zich de rest van de dag terugtrok zodat er een gebied vol rotsen bloot kwam te liggen dat, legde Pater Caspar uit, de uitloper was van de koralen wering.

Tussen vloed en eb, legde zijn metgezel uit, zit ongeveer zes uur, en dit is de regelmaat waarmee de zee ademt onder invloed van de maan. Deze beweging moest niet, zoals sommigen in het verleden wel hadden beweerd, worden toegeschreven aan het snuiven van een monster in de diepten; om nog maar te zwijgen van die Franse heer die beweerde dat de aarde, ook al beweegt ze niet van west naar oost, toch – om het maar zo te zeggen – van noord naar zuid rolt, en weer terug, en dat het vanzelfsprekend is dat de zee door deze regelmatige beweging stijgt en daalt, net zoals gebeurt wanneer iemand zijn schouders ophaalt en zijn pij langs zijn hals op en neer schuift.

Een geheimzinnige aangelegenheid, die van de getijden, want ze wisselen naar gelang de landen en de zeeën en de ligging van de kusten ten opzichte van de meridianen. In de regel is het bij nieuwe maan om twaalf uur 's middags en twaalf uur 's nachts hoogwater, maar dit verschijnsel loopt elke dag vier vijfde uur vertraging op, en iemand die daarvan geen weet heeft en die, omdat hij gezien heeft dat een bepaalde vaargeul op dat en dat uur van die en die dag bevaarbaar was, zich daar de volgende dag op hetzelfde uur wéér op waagt, verzeilt op het droge. Om nog maar te zwijgen van de stromingen die door de zeeën veroorzaakt worden en waarvan sommige van dien aard zijn dat een schip tijdens eb er niet in slaagt voor de wal te komen.

En verder, zei de oude man, moet je voor elke plek die zich daar bevindt een andere berekening maken, en daarvoor heb je de sterrenkundige tafels nodig. Hij trachtte Roberto die berekeningen zelfs uit te leggen – bijvoorbeeld dat je de vertraging van de maan kunt volgen door de dagen van de maan met vier te vermenigvuldigen en vervolgens door vijf te delen – of andersom. Zeker is dat Roberto er niets van begreep, en we zullen zien hoe dit gebrek aan diepgang hem later in grote moeilijkheden zou brengen. Hij kwam niet verder dan zich er keer op keer over te verbazen dat de lijn van de meridiaan, die toch van het ene puntje van het Eiland naar het andere zou moeten lopen, nu eens over zee liep en dan weer over de rotsen, en hij begreep nooit welke lijn de juiste was. Ook al omdat hij, of het nu eb of vloed was, heel wat minder belang stelde in het grote mysterie van de getijden dan in het grote mysterie van die lijn waarachter de Tijd achterliep.

We hebben gezegd dat hij niet echt een aanleiding had om dat wat de jezuïet hem vertelde niet te geloven. Maar vaak had hij er schik in om hem uit te dagen en hem nog meer te laten vertellen, en dan zocht hij zijn toevlucht tot het gehele arsenaal aan bewijsvoeringen die hij gehoord had in de kringen van die *honnêtes hommes* die de jezuïet, zo niet voor afgezanten van Satan, dan toch op zijn minst voor zuiplappen en schrokoppen hield die de kroeg tot hun Lyceum hadden gemaakt. Al met al merkte hij echter dat hij het moeilijk vond de natuurkennis te verwerpen van een leermeester die hem op grond van de beginselen van diezelfde natuurkennis leerde zwemmen.

Aangezien zijn schipbreuk hem nog vers in het geheugen lag, had hij aanvankelijk gezegd dat hij voor niets ter wereld weer met water in aanraking wilde komen. Pater Caspar had hem erop gewezen dat datzelfde water hem tijdens zijn schipbreuk juist had gedragen – teken dat het dus een goedgunstig en geen vijandig element was. Roberto had geantwoord dat het water niet hém had gedragen, maar het stuk hout waarop hij zichzelf had vastgebonden, en Pater Caspar had hem afgetroefd door hem erop te wijzen dat als het water een stuk hout had gedragen – een zielloos schepsel dat haakte naar de diepten, zoals iedereen weet die weleens van grote hoogte een stuk hout naar beneden heeft gegooid – het zeker ook geschikt was om een levend wezen te dragen dat bereid was het natuurlijke gedrag van vloeistoffen te volgen. Als Roberto ooit een hondje in het water had gegooid, zou hij toch moeten weten dat het dier door zijn poten te bewegen niet alleen bleef drijven, maar ook snel naar de oever terugzwom. En, voegde Pater Caspar eraan toe, wellicht wist Roberto niet dat kinderen van een paar maanden die in het water worden gelegd kunnen zwemmen, omdat wij van nature zwemmers zijn, net als elk ander dier. Ongelukkigerwijs hellen wij meer dan dieren over naar vooroordelen en dwalingen, en dus krijgen we als we opgroeien verkeerde opvattingen over de goede eigenschappen van vloeistoffen, zodat we die natuurlijke aanleg door angst en wantrouwen kwijtraken.

Toen vroeg Roberto hem of hij, de eerwaarde Pater, had leren zwemmen, en de eerwaarde Pater antwoordde dat hij zich er niet op beriep beter te zijn dan zovele anderen die hadden nagelaten het goede te doen. Hij was geboren in een dorp dat heel erg ver van zee lag en had pas op latere leeftijd voet op een schip gezet, toen zijn lichaam – zo zei hij – inmiddels niet veel meer was dan mottig nekhaar, een wazig gezichtsvermogen, een lopende neus, suizende oren, vergeelde tanden, een verstijfde nek, een lellerige hals, jichtige hielen, een verwelkte huid, verfletst hoofdhaar, klapperende schenen, trillende vingers, struikelende voeten, en zijn borst slechts spouw opgaf, vermengd met schuimrochels en slijmfluimen.

Maar, verduidelijkte hij meteen, omdat zijn geest soepeler was dan zijn gebeente wist hij wat de wijzen uit het oude Griekenland ook al ontdekt hadden, namelijk dat, als je een lichaam in vloeistof onderdompelt, dat lichaam weerstand ondervindt en omhoog wordt geduwd door de hoeveelheid water dat het verplaatst, aangezien het water de ruimte waaruit het verbannen is, tracht te heroveren. En dat het niet waar is dat het naar gelang zijn vorm al dan niet drijft, en dat de Ouden, die beweerden dat een plat voorwerp blijft drijven en een puntig voorwerp naar de bodem zakt, het mis hadden; als Roberto zou proberen met kracht een – weet ik het – fles (die niet plat is) in het water te steken, zou hij dezelfde weerstand voelen als wanneer hij zou trachten er een dienblad in te duwen.

Het was dus zaak met het element vertrouwd te raken en daarna zou alles vanzelf gaan. En hij stelde voor dat Roberto zich langs het touwladdertje dat aan de scheg hing, en dat ook wel jacobsladder genoemd werd, naar beneden liet zakken, waarbij hij voor zijn zielerust vast zou zitten aan een lange en stevige kabel, of tros of lijn of hoe je dat ook noemt, die aan de regeling was vastgebonden, zodat hij daar, als hij bang was om te verdrinken, alleen maar aan hoefde te trekken.

Het hoeft geen betoog dat die meester in een kunst die hijzelf niet meester was een oneindig aantal bijkomstigheden buiten beschouwing had gelaten, die ook door de wijzen uit het oude Griekenland over het hoofd waren gezien. Zo had hij hem bijvoorbeeld, om hem in staat te stellen zich vrijelijk te bewegen, uitgerust met een dermate lange kabel dat Roberto de eerste keer dat hij, zoals elke aspirant-zwemmer overkomt, kopje-onder ging, een flinke poos aan de lijn had moeten trekken en hij, voordat hij weer boven water was, al zoveel zoutigheid had binnengekregen dat hij te kennen gaf die dag van elke verdere poging af te zien.

Het begin was echter bemoedigend geweest. Zodra hij de ladder was afgedaald en met het water in aanraking was gekomen, had Roberto gemerkt dat het vocht aangenaam aanvoelde. Van zijn schipbreuk herinnerde hij zich een ijzig koude en onstuimige zee, en de ontdekking dat deze nu bijna warm was, zette hem ertoe aan om zich wat verder te laten zakken, totdat hij, zich nog steeds vastklampend aan de touwladder, tot aan zijn kin in het water lag. In de overtuiging dat dát zwemmen was, had hij zich vol behagen overgegeven aan de herinnering aan het Parijse goede leven.

Sinds hij op het schip was beland had hij zich, zoals we gezien hebben, af en toe zo'n beetje gewassen, maar meer als een katje dat zijn vacht likt met zijn tong en alleen zijn snuit en schaamdelen verzorgt. Zijn voeten echter raakten – naarmate zijn jacht op de Indringer verbetener werd – steeds meer besmeurd met grondsop uit het ruim en zijn kleren plakten aan zijn lichaam van het zweet. Door de aanraking van dat warme water, dat tegelijkertijd zijn lichaam en zijn kleren waste, herinnerde Roberto zich die keer dat hij in het Hôtel de Rambouillet wel twee badkuipen had ontdekt die ter beschikking stonden van de markiezin, wier bekommernissen ten aanzien van de verzorging van haar lichaam in die samenleving waar men zich niet vaak waste onderwerp van gesprek waren. Zelfs de meest verfijnden van haar gasten meenden dat properheid te maken had met de frisheid van je lijwaad – dat je, wilde je elegant zijn, vaak diende te verschonen – en niet met je watergebruik. En de vele welriekende uittrekselen waarmee de markiezin hen bedwelmde, waren voor haar niet zozeer weelde als wel noodzaak, omdat ze zo een scherm kon opwerpen tussen haar gevoelige neusgaten en hun vettige geur.

Roberto voelde zich meer edelman dan hij zich in Parijs gevoeld had, en terwijl hij zich met de ene hand stevig vasthield aan de touwladder, wreef hij met de andere zijn hemd en broek langs zijn vuile lichaam en krabde tegelijkertijd met de tenen van zijn ene voet de hiel van zijn andere.

Pater Caspar sloeg hem nieuwsgierig gade, maar zweeg, omdat hij wilde dat Roberto vriendschap sloot met de zee. Omdat hij evenwel bang was dat Roberto's geest afdwaalde doordat hij te veel aandacht voor zijn lichaam had, trachtte hij hem af te leiden. Hij vertelde hem dus over de getijden en over de aantrekkingskrachten van de maan.

Hij trachtte zijn waardering te wekken voor een gebeurtenis die op zichzelf iets ongelooflijks had: dat als de getijden de roep van de maan beantwoorden, ze er alleen zouden moeten zijn als de maan schijnt, en niet als deze aan de andere kant van onze aardkloot staat. Eb en vloed gaan daarentegen gewoon door aan beide zijden van de aardkloot, elkaar als het ware elke zes uur afwisselend. Roberto hoorde het betoog over de getijden aan en dacht aan de maan – waaraan hij in al die afgelopen nachten meer gedacht had dan aan de getijden. Hij had gevraagd hoe het komt dat we altijd maar één kant van de maan zien, en Pater Caspar had uitgelegd dat deze net zo draait als een kogel die door een kampvechter aan een touw wordt vastgehouden en in het rond geslingerd – ook hij kan niets anders zien dan de kant die hij tegenover zich heeft.

'Maar,' had Roberto hem uitgedaagd, 'déze kant zien zowel de Indiërs als de Spanjolen; maar op de maan gebeurt niet hetzelfde ten aanzien van hún maan, die sommigen Volva noemen en die weer onze aarde is. De Subvolvanen, die op de kant wonen die naar ons toe gekeerd is, zien haar altijd, maar de Privolvanen, die op de andere helft wonen, weten niet dat ze bestaat. Stelt u zich eens voor wat er zou gebeuren als ze zich naar deze kant zouden verplaatsen: wie weet wat ze zouden denken als ze 's nachts een schijf zien schitteren die vijftien keer groter is dan onze maan! Ze zullen denken dat die elk moment boven op hen kan vallen, net zoals de oude Galliërs ook altijd bang waren dat ze de hemel op hun kop zouden krijgen! Om nog maar te zwijgen van degenen die precies op de grens tussen de twee helften wonen en die Volva altijd nét boven de rand van de horizon zien uitsteken!'

De jezuïet had laatdunkend geschamperd over dat fabeltje van die maanbewoners, want hemellichamen zijn niet van dezelfde stof als onze aardkloot en zijn dus niet geschikt om levende wezens te herbergen; je kon ze dus maar beter overlaten aan de engelenscharen, die zich in de geest door het kristal van de hemelsferen konden bewegen.

'Maar hoe kunnen de hemelen nu van kristal zijn? Als dat zo was zouden ze breken als de staartsterren erdoorheen vliegen.'

'Wie heeft jou doch gezegd dat kometen door die etherische regiones vliegen? Kometen vliegen in het sublunarische, ondermaanse, en da is luft, zoals ook jij zien kan.'

'Niets beweegt dat geen lichaam is. Maar de hemelen bewegen. En dus zijn ze lichaam.'

'Jij mag dan quatsch vertellen, maar jij wordt ook aristotelisch. Ik weet aber waarom jij dat zegt. Jij wilt dat het ook in de hemelen luft geeft, zodat het geen differenz meer geeft tussen hoog en laag: alles draait, en die aarde beweegt haar achterste als een deerne.'

'Maar wij zien de sterren elke nacht op een andere plaats…'

'Juist. De facto bewegen ze zich.'

'Wacht even, ik ben nog niet klaar. U wilt dus dat de zon en alle sterren, wat enorme lichamen zijn, elke vierentwintig uur rond de aarde draaien en dat de vaste sterren, oftewel de grote kring waarin ze gevat zijn, meer dan zevenentwintigduizend maal tweehonderd miljoen mijl afleggen? Want dat is wat er zou moeten gebeuren als de aarde niet in vierentwintig uur om haar eigen as draaide. Hoe spelen de vaste sterren het klaar om zo vlug te gaan? Iemand die er zou wonen zou er duizelig van worden!'

'Als er iemand woont. Maar dat ist petitio principii.'

En hij wees hem erop dat het eenvoudig was één enkele bewijsreden te bedenken ten gunste van de beweging van de zon, terwijl er veel meer waren tegen de beweging van de aarde.

'Ik weet heel goed,' antwoordde Roberto, 'dat in Ecclesiasticus staat dat *terra autem in aeternum stat, sol oritur*, en dat Jozua de zon stil heeft gezet, en niet de aarde. Maar uitgerekend u hebt me geleerd dat er, als we de Bijbel letterlijk uitleggen, al vóór de schepping van de zon licht zou zijn geweest. Het heilige boek dient dus met een korreltje zout genomen te worden, en ook Augustinus wist dat het vaak *more allegorico* spreekt...'

Pater Caspar glimlachte en bracht hem in herinnering dat de jezuïeten hun tegenstanders al lang niet meer versloegen met bijbelse haarkloverijen, maar met onweerlegbare bewijsredenen die gegrond waren op de sterrenkunde, het gezonde verstand en wis- en natuurkundige redeneringen.

'Wat voor redeneringen, verbi gratia?' vroeg Roberto terwijl hij wat vet van zijn buik schraapte.

'Verbi gratia,' antwoordde Pater Caspar in zijn wiek geschoten, 'dat machtige Argumentum van het Rad: hoor mij nu toe. Denk aan een rad, gut?'

'Ik denk aan een rad.'

'Bravo, dan denk jij tenminste, in plaats van de aap te spelen en te herhalen wat jij in Paris gehoord hebt. Denk dat dat rad op een as gestoken is, zoals het rad van een draaischijf, en dat jij dit rad draaien laten willst. Wat doe jij?'

'Ik leg mijn handen, of misschien een vinger, op de rand van het rad, beweeg mijn vinger en het rad draait.'

'Denk jij niet dat het beter was als jij de as in het midden van het rad pakt en probiert die draaien te laten?'

'Nee, dat zou onmogelijk zijn...'

'Ecco! En jouw Galileer of Copernicaner willen in de mittelpunkt des universums de zon vastzetten die de ganse grote zirkel der planeten eromheen bewegen laat, in plaats van te denken dat die bewegung door die grote zirkel der hemelen veroorzaakt wordt, terwijl de aarde in het mittelpunkt stilstaat. Hoe had de Herrgott die zon op de laagste plaats zetten kunnen en de vergangelijke en duistere aarde midden in de lichtende en eeuwige sterne? Begrijp jij jouw fehler?'

'Maar de zon moet in het middelpunt van het heelal staan! De lichamen in de natuur hebben haar stralengloed nodig en ze moet in het hart van het rijk wonen om overal alle noden te lenigen. Dient de oorzaak van de voortplanting zich niet immer in het midden te bevinden? Heeft de natuur het zaad niet in de schaamdelen gestopt, halverwege het hoofd en de voeten? En zitten de zaadjes niet in het midden van de appel? En de pit niet midden in de perzik? En dus draait de aarde, die het licht en de warmte van die gloed nodig heeft, om de zon teneinde haar kracht overal te ontvangen. Het zou ongerijmd zijn te denken dat de zon rond een punt draaide waarvan ze niet zou weten wat ze ermee aan moest. Het zou zijn alsof je, wanneer je een geroosterde leeuwerik zag, zou zeggen dat je die moest bereiden door er met het haardvuur omheen te lopen...'

'O ja? Dus als de bisschop om de kerk herom loopt om die te zegenen met zijn wierookvat, zou jij willen dat de kerk om de bisschop herom draaide! De zon kan ronddraaien omdat ze een vuurelement is. En jij weet zeer goed dat vuur vliegt en zich beweegt en nie stilstaat. Heb jij de bergen zich ooit bewegen zien? En hoe beweegt zich de aarde dan?'

'De stralen van de zon die haar raken, laten haar ronddraaien, net zoals je een bal kunt laten ronddraaien door er met je hand tegen te slaan, en als de bal klein is, zelfs door ertegen te blazen... En ten slotte: zou u willen dat God de zon, die vierhonderd en vierendertig maal groter is dan de aarde, alleen liet bewegen om onze kolen te laten gedijen?'

Om deze laatste tegenwerping zoveel mogelijk kracht bij te zetten, had Roberto met zijn vinger naar Pater Caspar willen wijzen; hij had zijn arm gestrekt en zich met zijn voeten afgezet om zo ver mogelijk van de scheepswand te komen. Bij deze beweging had Roberto ook zijn andere hand losgelaten; zijn hoofd was naar achteren geschoten en hij was kopje-onder gegaan zonder dat hij er, zoals reeds gezegd, in slaagde met behulp van de slap hangende kabel weer boven water te komen. Hij had zich dus gedragen zoals iedereen doet die vervolgens verdrinkt: hij had wild gesparteld en nog meer water binnengekregen, totdat Pater Caspar het touw ten slotte had binnengehaald en hem zo naar het touwladdertje had getrokken. Roberto was aan boord geklommen en had gezworen dat hij nooit meer naar beneden zou gaan.

'Morgen probeer jij het opnieuw. Aqua salata est als een medicamentum, denk niet dat het slecht voor jou was,' troostte Caspar hem op het dek. En terwijl Roberto zich al vissend verzoende met de zee, zette Caspar hem uiteen hoeveel en welke voordelen ze er beiden van zouden hebben als hij het Eiland zou bereiken. En dan hadden ze het nog niet eens over het herkrijgen van de sloep, waarmee ze zich vrijelijk van het schip naar de kust zouden kunnen begeven, zodat ze toegang zouden hebben tot de Specula Melitensis.

Uit wat Roberto erover meldt, valt op te maken dat de uitvinding zijn verstand te boven ging – of dat het betoog van Pater Caspar, als zovele van zijn betogen, te pas en te onpas doorspekt was met weglatingen en uitroepen, en hij daartussendoor nu eens over de vorm ervan sprak, dan weer over de toepassing en dan weer over het Denkbeeld dat eraan ten grondslag had gelegen.

Een Denkbeeld dat trouwens niet van hem was. Hij had over de Specula gelezen toen hij in de papieren van een overleden medebroeder zat te snuffelen, die er op zijn beurt weer over had gehoord van een andere medebroeder, die op een reis naar het wonderschone Malta, oftewel Melite, de loftrompet had horen steken over dit instrument, dat gebouwd was op last van de hoogeerwaardige prins Johannes Paulus Lascaris, Grootmeester van de beroemde Ridders.

Hoe de Specula eruitzag, had niemand ooit gezien: de eerste broeder had slechts een boekje met schetsen en aantekeningen nagelaten, dat overigens inmiddels ook was zoek geraakt. En bovendien, klaagde

Caspar, was het genoemde werkje 'zeer beknopt conscripto, met geen schemate visualiter patefacto, geen tabulen of rotulen, et geen instructione apposita'.

Op grond van deze povere aantekeningen had Pater Caspar, gedurende de lange reis van de *Daphne*, de scheepstimmerlieden aan het werk gezet en de verschillende onderdelen van het gevaarte getekend, of soms verkeerd uitgelegd, had het op het Eiland in elkaar gezet en er ter plekke de ontelbare deugden van beoordeeld – en de Specula moest werkelijk een Ars Magna van vlees en bloed zijn, of liever van hout, ijzer, doek en andere materialen, een soort Mega Horologium, een Bezield Boek dat in staat was alle mysteriën van het Heelal te onthullen.

Het was – zei Pater Caspar met ogen die gloeiden als karbonkels – een Uniek Syntagma van Allernieuwste Physikalische en Mathematische Instrumenten, 'met kunstig disponierte raderen en zyklen'. Daarna tekende hij met zijn vinger op het dek of in de lucht en zei hem allereerst te denken aan een soort ronde sokkel of fundament, waarop de Onbeweeglijke Horizon te zien was, en de Roos met de tweeëndertig Winden, en de gehele Navigatiekunst met de voorspellingen voor elke storm. 'Het middengedeelte,' voegde hij eraan toe, 'dat op het fundament gebouwd worden is, moet jij jou voorstellen als een cubus met vijf zijden – stel jij het jou voor? – nein, niet met zes, de zesde rust op het fundament en darum kan jij die niet zien. Op de eerste zijde van de cubus, id est het Chronoscopium Universale, kan jij acht raderen zien die in eeuwige zyklen geordnet zijn en de Kalender van Julius en Gregorius voorstellen, en wanneer de zondagen vallen, en de Jaarsleutels, en de Zonnezirkel, en die Beweeglijke Feestdagen en Pasen, en nieuwmanen, volmanen, die quadratuur van de Zon en van de Maan. Op de secundo Cubilatere, id est das Cosmographicum Speculum, staat op de eerste plaats een Horoscopium, waarmee men, gegeven de tijd op Malta, vinden kan welke tijd het is op de rest unserer aardkogel. En jij vindt da een Rad met twee Planisferen, waarvan één de wetenschap van dat ganse Primum Mobile zien laat en leert, en de tweede van de Octava Sphaera en van de Vaste Sternen de doctrine en die bewegung. En de fluxus en de refluxus, oftewel het afnemen en aanwassen der zeeën, opgewoeld door de bewegung van de maan in dat ganse Universum...'

Dit was de boeiendste zijde. Met behulp daarvan kon men kennis nemen van het Horologium Catholicum waarover we reeds spraken, met op elke meridiaan het tijdstip van de verschillende jezuïetenvestigingen. Afgezien daarvan scheen het tevens goed als astrolabium dienst te kunnen doen, aangezien het ook het aantal dagen en nachten toonde, de hoogte van de zon met de verhouding van de Rechte Schaduwen, en de rechte en schuine klimmingen, het aantal schemeringen en de culminatie van de vaste sterren in de afzonderlijke jaren, maanden en dagen. En door keer op keer de hulp van die zijde in te roepen, was Pater Caspar tot de overtuiging gekomen dat hij eindelijk op de meridiaan van de tegenvoeters was beland.

Voorts was er nog een derde zijde, die in zeven wielen het totaal van de ganse Sterrenwikkerij bevatte, alle toekomstige zons- en maansverduisteringen, alle sterrengestalten voor de seizoenen van de landbouw, de geneeskunst en de navigatiekunst, alsmede de twaalf tekenen van de hemelse verblijven, en de fysiognomia der natuurlijke zaken die met elk teken samenhangen, en het overeenkomstige Huis.

Ik heb niet de moed Roberto's hele samenvatting samen te vatten en noem dus de vierde zijde, die zou moeten verhalen van alle wonderen van de plantengeneeskunst, de spagyrica, chymica en hermetica, met aan minerale of dierlijke stoffen ontleende enkelvoudige of samengestelde medicamenten, en de 'attractieve, verlichtende, purgerende, verwekende, verterende, bijtende, samenklevende, eetlustopwekkende, verwarmende, verkoelende, zuiverende, verzachtende, snijdende, slaapverwekkende, pisafdrijvende, verdovende, brandende en versterkende Alexipharmaca'.

Het lukt me niet uit te leggen – en dus verzin ik het maar een beetje – wat zich afspeelde op de vijfde zijde, die als het ware het dak van de cubus was, evenwijdig aan de lijn van de horizon; de zijde die blijkbaar was ingericht als een hemelgewelf. Maar er is ook sprake van een pyramide, die niet hetzelfde grondvlak kon hebben als de cubus – want anders zou deze de vijfde zijde bedekt hebben – en die, hetgeen wellicht waarschijnlijker is, de gehele cubus overdekte als een tent, ware het niet dat ze dan van doorzichtig materiaal had moeten zijn. Vast staat dat haar vier zijden de vier aardstreken moesten voorstellen, elk met de ABC's en de talen van de verschillende volkeren, met inbegrip van onderdelen van de oertaal van Adam, de hiëroglyfen van de oude Egyptenaren en de karakters van de Chinezen en de Mexicanen, en Pater Caspar beschrijft de pyramide als een: 'Sphynx Mystagoga, een Oedipus Aegyptiacus, een Monas Hieroglyphica, een Clavis Convenientia Linguarum, een Fabrica Mundi, een Theatrum Cosmographicum Historicum, een Sylva Sylvarum van elk natuurlijk en kunstelijk schrift, een Architectura Curiosa Nova, een Lampada Combinatoria, een Mensa Isiaca, een Metametricon, een Synopsis Anthropoglottogonica, een Basilica Cryptographica, een Amphitheatrum Sapientiae, een Cryptomenesis Patefacta, een Catoptron Polygraphicum, een Gazophylacium Verborum, een Mysterium Artis Steganographicae, een Arca Arithmologica, een Archetypon Polyglotta, een Eisagoge Horapollinea, een Congestorium Artificiosae Memoriae, een Pantometron de Furtivis Literarum Notis, een Mercurius Redivivus, een Etymologicon Lustgärtlein!'

Dat al die kennis uitsluitend en alleen aan henzelf voorbehouden zou blijven, aangezien ze gedoemd waren daar nooit meer weg te komen, baarde de jezuïet in het geheel geen zorgen, en ik weet niet of dat uit vertrouwen in de Voorzienigheid was of uit liefde voor het weten als doel op zich. Maar wat me opvalt is dat ook Roberto's gedachten tegen die tijd van elke werkelijkheidszin gespeend waren geraakt, en dat hij het bereiken van het Eiland begon te zien als iets dat zijn leven voor eeuwig zin zou geven.

Allereerst werd hij, hoe belangwekkend hij de Specula ook vond, gegrepen door de gedachte dat dat orakel hem ook zou kunnen vertellen waar zijn Dame op dat moment was en wat ze deed. Bewijs dat het geen zin heeft met iemand die verliefd is, ook al wordt deze afgeleid door nuttige lichaamsbeweging, over Sterrenboodschappers te praten, aangezien zo iemand altijd op zoek is naar de bevestiging van zijn heerlijke smart en dierbare kwelling.

Bovendien droomde hij, wát zijn zwemmeester hem ook vertelde, van een Eiland dat zich niet aan hem voordeed in het heden, waarin ook hij zich ophield, maar dat zich bij goddelijk decreet in de onwerkelijkheid bevond, of in het niet-zijn van de vorige dag.

Waar hij aan dacht terwijl hij de golven het hoofd bood, was zijn verlangen een Eiland te bereiken dat er gisteren geweest was, en waarvan de Oranjekleurige Duif, ongrijpbaar als was ze naar het verleden gevlucht, hem het zinnebeeld leek.

Roberto werd nog gedreven door duistere denkbeelden. Hij voelde dat hij iets anders wilde dan Pater Caspar, maar wist nog niet precies wat. En we moeten begrip tonen voor zijn wankelmoedigheid, want hij was de eerste in de geschiedenis van de menselijke soort aan wie de mogelijkheid werd geboden vierentwintig uur terug in de tijd te zwemmen.

Hij was er in elk geval van overtuigd dat hij werkelijk moest leren zwemmen, en we weten allemaal dat één goede reden duizend angsten helpt te overwinnen. En daarom zullen we zien dat hij het de dag daarop weer probeert.

Bij deze gelegenheid legde Pater Caspar hem uit dat, als hij de touwladder zou loslaten en zijn handen vrijelijk zou bewegen alsof hij de maat sloeg bij een muziekgezelschap, en die beweging weer gedachteloos op zijn benen zou overbrengen, de zee hem zou dragen. Hij had hem overgehaald het te proberen, eerst met het touw strak, en vervolgens had hij het touw laten vieren zonder het hem te zeggen, of liever, hij deelde het zijn leerling mede toen deze al wat zekerder van zijn zaak begon te worden. Roberto voelde zich bij die mededeling weliswaar onmiddellijk zinken, maar had al schreeuwend werktuiglijk een slag met zijn benen gemaakt en was weer met zijn hoofd boven water gekomen.

Deze pogingen hadden een goed halfuur geduurd, en Roberto begon gaandeweg te begrijpen dat hij kon blijven drijven. Maar zodra hij poogde zich wat onstuimiger te bewegen sloeg hij met zijn hoofd naar achteren. Toen had Pater Caspar hem aangemoedigd aan deze neiging toe te geven, zijn hoofd zo ver mogelijk achterover te laten zakken en zijn lichaam stijf en lichtjes gebogen te houden, met zijn armen en benen wijd alsof hij de omtrek van een cirkel moest aanraken: hij zou het gevoel hebben dat hij in een hangmak lag en zou urenlang zo kunnen blijven liggen, en zelfs slapen, gekust door de golven en de schuins ondergaande zon. Hoe wist Pater Caspar al deze dingen, terwijl hij nooit gezwommen had? Door een Physikalisch-Hydrostatische Theorie, zei hij.

Het was niet eenvoudig geweest de geschiktste houding te vinden. Bijna had Roberto zich al boerend en niezend met het touw gewurgd, maar blijkbaar had hij op een bepaald moment het juiste evenwicht gevonden.

Voor het eerst ervoer Roberto de zee als een vriend. Hij volgde Pater Caspars aanwijzingen op en was zelfs begonnen zijn armen en benen te bewegen: hij tilde zijn hoofd een beetje op, gooide het achterover en was er inmiddels aan gewend water in zijn oren te krijgen en de druk ervan te verdragen. Hij kon nu zelfs praten en schreeuwde om aan boord hoorbaar te zijn.

'Draai je nu om als jij wilt,' had Pater Caspar hem op een zeker moment gezegd. 'Jij laat jouw rechterarm zakken, alsof die onder jouw lichaam zou hangen, jij tilt jouw linkerschouder een bisschen op, en kijk, dan lig jij met jouw buik naar beneden!'

Hij had hem er niet bij verteld dat men tijdens deze beweging zijn adem dient in te houden, aangezien men met zijn gelaat onder water komt, en wel onder het soort water dat niets anders wil dan de neusgaten van de indringer verkennen. In zijn boeken over Hydraulisch-Pneumatische Mechanica stond dat niet. En dus had Roberto, door de *ignoratio elenchi* van Pater Caspar, nog een flinke sloot zout water binnengekregen.

Maar hij had intussen geleerd om te leren. Hij had twee of drie keer geprobeerd om zijn eigen as te draaien en er was hem een grondbeginsel duidelijk geworden dat onontbeerlijk is voor elke zwemmer, namelijk dat je, als je je hoofd onder water hebt, niet moet ademhalen – ook niet door je neus – maar juist krachtig moet blazen, alsof je dát kleine beetje lucht dat je zo nodig hebt uit je longen wilt persen. Hetgeen een onbewuste handeling lijkt, maar dat niet is, zoals uit dit verhaal blijkt.

Hij had evenwel ook begrepen dat het hem gemakkelijker viel op zijn rug te liggen, met zijn gelaat naar boven, dan op zijn buik. Mij lijkt het tegenovergestelde eenvoudiger, maar Roberto had het nu eenmaal zo geleerd en ging er een dag of twee mee door. En ondertussen wisselden ze van gedachten over de voornaamste stelsels.

Ze hadden hun gesprek over de beweging van de aarde weer opgevat, en Pater Caspar had hem van zijn stuk gebracht met het Argumentum van de Eclips. Als we de aarde uit het middelpunt van de wereld zouden halen en de zon ervoor in de plaats zetten, zouden we de aarde óf onder óf boven de maan moeten plaatsen. Als we haar eronder plaatsen, zal er nooit een zonsverduistering zijn, omdat de maan, die óf boven de zon óf boven de aarde staat, nooit tussen de aarde en de zon in kan komen te staan. Als we haar erboven plaatsen, zal er nooit een maansverduistering zijn, omdat de aarde, die erboven staat, nooit tussen de maan en de zon in kan komen te staan. En bovendien zouden de sterrengeleerden de eclipsen niet meer kunnen voorspellen, zoals ze altijd zo uitstekend gedaan hebben, omdat ze hun berekeningen gronden op de bewegingen van de zon, en hun inspanningen, als de zon niet bewoog, dus tevergeefs zouden zijn.

En wat te denken van het Argumentum van de Boogschutter. Als de aarde vierentwintig uur aan één stuk draaide, zou een pijl die recht de lucht in wordt geschoten vele mijlen ten westen van de schutter neerkomen. Hetgeen aansluit bij het Argumentum van de Toren. Als je aan de westkant van een toren iets zwaars zou laten vallen, zou dit niet aan de voet van het bouwwerk terecht moeten komen, maar een heel eind verderop, en dus zou het niet recht naar beneden moeten vallen, maar schuin, omdat de toren zich (met de aarde) naar het oosten verplaatst zou hebben. Aangezien iedereen echter uit de ervarenheid weet dat zo'n zwaar voorwerp loodrecht naar beneden valt, is hiermee bewezen dat de beweging van de aarde een fabeltje is.

Om nog maar te zwijgen van het Argumentum van de Vogels: als de aarde binnen het tijdsbestek van een dag rond haar as zou draaien, zouden deze haar al vliegend nooit bij kunnen houden, hoe onvermoeibaar ze ook waren. Terwijl we heel duidelijk zien dat iedere vogel ons, ook al reizen we te paard in de richting van de zon, inhaalt en voorbijvliegt.

'Dat is waar, ja. Ik weet daar niets tegen in te brengen. Maar ik heb horen zeggen dat een heleboel verschijnselen verklaard kunnen worden door de aarde en alle planeten te laten draaien en de zon stil te laten staan, terwijl Ptolemaeus allerlei onzin als epicycli en deferentes heeft moeten verzinnen, die zich – en daar gaat het nu juist om – noch in de hemel noch op aarde bevinden.'

'Ik vergeef jou, als jij een Witz maken wilde. Maar als jij ernsthaft praat, dan zeg ik jou dat ik geen heide ben zoals Ptolemaeus en dat ik zeer goed weet dat hij vele fehler gemaakt had. En daarom geloof ik dat de zeer grote Tycho van Uraniborg een gans gute inval gehad heeft: hij bedacht dat al die planeten die wij kennen, namelijk Jupiter, Mars, Venus, Mercurius et Saturnus, om de zon herum draaien, maar dat die zon samen met hen om de aarde herum draait, dat rond die aarde de maan draait, en dat de aarde stilstaat in deze mittelpunkt van de kring van vaste sternen. Zo verklaar jij de fehler van Ptole- maeus en zeg jij geen ketterijen, terwijl Ptolemaeus fehler maakte en Galilei ketterijen zei. En jij bent niet gedwongen te verklaren hoe de aarde, die zo zwaar is, zich door de himmel bewegen kan.'

'En hoe kunnen de zon en de vaste sterren dat dan?'

'Jij zegt dat ze zwaar zijn. Ik niet. Het zijn hemelse, geen subluna- rische lichamen! Die aarde, ja, die is zwaar.'

'Hoe kan een schip met honderd kanonnen zich dan over de zee voortbewegen?'

'De zee sleept het voort, en de wind duwt het.'

'Maar, om nu eens iets nieuws te zeggen zonder de kardinalen tegen het zere been te schoppen: ik heb gehoord over een wijsgeer uit Parijs die zegt dat de hemelen uit een vloeibare stof bestaan, als een zee, die ons helemaal omringt en een soort maalstromen vormt... *tourbillons...*'

'Was ist das?'

'Draaikringen.'

'Ach so, vortices, ja. Maar wat doen diese vortices?'

'Kijk, deze draaikringen slepen de planeten mee in hun baan, en één draaikring sleept de aarde rond de zon, maar het is de draaikring die beweegt. De aarde staat doodstil binnen in de draaikring die haar meesleept.'

'Bravo, beste Roberto! Jij wilde niet dat de hemelen van kristal waren, omdat jij angst had dat die staartsterne ze breken zouden, maar het gevalt je wel dat ze vloeibaar zijn, zodat die vogels daarin verdrinken! Bovendien, deze gedachte van die vortices verklaart waarom de aarde rond die zon draait, maar niet dat ze als een tol om haar eigen as draait!'

'Ja, maar die wijsgeer zei dat het ook in dat geval het zeeoppervlak en de korst van onze aardkloot zijn die draaien, terwijl het binnenste ervan stilstaat. Geloof ik.'

'Nog dümmer als eerst. Waar heeft deze man dit opgeschreven?'

'Ik weet het niet, ik geloof dat hij ervan heeft afgezien het op te schrijven of het boek uit te brengen. Hij wilde de jezuïeten, die hem erg dierbaar zijn, niet tegen zich in het harnas jagen.'

'Dan prefereer ik diesen Galilei, die ketterische denkbeelder had maar ze aan zeer dierbare kardinalen gebiechtet heeft, en niemand heeft hem verbrand. Dieser andere herr, die denkbeelder heeft die nog ketterischer zijn en die niet gebiechtet heeft, zelfs niet aan bevriende jezuïeten, gevalt mij niet. Vielleicht vergeeft Gott Galilei ooit, maar hem niet.'

'Hoe het ook zij, ik geloof dat hij dit eerste denkbeeld later heeft bijgesteld. Het schijnt dat de grote hoeveelheid stof die van de zon naar de vaste sterren gaat in een grote kring ronddraait, meegevoerd door de wind...'

'Je zei toch dat de hemelen vloeibaar waren?'

'Misschien niet, misschien zijn ze een sterke wind...'

'Zie jij wel? Ook jij weet het niet...'

'Jawel, deze wind maakt namelijk dat alle planeten rond de zon draaien, en laat de zon tegelijkertijd om haar eigen as draaien. Zo is er ook een kleinere draaikring die de maan rond de aarde laat draaien, en de aarde om haar eigen as. En toch kun je niet zeggen dat de aarde beweegt, want het is de wind die beweegt. Vergelijkbaar met wanneer ik op de *Daphne* zou slapen en de *Daphne* in de richting van het eiland in het westen zou drijven; ik zou dan van de ene naar de andere plek gaan, maar niemand zou kunnen zeggen dat mijn lichaam bewogen had. En wat de dagelijkse omwenteling betreft, dat is alsof ik op een grote draaischijf zou zitten die beweegt. Natuurlijk zou u eerst mijn gelaat te zien krijgen en dan mijn rug, maar niet zozeer ík zou bewegen, als wel de schijf.'

'Dat is de hypothesis van een taugenichts die een ketter zijn wil maar niet erop lijken wil. Maar zeg mij nu waar de sterne staan. Draaien ook de hele Ursa Major et Perseus in diezelfde draaikring?'

'Alle sterren die we zien zijn even zovele zonnen, en elk bevindt zich in het middelpunt van haar eigen draaikring, en het gehele heelal is één groot gedraai van draaikringen met ontallijke zonnen en aller-ontallijkste planeten, ook verder dan ons oog reikt, en elk met haar eigen bewoners!'

'Ah! Daar heb ik jou en jouw ketterische vrienden! Dát willen jullie, ontallijke werelden!'

'Meer dan één wilt u me er hopelijk toch wel toestaan. Waar zou God de hel anders geplaatst hebben? Niet in het ingewand des aard-rijks.'

'Warum niet in het ingewand des aardrijks?'

'Omdat' – en hier herhaalde Roberto zeer bij benadering een rede-nering die hij in Parijs gehoord had, en ik sta niet voor de nauwkeu-righeid van zijn berekeningen in – 'de doorsnede van het middelpunt der aarde tweehonderd mijl meet, en als we dat tot de derde macht verheffen, krijgen we acht miljoen mijl. In aanmerking genomen dat er in een mijl tweehonderdveertigduizend voet gaan, en aangezien de Heer elke verdoemde toch minstens zes cubieke voet moet hebben toegekend, zou de hel slechts veertig miljoen verdoemden kunnen bevatten, hetgeen me weinig lijkt, gezien het aantal slechte mensen dat er vanaf Adam tot op heden op onze wereld geleefd heeft.'

'Dat zou het geval zijn,' antwoordde Pater Caspar zonder zich te verwaardigen na te gaan of de berekening klopte, 'als die verdammten da met lichaam en al in zitten zouden. Maar dat is nur na de Resur-rectio van het Vlees en het Laatste Oordeel! En dan zou het geen aar-de of planeten meer geven, maar andere hemelen en neue aarden!'

'Goed, als het alleen verdoemde zielen zijn, dan zouden er ook duizend miljoen op de punt van een naald passen. Maar er zijn ster-ren die we niet met het blote oog zien, maar die met uw verrekijker wél te zien zijn. Welnu, kunt u zich geen verrekijker voorstellen die honderd keer zo sterk is en die u in staat stelt andere sterren te zien, en dan een die nog duizend keer zo sterk is en die u sterren laat zien die nog verder weg staan, en zo maar door *ad infinitum*? Wilt u een grens stellen aan de schepping?'

'Hierover staat niets in de Bijbel.'

'In de Bijbel staat ook niets over Jupiter, en toch keek u daar gis-teravond naar met die vermaledijde kijker van u.'

Maar Roberto wist al wat de jezuïet werkelijk voor bedenkingen had. Dezelfde als die welke de abt had geuit op die avond waarop Saint-Savin hem tot een duel had uitgedaagd: dat, als er ontallijke werelden zijn, het niet langer mogelijk is zin te geven aan de Verlossing, en we dus ofwel ons ontallijke Kruiswegen moeten voorstellen, ofwel deze aardse bloemhof moeten zien als een bevoorrechte plek in het geheelal, waarop God zijn Zoon heeft laten neerdalen om ons te verlossen van de zonde, terwijl hij andere werelden niet zoveel genade heeft vergund – hetgeen een smet werpt op zijn oneindige goedheid. En dat had Pater Caspar inderdaad gezegd, hetgeen Roberto de gelegenheid gaf hem opnieuw aan te vallen.

'Wanneer heeft de zonde van Adam plaatsgevonden?'

'Mijn medebroeder hebben perfecte mathematische calculi gemacht, op basis van de Schrift: Adam heeft drieduizendnegenhonderd en vierenachtzig jaar vóór de komst van onze Heer gezondigd.'

'Welnu, u weet wellicht niet dat de reizigers die in China aankwamen, onder wie zich velen van uw medebroeders bevonden, daar lijsten met de monarchen en dynastieën van de Chinezen hebben aangetroffen waaruit blijkt dat het Chinese rijk meer dan zesduizend jaar geleden, en dus vóór de zonde van Adam, al bestond. En als dit voor China geldt, wie weet voor hoeveel andere volkeren dat dan niet ook opgaat. De zonde van Adam, en de verlossing van de joden, en de mooie waarheden van onze Heilige Roomse Kerk die daaruit zijn voortgekomen, hebben dus slechts betrekking op een gedeelte van de mensheid. Maar er is een ander deel van de mensheid dat niet bezoedeld is door de erfzonde. Dit doet niets af aan de oneindige goedheid van God, die zich ten aanzien van de Adamieten net zo gedragen heeft als de vader uit de parabel van de verloren zoon, door zijn Zoon alleen voor hen te offeren. Maar net zomin als die vader met het slachten van het vette kalf voor zijn zondige zoon duidelijk had willen maken dat hij minder van diens goede en deugdzame broeders hield, zo houdt ook onze schepper niet minder hartstochtelijk van de Chinezen en van alle anderen die vóór Adam geboren zijn, en is hij verheugd dat ze niet tot de erfzonde zijn vervallen. Als het zo op aarde gebeurd is, waarom zou het dan niet ook zo op de sterren gebeurd kunnen zijn?'

'Wie heeft jou deze quatsch doch verteld?' had Pater Caspar woedend geroepen.

'Er wordt door zovelen over gesproken. En een Arabische wijze heeft gezegd dat je het zelfs kunt afleiden uit een bladzijde in de Alkoran.'

'En jij zegt mij dat de Alkoran de waarheid van überhaupt iets bewijzen zou? O almachtige Gott, ik bid Dich, stuur blitze neer op deze ijdele, hochmoedige, zelfgenoegzame, hovaardige, ongedurige onruststichter, bestie van een mensch, duivel, hund und demon, vervloekte kranke molosserhund, zodat hij nie meer een fuss op dit schip zet!'

En Pater Caspar had het touw gepakt en het laten klappen als een zweep. Hij had Roberto eerst in zijn aangezicht geraakt en het touw daarna losgelaten. Roberto was kopje-onder gegaan, had als een gek gesparteld, kon het touw niet voldoende strak trekken en brulde om hulp, waardoor hij water binnenkreeg, terwijl Pater Caspar hem toeschreeuwde dat hij hem wilde zien stuiptrekken en in doodsnood naar lucht happen, zodat hij, zoals ellendelingen van zijn slag betaamde, naar de hel zou zinken.

Toen hij vond dat Roberto genoeg gestraft was, had hij hem, omdat hij een christelijke inborst had, naar boven gehaald. En voor die dag waren zowel de zwemles als de les in sterrenkunde voorbij, en waren de twee gaan slapen, elk aan zijn eigen kant, zonder nog een woord te wisselen.

De dag daarop hadden ze zich weer verzoend. Roberto had opgebiecht dat hij helemaal niet in die onderstelling van de draaikringen geloofde en eerder van mening was dat de ontallijke werelden het gevolg waren van het wervelen van atomen in de ijle ruimte, en dat dit in het geheel niet uitsloot dat er een voorzienige godheid was die deze atomen bevelen gaf en ze ordende in overeenstemming met zijn raadsbesluiten, zoals de Kanunnik van Digne hem had geleerd. Pater Caspar verwierp echter ook dit denkbeeld, waarvoor een ijle ruimte vereist was waarin de atomen zich bewogen. Maar de lust om te redetwisten met een Parce die zo vrijgevig was dat ze de draad die hem in leven hield te veel liet vieren, in plaats van deze door te knippen, was Roberto vergaan.

Na de belofte dat hij niet meer met de dood bedreigd zou worden, had hij zijn pogingen hervat. Pater Caspar trachtte hem ertoe over te halen zich in het water ook wat te bewegen, hetgeen bij de zwemkunst een eerste vereiste is, en ried hem aan traagzame bewegingen met zijn handen en benen te maken, maar Roberto gaf er de voorkeur aan zomaar wat rond te dobberen.

Pater Caspar liet hem dobberen en maakte van de gelegenheid gebruik om hem zijn andere bewijsredenen tégen het bewegen van de aarde uiteen te zetten. In primis, het Argumentum van de Zon. Die, als ze stil zou staan en we er precies om twaalf uur 's middags uit het midden van een kamer door een raam naar zouden kijken – terwijl de aarde zo snel zou draaien als men beweert, en dat moet heel snel zijn, om in vierentwintig uur één keer helemaal rond te gaan – in een ommezien tijds uit ons gezichtsveld zou verdwijnen.

Daarop volgde het Argumentum van de Hagel. Deze valt soms wel een uur achter elkaar, maar bedekt, of de wolken nu naar het oosten, het westen, het noorden of het zuiden gaan, de velden altijd over een afstand van vierentwintig tot dertig mijl, nooit meer. Maar als de aarde zou draaien en de hagelwolken door de wind tegen haar baan in werden meegevoerd, zou het ten minste over een afstand van driehonderd tot vierhonderd mijl moeten hagelen.

En daarna het Argumentum van de Witte Wolken, die door de lucht drijven als het kalm weer is en allemaal even traag lijken te gaan; terwijl als de aarde zou draaien, de wolken die naar het westen gaan een enorme snelheid zouden moeten hebben.

En ten slotte het Argumentum van de Landdieren, die zich instinctief altijd in oostelijke richting zouden moeten bewegen teneinde zich te schikken naar de beweging van de aarde die over hen heerst; terwijl ze er eigenlijk grote afkeer van zouden moeten hebben om zich in westelijke richting te bewegen, omdat ze zouden voelen dat dit een tegennatuurlijke beweging is.

Aanvankelijk onderschreef Roberto al deze bewijsredenen, maar op een zeker moment kreeg hij er genoeg van en pareerde hij al die wijsheid met zijn Argumentum van het Verlangen.

'U wilt me,' zei hij tegen Pater Caspar, 'toch niet de vreugde ontnemen te denken dat ik zou kunnen opvliegen en de aarde in vieren-

twintig uur onder me rond zou kunnen zien draaien, en zoveel verschillende aangezichten zou kunnen zien, blanke, zwarte, gele, olijfkleurige, met hoed of met tulband, en steden met nu eens puntige en
dan weer ronde klokketorens, met een kruis of met een halvemaan,
en steden met porceleinen torens en huttendorpen, en Iroquezen die
op het punt staan een krijgsgevangene levend te verorberen en vrouwen uit het land van Tesso die bezig zijn hun lippen blauw te verven
voor de lelijkste mannen van de wereld, en die uit Camul die door
hun echtgenoten aan de eerste de beste worden weggegeven, zoals
geschreven staat in het boek van Markus Paulus Venetus...

'Zie jij? Zoals ik zeg: wanneer jullie in de taverne aan jullie filoso-
fie denken, zijn het immer wollustige gedachten! En als jij die gedachten niet gehad had, kon jij deze reise maken als Gott je gnade
schonk zodat jij om de wereld herum draaien kon, en dat is geen mindere gnade dan je in de luft hangen te laten.'

Roberto was niet overtuigd, maar wist er niets meer tegen in te
brengen. Dus maakte hij een omweg, uitgaand van andere bewijsredenen die hij gehoord had en die evenmin in tegenspraak leken met
het denkbeeld van een voorzienige God, en vroeg Caspar of hij het
ermee eens was dat de natuur gezien moest worden als een groots
schouwtoneel waarop we alleen datgene zien wat de maker beschikt
heeft. Vanaf onze plaats zien we het schouwtoneel niet zoals het in
werkelijkheid is: de versieringen en de kunstwerken zijn zo opgesteld
dat ze er van veraf fraai uitzien, terwijl de wielen en de tegenwichten
die voor de bewegingen zorgen aan onze blik onttrokken zijn. Zou er
echter een vakman in de zaal zitten, dan zou deze in staat zijn te raden hoe het kan dat een mechanieke vogel plotseling opvliegt. Net zo
zou de wijsgeer zich moeten opstellen ten aanzien van het schouwspel
van het heelal. Natuurlijk is het voor de wijsgeer moeilijker, omdat
de touwen van de kunstwerken in de natuur zo goed verborgen zijn
dat men zich lange tijd heeft afgevraagd wie ze in handen had. Maar
ook als Phaëthon in óns toneel opstijgt naar de zon, wordt hij om-
hooggetrokken aan een aantal touwen en komt er een tegenwicht
naar beneden.

Ergo (zei Roberto ten slotte triomfantelijk, toen hem weer te binnen schoot waarom hij begonnen was zo uit te weiden), het toneel

toont ons de zon die draait, maar het kunstwerk is van heel andere aard, en dat kunnen we op het eerste gezicht niet zien. We zien het schouwspel, maar niet de katrol die maakt dat Phoebus beweegt, omdat wijzelf namelijk op de schijf van die katrol wonen – en hier raakte Roberto de draad kwijt, want nu hij was overgestapt op de beeldspraak van de katrol verspeelde hij die van het toneel en werd zijn hele betoog dermate *pointu* – zoals Saint-Savin gezegd zou hebben – dat het elke spitsheid verloor.

Pater Caspar had geantwoord dat de mens, om een kunstwerk te laten zingen, hout of metaal moest bewerken, er gaten in moest maken, of snaren moest spannen en er met strijkstokken over moest strijken, of zelfs – zoals hij op de *Daphne* had gedaan – een bouwsel moest uitvinden dat op water liep, terwijl we diergelijke kunstwerken niet zien als we in de keel van een nachtegaal kijken – teken dat Gods wegen anders zijn dan de onze.

Toen had hij gevraagd of Roberto, die immers zoveel op had met ontallijke zonnestelsels die in de hemel ronddraaiden, niet zou kunnen toegeven dat elk van deze stelsels deel uitmaakt van een groter stelsel, dat op zijn beurt weer ronddraait binnen een nog groter stelsel, enzovoort – aangezien je, als je van die onderstellingen uitging, werd als een maagd die het slachtoffer wordt van een verleider: eerst laat ze hem een klein beetje zijn gang gaan, maar al snel moet ze hem meer toestaan, en dan nog meer – en als je die weg eenmaal bent ingeslagen is het einde zoek.

Natuurlijk kun je van alles denken, had Roberto gezegd. Aan draaikringen zonder planeten, aan draaikringen die tegen elkaar opbotsen, aan draaikringen die niet rond maar zeshoekig zijn, met op elke kant of zijde weer een andere draaikring, die samen één geheel vormen, net als de cellen van een honingraat; of je kunt bedenken dat ze veelhoeken zijn waartussen, als deze tegen elkaar leunen, lege ruimten ontstaan die door de natuur worden opgevuld met andere, kleinere draaikringen, die allemaal in elkaar grijpen als de radertjes van uurwerken – en dat ze zich tezamen door het heelal bewegen als een groot wiel dat draait en in zijn binnenste nog meer wielen koestert die ronddraaien, elk met kleinere wielen die daar weer binnenin ronddraaien, en dat heel die grote cirkel in de hemel een reusachtige omwenteling aflegt die duizenden jaren duurt, misschien rond een andere draaikring van draaikringen van draaikringen... En hier dreigde Roberto te verdrinken, omdat hij door enorme duizeligheid bevangen werd.

En dat was het moment waarop Pater Caspar zijn slag sloeg. Dus, legde hij uit, als de aarde om de zon draait, maar de zon draait om iets anders (buiten beschouwing latend of dit andere rond nog weer iets anders draait), hebben we te maken met het vraagstuk van de *roulette* – waarvan Roberto waarschijnlijk wel gehoord had, aangezien het vanuit Parijs in Italië was terechtgekomen, bij de Galileanen, die werkelijk de gekste dingen bedachten om de wereld op haar kop te zetten.

'Wat is die *roulette*?' vroeg Roberto.

'Jij kunt het ook trochoides of cycloides noemen, maar dat verandert wenig. Stel jou een rad voor.'

'Dat van daarnet?'

'Nee, stel jou nu een wiel voor van een kar. En stel jou voor dat in de rand van dat wiel een nagel zit. Stel jou nu voor dat het wiel stilstaat en dat de nagel gerade boven de grond zit. Denk nu dat die kar rijdt en dat wiel draait. Wat denk jij dat er met deze nagel passeert?'

'Wel, als het wiel draait, zal de nagel op een gegeven moment bovenaan zitten, maar als het wiel een hele draai heeft gemaakt zit hij weer vlak bij de grond.'

'Jij denkt also dat deze nagel een beweging als zirkel gemaakt heeft?'

'Eh, ja. Niet als een vierkant in ieder geval.'

'Luister nu, kindskopf. Meen jij dat deze nagel zich op de grond op dezelfde punt bevindt waar hij eerst was?'

'Wacht eens even... Nee, als de kar gereden heeft, bevindt de nagel zich wel bij de grond, maar een heel eind verderop.'

'Hij heeft also keine zirkelbeweging gemaakt.'

'Nee, bij alle heiligen in het paradijs,' had Roberto gezegd.

'Zeg niet Bijalleheiligeninhetparadijs.'

'Neemt u me niet kwalijk. Maar wat voor beweging heeft hij dan gemaakt?'

'Hij heeft een trochoides gemaakt, en damet jij dat begrijpt, zeg ik dat het meer of minder als de beweging van een bal is die jij voor je uit werpt en die de grond raakt, dan weer een zirkelboog maakt, en dan weer een – alleen maakt de bal immer kleinere bogen, terwijl de nagel immer even grote bogen maakt, als dat wiel tenminste dezelfde snelheid houdt.'

'En wat wil dat zeggen?' had Roberto, vermoedend dat hij verslagen was, gevraagd.

'Dat wil zeggen dat jij allerlei vortices en ontallijke werelden aantonen wilt, en dat de aarde draait, en zie, jouw aarde draait niet mehr, maar beweegt zich door de oneindige hemel als een bal, bum bum bum – ach wat ein mooie bewegung voor deze zo nobele globus! En als jouw theorie der vortices stimmt, maakten alle hemellichamen bum, bum bum – breng mij niet aan het lachen, want dat is werkelijk der grösste jocus meines lebens!'

Er viel weinig in te brengen tegen een zo subtiele en meetkundig gezien volmaakte bewijsvoering – die bovendien volmaakt te kwader trouw was, want Pater Caspar had kunnen weten dat iets dergelijks ook zou gebeuren als de planeten zo draaiden als Tycho wilde. Roberto was nat en als een geslagen hond afgedropen. 's Nachts had hij erover nagedacht of hij er niet beter aan zou doen al zijn ketterse denkbeelden over het bewegen van de aarde te laten varen. Eens kijken, had hij bij zichzelf gezegd, als Pater Caspar toch gelijk heeft en de aarde beweegt niet (anders zou ze meer bewegen dan nodig is en niet tot stilstand gebracht kunnen worden), zou dat dan diens ontdekking van de meridiaan van de tegenvoeters in gevaar brengen, en zijn theorie over de zondvloed en daarmee zijn overtuiging dat het Eiland daar lag waar het een dag vroeger was dan hier? Geenszins.

Ik doe er dus wellicht beter aan, had hij gezegd, de sterrenkundige meningen van mijn nieuwe leermeester niet te betwisten en me daarentegen te bekwamen in het zwemmen, om datgene te bereiken wat me werkelijk bezighoudt – en dat is niet de vraag of Copernicus gelijk had, of Galilei, of die oude knar van een Tycho van Uraniborg – maar de Oranjekleurige Duif te zien en de dag hiervóór te betreden; iets waarvan noch Galilei, noch Copernicus, noch Tycho, noch mijn Parijse leermeesters en vrienden ooit hadden kunnen dromen.

En dus had hij de dag daarop, als een gehoorzame leerling op zowel zwem- als sterrenkundig gebied, weer zijn opwachting bij Pater Caspar gemaakt.

Maar Pater Caspar had zijn les voor die dag opgeschort, waarvoor hij de woelige zee en andere berekeningen die hij nog moest maken als reden aanvoerde. Tegen de avond had hij hem uitgelegd dat men, om schwimmen te leren, zoals hij zei, aandacht en rust nodig had, en dat men niet mocht wegdromen. Aangezien Roberto geneigd was juist het tegenovergestelde te doen, was hij tot de slotsom gekomen dat hij geen aanleg voor zwemmen had.

Roberto had zich afgevraagd hoe het kwam dat zijn leermeester, die toch zo trots was op zijn meesterschap, zo plotseling van zijn plan had afgezien. En ik geloof dat hij tot de juiste slotsom was gekomen. Pater Caspar had zich in het hoofd gezet dat het liggen, en ook het bewegen, in het water, en in de zon, bij Roberto tot gisting van de hersenen leidde en hem op gevaarlijke gedachten bracht. De verbondenheid met zijn eigen lichaam, de onderdompeling in het vocht dat tevens stoffelijk was, maakte dat hij enigermate redeloos werd en bracht hem op gedachten die onmenselijke en gestoorde naturen eigen zijn.

Pater Caspar Wanderdrossel moest dus een andere manier verzinnen om het Eiland te bereiken, een die niet ten koste ging van Roberto's geestelijke gezondheid.

25
*t*echnica
curiosa

Toen Pater Caspar zei dat het opnieuw zondag was, drong het tot Roberto door dat er sinds de dag dat ze elkaar ontmoet hadden meer dan een week verstreken was. Pater Caspar zei de mis en wendde zich vervolgens tot hem met een vastberaden uitdrukking op zijn gelaat.

'Ik kan niet wachten tot jij schwimmen gelernt hebt,' had hij gezegd.

Roberto antwoordde dat hij er niets aan kon doen. De jezuïet gaf toe dat hij er misschien wel niets aan kon doen, maar dat het gure weer en de wilde dieren ondertussen bezig waren zijn Specula kapot te maken, die juist elke dag verzorging behoefde. En dus restte er, *ultima ratio*, slechts één oplossing: hij zou zelf naar het Eiland gaan. En op de vraag hoe hij dat wilde doen, zei Pater Caspar dat hij het zou proberen met de Waterklok.

Hij legde uit dat hij zich al lang bezighield met het vraagstuk hoe je onder water kunt navigeren. Hij had er zelfs over gedacht een houten bootje te bouwen, versterkt met ijzer en met een dubbele romp, een boven en een beneden, alsof het een blikken trommel was met bijbehorend deksel. Het schip zou tweeënzeventig voet lang zijn, tweeëndertig hoog, acht breed en zwaar genoeg om onder het wateroppervlak te zakken. Het zou worden voortbewogen door een scheprad dat werd aangedreven door twee mannen er binnenin, zoals ezels bij een molensteen. En om te kunnen zien waar je heen ging, stak je een *tubospicillum* naar buiten, een kijker waarmee je, met behulp van inwendige lenzen, van binnen uit kon onderzoeken wat er buiten gebeurde.

Waarom hij het niet gebouwd had? Omdat de natuur gemaakt is – zei hij – om ons in onze onbeduidendheid te beschamen: er zijn denkbeelden die op papier volmaakt lijken en die de toets van de praktijk vervolgens toch niet kunnen doorstaan, en niemand weet waarom.

Pater Caspar had echter een Waterklok gebouwd: 'En der onwetende plebs, als men hun gezegd had dat iemand naar de bodem des Rheines afdalen kon en dabei zijn kleren droog houden, en selbst een vuur in een vuurkorf in zijn handen houden, zouden ze zeggen dat het wahnsinn was. Maar in de praxis is het bewezen worden, voor bijna een eeuw in het oppidum van Toleto in Hispania. Darum ga ik nu met mijn Waterklok naar het Eiland te voet, genauso als jij mij nu lopen ziet.'

Hij liep naar de broodkamer, die voorwaar onuitputtelijk was: behalve het sterrenkundige instrumentarium lag er nog iets anders. Roberto moest nog meer metalen staven en halve cirkelbogen naar het dek dragen, en een reusachtige rol leer dat nog naar zijn gehoornde gever rook. Het baatte niet dat Roberto hem erop wees dat ze, als het zondag was, te weten de dag des Heren, niet dienden te werken. Pater Caspar had geantwoord dat dit geen werk was, en al helemaal geen bezoldigd werk, maar de beoefening van een der alleredelste kunsten, en dat hun inspanningen gewijd zouden zijn aan het vergroten van de kennis van het grote boek der natuur. En dus viel het te vergelijken met de beschouwing van de Heilige Schrift, waar het boek der natuur niet van afwijkt.

Roberto moest dus aan het werk, aangespoord door Pater Caspar, die hem op de neteligste momenten te hulp schoot, namelijk als de metalen onderdelen met elkaar verbonden moesten worden door ze in vooraf aangebrachte uitsparingen te schuiven. Hij werkte een hele ochtend en zette zo een kooi in elkaar in de vorm van een afgeknotte kegel, net iets hoger dan een mens, met drie hoepels erin – waarvan de bovenste een kleine, de middelste een grotere en de onderste een nog grotere doorsnede had – die dankzij vier schuin oplopende staven evenwijdig boven elkaar bleven zitten.

Aan de middelste hoepel was een soort stoffen tuig bevestigd waar een man in paste en waaraan verschillende banden zaten die om de rug en de borst gebonden dienden te worden, zodat degene die erin zat niet alleen bij zijn liezen vastzat, om te voorkomen dat hij omlaag zou glijden, maar ook bij zijn schouders en zijn nek, zodat hij zijn hoofd niet tegen de bovenste hoepel zou stoten.

Terwijl Roberto zich afvroeg waar dit geheel toe zou kunnen dienen, had Pater Caspar de rol leer uitgerold, die een goed passende hoes of handschoen of vingerhoed voor dat metalen gewrocht bleek te zijn die er zonder al te veel moeite overheen kon worden geschoven en vervolgens van binnen uit met haken kon worden vastgezet, zodat deze er, als ze er eenmaal om zat, niet meer afgestroopt kon worden. En nu ze erom zat, leek het ding werkelijk op een kegel zonder punt, van boven dicht en van onderen open – of, zo men wilde, inderdaad op een soort klok. Aan de bovenkant, tussen de bovenste en de middelste hoepel, zat een glazen raampje, en op het dak van de klok zat een stevige ring.

Daarop werd de klok in de richting van de gangspil geschoven en aan een takel gehaakt waarmee ze, met behulp van een slim stelsel van taliën, kon worden opgetild, neergelaten, buiten boord gebracht en af- en opgehesen, zoals met elke baal, kist en bundel gebeurt die geladen of gelost wordt.

De gangspil was wat roestig omdat hij al lang niet was gebruikt, maar uiteindelijk slaagde Roberto erin hem aan de gang te krijgen en de klok een stuk de hoogte in te hijsen, zodat je haar ingewanden kon zien.

Deze klok wachtte nu nog slechts op een reiziger die zich erin zou wurmen en zich vast zou snoeren, zodat hij als een klepel in de lucht zou komen te hangen.

Iedereen paste erin, ongeacht zijn postuur: de riemen konden met behulp van gespen en knopen wijder worden gemaakt of strakker worden aangetrokken. Welnu, zat de bewoner van de klok eenmaal goed vastgesnoerd, dan zou hij met zijn huisje uit wandelen kunnen gaan; de banden zorgden ervoor dat zijn hoofd ter hoogte van het raampje bleef zitten en dat de onderrand min of meer tot op zijn kuit reikte.

Nu restte Roberto niet anders dan zich voor te stellen, legde Pater Caspar triomfantelijk uit, wat er zou gebeuren wanneer de spil de klok in zee zou laten zakken.

'Wat er gebeurt? De reiziger verdrinkt,' had Roberto vastgesteld, zoals eenieder zou doen. En Pater Caspar had hem voorgehouden dat hij wel heel weinig af wist van het 'evenwicht der vloeistoffen'.

'Jij kunt wellicht denken dat de ijle ruimte ergendwo bestaat, zoals die sieraden van de Satanssynagoge, met wie jij in Paris sprak, beweren. Maar misschien geef je toe dat het in de klok geen ijle ruimte geeft, maar luft. En wanneer jij een klok vol luft in het water zakken laat, dringt het water da niet in. Of het ene of het andere.'

Het was waar, gaf Roberto toe. En hoe hoog de zee dus ook was, de man kon lopen zonder dat er water in kwam, tenminste zolang de wandelaar met zijn ademhaling niet alle lucht had verbruikt en deze had omgezet in waterdamp (zoals je ziet wanneer je tegen een spiegel ademt), die minder dicht is dan lucht en daar dus uiteindelijk voor zou wijken – doorslaggevend bewijs, verklaarde Pater Caspar triomfantelijk, dat de natuur afschuw heeft van de ijle ruimte. Maar met een klok van die afmetingen kon de wandelaar ervan uitgaan, had Pater Caspar berekend, dat hij voor minstens dertig minuten lucht had. Als je ernaar toe moest zwemmen was de oever erg ver, maar lopend zou het gemakkelijk te doen zijn, omdat bijna halverwege het schip en de oever de koralen wering begon – en wel op zo'n plek dat de sloep daar niet langs had gekund, maar helemaal om de kaap heen had moeten varen. En op sommige plekken zat het koraal vlak onder het wateroppervlak. Als hij de tocht zou aanvaarden op het moment dat het eb was, zou de wandeling onder water nog korter worden. De wandelaar hoefde dan slechts het drooggevallen land te bereiken, en zodra hij ook maar met een half been boven het wateroppervlak uitkwam, zou de klok weer volstromen met frisse lucht.

Maar hoe moest hij over een zeebodem lopen die waarschijnlijk vol gevaren was, en hoe moest hij over een wering klimmen die bestond uit puntige stenen, en uit koralen die nog scherper waren dan die stenen? En afgezien daarvan: kon de klok naar de bodem zinken zonder in het water slagzij te maken of weer omhoog te worden geduwd, net zoals gebeurt als iemand in het water duikt en vanzelf weer bovenkomt?

Pater Caspar voegde er fijntjes glimlachend aan toe dat Roberto het voornaamste bezwaar over het hoofd had gezien: dat wanneer je de klok vol lucht in zee zou duwen, er evenveel water verplaatst zou worden als ze groot was, en dat dit water veel meer zou wegen dan het lichaam dat daarin trachtte binnen te dringen en dit dus sterk tegen zou werken. Maar in deze klok zouden zich ook verscheidene ponden mens bevinden, en niet te vergeten de Metalen Cothurnen. En met de houding van iemand die overal aan gedacht heeft, haalde hij uit de onuitputtelijke broodkamer een paar laarzen te voorschijn met meer dan vijf vingers hoge ijzeren zolen, die sloten onder de knie. Het ijzer zou dienst doen als ballast en tevens de voeten van de reiziger beschermen. Hij zou er wel langzamer door gaan lopen, maar zou niet meer geplaagd worden door het soort ongerustheid dat de tred op oneffen terrein gewoonlijk onvast maakt.

'Maar als u vanuit de diepte hier onder ons naar de kust moet klimmen, zal de hele route omhooglopen!'

'Jij was niet hier toen ze de anker zakken hebben laten! Ik heb eerst de peiling gemaakt. Überhaupt geen afgrond! Als die *Daphne* iets verder vooruitging, zou ze auflaufen!'

'Maar hoe zult u de klok, die zwaar op uw hoofd drukt, rechtop kunnen houden?' vroeg Roberto. En Pater Caspar wees hem erop dat je dat gewicht in het water niet voelde en dat Roberto, als hij ooit geprobeerd had een boot te duwen of met zijn hand een ijzeren kogel uit een bak te vissen, had kunnen weten dat dit pas inspannend werd als deze eenmaal uit het water was gehaald, niet zolang hij er nog in lag.

Roberto, die zag dat de oude man zijn plan met alle geweld wilde doorzetten, trachtte het moment van zijn ondergang uit te stellen. 'Maar als ik de klok laat zakken met de gangspil,' vroeg hij hem, 'hoe moet ik de kabel dan loshaken? Anders houdt het touw u tegen en kunt u niet bij het schip wegkomen.'

Caspar antwoordde dat Roberto het wel zou merken als hij eenmaal op de bodem was, omdat de kabel dan slap zou komen te hangen: en op dat moment moest hij hem doorsnijden. Dacht hij soms dat hij langs dezelfde weg terug zou keren? Als hij eenmaal op het Eiland was, zou hij de sloep ophalen en zou hij daarmee terugkeren, Deo volente.

Maar zodra hij voet aan wal had gezet en zich uit de riemen had bevrijd, zou de klok, als deze niet door een andere spil werd opgehesen, helemaal op de grond zakken en hem gevangen houden. 'Wilt u de rest van uw leven doorbrengen op een eiland onder een klok?' En de oude man antwoordde dat hij, als hij zich eenmaal uit die broek bevrijd had, alleen maar met zijn mes het lederen omhulsel hoefde door te snijden, en hij zou naar buiten komen als Minerva uit de dij van Jupiter.

En als hij onder water nu eens een grote vis zou tegenkomen, zo een die mensen verslindt? En Pater Caspar schaterde het uit: ook de bloeddorstigste vis raakt, als hij op zijn weg een uit zichzelf bewegende klok tegenkomt – iets dat zelfs een mens angst zou aanjagen – dermate van zijn stuk dat hij onverwijld op de vlucht slaat.

'Goed dan,' had Roberto ten slotte gezegd, oprecht bezorgd om zijn vriend, 'u bent oud en breekbaar, en als iemand het dan zo nodig moet proberen, ben ik dat!' Pater Caspar had hem bedankt maar hem uitgelegd dat hij, Roberto, er al volop blijk van had gegeven een uilskuiken te zijn, en god weet wat hij uit zou spoken; dat hij, Caspar, al over enige kennis van die zeearm en de wering beschikte omdat hij elders vergelijkbare weringen had gezien, op een platte schuit; dat híj die klok had laten bouwen en er dus de voors en tegens van kende; dat hij aardig wat af wist van de hydrostatica en wist hoe hij zich in onvoorziene gevallen zou kunnen redden; en ten slotte, had hij eraan toegevoegd, als ware dit de laatste bewijsgrond in zijn voordeel, 'ten slotte geloof ik erin en jij niet'.

En Roberto had begrepen dat dit in het geheel niet de laatste bewijsgrond was, maar de eerste, en zeker de fraaiste. Pater Caspar Wanderdrossel geloofde in zijn klok zoals hij in zijn Specula geloofde, en geloofde dat hij de Klok moest gebruiken om bij de Specula te komen, en geloofde dat alles wat hij deed ter meerdere eer van God was. En daar het geloof bergen kan verzetten, kon het zonder meer de wateren bedwingen.

Er restte niets anders dan de klok op het dek te zetten en klaar te maken voor de tewaterlating. Een karwei waarmee ze tot de avond bezig waren. Om het leer zo te bewerken dat het water niet van buiten naar binnen en de lucht niet van binnen naar buiten kon, gebruikten ze een papje dat op een zacht vuurtje bereid diende te worden en bestond uit drie pond was, een pond Venetiaanse terpentijn en vier onsen van een soort lak die gebruikt werd door timmerlieden. Vervolgens was het zaak dat goedje in het leer te laten trekken en het geheel tot de volgende dag te laten rusten. Ten slotte moesten ze met een andere past, die gemaakt was van pek en was, alle kieren langs de randen van het raampje opvullen, waarvan het glas al was vastgezet met mastiek die ook weer geteerd was.

'Omnibus rimis diligenter repletis,' zoals Pater Caspar zei, die de nacht doorbracht in gebed. Bij zonsopgang liepen ze klok, banden en haken nogmaals na. Caspar wachtte het moment af waarop het tij op zijn laagst was; maar toen stond de zon al tamelijk hoog, zodat de zee vóór hem oplichtte en zich achter hem allemaal schaduwen vormden. Toen omhelsden ze elkaar.

Pater Caspar zei nogmaals dat het een heuglijke onderneming zou worden, waarin hij verbluffende dingen zou zien die zelfs Adam of Noach nooit gezien hadden, en dat hij vreesde dat hij zich zou bezondigen aan hoogmoed – trots als hij was dat hij als eerste mens zou afdalen in de wereld van de zee. 'Maar,' voegde hij eraan toe, 'dit is ook een bewijs van nederigheid: als onze Herr over die wateren gelopen heeft, zal ik daaronder lopen, zoals het zich voor een sünder betaamt.'

Het enige dat ze nu nog hoefden te doen, was de klok weer op te hijsen, haar over Pater Caspar te laten zakken en te kijken of hij zich gemakkelijk kon bewegen.

Enige minuten lang was Roberto getuige van het volgende schouwspel: een grote slak, wat zeg ik, een bovist, een wandelende kampernoelje, bewoog zich met langzame en koddige passen voort, vaak halt houdend en een halve draai om zijn as makend als de Pater naar rechts of naar links wilde kijken. Die wandelende kapmuts leek niet zozeer bezig met een mars, als wel met het dansen van een gavotte, van een bourree die bij ontstentenis van muziek een nog houteriger indruk maakte.

Ten slotte leek Pater Caspar tevreden over de oefening, en met een stem die uit zijn schoeisel leek te komen zei hij dat er vertrokken kon worden.

Hij ging naast de gangspil staan, Roberto haakte hem vast, begon aan de spil te draaien en keek, toen de klok eenmaal in de lucht hing, nogmaals of Caspars voeten vrij hingen, of de oude man niet omlaag-gleed en of de klok niet omhoogschoof. Pater Caspar bonsde tegen de zijkant en galmde dat alles naar wens verliep, maar dat hij moest voortmaken: 'Die cothurnen ziehen aan mijn benen en rukken ze bijna van mijn buik los! Snel, zet mij in dat water!'

Roberto had hem nog wat bemoedigende kreten toegeroepen en had het voertuig met zijn menselijke aandrijving langzaam laten zak-ken. Hetgeen geen eenvoudige onderneming was, omdat hij in zijn eentje het werk van vele scheepsgezellen deed. Het dalen leek hem dan ook een eeuwigheid te duren, alsof de zee steeds verder zakte naarmate hij zijn inspanningen verdubbelde. Maar ten slotte hoorde hij een geluid op het water, merkte dat hij minder kracht hoefde te zetten, en na enkele ogenblikken (die wel jaren leken) voelde hij dat de spil vrij draaide. De klok had de bodem bereikt. Hij sneed het touw door en rende naar de regeling om naar beneden te kijken. Hij zag niets.

Van Pater Caspar en de klok geen spoor.

'Die mirakelse jezuïet,' zei Roberto vol bewondering bij zichzelf. 'Hij heeft het hem gelapt! Denk je eens in, daar beneden loopt een jezuïet rond, wie zou dat kunnen vermoeden. De dalen van alle zeeën zouden bevolkt kunnen zijn met jezuïeten, en niemand zou het we-ten!'

Maar vervolgens werd hij iets voorzichtiger. Dat Pater Caspar daar beneden was, was duidelijk, ook al zag je dat niet. Maar dat hij weer boven zou komen, was nog niet gezegd.

Hij had de indruk dat het water bewoog. Ze hadden deze dag uit-gekozen omdat de zee zo kalm was, maar toen ze met de laatste kluts-jes bezig waren, was er een wind opgestoken die het wateroppervlak op hun hoogte weliswaar slechts een beetje had doen rimpelen, maar aan de kust een golvenspel had veroorzaakt dat de landing op de in-middels te voorschijn gekomen rotsen zou hebben kunnen bemoeilij-ken.

In de richting van de noordpunt van het Eiland, waar een bijna vlakke, loodrechte wand opprees, ontwaarde hij schuimwaaiers die tegen de rots sloegen en in de lucht verstoven als even zovele witte vonkjes. Ze ontstonden natuurlijk doordat de golven tegen een reeks kleine rotspunten sloegen die hij niet kon zien, maar vanaf het schip leek het alsof een slang die kristallijne dampen uit de diepte omhoogblies.

Het strand zag er echter rustiger uit; pas halverwege het schip en het Eiland viel enige zeegang te bespeuren, en dat was in Roberto's ogen een goed teken. Het gaf de plaats aan waar de wering uit het water stak en was tevens de grens waarachter Pater Caspar geen gevaar meer zou lopen.

Waar was de oude man nu? Als hij meteen op pad was gegaan toen hij de bodem had bereikt, was hij nu al... Hoeveel tijd was er eigenlijk al verstreken? Roberto had geen enkel gevoel meer voor tijd, de ogenblikken leken in zijn ogen allemaal een eeuwigheid te duren, waardoor hij geneigd was hun som te laag te schatten en hij zichzelf aanpraatte dat de oude man amper in de diepte was verdwenen; wellicht bevond hij zich nog onder de kiel en probeerde hij zijn richting te bepalen. Maar toen bekroop hem het angstige vermoeden dat de kabel bij het omlaagzakken gedraaid was waardoor de klok een halve slag had gemaakt, zodat Pater Caspar zonder het te weten met zijn raampje naar het westen gekeerd had gestaan en nu dus op weg was naar open zee.

Daarop hield Roberto zichzelf voor dat eenieder die zich in de richting van de volle zee begaf, zou merken dat hij daalde in plaats van steeg, en van koers zou veranderen. Maar als de zeebodem op hun hoogte nu eens in westelijke richting omhoogliep, en degene die klom meende dat hij oostwaarts ging? Maar dan nog zou de weerschijn van de zon hem erop wijzen in welke richting het hemellichaam zich bewoog... Maar zie je de zon wel in de diepte? Dringen haar stralen door als door een kerkraam, in dichte bundels, of raken ze verstrooid en breken ze uiteen in waterdruppels, zodat degene die daar beneden woont het licht ziet als een zwak, bleek, richtingloos schijnsel?

Nee, zei hij toen, de oude man begrijpt heel goed welke kant hij op moet, misschien is hij al halverwege het schip en de wering, sterker nog, ís hij er al, ja, misschien is hij op dit moment bezig die met zijn grote ijzeren zolen te beklimmen en zie ik hem zo dadelijk verschijnen...

Andere gedachte: in werkelijkheid is er vóór vandaag nog nooit iemand op de bodem van de zee geweest. Wie zegt me dat je daar na een paar vadem niet in het volkomen duister terechtkomt, dat slechts bewoond wordt door schepselen wier ogen een vage flonkerglans uitstralen... En wie zegt dat je op de zeebodem nog het juiste richtingsgevoel hebt? Misschien loopt hij in een kringetje rond, legt hij steeds dezelfde weg af, totdat de lucht in zijn borst verandert in vocht dat het verwante water naar de klok lokt...

Hij verweet zichzelf dat hij niet ten minste een zandloper mee naar het dek had genomen: hoeveel tijd was er nu verstreken? Wellicht al meer dan een halfuur, o jee, dat was veel te veel, en nu had hij zélf het gevoel dat hij stikte. Hij ademde diep in, leefde weer op en meende dat dat het bewijs was dat er pas enkele ogenblikken verstreken waren en dat Pater Caspar nog volop lucht had.

Maar misschien is de oude man wel schuin gelopen en heeft het geen zin recht vooruit te kijken alsof hij ergens langs de baan van een kogel uit een haakbus boven water zou moeten komen. Hij kon allerlei omwegen gemaakt hebben, op zoek naar de beste plekken om over de wering te klimmen. Had hij niet gezegd, toen ze de klok in elkaar zetten, dat het een geluk was dat de gangspil hem juist op die plek neer zou laten? Tien stappen meer naar het noorden liep de onderwal plotseling naar beneden en vormde een steile wand waar hij een keer met de sloep tegenaan was gevaren, terwijl er precies op de hoogte van de spil een doorgang was waar ook de sloep doorheen was gegaan, om vervolgens daar waar de rotsen langzaam hoger werden, vast te lopen.

Misschien was hij per ongeluk van richting veranderd en op een muur gestuit, en volgde hij die nu zuidwaarts op zoek naar de doorgang. Of misschien volgde hij deze wel in noordelijke richting. Hij moest de hele kust afspeuren, van punt tot punt; misschien zou hij daar opduiken, omkranst met zeeklimop... Roberto keek van het ene einde van de baai naar het andere, bang dat hij, als hij naar links keek, Pater Caspar zou missen die rechts al was opgedoken. En toch kon je ook een man op die afstand onmiddellijk zien, laat staan een lederen klok die droop in de zon als een pasgewassen koperen ketel...

De vis! Misschien zat er echt een cannibaalse vis in het water, die in het geheel niet door de klok was afgeschrikt en de jezuïet met huid en haar had verslonden. Nee, van zo'n vis had hij de donkere schaduw moeten zien: als hij er was, moest hij zich tussen het schip en het begin van de koraalrotsen bevinden, niet erachter. Maar misschien had de oude man de rotsen al bereikt en hadden dierlijke of minerale stekels de klok doorboord, zodat het kleine beetje lucht dat er nog in zat eruit was gelopen...

Andere gedachte: wie verzekert me dat er werkelijk genoeg lucht in de klok zat voor zoveel tijd? Dat zei hij wel, maar hij had het ook mis toen hij er zeker van was dat dat bekken van hem zou werken. Welbeschouwd heeft de goede Caspar zich een fantast betoond, en misschien is dat hele verhaal over de wateren van de Zondvloed en over de meridiaan en over het Salomonseiland wel zotteklap. En trouwens, ook al had hij gelijk wat het Eiland betreft, dan nog zou hij de hoeveelheid lucht die een mens nodig heeft verkeerd berekend kunnen hebben. En ten slotte, wie zegt me dat al die oliën en die aftreksels echt elke kier gedicht hebben? Misschien lijkt het binnenste van die klok nu wel op zo'n grot waarin uit alle hoeken en gaten water naar binnen spuit, misschien laat het leer wel water door als een spons. Is het soms niet waar dat onze hele huid een soort zeef is, vol poren die je niet kunt zien maar die er toch moeten zijn, aangezien het zweet erdoor naar buiten komt? En als dat opgaat voor de huid van een mens, gaat het dan ook op voor de huid van een rund? Of zweten runderen niet? En als het regent, voelt een rund zich dan ook nat van binnen?

Roberto wrong zich de handen en vervloekte zijn ongeduld. Natúúrlijk, hij meende dat er al uren voorbij waren, maar in werkelijkheid waren het slechts enkele polsslagen. Hij hield zichzelf voor dat híj geen reden had om bang te zijn, dat de moedige grijsaard daar heel wat meer reden toe had. Wellicht deed hij er beter aan diens tocht te begunstigen door te bidden, of op zijn minst te hopen op een goede afloop.

Daar komt bij, zei hij, dat ik te veel redenen heb bedacht waarom het mis zou kunnen gaan, en het is melancholici eigen spoken te zien waarmee de werkelijkheid niet kan wedijveren. Pater Caspar kent de wetten van de hydrostatica, hij heeft deze zee al gepeild en heeft de

Zondvloed onderzocht, mede aan de hand van de versteningen die alle zeeën bevolken. Rustig blijven, ik moet beseffen dat er pas heel weinig tijd verstreken is, en ik moet weten te wachten.

Het drong tot hem door dat hij van degene die ooit de Indringer was geweest was gaan houden, en dat hij louter bij de gedachte dat deze iets ergs overkomen kon zijn al moest huilen. Vooruit oude, mompelde hij, kom terug, word herboren, herrijs, bij God, dan zullen we de vetste kip de nek omdraaien. Je wilt de Specula Melitensis toch niet in de steek laten?

En plotseling besefte hij dat hij de rotsen vlak bij de kust niet meer zag – teken dat de zee was gaan stijgen. En de zon, die hij eerst kon zien zonder zijn hoofd op te tillen, stond nu recht boven hem. Sinds het moment van het verdwijnen van de klok waren er dus geen minuten, maar al uren verstreken.

Hij moest deze waarheid hardop tegen zichzelf herhalen om het te kunnen geloven. Hij had de minuten als seconden geteld, had zichzelf wijsgemaakt dat hij een dol geworden uurwerk in zijn borst had dat overhaast voorttikte, terwijl zijn inwendige uurwerk juist te langzaam had gelopen. God weet hoe lang hij al, terwijl hij zichzelf had voorgehouden dat Pater Caspar pas net in de diepte was verdwenen, wachtte op een schepsel dat al tijden geen lucht meer kreeg. God weet hoe lang hij al wachtte op een lichaam dat levenloos ergens in die uitgestrekte watervlakte zweefde.

Wat kon er gebeurd zijn? Alles, alles wat hij bedacht had – en wat hij met zijn rampzalige angst misschien wel had laten gebeuren, onheilbrenger die hij was. Pater Caspars hydrostatische beginselen berustten wellicht op een dwaling. Misschien dringt water juist wél van onderen een klok binnen, vooral als degene die erin zit de lucht naar buiten schopt; wat wist Roberto nu van het evenwicht van vloeistoffen? Of misschien was de klok met een te harde klap op het water terechtgekomen en omgeslagen. Of was Pater Caspar halverwege zijn tocht gestruikeld. Of was hij verdwaald. Of was zijn meer dan zeventig jaar oude hart niet meer tegen zijn voortvarendheid opgewassen geweest en had het begeven. En ten slotte, wie zegt dat het leer op die diepte niet door het gewicht van het zeewater zou worden fijngedrukt, zoals je een citroen uitperst of een boon dopt?

Maar als hij dood was, zou zijn lijk dan niet boven moeten komen drijven? Nee, het was verankerd door de ijzeren zolen, waar zijn arme benen pas uit zouden stappen als er door de gezamenlijke inspanning van het water en een heleboel gulzige visjes niets meer van hem zou resten dan een geraamte...

Toen kreeg hij plotseling een heldere ingeving. Wat haalde hij zich nu toch allemaal in het hoofd? Natuurlijk, Pater Caspar had het hem toch gezegd, het Eiland dat hij voor zich zag was niet het eiland van vandaag, maar dat van gisteren. Voorbij de meridiaan was het nog de vorige dag! Kon hij verwachten dat hij nu op dat strand, waar het nog gisteren was, iemand zou zien die vandaag te water was gegaan? Natuurlijk niet. De oude man was in de vroege ochtend van die maandag onder water verdwenen, maar als het op het schip maandag was, was het op het Eiland nog zondag, en dus zou hij de oude man daar pas op de ochtend van zíjn volgende dag aan land kunnen zien gaan, want dan was het op het Eiland pas maandag...

Ik moet tot morgen wachten, zei hij bij zichzelf. En toen: maar Caspar kan geen dag wachten, daar heeft hij niet genoeg lucht voor! En toen weer: nee, ík moet een dag wachten, híj is toen hij de meridiaan overstak gewoon weer in de zondag beland. Mijn God, maar dan is het Eiland dat ik zie dat van zondag, en als hij er zondag is aangekomen, had ik hem al moeten zien! Nee, ik haal alles door elkaar. Het Eiland dat ik zie, is dat van vandaag, ik kan onmogelijk het verleden zien, als in een glazen bol. Hij is daar op het Eiland, alleen dáár – waar het gisteren is. Maar als ik het Eiland van vandaag zie, zou ik hem ook moeten zien, want hij bevindt zich al in het gisteren van het Eiland, en daar beleeft hij nu een tweede zondag... En trouwens, of hij nu gisteren of vandaag is aangekomen, hij had de opengesneden klok op het strand moeten achterlaten, en die zie ik niet. Maar die zou hij ook meegenomen kunnen hebben, het bosschage in. Wanneer? Gisteren. Dus: laten we zeggen dat wat ik zie het Eiland van zondag is. Dan moet ik tot morgen wachten om hem er maandag te kunnen zien aankomen...

We zouden kunnen zeggen dat Roberto eens voor al zijn tramontane was kwijtgeraakt, en met reden: hoe hij ook zou rekenen, hij zou er niet uit komen. De wonderspreuken van de tijd doen zelfs ons onze tramontane kwijtraken. Het was dus niet verbazend dat hij niet meer kon besluiten wat hij moest doen, en ten slotte maar datgene deed wat eenieder gedaan zou hebben die nog slechts slachtoffer van zijn eigen hoop is. Hij besloot tot de volgende dag te wachten, alvorens zich over te geven aan wanhoop.

Hoe hij dat gedaan heeft, valt moeilijk na te gaan. Over het dek ijsberend, zonder voedsel aan te raken, in zichzelf, tegen Pater Caspar en tegen de sterren pratend, en misschien opnieuw zijn toevlucht zoekend tot de brandewijn. Vast staat dat we hem de volgende dag naast de brandewijn aantreffen, terwijl de nacht verbleekt en de hemel zich kleurt, en dan, na het opkomen van de zon, steeds gespannener naarmate de uren verstrijken, tussen elf en twaalf uur al zenuwachtig, tussen twaalf uur en zonsondergang helemaal ontdaan, totdat hij zich ten slotte bij de waarheid moet neerleggen – en ditmaal onvoorwaardelijk. Gisteren, ja gisteren, is Pater Caspar afgedaald in de wateren van de Stille Zee, en noch gisteren, noch vandaag is hij er weer uit te voorschijn gekomen. En aangezien het wonder van de meridiaan van de tegenvoeters zich afspeelt op de grens van gisteren en morgen, en niet tussen gisteren en overmorgen, of morgen en eergisteren, was het duidelijk dat Pater Caspar nooit meer uit de zee te voorschijn zou komen.

Het stond met wiskunstige, sterker nog, met wereldgeleerde en sterrenkundige zekerheid vast dat zijn arme vriend verloren was. En waar zijn lichaam was, viel niet te zeggen. Op een niet nader bepaalde plek daar beneden. Misschien waren er woeste stromingen onder het watervlak en bevond het lichaam zich inmiddels in open zee.

Of nee, onder de *Daphne* bevond zich een greppel, een kloof, en daar was de klok in terechtgekomen, en de oude man had er niet uit kunnen klimmen en had het beetje lucht, dat steeds wateriger werd, gebruikt om om hulp te roepen.

Misschien had hij zich, om te ontsnappen, uit zijn banden bevrijd en was de klok, die nog vol lucht zat, omhooggeschoten, maar had het ijzeren gedeelte die aanvankelijke stijging afgeremd en hing ze ergens halverwege het water, God weet waar. Pater Caspar had geprobeerd zich van zijn laarzen te ontdoen, maar was daar niet in geslaagd. Nu zweefde zijn ontzielde, in de rots gewortelde lichaam als een alg boven die helling...

En terwijl Roberto zo dacht, was de dinsdagzon al achter zijn rug verdwenen en raakte het moment van Pater Caspar Wanderdrossels dood steeds verder weg.

De zonsondergang kleurde de hemel achter het donkere groen van het Eiland met geelzucht en de zee met het zwart van de Styx. Roberto begreep dat de natuur samen met hem bedroefd was, en zoals dat soms gaat met iemand die beroofd wordt van de aanwezigheid van een dierbaar persoon, huilde hij gaandeweg niet meer om de rampspoed van de ander, maar om die van hemzelf en om zijn eigen hernieuwde eenzaamheid.

Een eenzaamheid die hij nog maar zo kort geleden was ontsprongen: Pater Caspar was voor hem een vriend, een vader, een broer, een verwant en een vaderland geworden. Nu besefte hij dat hij opnieuw onverzeld en verweesd was, ditmaal voorgoed.

In die verslagenheid begon zich evenwel een nieuwe hersenschim af te tekenen. Hij was er nu van overtuigd dat de enige manier om aan zijn opsluiting te ontsnappen niet gezocht moest worden in de ondoorwaadbare Ruimte, maar in de Tijd.

Nu moest hij werkelijk leren zwemmen en het Eiland zien te bereiken. Niet zozeer om enige in de plooien van het verleden achtergebleven resten van Pater Caspar te hervinden, maar om het afgrijselijke voortschrijden van zijn eigen volgende dag tot staan te brengen.

26

_S_chatkamer

der zinnebeelden en voorbeelden

Drie dagen lang bleef Roberto, met zijn oog tegen de scheepsverre-
kijker gekleefd (vervuld van spijt dat de andere, sterkere kijker, niet
langer bruikbaar was), naar de boomtoppen op de oever zitten turen.
Hij wachtte tot hij de Oranjekleurige Duif zou zien.

Op de derde dag werd het hem allemaal te veel. Hij had zijn enige
vriend verloren, was verdwaald op de verste meridiaan en zou zich al
getroost voelen als hij een vogel zou zien die wellicht niet meer had
gedaan dan om Pater Caspars hoofd fladderen!

Hij besloot zijn toevluchtsoord nogmaals aan een onderzoek te onderwerpen om uit te vinden hoe lang hij aan boord zou kunnen overleven. De kippen bleven eieren leggen en er was een nest kuikens
geboren. Van de geoogste groenten was niet veel over, ze waren al
uitgedroogd en hij zou ze moeten gebruiken als voer voor de vogels.
Er waren nog maar een paar vaten water, maar daar zou hij desnoods
nog wel buiten kunnen, want hij kon immers ook de regen opvangen.
Aan vis ten slotte geen gebrek.

Toen bedacht hij dat je, als je geen verse groenten at, doodging aan
scheurbuik. Er waren groenten in de oranjerie, maar die zouden alleen maar vanzelf begoten worden als het regende: als het lang droog
bleef, zou hij de planten moeten begieten met drinkwater. En als het
dagen achtereen zou stormen, had hij wel water maar zou hij weer
niet kunnen vissen.

Om zijn angst te onderdrukken was hij weer naar de hut met het waterorgel gegaan. Pater Caspar had hem laten zien hoe hij het aan moest zetten, en hij luisterde altijd uitsluitend naar 'Daphne', omdat hij niet had geleerd hoe je de rol moest verwisselen. Hij vond het echter niet vervelend om uren achtereen naar dezelfde melodie te luisteren. Op een dag had hij de *Daphne*, het schip, vereenzelvigd met het lichaam van zijn beminde. Was Daphne immers geen schepsel dat veranderd was in een laurier – in een boomachtige stof dus, verwant aan de stof waaruit het schip was gemaakt? De melodie bezong hem dus Lilia. Zoals we zien raakte deze gedachtengang kant noch wal – maar zo dacht Roberto nu eenmaal.

Hij verweet zichzelf dat hij zich had laten afleiden door de komst van Pater Caspar, dat hij hem gevolgd was in zijn mechanieke driften en dat hij zijn eigen liefdesgelofte vergeten was. Dat ene lied, waarvan hij de woorden, als die er al waren, niet kende, veranderde langzaam in het gebed dat hij besloot elke dag door het instrument te laten mompelen: 'Daphne' gespeeld door het water en de wind in de diepten van de *Daphne*, herinnering aan de gedaanteverwisseling van een goddelijke Daphne. Elke avond als hij naar de lucht keek, neuriede hij die melodie met zachte stem, als een litanie.

Vervolgens ging hij terug naar zijn hut om aan Lilia te schrijven.

Toen hij daarmee bezig was, besefte hij dat hij de voorgaande dagen aldoor overdag buiten was geweest, maar dat hij nu opnieuw wegvluchtte in dat halfduister dat eigenlijk niet alleen op de *Daphne*, voordat hij Pater Caspar vond, zijn natuurlijke omgeving was geweest, maar ook daarvoor al, meer dan tien jaar lang, sinds die keer dat hij in Casale gewond was geraakt.

Eerlijk gezegd geloof ik niet dat Roberto al die tijd, zoals hij herhaaldelijk wil doen geloven, alleen 's nachts heeft geleefd. Dat hij de buitensporige hitte van de hondsdagen heeft vermeden is waarschijnlijk, maar toen hij Lilia volgde, deed hij dat wel overdag. Ik denk dat zijn kwaal eerder het gevolg was van zwartgalligheid dan van een echte gezichtsstoornis: Roberto merkte alleen op zijn melancholiekere momenten dat hij last had van het licht, maar als zijn geest werd afgeleid door vrolijker gedachten sloeg hij er geen acht op.

Hoe het ook was en geweest was, die avond dacht hij voor het eerst bewust na over de betovering van de schaduw. Terwijl hij schreef of zijn pen optilde om deze in de inktpot te dopen, zag hij het licht ofwel als een gouden aureool op het papier, ofwel als wasbleke, bijna doorschijnende franje rond de omtrek van zijn donkere vingers. Alsof het binnen in zijn hand huisde en zich alleen aan de randen ervan vertoonde. De liefdevolle pij van een kapucijn omhulde hem, of liever, een vaag nootkleurig schijnsel dat, zodra het de schaduw aanraakte, daarmee versmolt.

Hij keek naar de vlam van de olielamp en zag dat er een tweeledig vuur uit oprees: onderaan, daar waar het overging in vergankelijke stof, was het rood, maar verder omhoog bezielde het een verblindend witte tong van vuur die uitliep in een blauwviolette punt. Net zo, zei hij bij zichzelf, bezielde zijn door een stervend lichaam gevoede liefde de hemelse schim van zijn beminde.

Hij wilde, na die dagen van verraad, zijn hereniging met de schaduw vieren en ging weer naar het dek, terwijl de schaduwen overal lengden, op het schip, op zee en op het Eiland, waar nu alleen nog maar het snelle donkeren van de heuvels te zien was. Zijn vaderland indachtig speurde hij de oever af naar glimwormpjes, levende gevleugelde vonkjes die in donkere hagen ronddwaalden. Hij zag ze niet en peinsde over de scherpgekkingen van de tegenvoeters, waar glimwormpjes wellicht alleen 's middags glimmen.

Toen was hij op het kajuitdek op de grond gaan liggen om naar de maan te kijken en had hij zich door het dek laten wiegen, terwijl hem van het Eiland het geluid van de branding bereikte, vermengd met het getjirp van krekels, of van hun verwanten op dat halfrond.

Hij bedacht dat de schoonheid van de dag blond en de schoonheid van de nacht donker is. Hij verlustigde zich in de tegenstelling die besloten lag in zijn liefde voor een in het donker der nachten begeerde blonde godin. Terugdenkend aan die haren van rijp graan, die elk ander licht in de salon van Arthénice hadden doen verbleken, bewonderde hij de schoonheid van de maan die, zwak als ze was, de stralen van een verborgen zon lengde. Hij nam zichzelf nogmaals voor om de gelegenheid van de heroverde dag te baat te nemen om aan de weerschijn op de golven een loflied op het goud van haar haren en het azuur van haar ogen te ontlenen.

Maar hij koesterde zich in de schoonheden van de nacht, wanneer alles in rust lijkt en de sterren geluidlozer bewegen dan de zon – en men geneigd is te denken dat men zich als enige persoon in de gehele natuur overgeeft aan dromen.

Die nacht had hij bijna besloten de rest van zijn dagen op het schip te slijten. Maar toen hij zijn ogen ten hemel sloeg, zag hij een groep sterren die hem plotsklaps het profiel leken te tonen van een duif met gespreide vleugels en een olijftak in haar bek. Nu is het weliswaar zo dat er in de zuidelijke hemel, vlak bij de Grote Hond, al meer dan veertig jaar daarvoor een sterrenbeeld van de Duif was ontdekt, maar ik ben er helemaal niet zo zeker van dat Roberto, op de plek waar hij zich bevond, op dat tijdstip en in dat jaargetijde, juist díe sterren had kunnen zien. Hoe dan ook, aangezien degenen die er een duif in hadden gezien (zoals Johannes Bayer, in zijn *Uranometria*, en veel later Coronelli, in zijn *Libro dei Globi*) een nog grotere verbeelding aan de dag legden dan Roberto, zou ik zeggen dat elk sterrenstelsel in Roberto's ogen op dat moment op een duif, een ringelduif of wilde houtduif, een tortelduif of hoe ze allemaal ook mogen heten, had kunnen lijken: hoewel hij 's ochtends aan haar bestaan had getwijfeld, had de Oranjekleurige Duif zich als een dwangbeeld – of, zoals we later zullen zien, een schitterend drogbeeld – in zijn hoofd vastgezet.

We zouden ons inderdaad kunnen afvragen waarom Roberto, toen Pater Caspar hem vertelde over de vele wonderen die er op het Eiland voor hem in het verschiet zouden liggen, al meteen zoveel belangstelling voor de Duif had getoond.

Als we deze geschiedenis verder zullen volgen, zullen we zien dat die terloops in een verhaal aangestipte duif in de geest van Roberto (die door het alleenzijn elke dag meer verhit zou raken) allengs meer tot leven kwam naarmate de kans kleiner werd dat hij haar nog te zien zou krijgen, die onzichtbare bundeling van alle hartstochten van zijn beminnende ziel: bewondering, hoogachting, verering, hoop, naijver, afgunst, verbazing en vrolijkheid. Het was die balling in een vandaag zonder einde – wiens toekomst uitsluitend bestond uit het, op een volgende dag, bereiken van de vorige dag – niet duidelijk (en dat kan het ons ook niet zijn) of die duif het Eiland geworden was, of

Lilia, of beide, of de dag van gisteren, waarin ze alle drie met elkaar verbonden waren.

We zouden kunnen zeggen dat Caspar hem het Hooglied weer in herinnering had gebracht, dat, zo wilde het toeval, ook zijn karmeliet hem zó vaak had voorgelezen dat hij het bijna uit zijn hoofd kende. En sinds zijn vroegste jeugd huiverde hij van zoet genot voor een wezen met ogen als van een duif, voor een duif waarvan hij het gezicht en de stem in de rotsspleten kon bespioneren... Maar dit bevredigt me maar tot op zekere hoogte. Ik denk dat we ons moeten toeleggen op een 'Verklaring van de Duif' en een aantal aantekeningen moeten maken voor een te schrijven klein tractaat dat de titel *Columba patefacta* zou kunnen dragen, en het plan lijkt me niet volkomen onnut, aangezien anderen een heel hoofdstuk hebben gewijd aan de 'Leer van de Walvis' – hetgeen kanjers van zwarte of grijze beesten zijn (want van de witte is er maar één) – terwijl wij te maken hebben met een rara avis met een nog zeldzamere kleur, waarover de mensheid heel wat meer heeft nagedacht dan over walvissen.

Hetgeen ook voor Roberto opgaat. Of hij er nu met de karmeliet over gesproken had of er met Pater Caspar over van gedachten had gewisseld, en of hij nu een heleboel boeken had doorgebladerd die in zijn tijd als gezaghebbend werden beschouwd, of in Parijs geluisterd had naar uiteenzettingen over hetgeen ze daar Enigmatieke Deviezen of Beelden noemden, Roberto moet iets van duiven hebben af geweten.

We moeten bedenken dat het een tijd was waarin allerlei soorten beelden verzonnen of opnieuw verzonnen werden teneinde er de verborgen en onthullende betekenissen van bloot te leggen. Men hoefde maar een voorwerp te zien, en dan doel ik niet op een mooie bloem of een krokodil, maar op een mandje, een trap, een zeef of een zuil, of men trachtte daar een netwerk van dingen omheen te vlechten die niemand er op het eerste gezicht in bespeurd zou hebben. Ik wil me hier niet bezighouden met het onderscheid tussen Devies en Embleem, of met de verschillende manieren waarop er aan deze beelden verzen of spreuken konden worden toegevoegd (ik wil er slechts op wijzen dat het Embleem uit de beschrijving van een bepaalde zaak – die niet noodzakelijkerwijs werd uitgedrukt met behulp van afbeeldingen – een universeel begrip afleidde, terwijl bij het Devies de concrete afbeelding van een bepaald voorwerp verwees naar een eigenschap of doelstelling van een afzonderlijk individu, bijvoorbeeld 'ik zal witter zijn dan sneeuw' of 'sluwer dan de slang', of ook 'ik sterf liever dan dat ik verraad pleeg,' met als toppunt het zeer beroemde *Frangar non flectar* en *Spiritus durissima coquit*), maar de mensen uit die tijd achtten het absoluut noodzakelijk de gehele wereld te vertalen in een woud van Symbolen, Tekens, Ridderspelen, Maskerades, Schilderingen, Heraldieke Wapens, Trofeeën, Eretekens, Ironische Figuren, Penningen, Fabels, Allegorieën, Apologieën, Epigrammen, Sententiën, Woordspelingen, Spreekwoorden, Insignes, Laconieke Epistels, Epitafen, Parerga, Lapidaire Opschriften, Motto's, Glyfen, Medaillons, en staat u me toe dat ik het hierbij laat – maar zij lieten het hier niet bij. En elk goed Devies moest metaforisch en poëtisch zijn, en weliswaar bestaan uit een ziel die geheel blootgelegd moest kunnen worden, maar tevens en voor alles uit een gevoelig lichaam dat verwees naar een voorwerp uit de wereld; het moest edel zijn, wonderbaarlijk, nieuw doch herkenbaar, voor de hand liggend doch werkzaam, bijzonder, met de juiste ruimtelijke verhoudingen, scherpzinnig en bondig, dubbelzinnig en zuiver, raadselachtig doch begrijpelijk, passend, vernuftig, heroïek en enig in zijn soort.

Kortom, een Devies was een mysterieuze bespiegeling, de uitdrukking van een verwantschap: een gedicht dat niet zong, maar bestond uit een stomme gestalte en een zinspreuk die voor die gestalte tot het gezichtsvermogen sprak; een gedicht dat alleen waardevol was in zoverre het onzichtbaar was, waarvan de schittering school in de parels en diamanten die het slechts mondjesmaat vrijgaf. Het zei meer naarmate het minder geluid maakte, en daar waar het Episch Gedicht verwikkelingen en ontknopingen behoefde, of de Geschiedenis raadsbesluiten en redevoeringen, had het Devies genoeg aan twee aspecten en een woord: zijn aroma's werden slechts gedistilleerd tot niet-tastbare druppels, en pas dan werden de voorwerpen in een verrassende gedaante zichtbaar, zoals het geval is bij Vreemdelingen en Maskers. Het verhulde meer dan het onthulde. Het belastte de geest niet met materie, maar voedde die met essentie. Het gedicht moest (om een term te gebruiken die toentertijd zeer veel gebruikt werd, en die wij eerder ook al gebruikten) uitheems zijn, maar 'uitheems' betekende 'buitenlands', en 'buitenlands' betekende 'vreemd'.

Wat is er vreemder dan een Oranjekleurige Duif? Sterker nog, wat is er uitheemser dan een duif? Ja, de duif was een beeld dat overliep van betekenissen, die des te opvallender waren omdat ze allemaal met elkaar in tegenspraak waren.

De eersten bij wie de duif ter sprake was gebracht, en wel in de oeroude *Hieroglyphica* van Horapollo, waren vanzelfsprekend de Egyptenaren geweest. Het dier werd onder andere beschouwd als het zuiverste van alle, zozeer dat als er een pestilentie heerste die mensen en dingen besmette, degenen die alleen duiven aten ervan verschoond bleven. Hetgeen voor zich spreekt, aangezien dit dier het enige van alle dieren is dat geen gal heeft (dat wil zeggen het gif dat bij andere dieren aan de lever vastzit), en Plinius reeds zei dat een duif, als ze ziek wordt, een laurierblad plukt en hierdoor geneest. En aangezien het laurierblad verwijst naar de laurier, en de laurier naar Daphne, doe ik er verder het zwijgen toe.

Maar, hoe zuiver ze ook zijn, duiven zijn ook een symbool van ondeugendheid, omdat ze verteerd worden door grote wellust: ze kussen elkaar de hele dag (en verdubbelen hun kussen om elkaar de mond te snoeren) waarbij hun tongen zich verstrengelen; hetgeen geleid heeft tot allerlei wulpse uitdrukkingen, zoals 'koeren' en 'duiven te drinken geven', om met de casuïsten te spreken. En 'tortelen' wordt door dichters gebruikt voor het beschrijven van liefde als van tortelduiven, met inbegrip van de veelvuldigheid ervan. Ook moeten we niet vergeten dat Roberto waarschijnlijk die verzen wel kende die luidden: 'Als in de sponde, waar de eerste hartstocht / zich reeds uit in warme en levendige verlangens / verenigen de twee wellustige harten zich tortelend / en kussen malkander eindeloos.' Opgemerkt zij dat – terwijl alle andere dieren een seizoen voor de liefde hebben – er geen tijd van het jaar is waarin de doffer de duivin niet bestijgt.

Om maar eens iets te noemen: de duiven komen uit Cyprus, een Eiland dat gewijd is aan Venus. Apuleius, maar ook anderen vóór hem, vertelde dat de wagen van Venus getrokken wordt door sneeuwwitte duiven, die vanwege hun buitensporige wellustigheid ook wel

Venusvogels genoemd worden. Anderen wijzen erop dat de Grieken de duif *peristera* noemden omdat de – door Venus zeer beminde – nymf Peristera door de afgunstige Eros in een duif werd veranderd, nadat ze Venus geholpen had hem te verslaan bij een wedstrijd in het bloemenplukken. Maar wat wil het zeggen dat Venus Peristera 'beminde'?

Aelianus zegt dat de duiven aan Venus zijn gewijd omdat er een feest op de berg Eryx op Sicilië werd gevierd wanneer die godin naar Libië overstak; op die dag viel er op heel Sicilië geen duif meer te bekennen, omdat ze allemaal de zee waren overgestoken om de godin te begeleiden. Maar negen dagen later arriveerde er vanaf de Libische kust een vuurrode duif in Trinacria, zoals Anacreon zegt (en ik bid u deze kleur in gedachten te houden). Het was Venus zelf, die dan ook de Purperen genoemd wordt, en achter haar aan kwamen alle andere duiven gevlogen. Ook vertelt Aelianus ons over een meisje dat Phytia heette en door Jupiter werd bemind en in een duif werd veranderd.

Voor de Assyriërs had Semiramis de gestalte van een duif; Semiramis werd namelijk grootgebracht door duiven en veranderde uiteindelijk zelf in een duif. We weten allemaal dat ze geen vrouw van onberispelijke zeden was, maar ze was zo mooi dat Scaurobates, de koning van de Indiërs, wanhopig verliefd op haar werd, terwijl ze de bijslaap was van de koning van Assyrië, en dat er geen dag voorbijging zonder dat ze overspel pleegde; en de historicus Juba zei dat ze ooit zelfs verliefd werd op een paard.

Maar doorgaans wordt jegens een symbool der liefde lankmoedigheid betracht, zonder dat het zijn aantrekkingskracht voor dichters verliest. Zo vroeg ook Petrarca zich af (en dat moet Roberto geweten hebben): ' O welke staat van liefde of genade/zal mij de vleugels geven om weldra/rein als een duif in hemels licht te baden?', of ook Bandello: 'Deze doffer die net zo verteerd wordt als ik / door een vurige Amor verteerd in een wreed vuur / zoekt overal zijn duivin, en sterft van verlangen.'

Maar duiven zijn nog iets meer en iets beters dan een Semiramis, en men wordt verliefd op ze omdat ze een andere uiterst hartstochtelijke eigenschap bezitten, namelijk dat ze koeren, of roekoeën, in plaats van te zingen, alsof zoveel bevredigde passie hen nooit verzadigt. *Idem cantus gemitusque*, luidde een embleem van Camerarius. *Gemitibus gaudet*, luidde een ander, erotisch gezien nog opmerkelijker embleem. Om zot van te worden.

En toch bewijzen deze vogels door elkaar te kussen en zo wellustig te zijn – een voor de duif kenmerkende tegenstelling – daarmee tevens dat ze elkaar trouw zijn, en daarom zijn ze ook het symbool van de kuisheid, tenminste in de zin van echtelijke trouw. En Plinius zei het al: hoewel ze zeer aanminnig zijn, hebben ze een sterk ontwikkeld schaamtegevoel en kennen ze geen overspel. Van hun echtelijke trouw getuigen zowel de heidense Propertius als Tertullianus. Er wordt wel beweerd dat de mannetjes, in de zeldzame gevallen waarin ze overspel vermoeden, gewelddadig worden, dat hun stem zeer klaaglijk wordt en dat ze wreed met hun snavel pikken. Maar meteen daarna maakt het mannetje het vrouwtje het hof, om zijn fout goed te maken, en vleit hij haar door veelvuldig om haar heen te draaien. Dit beeld, namelijk dat uitzinnige jaloezie de liefde aanwakkert en tot hernieuwde trouw leidt – waarna ze elkaar weer kussen, eindeloos, in elk jaargetijde – bekoort me zeer, en zal Roberto, zoals we zullen zien, nog veel meer bekoren.

Hoe kun je een beeltenis die je trouw belooft niet beminnen? Trouw tot in de dood, want als deze vogels eenmaal hun levensgezel verloren hebben, gaan ze geen verbintenis meer aan met een ander. De duif werd dus tot symbool van het kuise weduwschap, ook al vertelt Ferro het verhaal van een weduwe die, inbedroefd over de dood van haar man, een witte duif bij zich hield en daar verwijten over kreeg, waarop ze antwoordde: *Dolor non color*, de smart telt, niet de kleur.

Kortom, wellustig of niet, deze toewijding aan de liefde maakt dat duiven volgens Origenes tevens het symbool der naastenliefde zijn. En daarom, zegt Cyprianus, komt de Heilige Geest tot ons in de gedaante van een duif, omdat dit dier niet alleen geen gal heeft, maar ook niet krabt met zijn nagels, niet bijt, van nature van de woonplaatsen der mensen houdt, slechts één huis kent, zijn eigen jongen voedt en het leven doorbrengt in samenspraak, terwijl het zich met zijn partner onderhoudt in de – in dit geval zeer rechtschapen – eendracht van de kus. Waaruit blijkt dat het kussen ook een teken van grote naastenliefde kan zijn, en de Kerk gebruikt dan ook de rite van de vredeskus. Als de Romeinen elkaar tegenkwamen en opzochten, plachten ze elkaar te kussen, ook wanneer het een man en een vrouw betrof. Kwaadwillende scholiasten zeggen dat ze dat deden omdat het vrouwen verboden was wijn te drinken en men, door hen te kussen, kon ruiken of hun adem naar drank stonk. Maar goed, de Numidiërs, die elkaar noch hun kinderen kusten, werden weer als ongemanierd beschouwd.

Aangezien alle volkeren al van oudsher menen dat de lucht zeer verheven is, vereerden ze alle de duif, die immers hoger vliegt dan de andere vogels en toch altijd trouw naar het eigen nest terugkeert. Iets dat natuurlijk ook de zwaluw doet, maar niemand is er ooit in geslaagd deze vogel vriendschap te doen sluiten met onze soort en haar te temmen, terwijl dit voor de duif wel opgaat. De heilige Basilius vermeldt bijvoorbeeld dat duivenmelkers een duif besprenkelden met geurige balsem, en dat de andere duiven, daardoor aangetrokken, haar in groten getale volgden. *Odore trahit.* Niet dat ik weet of dat veel te maken heeft met hetgeen ik hiervoor zei, maar deze welriekende welwillendheid, deze geurige zuiverheid, deze verleidelijke kuisheid raakt me.

De duif is evenwel niet alleen kuis en trouw, maar ook eenvoudig (*columbina simplicitas*: weest voorzichtig als de slang en eenvoudig als de duif, zegt de Bijbel), en daarom is ze soms het symbool van het leven van monniken en kluizenaars – en vraag me in 's hemelsnaam niet hoe dat te rijmen valt met al die kussen.

Een andere boeiende kant van de duif is haar *trepiditas*: haar Griekse naam, *trepon*, komt ongetwijfeld van *treo*, 'ik deins terug'. Homerus, Ovidius en Vergilius ('sidderend als duiven tijdens een donker onweer') maken er gewag van, en laten we niet vergeten dat duiven altijd in angst leven voor de adelaar, of erger nog, voor de gier. Bij Valerianus valt te lezen dat ze op ontoegankelijke plekken nestelen om zich te beschermen (vandaar het devies *Secura nidificat*); en ook Jeremias wees hier al op, terwijl Psalm 55 smeekt: 'Had ik vleugelen als een duif, ik zou wegvliegen…'

De joden zeiden dat duiven en tortels de meest vervolgde dieren zijn, en dus het altaar waardig, omdat je beter vervolgde dan vervolger kunt zijn. Bij Aretino daarentegen, die niet zo mild was als de joden, wordt degene die zich tot duif maakt door de valk verorberd. Maar Epiphanius zegt dat de duif zichzelf nooit beschermt tegen valstrikken, en Augustinus voegt eraan toe dat de duif zulks niet alleen niet doet bij zeer grote dieren waartegen hij zich niet kan verweren, maar zelfs niet ten aanzien van mussen.

Een legende wil dat er in India een bladerrijke en groenende boom groeit die in het Grieks *Paradision* genoemd wordt. In de rechterhelft wonen duiven die de schaduw van de boom nooit verlaten; als ze zich van de boom verwijderden, zouden ze ten prooi vallen aan een draak die hun vijandig gezind is. Maar hem is de schaduw van de boom weer vijandig gezind, en als de schaduw rechts valt, ligt hij links in een hinderlaag, en omgekeerd.

Toch heeft de duif, hoe angstig ze ook is, iets van de voorzichtigheid van de slang, en als er een draak op het Eiland was, dan wist de Oranjekleurige Duif wel wat haar te doen stond: het verhaal gaat namelijk dat de duif altijd boven water vliegt omdat ze op die manier, als er een sperwer achter haar aan komt, diens beeltenis weerspiegeld ziet. Kortom, verdedigt ze zich tegen valstrikken of niet?

Door al deze verschillende en zeer uiteenlopende eigenschappen is de duif daarenboven ook tot mystiek symbool geworden, en het lijkt me bepaald onnodig de lezer te vervelen met het verhaal over de zondvloed en over de rol die deze vogel gespeeld heeft bij het verkondigen van vrede en voorspoed, en nieuw drooggevallen landen. Maar voor veel heilige auteurs is ze ook het embleem van de Mater Dolorosa en van haar geduldige smarten. Over haar wordt tevens gezegd dat ze *Intus et extra* is, omdat ze zowel van binnen als van buiten smetteloos is. Soms wordt ze afgebeeld terwijl ze het touw stuktrekt dat haar gevangen hield, *Effracto libera vinculo*, en wordt ze de verbeelding van de uit de dood herrezen Christus. Bovendien arriveert ze, dat lijkt zeker, tijdens de vesper, om niet door de nacht verrast te worden en dus niet door de dood te worden tegengehouden alvorens de vlekken van de zonde te hebben gedelgd. Om nog maar te zwijgen, en het is al gezegd, over hetgeen we in Johannes lezen: 'Ik heb de geopende hemelen gezien en de Heilige Geest die als een duif uit de hemelen afdaalde.'

Wat andere fraaie duivedeviezen betreft, god weet hoeveel Roberto er kende: zoals *Mollius ut cubant*, omdat de duif zichzelf de veren uittrekt om het nest van haar jongen zachter te maken; *Luce lucidior*, omdat ze schittert als ze opvliegt naar de zon; en *Quiescit in motu*, omdat ze altijd met een gevouwen vleugel vliegt om zich niet te veel te hoeven inspannen. Er is zelfs een soldaat geweest die ter verontschuldiging van zijn amoureuze onmatigheid als zinnebeeld een stormhoed had gekozen waarin twee duiven hun nest hadden gemaakt, met de zinspreuk *Amica Venus*.

Het zal de lezer duidelijk zijn dat de duif welhaast te veel betekenissen had. Maar als we een symbool of een hiëroglyfe moeten kiezen en dat tot in de dood trouw moeten blijven, dan moet het ook vele betekenissen hebben, anders kunnen we de dingen net zo goed bij de naam noemen, of 'atoom' zeggen tegen atoom en 'lege ruimte' tegen lege ruimte. Iets dat de natuurgeleerden die Roberto bij de Dupuys ontmoette wellicht had kunnen behagen, maar niet Pater Emanuele – en we weten dat onze schipbreukeling voelde voor zowel het ene als het andere denkbeeld. Het mooie van de Duif was ten slotte, tenminste (denk ik) voor Roberto, dat ze niet, zoals elk Devies of elk Embleem, uitsluitend een Boodschap was, maar tevens een boodschap met als boodschap de onbegrijpelijkheid van diepere boodschappen.

Wat doet de Sibylle als Aeneas moet afdalen in de Avernus – waar ook hij op zoek moet gaan naar de schim van zijn vader, en dus op een bepaalde manier naar de inmiddels verstreken dag of dagen? Ze zegt hem weliswaar dat hij Misenus moet gaan begraven, en verschillende stieren en ander vee moet offeren, maar tevens dat hij, als hij werkelijk iets wil volbrengen waar nog nooit iemand de moed of de gelegenheid toe heeft gehad, op zoek moet gaan naar een schaduw- en bladerrijke boom waaraan een gouden tak groeit. Hij staat verscholen in het bos en wordt omsloten door duistere valleien, maar toch kunnen de geheimen van de aarde zonder die *ramus auricomus* niet doorgrond worden. En wie stelt Aeneas in staat die tak te vinden? Twee duiven, die bovendien – we kunnen het zo langzamerhand wel raden – broedende wijfjes zijn. De rest is bekend bij Jan en Alleman. Kortom, Vergilius wist niets van Noach, maar de duif brengt een tijding en verwijst ergens naar.

Voorts gaat het verhaal dat er duiven waren die dienst deden als orakel in de tempel van Jupiter, waar hij door hun mond antwoordde, en waarvan er op een zeker moment één naar de tempel van Hammon was gevlogen en één naar die van Delphi, hetgeen verklaart waarom de Egyptenaren en de Grieken dezelfde waarheden verkondigden, zij het in duistere bewoordingen. Zonder duif geen openbaringen.

We vragen ons echter tot op de dag van vandaag af wat de betekenis van de Gouden Tak is geweest. Teken dat duiven boodschappen brengen, maar dat het boodschappen in geheimschrift zijn.

Ik weet niet hoeveel Roberto af wist van de kabbala van de joden, die in die tijd toch zeer in zwang was, maar als hij veel omging met de eerwaarde Gaffarel zou hij zeker van bepaalde dingen gehoord moeten hebben: vast staat dat de joden op de duif hele kastelen hebben gebouwd. We wezen er al op, of liever, Pater Caspar heeft er al op gewezen: in Psalm 68 is er sprake van duivevleugelen overtogen met zilver en een staart met een gouden weerschijn. Waarom? En waarom keert er in de Spreuken een zeer vergelijkbaar beeld terug van 'gouden appelen op zilveren schalen', met de toevoeging 'dit is een woord, in juiste vorm gesproken'? En waarom wordt er in het Hooglied tegen het meisje 'wier ogen als duiven zijn' gezegd: 'O mijn geliefde, ik zal gouden hangers voor je laten maken met zilveren balletjes'?

De joden hadden als verklaring dat het goud de woorden in de Schrift zijn, en het zilver het wit tussen de letters of woorden. En een van hen, die Roberto misschien niet kende, maar die nog steeds heel veel rabbijnen inspireerde, had gezegd dat de gouden appelen op zilveren schalen betekenen dat elke zin van de Schrift (en zeker elk voorwerp of elke gebeurtenis op de wereld) twee kanten heeft, een zichtbare en een onzichtbare, en de zichtbare is van zilver, maar de onzichtbare is waardevoller, want van goud. En wie van veraf naar de schalen kijkt die de appelen met hun zilveren draden omwikkelen, denkt dat de appelen van zilver zijn, maar wanneer hij beter kijkt zal hij de schittering van het goud ontdekken.

Alles wat de Heilige Schrift *prima facie* bevat, glanst als zilver, maar de verborgen betekenis schittert als goud. En de onwrikbare reinheid van het woord Gods wordt, onttrokken aan de blik der profanen, als het ware bedekt door een sluier van eerbaarheid, en bevindt zich in de schaduw van het mysterie. De Schrift zegt ons geen paarlen voor de zwijnen te werpen. Duiveogen hebben betekent dat men verder kijkt dan de letterlijke betekenis van woorden en weet door te dringen tot hun mystieke betekenis.

En toch ontglipt dit geheim ons, net als de duif, en weten we nooit waar het is. De duif verwijst naar een wereld die in hiëroglyfen spreekt, en dus is zijzelf de hiëroglyfe die de hiëroglyfen betekenis geeft. En een hiëroglyfe verhaalt niet en verbergt niet, maar toont slechts.

Weer andere joden hadden gezegd dat de duif een orakel is, en het is niet toevallig dat een duif in het Hebreeuws *tore* heet, hetgeen doet denken aan de *Tora*, die hun bijbel, heilig boek, oorsprong van elke openbaring is.

Wanneer ze in de zon vliegt lijkt de duif slechts als zilver te blinken, maar alleen hij die lang genoeg heeft weten te wachten om haar verborgen kant te ontwaren zal haar ware goud zien, haar schitterende oranjeappelkleur.

Ook de christenen, te beginnen met de eerbiedwaardige Isidorus, wezen erop dat de duif, door in haar vlucht de haar verlichtende zonnestralen te weerkaatsen, in uiteenlopende kleuren aan ons verschijnt. Ze is afhankelijk van de zon, en daarvan getuigen deviezen als *Lumine tuo vestes phrygiae meae*, of *A te ornor et splendeo*. In het licht tooit haar hals zich met verscheidene kleuren en blijft toch immer dezelfde. En zo waarschuwt ze om niet af te gaan op het uiterlijk, maar ook achter een bedrieglijk uiterlijk te zoeken naar de ware gedaante.

Hoeveel kleuren heeft de duif? Zoals een oud bestiarium zegt:

> *Uncor m'estuet que vos devis*
> *des columps, qui sunt blans et bis:*
> *li un ont color aierine,*
> *et li autre l'ont stephanine;*
> *li un sont neir, li autre rous,*

li un vermel, l'autre cendrous,
et des columps i a plusors
qui ont trestotes les colors.

En hoe zal een Oranjekleurige Duif er dan uitzien?

Tot slot vind ik, aangenomen dat Roberto er iets van af wist, in de talmoed dat de machthebbers van Edom verkondigd hadden dat ze iedereen in Israël die een fylacterium droeg de hersens zouden uit- rukken. Nu had Elisaeus er toch een omgehangen en was de straat op gegaan. Een wetsdienaar had hem gezien en was hem gevolgd terwijl hij vluchtte. Toen Elisaeus was ingehaald, deed hij het fylacterium af en verborg het tussen zijn handen. De vijand vroeg hem: 'Wat heb je in je handen?' En hij antwoordde: 'De vleugelen van een duif.' De ander had zijn handen geopend. En het waren de vleugelen van een duif.

Ik weet niet wat dit verhaal betekent, maar ik vind het erg mooi. En dat zou Roberto waarschijnlijk ook gevonden hebben.

Amabilis columba,
unde, unde ades volando?
Quid est rei, quod altum
coelum cito secando
tam copia benigna
spires liquentem odorem?
Tam copia benigna
unguenta grata stilles?

Ik wil maar zeggen, de duif is een belangrijk teken, en het is begrijpe- lijk dat een man die aan de andere kant van de aardbol verdwaald was, besloot dat hij zijn ogen goed de kost moest geven om te kunnen be- grijpen wat ze voor hem betekende.

Het Eiland was onbereikbaar, Lilia verloren, al zijn hoop vervlo- gen; waarom zou de onzichtbare Oranjekleurige Duif niet veranderen in het gulden merg, in de steen der wijzen, in het einde der einden, vluchtig als alles waarnaar men hartstochtelijk verlangt? Hunkeren naar iets dat men nooit zal bezitten, is dat niet het summum van het verhevenste der verlangens?

Het lijkt me dermate duidelijk (*Luce lucidior*) dat ik besluit mijn Verklaring van de Duif hier te beëindigen.

Laat ons terugkeren naar ons verhaal.

27

geheimenissen van het wassen en aflopen van het *getij*

De dag daarop had Roberto zich bij het eerste licht van de zon helemaal uitgekleed. Toen Pater Caspar er nog was, ging hij uit preutsheid gekleed te water, maar hij had gemerkt dat zijn kleren zwaar werden en hem hinderden. Nu was hij naakt. Hij had het touw om zijn middel gebonden, was de jacobsladder afgedaald en bevond zich weer in zee.

Hij bleef drijven, zoveel had hij inmiddels geleerd. Nu moest hij leren zijn armen en zijn benen te bewegen, zoals honden met hun poten deden. Hij maakte wat aarzelende bewegingen, hield dat enige minuten vol en merkte dat hij maar een paar el bij de ladder vandaan was geraakt. Bovendien was hij al moe.

Hij wist hoe hij moest uitrusten en had een tijdje op zijn rug gelegen, waarbij hij zich liet liefkozen door het water en de zon.

Op een gegeven moment voelde hij zijn krachten terugkeren. Hij moest dus blijven bewegen totdat hij moe werd, dan voor dood een paar minuten uitrusten en weer opnieuw beginnen. Hij zou slechts heel kleine stukjes afleggen en er eeuwen over doen, maar zo moest hij het aanpakken.

Na een aantal pogingen had hij een moedige beslissing genomen. De ladder hing rechts van de boegspriet naar beneden, aan de kant van het Eiland. Hij zou nu proberen de westkant van het schip te bereiken. Daarna zou hij uitrusten en vervolgens weer teruggaan.

Het duurde niet lang voordat hij onder de boegspriet door was, en het was een overwinning de voorsteven van de andere kant te kunnen bewonderen. Hij ging languit liggen met zijn aangezicht omhoog, armen en benen wijd, en had de indruk dat de golfslag hem aan die kant beter wiegde dan aan de andere kant.

Op een gegeven moment had hij een ruk aan zijn middel gevoeld. Het touw stond strak. Hij was weer op zijn buik gedraaid en had begrepen dat de zee hem naar het noorden had meegevoerd zodat hij rechts van het schip was uitgekomen, vele ellen voorbij de punt van de boegspriet. Met andere woorden, de stroming die van het zuidwesten naar het noordoosten liep en even ten westen van de *Daphne* zeer krachtig werd, deed zich in werkelijkheid al in de baai gevoelen. Toen hij aan stuurboord het water in ging, had hij er niets van gemerkt, beschut als hij was door de romp van de fluit, maar toen hij naar bakboord was gegaan, werd hij naar de stroom toe gezogen, en zou hij erdoor zijn meegesleurd als het touw hem niet had tegengehouden. Hij dacht dat hij niet bewoog, maar had zich, net als de aarde in haar draaikring, verplaatst. Daarom was het zo gemakkelijk geweest de voorsteven te ronden: zijn vaardigheid was niet toegenomen, het was de zee die hem hielp.

Bezorgd trachtte hij op eigen kracht naar de *Daphne* terug te keren, maar zodra hij er, spartelend als een hond, een paar span dichterbij was gekomen, merkte hij dat het touw, op het moment dat hij ontspande om op adem te komen, opnieuw strak trok – teken dat hij weer terug was op zijn oude plek.

Hij had het touw vastgegrepen en het naar zich toe getrokken, om zijn as draaiend om het om zijn middel te winden, en zo was hij binnen de kortste keren terug bij de ladder. Eenmaal aan boord was hij tot de slotsom gekomen dat het gevaarlijk was te trachten de kust zwemmend te bereiken. Hij moest een vlot bouwen. Hij keek naar het hout van de *Daphne* en besefte dat hij niets had om haar ook maar van haar kleinste stammetje te ontdoen, tenzij hij er jaren voor uittrok om met zijn mes een mast om te zagen.

Maar was hij niet vastgebonden op een plank naar de *Daphne* toe gedreven? Welnu, hij moest een deur uit haar hengsels lichten en die als vaartuig gebruiken, desnoods door deze met zijn handen voort te bewegen. Met het gevest van zijn rapier als hamer en het lemmer als hefboom, was hij er uiteindelijk in geslaagd een van de deuren in de kajuit uit haar hengsels te wrikken. Toen hij daar bijna mee klaar was, brak zijn lemmer. Zo erg was dat niet: hij hoefde niet meer tegen menselijke wezens te vechten, maar nog slechts tegen de zee.

Maar als hij zich op de deur in zee liet zakken, waar zou de stroom hem dan heen voeren? Hij sleepte de deur naar bakboord en slaagde erin haar in zee te gooien.

Eerst had de deur zomaar wat rondgedobberd, maar binnen een mum van tijd was ze al bij het schip weg en werd ze eerst naar links gesleurd, min of meer in de richting waarin hij zelf was gegaan, en vervolgens naar het noordoosten. Naarmate ze verder voorbij de voorsteven kwam, was haar snelheid toegenomen, totdat ze op een gegeven moment – ter hoogte van de noordkaap van de baai – in razende vaart noordwaarts verdween.

Nu dreef ze precies zoals de *Daphne* zou drijven als Roberto het anker zou lichten. Hij kon de deur met het blote oog volgen totdat deze voorbij de kaap was, daarna moest hij de verrekijker erbij nemen en zag hij haar aan de andere kant van de kaap nog een heel stuk razend snel voortdrijven. Het stuk hout vluchtte dus gezwind, door de vaargeul van een brede rivier wier wallen en oevers midden in een kalme zee lagen die haar aan weerszijden omsloot.

Hij bedacht dat als de honderdtachtigste meridiaan langs de denkbeeldige lijn liep die tussen de twee kapen de baai doorsneed, en als de rivier meteen voorbij de baai noordwaarts zou afbuigen, dat deze dan aan de andere kant van de kaap precies langs de meridiaan van de tegenvoeters haar weg vervolgde!

Als hij op dat stuk hout gelegen had, zou hij over de lijn zijn gedreven die vandaag van gisteren scheidde – of gisteren van de dag die daarop volgde…

Op dat moment echter waren zijn gedachten van andere aard. Als hij op dat stuk hout had gelegen, zou hij alleen met wat bewegingen van zijn handen geen kans hebben gezien tegen die stroming in te gaan. Als het al zo'n moeite kostte zijn eigen lichaam te sturen, wat dan te denken van een deur zonder voor- of achtersteven en zonder roer.

De nacht dat hij bij de *Daphne* was aangekomen, was hij uitsluitend door toedoen van de wind of een dwarsstroom met plank en al onder de boegspriet beland. Om over iets dergelijks een voorspelling te kunnen doen, zou hij wekenlang, misschien wel maandenlang, de bewegingen van de getijden moeten volgen, en tientallen en nog eens tientallen planken in zee moeten gooien – en dan nog...

Onmogelijk, tenminste met zijn kennis van de hydrostatica of hydrodynamica, of hoe het ook heten mocht. Hij kon zich maar beter op het zwemmen richten. Vanuit het midden van een snelstromende rivier komt een hond die met zijn poten trappelt gemakkelijker bij de oever dan een hond in een mand.

Zijn leertijd diende dus voortgezet te worden. En hij kon er niet mee volstaan alleen tussen de *Daphne* en de kust heen en weer te leren zwemmen. Ook in de baai deden zich op verschillende momenten van de dag, naar gelang de getijden, kleinere stroomversnellingen voor: hetgeen inhield dat het grillige water hem, als hij vol vertrouwen naar het oosten zwom, eerst naar het westen zou kunnen meesleuren, en vervolgens rechtstreeks naar de noordkaap. Hij moest zich dus ook bekwamen in het tegen de stroom in zwemmen. Geholpen door het touw zou hij niet hoeven schromen ook de wateren aan de linkerkant van het schip te trotseren.

In de dagen die volgden had Roberto, terwijl hij in de buurt van de ladder bleef, zich herinnerd dat hij op La Griva niet alleen honden had zien zwemmen, maar ook kikkers. En omdat een lichaam met gespreide armen en benen in het water meer weg heeft van een kikker dan van een hond, had hij bedacht dat je misschien ook als een kikker kon zwemmen. Hij had zichzelf zelfs vocaal ondersteund. Hij riep: 'Croax, croax', en sloeg zijn armen en benen uit. Daarna was hij gestopt met kwaken, omdat hij door het uiten van deze diergeluiden zijn slag te veel kracht bijzette en zijn mond moest openen, met alle gevolgen van dien, zoals elke geoefende zwemmer hem had kunnen vertellen.

Hij was veranderd in een oude, bezadigde, majesteitelijk zwijgzame kikker. Als hij voelde dat zijn schouders moe werden van die voortdurende buitenwaartse armbeweging, ging hij weer over op de *more canino*. Eens, toen hij naar de witte vogels keek die zijn oefeningen krijsend volgden en soms een paar el van hem vandaan loodrecht naar beneden schoten om een vis te vangen (de Meeuwestoot!), had hij gepoogd te zwemmen zoals zij vlogen, met een brede vleugelbeweging van zijn armen; maar hij had gemerkt dat het moeilijker is je mond en je neus dicht te houden dan een bek, en had er verder van afgezien. Hij wist zo langzamerhand niet meer wat voor dier hij was, een hond of een kikker; misschien een grote harige pad, een viervoetige amphibios, een zeecentaurus, een manlijke sirene.

Maar door al dat oefenen had hij gemerkt dat hij, zo goed en zo kwaad als het ging, enigszins vooruitkwam: hij was namelijk bij de voorsteven aan zijn reis begonnen en bevond zich nu halverwege de scheepswand. Toen hij echter besloot om te keren en naar de ladder terug te zwemmen, had hij gemerkt dat hij geen kracht meer had en had hij zich aan het touw terug moeten laten drijven.

Wat hij ontbeerde was de juiste ademhaling. Hij kon wel heen, maar niet terug... Hij was zwemmer geworden, maar dan zoals die man waarover hij had horen praten, die de gehele pelgrimsreis van Rome naar Jeruzalem had gemaakt door een halve mijl per dag in zijn tuin op en neer te lopen. Hij was nooit erg gespierd geweest, maar hij was nu verzwakt door de maanden die hij op de *Amarilli* steeds maar in zijn hut had doorgebracht, door de uitputtende schipbreuk en door het nietsdoen op de *Daphne* (met uitzondering van die paar oefeningen waar Pater Caspar hem toe had verplicht).

Roberto schijnt niet te weten dat hij al zwemmend sterker zal worden, en lijkt eerder te denken dat hij sterker moet worden om te kunnen zwemmen. Zo zien we hem twee, drie, vier eierdooiers tegelijk opslokken en een hele kip verslinden voordat hij opnieuw een duik waagt. Gelukkig dat het touw er was. Hij was nog niet in het water of werd getroffen door dermate heftige krampen dat hij er bijna niet meer uit kon komen.

En zo zien we hem 's avonds nadenken over een nieuwe tegenstrijdigheid. Eerst, toen hij niet eens de hoop koesterde het Eiland te kunnen bereiken, leek het nog binnen handbereik te liggen. En nu hij de kunst die hem daarheen zou kunnen brengen onder de knie begon te krijgen, raakte het Eiland steeds verder weg.

Sterker nog, aangezien hij het niet alleen als ver weg in de ruimte zag, maar ook (en met terugwerking) in de tijd, lijkt Roberto, elke keer dat hij van die afstand melding maakt, ruimte en tijd met elkaar te verwarren en schrijft hij: 'de baai is helaas te gisteren', en 'hoe moeilijk is het daar te komen waar het zo vroeg is'; of: 'hoeveel zee scheidt mij niet van de zojuist verstreken dag', en zelfs 'er komen dreigende wolken van het Eiland, terwijl het hier al helder is…'

Maar als het Eiland steeds verder weg raakte, loonde het dan nog wel de moeite te leren het te bereiken? In de dagen die volgen laat Roberto zijn zwemoefeningen voor wat ze zijn en gaat met de verre-kijker weer op zoek naar de Oranjekleurige Duif.

Hij ziet papegaaien tussen de bladeren, ontwaart vruchten, volgt van zonsop- tot zonsondergang het opleven en verflauwen van de verschillende kleuren in het groen, maar de Duif ziet hij niet. Hij begint weer te denken dat Pater Caspar hem voorgelogen heeft, of dat hij het slachtoffer is geworden van een van zijn snakerijen. Soms praat hij zichzelf aan dat ook Pater Caspar nooit heeft bestaan – en vindt hij op het schip geen sporen meer van diens aanwezigheid. Hij gelooft niet meer in de Duif, maar gelooft zo langzamerhand even-min dat de Specula op het Eiland staat. Dit schenkt hem enig solaas, aangezien het, houdt hij zich voor, oneerbiedig zou zijn de ongerept-heid van die plek met een kunstwerk aan te tasten. En hij begint weer te denken aan een Eiland dat op hem is toegesneden, oftewel op zijn dromen.

Als het Eiland zich verhief in het verleden, moest hij die plek koste wat kost bereiken. In die ontwrichte tijd moest hij niet op zoek gaan naar de toestand van de eerste mens, maar deze opnieuw uitvinden. Het Eiland – niet de verblijfplaats van een bron van de eeuwige jeugd, maar de bron zelf – kon de plek zijn waar elk menselijk wezen, zijn eigen verkwijnde kennis vergetend, als een in het bos achtergelaten kind een nieuwe taal zou vinden, een taal die kon ontstaan uit een hernieuwde kennismaking met de dingen. En daaruit zou de enige ware en nieuwe wetenschap voortspruiten, door het rechtstreekse ervaren van de natuur, zonder dat enige wijsbegeerte deze verdraaide (alsof het Eiland geen vader was, die zijn zoon de woorden van de wet doorgeeft, maar een moeder die hem zijn eerste woordjes leert stame-len).

Alleen zo zou een herboren schipbreukeling kunnen ontdekken welke voorschriften aan de baan van de hemellichamen en aan de betekenis van de naamdichten die deze in de hemel beschrijven ten grondslag liggen; niet door te peinzen over Almagesten en Vierdagige Boeken, maar door onverwachte verduisteringen, voorbijschietende zilvergelokte vuurbollen en de schijngestalten der sterren rechtstreeks te duiden. Alleen als zijn neus bloedde omdat er een vrucht op was gevallen, zou hij zowel de wetten kunnen begrijpen die zware lichamen onderhevig maken aan de zwaartekracht, als *de motu cordis et sanguinis in animalibus.* Alleen door het oppervlak van een vijver aandachtig te bekijken en er een tak, of een stok, of een van die lange, stugge metaalachtige bladeren in te werpen, zou de nieuwe Narcissus – zonder enig verkijkkundig en schaduwmeetkundig gepeins – de speelse schermutseling van licht en duisternis kunnen gewaarworden. En misschien kunnen begrijpen waarom de aarde een ondoorzichtige spiegel is die hetgeen ze weerspiegelt met inkt penseelt, waarom het water een wand is die de schaduwen die zich erop aftekenen doorschijnend maakt, terwijl beelden in de lucht nooit een vlak vinden om tegen te weerkaatsen, maar erdoorheen dringen en tot de verste grenzen van de aether wegvluchten, met dien verstande dat ze soms terugkeren in de vorm van luchtspiegelingen en andere mirakels.

Maar was het Eiland bezitten niet hetzelfde als Lilia bezitten? En dus? De logica van Roberto was niet die van de kleingeestige en enghartige wijsgeren, indringers in het atrium van het Lyceum, die altijd willen dat een ding, als het iets is, niet ook het tegenovergestelde kan zijn. Door het verdwalen, nee, het dwalen van de verbeelding dat gelieven eigen is, wist hij al dat het bezit van Lilia tevens, tegelijkertijd, de bron van elke onthulling zou zijn. De wetten van het heelal ontdekken door een verrekijker was in zijn ogen uitsluitend een omweg om achter een waarheid te komen die hem geopenbaard zou worden in het verdovende licht van de lust die hij zou gevoelen als hij zijn hoofd in de schoot van zijn geliefde zou kunnen leggen, in een Tuin waarin elke struik een boom van het Goede was.

Maar aangezien – zoals ook wij zouden moeten weten – het verlangen naar iets dat ver weg is de lemuur oproept van degene die ons dat ontsteelt, bekroop Roberto de vrees dat er in de pracht van die Hof van Eden een Slang was binnengeglipt. En raakte hij in de greep van het denkbeeld dat hij op het Eiland zou worden opgewacht door een snellere overweldiger, te weten Ferrante.

28

verhandeling van de Oorsprong *der romans*

Gelieven houden meer van tegenslag dan van voorspoed. Roberto was niet in staat zichzelf anders te zien dan voor altijd gescheiden van degene die hij beminde, maar hoe meer hij zich van haar gescheiden voelde, des te meer werd hij gekweld door de gedachte dat iemand anders dat niet was.

We hebben gezien dat Roberto, nadat hij er door Mazarin van beschuldigd was ergens geweest te zijn waar hij niet geweest was, ervan overtuigd was geraakt dat Ferrante in Parijs was en bij een aantal gelegenheden zijn plaats had ingenomen. Als dat waar was, was Roberto door de Kardinaal aangehouden en met de *Amarilli* meegestuurd, maar was Ferrante, in Parijs achtergebleven en was hij in ieders ogen (ook in de Hare!) Roberto. Er restte hem dus niets anders dan zich Haar voor te stellen naast Ferrante, en zo veranderde zijn mariene vagevuur in een hel.

Roberto wist dat jaloezie ontstaat ongeacht wat is, of niet is, of wellicht nooit zal zijn; dat het een drift is die daadwerkelijke pijn ontleent aan een denkbeeldige kwaal; dat degene die jaloers is, is als een hypochonder die ziek wordt uit angst ziek te zijn. Wee degene, zei hij dus bij zichzelf, die zich laat meeslepen door deze smartelijke zotternij die je ertoe dwingt je de Ene met een Ander voor te stellen; en niets brengt een mens zo aan het twijfelen als de eenzaamheid, niets doet twijfel zo in zekerheid verkeren als de verbeelding. Maar, voegde hij eraan toe, omdat ik het niet kan laten te beminnen, kan ik het niet laten jaloers te zijn, en omdat ik het niet kan laten jaloers te zijn, kan ik het niet laten mijn verbeelding te laten spreken.

Inderdaad is jaloezie van alle angsten de ondankbaarste: als je bang bent voor de dood, word je opgebeurd door de gedachte dat jou juist een lang leven beschoren zal zijn of dat je tijdens een reis de bron van de eeuwige jeugd zult vinden; en als je arm bent zul je troost putten uit de gedachte dat je een schat zult vinden. Tegenover alles wat we vrezen staat de hoop, die ons voortdrijft. Zo niet wanneer je bemint in afwezigheid van de beminde: afwezigheid is voor de liefde als wind voor het vuur: het doet het kleine doven en het grote oplaaien.

Daar jaloezie ontstaat uit vurige liefde, is degene die geen jaloezie jegens de beminde voelt geen minnaar, of bemint hij luchthartig – en het is bekend dat er minnaars zijn die hun liefde, uit angst dat deze bekoelt, voeden door koste wat kost redenen te zoeken om jaloers te zijn.

Zo kan het gebeuren dat de jaloerse minnaar (die toch wil, of zou willen, dat zijn geliefde kuis en trouw is) alleen maar aan haar denken wil en denken kan als aan iemand die zijn jaloezie waardig is, en dus als aan iemand die zich schuldig maakt aan overspel – waardoor hij in zijn lijden het genot van de afwezige liefde aanwakkert. Niet in de laatste plaats omdat de gedachte aan jezelf als degene die de verre geliefde bezit – hoewel je heel goed weet dat dit niet waar is – de gedachte aan haar, aan haar warmte, haar rode blosjes, haar geur, nooit zo levendig maakt als wanneer je je voorstelt dat een Ander in jouw plaats van diezelfde weldaden geniet: van je eigen afwezigheid ben je zeker, van de aanwezigheid van die vijand ben je, zo niet zeker, dan toch op zijn minst niet beslist ónzeker. Alleen door zich hun minnespel in te beelden kan de jaloerse minnaar zich een levensgetrouwe voorstelling maken van andermans samenzijn dat, zo niet ontwijfelbaar, toch op zijn minst mogelijk is, terwijl het zijne dat niet is.

De jaloerse minnaar is dus niet in staat, en voelt evenmin de behoefte, zich het tegenovergestelde voor te stellen van hetgeen hij vreest. Sterker nog, hij kan slechts genieten als hij zijn eigen leed verheerlijkt, en lijden onder het verheerlijkte genot waarvan hij zich uitgesloten weet. De geneugten der liefde zijn begeerlijke kwalen waarin zoetheid en marteling verstrengeld zijn, en de liefde is vrijwillige zinneloosheid, hels paradijs en hemelse hel – kortom, een samengaan van smachtende tegenstellingen, bedroefde lach en brosse diamant.

Zo smartte hij, maar toen hij terugdacht aan de ontallijke werelden waarover hij in de dagen daarvoor had geredetwist, viel Roberto een gedachte in, of liever, een Gedachte, een geweldige, alles omver werpende, geniale inval.

Hij bedacht namelijk dat hij een verhaal kon verzinnen waarin hij vanzelfsprekend niet de hoofdpersoon was, aangezien het zich niet in deze wereld afspeelde, maar in het Land der Romans, en dat de door hem beschreven gebeurtenissen evenwijdig zouden lopen met die in de wereld waarin hij zich bevond, zonder dat de twee afzonderlijke avonturen elkaar ooit konden kruisen en overlappen.

Wat schoot Roberto hiermee op? Veel. Door te besluiten een verhaal te verzinnen over een andere wereld die alleen in zijn gedachten bestond, werd hij de baas over die wereld en kon hij ervoor zorgen dat de dingen die er gebeurden niet verder gingen dan hij verdragen kon. Daarenboven kon hij, door lezer te worden van de roman waarvan hijzelf de schrijver was, delen in de zielesmart van zijn personagen: is dit niet hetgeen romanlezers overkomt, die zonder jaloezie Thisbe kunnen beminnen door Pyramus als hun plaatsbekleder te gebruiken, en via Celadon kunnen smachten naar Astraea?

In het Land der Romans staat beminnen niet gelijk aan het gevoelen van jaloezie: daar is hetgeen niet van ons is op een of andere manier toch van ons, en dat wat in onze wereld van ons was en ons is afgenomen, bestaat daar niet – ook al lijkt dat wat er daar bestaat op iets bestaands dat we niet hebben, of zijn verloren...

En dus zou Roberto de roman over Ferrante en diens liefdesbetrekkingen met Lilia moeten schrijven (of bedenken), en zou hij slechts door die romanwereld te scheppen de stekende pijn vergeten die de jaloezie in de echte wereld hem bezorgde.

Bovendien, redeneerde Roberto, zou ik, om te kunnen begrijpen wat me overkomen is en hoe ik in de val ben gelopen die Mazarin voor me heeft gezet, de Historie van die gebeurtenissen moeten weergeven en op zoek moeten gaan naar de achterliggende oorzaken en beweegredenen. Maar bestaan er uiteenlopender Historiën dan die waarin twee schrijvers ons over dezelfde slag vertellen, terwijl de onderlinge verschillen die we daarin aantreffen van dien aard zijn dat we als lezers denken dat het twee verschillende slagen betreft? En is er daarentegen iets eenduidiger dan de Roman, waarin elk Raadsel aan het einde verklaard wordt aan de hand van de wetten der Waarschijnlijkheid? In een Roman worden dingen verteld die dan misschien niet werkelijk gebeurd zijn, maar die heel goed hadden kunnen gebeuren. Door mijn rampspoed in de vorm van een Roman uiteen te zetten, verzeker ik me ervan dat er ten minste één manier is om in die warwinkel een verhaallijn aan te brengen, zodat ik niet langer het slachtoffer ben van een nachtmerrie. Een denkbeeld dat op bedrieglijke wijze in tegenspraak was met zijn aanvankelijke denkbeeld, omdat het romanverhaal op die manier de plaats in zou nemen van zijn echte historie.

En ten slotte, ging Roberto verder, is mijn verhaal dat van de liefde voor een vrouw. Welnu, alleen de Roman, en zeker niet de Historie, houdt zich onledig met de Liefde, en alleen de Roman (nimmer de Historie) neemt de moeite uit te leggen wat de dochters van Eva denken en voelen – die toch, vanaf de dagen van het Aardse Paradijs tot aan de Hel van de Hoven uit onze tijd, zoveel invloed hebben gehad op het wedervaren van onze soort.

Allemaal redenen die op zich redelijk waren, maar bij elkaar opgeteld niet. Er is namelijk een verschil tussen iemand die handelt door een roman te schrijven en iemand die aan jaloezie lijdt. Een jaloerse minnaar schept er behagen in zich datgene voor te stellen waarvan hij niet zou willen dat het gebeurde – maar weigert tegelijkertijd te geloven dat het werkelijk gebeurt – terwijl een romanschrijver zijn toevlucht neemt tot elke denkbare kunstgreep om de lezer het genoegen te verschaffen zich iets voor te kunnen stellen dat nooit gebeurd is, waarbij deze op een gegeven moment zelfs vergeet dat hij aan het lezen is en gelooft dat alles werkelijk is voorgevallen. Voor een jaloerse minnaar is het lezen van een roman die door anderen geschreven is al reden tot zeer heftige smart, omdat alles wat daarin gezegd wordt in zijn ogen op zijn eigen lotgevallen slaat. Laat staan een jaloerse minnaar die veinst deze eigen lotgevallen te verzinnen. Wordt van jaloerse minnaars niet gezegd dat ze schimmen tot leven wekken? En hoe schimmig de schepsels uit een roman ook mogen zijn, toch zijn die schimmen, omdat de roman de lijflijke broeder van de Historie is, in de ogen van de jaloerse minnaar al te lijvig, en helemaal als het niet de schimmen van een ander, maar die van hemzelf zijn.

Bovendien had Roberto moeten weten dat Romans, ondanks hun voordelen, ook nadelen hebben. Zoals de geneeskunde zich ook bezighoudt met vergiften, de metafysica geloofsartikelen vertroebelt met niet ter zake doende haarkloverijen, de ethiek pleit voor grootmoedigheid (die niet voor iedereen heilzaam is), de astrologie bijgeloof voorstaat, de optica bedriegt, de muziek minnebrand aanwakkert, de landmeetkunde onrechtmatige overheersing in de hand werkt en de wiskunde gierigheid – zo opent de Romankunst, ook al waarschuwt deze ons dat ze ons slechts verdichtsels biedt, een deur naar het Paleis van het Absurde, die als we haar achteloos zijn doorgegaan achter onze rug dichtvalt.

Maar het ligt niet in ons vermogen Roberto ervan af te houden deze stap te zetten, omdat we zeker weten dát hij hem gezet heeft.

29

de geest van ferrante

Waar moeten we het verhaal van Ferrante weer oppakken? Roberto achtte het wenselijk te beginnen op de dag dat deze, nadat hij de Fransen, aan wier zijde hij in Casale voorgaf te vechten, had verraden en zich had uitgegeven voor kapitein Gambero, naar het Spaanse kamp was gevlucht.

Het kan zijn dat hij daar met open armen was ontvangen door een heer die hem beloofd had dat hij hem aan het einde van de oorlog mee zou nemen naar Madrid. En zo begon Ferrantes fraaie loopbaan in de schaduw van het Spaanse hof, waar hij geleerd had dat de deugd van soevereinen hun eigenmachtigheid is, en Macht een onverzadigbaar monster dat hij als een toegewijde slaaf moest dienen teneinde met elk kruimeltje dat van die tafel mocht vallen, zijn voordeel te kunnen doen en het aan te grijpen om langzaam en met veel omwegen op te klimmen – eerst als trawant, sluipmoordenaar en vertrouweling, later door zich voor te doen als edelman.

Ferrante was ongetwijfeld snel van begrip, zij het een begrip dat gehouden was aan het kwade, en hij had meteen geleerd hoe hij zich in die omgeving diende te gedragen – hij had dus gehandeld (of geraden) naar dezelfde grondbeginselen der hoofse wijsheid als die waarvan de heer van Salazar Roberto had trachten te overtuigen.

Hij had zijn eigen middelmatigheid benadrukt (de schande van zijn bastaardij) en schrok er niet voor terug uit te munten in middelmatige zaken, om zo te voorkomen dat hij op een dag middelmatig zou zijn in uitmuntende zaken.

Hij had begrepen dat je, als je niet in de huid van een leeuw kunt kruipen, in die van een vos moet kruipen, omdat er meer vossen aan de zondvloed ontkomen zijn dan leeuwen. Elk schepsel heeft zijn eigen wijsheid, en van de vos had hij geleerd dat een open vizier nut noch genoegen verschaft.

Als hem gevraagd werd een lasterpraatje onder het dienstpersoneel te verspreiden opdat het op een gegeven moment hun heer ter ore zou komen, en hij wist zich verzekerd van de gunst van een kamermeisje, haastte hij zich te zeggen dat hij het in de herberg zou proberen, bij de koetsier; of als de koetsier een maat van hem was waarmee hij braste in de herberg, zei hij met een veelbetekenend glimlachje dat hij wel een gewillig oor kon vinden bij dat of dat dienstmeisje. Omdat zijn baas niet wist hoe hij handelde of handelen zou, was deze ten opzichte van hem in het nadeel en Ferrante wist dat iemand die geen open kaart speelt anderen in onzekerheid laat. Op zo'n wijze hult men zich in mysteriën en door al die geheimzinnigheid stijgt men in andermans achting.

Hij had bedacht dat hij bij het uitschakelen van zijn vijanden – aanvankelijk pages en palfreniers en later edellieden die dachten dat hij hun gelijke was – zijdelings moest toeslaan, nooit frontaal: scherpzinnigheid dient te worden afgetroefd met goed doordachte draaierijen en werkt nooit op de manier die men verwacht. Als hij een bepaalde beweging maakte, was dat slechts om iemand om de tuin te leiden. Als hij behendig in de lucht gebaarde, liet hij daar achteloos gedrag op volgen, erop bedacht de getoonde bedoeling te logenstraffen. Hij sloeg nooit toe als zijn vijand op het toppunt van zijn kracht was (dan huichelde hij vriendschap en ontzag), doch uitsluitend op het moment dat deze weerloos was, en dan stortte hij hem, onder het voorwendsel hem te hulp te schieten, in het verderf.

Hij loog vaak, maar niet in het wilde weg. Hij wist dat hij, om geloofd te worden, iedereen moest laten zien dat hij somtijds de waarheid sprak als dat in zijn nadeel was, en die verzweeg als hij er lof mee had kunnen oogsten. Daarnaast trachtte hij zich bij de lagere rangen de faam te verwerven een eerlijk man te zijn, zodat zulks de machtigen ter ore zou komen. Hij was ervan overtuigd geraakt dat veinzen tegenover gelijken laakbaar was, maar niet veinzen tegenover meerderen lichtzinnig.

Hij handelde echter ook niet al te vrijmoedig, en zeker niet altijd, uit angst dat anderen die eenvormigheid zouden opmerken en zijn handelingen op een kwade dag zouden kunnen voorspellen. Maar hij overdreef zijn dubbelhartigheid evenmin, vrezend dat ze zijn bedrog na een tweede keer zouden opmerken.

Om wijs te worden oefende hij zich erin de dommen met wie hij zich omringde te dulden. Hij was niet zo onvoorzichtig al zijn misstappen op hen af te schuiven, maar als de inzet hoog was droeg hij er zorg voor dat er altijd een zondebok in de buurt was (die voortgedreven door zijn eigen ijdele eerzucht altijd overal vooraan stond, terwijl híj zich op de achtergrond hield), iemand aan wie niet hij, maar anderen de misstap vervolgens zouden toeschrijven.

Kortom, zélf droeg hij er zorg voor al datgene te doen wat in zijn voordeel kon uitpakken, maar zaken waarmee hij zich wrok op de hals zou kunnen halen liet hij aan anderen over.

Als hij zijn eigen deugden (die we eerder helse vermogens zouden moeten noemen) tentoonspreidde, besefte hij dat hij beter de helft daarvan kon laten zien en de andere helft aan de verbeelding kon overlaten, dan openlijk voor een en ander uitkomen. Soms liet hij zijn gehuichel bestaan uit welsprekend stilzwijgen, uit een achteloos vertoon van zijn voortreffelijkheden, en hij bezat het vermogen zich nooit helemaal ineens bloot te geven.

Hij kreeg gaandeweg meer aanzien, mat zich met mensen van hogere afkomst en bleek zeer vaardig in het nabootsen van hun gebaren en taal, hetgeen hij echter alleen deed in aanwezigheid van mensen van lagere afkomst die hij omwille van een of ander onwettig doel diende te bekoren. Bij zijn meerderen droeg hij er zorg voor zich onwetend voor te doen en in hen datgene te bewonderen wat hij vanzelfsprekend al wist.

Hij volvoerde schaamteloos elke taak die zijn opdrachtgevers hem toevertrouwden, maar alleen als het kwaad dat hij aanrichtte niet van dien aard was dat het weerzin bij hen zou kunnen wekken. Als ze hem verzochten dergelijke misdrijven te plegen weigerde hij, ten eerste opdat ze niet zouden denken dat hij in staat was hun op een dag hetzelfde aan te doen, en ten tweede (als de euveldaad ten hemel schreiend was) om niet tot onwelgevallige getuige van hun berouw te worden.

In het openbaar spreidde hij mededogen tentoon, maar hij kon slechts waardering opbrengen voor beschaamd vertrouwen, vertrapte deugd, eigenliefde, ondankbaarheid en minachting voor heilige zaken. Hij vervloekte God in zijn hart en geloofde dat de wereld bij toeval ontstaan was, waarbij hij er evenwel op vertrouwde dat het lot bereid was zijn loop om te buigen ten gunste van eenieder die in staat was het naar zijn hand te zetten.

Als hij in zijn schaarse momenten van rust vertier zocht, liet hij zich uitsluitend in met getrouwde hoeren, bandeloze weduwen en schaamteloze meisjes. Hij betrachtte daarin echter noodgedwongen grote matigheid, omdat hij, zodra hij tijdens zijn gekonkel afzag van een voordeeltje dat voor het grijpen lag, voelde dat hij meteen werd meegesleurd in nieuw gekonkel, alsof zijn snoodheid hem nooit enige rust vergunde.

Hij leefde kortom bij de dag, als een moordenaar die bewegingloos staat te loeren achter een bedgordijn, waar de lemmers van dolken geen licht weerkaatsen. Hij wist dat je om te slagen vooralsnog de juiste gelegenheid diende af te wachten, maar leed omdat de gelegenheid nog ver weg leek te zijn.

Zijn duistere en hardnekkige eerzucht beroofde hem van elke zielerust. Omdat hij in de veronderstelling verkeerde dat Roberto zich de plaats had toegeëigend die hem, Ferrante, toekwam, schonk geen enkele beloning hem bevrediging en konden het goede en het geluk in zijn ogen alleen de vorm aannemen van het ongeluk van zijn broer, op de dag dat hij daarvan de aanstichter kon zijn. Verder leverden reuzen van rook in zijn hoofd slag met elkaar en was er geen zee, land of hemel waar hij rust en vrede kon vinden. Wat hij had, was hem een doorn in het oog; wat hij wilde, was voor hem een bron van kwelling.

Hij lachte nooit, behalve in de herberg, als hij een argeloze vertrouweling dronken wilde voeren. Maar in de geborgenheid van zijn kamer bekeek hij zichzelf elke dag in de spiegel om te zien of de manier waarop hij bewoog niet zijn gedrevenheid verried, of zijn blik niet al te onbeschaamd leek, of zijn overdreven gebogen hoofd geen besluiteloosheid uitdrukte, of de te diepe rimpels in zijn voorhoofd hem geen verbitterd voorkomen gaven.

Als hij met deze praktijken ophield en laat in de nacht vermoeid zijn maskers aflegde, zag hij zichzelf zoals hij werkelijk was – ach, dan kon Roberto slechts wat verzen voor zich uit mompelen die hij enkele jaren daarvoor gelezen had:

> In de ogen waar droefheid huist en dood
> licht duister en scharlaken opvlamt,
> gelijken de schuinse blikken en verdraaide pupillen
> kometen, wenkbrauwen sterren
> de zuchten toornige, trotse en wanhopige
> donderslagen, de ademtochten bliksemflitsen.

Aangezien niemand volmaakt is, zelfs niet in het kwade, en ook Ferrante niet geheel en al in staat was zijn overdaad aan kwaadaardigheid te beheersen, had hij niet kunnen voorkomen dat hij een misstap beging. Toen zijn heer hem had opgedragen een kuis meisje van zeer hoge komaf voor hem te schaken, dat al was voorbestemd een deugdzame edelman te trouwen, was hij begonnen haar minnebrieven te schrijven die hij ondertekende met de naam van zijn opdrachtgever. En vervolgens was hij, toen zij zich terugtrok, haar slaapvertrek binnengedrongen en had hij zich – na haar op gewelddadige wijze te hebben verleid – aan haar vergrepen. In één klap had hij zowel haar als haar verloofde en degene die hem deze schaking had opgedragen, bedrogen.

Toen het misdrijf werd aangegeven, werd zijn heer ervan beschuldigd en stierf deze in een duel met de verraden verloofde, maar inmiddels was Ferrante al naar Frankrijk uitgeweken.

Toen Roberto een keer goede zin had, liet hij Ferrante op een januarinacht door de Pyreneeën dwalen, gezeten op een gestolen muildier dat zich, afgaande op zijn monniksvacht, door een gelofte aan de orde der kwezels leek te hebben gebonden, en zo verstandig, sober, matig en deugdzaam was, dat het niet alleen tot op het bot was uitgemergeld – hetgeen goed te zien viel aan de ribben bij zijn flanken – maar bovendien bij elke stap door de knieën ging en de grond kuste.

De steile bergwanden leken bekleed met gestremde melk, alsof ze allemaal witgepleisterd waren. De paar bomen die niet geheel onder de sneeuw waren bedolven, waren zo wit dat het scheen of ze hun hemd hadden uitgetrokken en eerder beefden van de kou dan door de wind. De zon bleef binnen in haar paleis en waagde zich zelfs niet op het balkon. En als ze haar gelaat al liet zien, tooide ze zich met een bramzeil van wolken rond haar neus.

De spaarzame reizigers die elkaar op die weg tegenkwamen, leken even zovele jonge monniken uit Monteoliveto die onder het voortgaan 'Lavabis me et super nivem dealbabor' zongen... En toen Ferrante zag hoe wit hij was, had hij het gevoel dat hij in een meelkist was gevallen.

Op een nacht kwam er zo'n hoeveelheid dikke katoenvlokken uit de hemel zetten dat, waar een ander was veranderd in een zoutpilaar, hij zich afvroeg of hij in een sneeuwpop was veranderd. Katuilen, vleermuizen, vliegende herten, nachtvlinders en steenuilen tuimelden om hem heen alsof ze hem wilden vangen. En zo botste hij ten slotte met zijn neus tegen de voeten van een gehangene die, bungelend aan een boom, tegen de asgrauwe achtergrond tot een grotisse werd.

Maar ook al dient een Roman te worden opgesierd met fraaie beschrijvingen, Ferrante kon geen personage uit een blijspel zijn. Hij moest op zijn doel afgaan en het Parijs waarnaar hij op weg was op zichzelf toesnijden.

Zodat hij hunkerde: 'O Parijs, onmetelijke golf waarin walvissen klein lijken als dolfijnen, land van sirenen, stapelplaats van ijdelheden, tuin van lusten, meander van kuiperijen, Nijl van vleiers en Oceaan van huichelarij!'

En omdat Roberto iets wilde verzinnen dat nog door geen romanschrijver was bedacht, legde hij de onverzadelijke Ferrante – teneinde de gevoelens weer te geven waarmee deze zich haastte de stad te veroveren die de beschaving van Europa, de overdaad van Azië, de buitenissigheden van Afrika en de rijkdom van Amerika in zich verenigt, waar al wat nieuw is macht heeft en bedrog de boventoon voert, de stad die van de weelde het middelpunt is, van de moed het strijdperk, van de schoonheid de toonzaal, van de mode de wieg en van de deugd het graf – een aanmatigende lijfspreuk in de mond: 'Paris, à nous deux!'

Op zijn reis van Gascogne naar de Poitou, en verder naar het Ile-de-France, zag Ferrante kans een aantal schaamteloze streken uit te halen waarmee hij een klein fortuin uit de zakken van enkele domoren in de zijne deed belanden, waarna hij in de hoofdstad aankwam in de gedaante van een bescheiden, beminnelijke jongeman, de heer Del Pozzo. Aangezien de berichten over zijn oplichterijen in Madrid daar nog niet waren doorgedrongen, zocht hij toenadering tot een aantal Spanjaarden die dicht bij de koningin stonden en er al meteen mee ingenomen waren dat hij in staat was bijzondere diensten te bewijzen aan een vorstin die, hoewel ze trouw was aan haar echtgenoot en ogenschijnlijk ontzag had voor de Kardinaal, banden onderhield met het vijandelijke hof.

Dat hij zijn opdrachten immer zeer nauwgezet uitvoerde, was ook Richelieu ter ore gekomen, die, groot kenner van de menselijke geest als hij was, gemeend had dat een man zonder scrupules, in dienst van een Koningin die zoals bekend altoos geldgebrek had, wellicht tegen een hogere beloning bij hém in dienst kon treden. En hij was vervolgens op dermate heimelijke wijze van zijn diensten gebruik gaan maken, dat zelfs zijn naaste medewerkers niet van het bestaan van die jonge agent op de hoogte waren.

Niet alleen had Ferrante in Madrid lange tijd kunnen oefenen, maar hij bezat tevens de zeldzame eigenschap dat hij gemakkelijk talen leerde en goed tongvallen kon nadoen. Het was niet zijn gewoonte met zijn talenten te koop te lopen, maar toen Richelieu op een dag in zijn aanwezigheid een Engelse spion ontving, had hij er blijk van gegeven dat hij zich met die verrader kon onderhouden. Waarop Richelieu hem, op een moment dat de verhoudingen tussen Frankrijk en Engeland een dieptepunt hadden bereikt, naar Londen had gezonden, waar hij zich moest uitgeven voor een Maltezer koopman en inlichtingen moest inwinnen over het scheepsverkeer in de havens.

Nu was Ferrantes droom deels uitgekomen: hij was spion, niet langer in dienst van de eerste de beste, maar van een Leviathan wiens vangarmen zich naar alle kanten uitstrekten.

Een spion (hield Roberto zich ontsteld en verontwaardigd voor), besmettelijkste pest der hoven, harpij met geblanket gelaat en scherpe klauwen die, vliegend met vleermuisvleugels en luisterend met oren voorzien van een groot trommelvlies, op de koninklijke dis neerdaalt, nachtuil die alleen in het donker ziet, adder tussen de rozen, mestkever op bloemen wier zoete sap hij door er even aan te nippen in venijn doet verkeren, spin der voorvertrekken die de draden van haar verfijnde betogen weeft teneinde elke rondvliegende vlieg te vangen, papegaai met gekromde snavel die alles wat hij hoort herhaalt, waarbij hij het ware verandert in het onware en het onware in het ware, kameleon die alle kleuren aanneemt en zich van alle het minst hult in die waarmee hij zich in werkelijkheid tooit. Stuk voor stuk eigenschappen waar iedereen zich voor zou schamen, behalve natuurlijk hij die door goddelijke (of duivelse) beschikking ten dienste van het kwaad geboren is.

Maar het was Ferrante niet genoeg spion te zijn en de mensen in zijn macht te hebben wier gedachten hij doorgaf; hij wilde een dubbelspion zijn, die als een fabeldier in staat was in twee tegenovergestelde richtingen te lopen. Als het strijdperk waarin de Machten elkaar treffen een doolhof van kuiperijen kan zijn, wie zal dan de Minotaurus zijn waarin twee ongelijke naturen zich verenigen? De dubbelspion. Als de kampplaats waarin het gevecht tussen de hoven wordt geleverd een hel genoemd kan worden, in wier bedding van Ondankbaarheid de Phlegethon der Vergetelheid met enorme snelheid voortstroomt en het water troebel van hartstochten kookt, wie zal dan de Cerberus met de drie kelen zijn, die blaft wanneer hij degene die daar binnentreedt om zich te laten verscheuren, ontdekt en geroken heeft? De dubbelspion...

Zodra hij in Engeland was aangekomen om voor Richelieu te spioneren, had Ferrante besloten zich te verrijken door de Engelsen enige diensten te bewijzen. Terwijl hij dienstboden en ambtlieden achter grote kruiken bier in van schapevet dampende herbergen inlichtingen ontlokte, had hij zich in kerkelijke kringen aangediend als een Spaanse priester die besloten had de Roomse Kerk te verlaten, omdat hij de liederlijkheid daarvan niet meer verdroeg.

Muziek in de oren van de antipapisten, die elke gelegenheid aangrepen om de schaamteloosheden van de katholieke geestelijkheid met bewijzen te staven. En Ferrante hoefde niet eens iets op te biechten wat hij niet wist. De Engelsen beschikten reeds over een al dan niet waarheidsgetrouwe bekentenis van een andere priester die zijn naam er niet aan had willen verbinden. Ferrante had dit geschrift gewaarborgd en het ondertekend met de naam van een dienaar van de bisschop van Madrid die hem eens hovaardig had bejegend en op wie hij gezworen had wraak te zullen nemen.

Terwijl hij van de Engelsen opdracht kreeg naar Spanje terug te keren om nog meer verklaringen te verzamelen van priesters die bereid waren de Heilige Stoel te belasteren, was hij in een havenkroeg een reiziger uit Genua tegengekomen, met wie hij vertrouwelijk in gesprek raakte, om er binnen de kortste keren achter te komen dat deze in werkelijkheid Mahmoed heette en een afvallige was die in de Oriënt het geloof van de mohammedanen had omhelsd, maar die verkleed als Portugees koopman inlichtingen inwon over de Engelse vloot, terwijl andere spionnen in dienst van de Verheven Porte hetzelfde deden in Frankrijk.

Ferrante had hem verteld dat hij in Italië voor Turkse agenten had gewerkt en dat ook hij datzelfde geloof had omhelsd en de naam Djennet Ogloe had aangenomen. Hij had hem meteen zijn kennis over het scheepsverkeer in de Engelse havens verkocht en had een vergoeding gekregen om een boodschap naar Mahmoeds medebroeders in Frankrijk te brengen. Terwijl de Engelse geestelijken dachten dat hij al lang en breed op weg was naar Spanje, had hij de verleiding niet kunnen weerstaan nog meer voordeel te trekken uit zijn verblijf in Engeland en had zich, na toenadering te hebben gezocht met mannen van de Admiraliteit, uitgegeven voor een Venetiaan, Gambereto (een naam die hij bedacht had omdat hij zich die van Kapitein Gambero herinnerde), die geheime opdrachten had uitgevoerd verricht voor de Raad van de Republiek van Venetië, in het bijzonder met betrekking tot de plannen van de Franse handelsvloot. Nu moest hij, omdat hem een ballingschap boven het hoofd hing naar aanleiding van een duel, zijn toevlucht zoeken in een bevriend land. Om te tonen dat hij te goeder trouw was, wilde hij zijn nieuwe heren wel onthullen dat Frankrijk in de Engelse havens inlichtingen had laten inwinnen door Mahmoed, een Turkse spion die in Londen woonde en zich uitgaf voor een Portugees.

Op Mahmoed, die meteen was aangehouden, waren aantekeningen over de Engelse havens gevonden, en Ferrante, oftewel Gambereto, werd beschouwd als een vertrouwenswaardig persoon. Met de belofte uiteindelijk in Engeland onthaald te zullen worden en met een fraai bedrag aan teergeld was hij naar Frankrijk gezonden om zich daar aan te sluiten bij andere Engelse spionnen.

Eenmaal in Parijs had hij Richelieu meteen de inlichtingen doorgespeeld die de Engelsen Mahmoed afhandig hadden gemaakt. Daarna had hij de vrienden opgespoord van wie de afvallige uit Genua hem het adres had gegeven, en zich bij hen aangediend als Charles de La Bresche, een gewezen pater die in dienst van de ongelovigen was getreden en net in Londen had samengespannen om die hele christelijke bende in een kwaad daglicht te stellen. Genoemde spionnen hadden hem geloofd, want ze hadden al gehoord over een boekwerkje waarin de anglicaanse Kerk de misstappen van een Spaanse priester openbaar maakte – in Madrid hadden ze, toen het bericht hun ter ore was gekomen, de prelaat aan wie Roberto het verraad had toegeschreven zelfs aangehouden, en deze wachtte nu op de dood in de kerkers van de Inquisitie.

Ferrante zorgde ervoor dat de Turkse spionnen hem de kennis toevertrouwden die ze over Frankrijk hadden vergaard en zond deze per kerende post naar de Engelse admiraliteit, waarvoor hij weer een beloning ontving. Daarna was hij naar Richelieu teruggegaan en had hem op de hoogte gebracht van het bestaan, in Parijs, van een Turkse samenzwering. Richelieu had nogmaals Ferrantes kundigheid en trouw geroemd. En had hem dientengevolge belast met een nog neteliger taak.

Al tijden baarde hetgeen er in de salon van de markiezin van Rambouillet voorviel de Kardinaal zorgen. Hij had namelijk het vermoeden gekregen dat er onder die vrije geesten kwaad over hem werd gesproken. Hij had de vergissing begaan een van zijn trouwe hovelingen naar Rambouillet te sturen, die zo onnozel was geweest om domweg te vragen of men zich misschien inliet met kwaadsprekerij. Arthénice had geantwoord dat haar gasten zo goed op de hoogte waren van haar achting voor Zijne Eminentie dat ze, zelfs al dachten ze slecht over hem, het toch nooit zouden wagen zich in haar aanwezigheid niet onverdeeld lovend over hem uit te laten.

Daarop had Richelieu het plan opgevat een vreemdeling in Parijs te laten opduiken die tot deze kringen toegelaten zou kunnen worden. Om kort te gaan, Roberto had geen zin om alle verwikkelingen te bedenken door middel waarvan Ferrante in die salon geïntroduceerd zou kunnen worden, maar achtte het eenvoudiger hem daar rijkbeladen met aanbevelingen binnen te laten treden, en wel in vermomming: een pruik en een witte baard, een gelaat dat met pommades en verfjes oud was gemaakt en een zwarte doek over zijn linkeroog: ziedaar de abt van Morfi.

Roberto kon zich niet voorstellen dat Ferrante, die in alles zo volkomen zijn evenbeeld was, zich op die inmiddels langvervlogen avonden aan zijn zijde had bevonden, maar hij herinnerde zich een oude abt gezien te hebben met een zwarte oogdoek en besloot dat dat Ferrante geweest moest zijn.

Uitgerekend in die omgeving – en na ruim tien jaar – had hij Roberto dus teruggevonden! De vreugdevolle wrok waarmee de schurk zijn gehate broer terugzag, valt met geen pen te beschrijven. Met een gelaat dat vertrokken en misvormd zou zijn geweest van haat, ware het niet dat het achter zijn vermomming schuilging, had hij zichzelf voorgehouden dat hij nu eindelijk de kans had Roberto te vermorzelen en zich zijn naam en zijn rijkdommen toe te eigenen.

Hij was begonnen hem week in week uit 's avonds te bespioneren, zijn gelaat afspeurend om daar zelfs de onbeduidendste gedachte van af te lezen. Gewoon als hij was om te versluieren, was hij ook zeer vaardig in het ontsluieren. Bovendien kan liefde niet worden verborgen: zoals elk vuur verraadt ze zich door rook. Door Roberto's blikken te volgen had Ferrante meteen begrepen dat hij de Dame beminde. Waarop hij zichzelf had voorgehouden dat hij Roberto om te beginnen datgene moest ontnemen wat hem het dierbaarst was.

Het was Ferrante opgevallen dat Roberto, als hij met zijn betoog de aandacht van de Dame had getrokken, niet de moed had haar te benaderen. Zijn broers verlegenheid werkte in zijn voordeel: de Dame kon het opvatten als gebrek aan belangstelling, en iets versmaden is de beste wijze om het te veroveren. Roberto baande de weg voor Ferrante. Ferrante had gewacht tot de Dame door al dat van twijfel vervulde wachten bekommerd raakte, en was er vervolgens – toen hij meende dat de tijd rijp was – toe overgegaan haar te verleiden.

Maar gunde Roberto Ferrante een liefde die gelijk was aan de zijne? Nee, natuurlijk niet, Ferrante beschouwde vrouwen als de verpersoonlijking van de wankelmoedigheid, priesteressen van het bedrog, wispelturig in hun taalgebruik, traag met hun besluiten en vlot met hun luimen. Opgevoed als hij was door wantrouwige verstorvenen, die hem er bij voortduring aan herinnerden dat *'El hombre es el fuego, la mujer la estopa, viene el diablo y sopla'*, was hij gewend elke dochter van Eva te beschouwen als een onvolmaakt dier, een vergissing van de natuur, marteling voor de ogen als ze lelijk was, kwelling voor het hart als ze beeldschoon was, tiranne voor wie haar beminde, vijandin van wie haar verachtte, onmatig in haar verlangens, onverbiddelijk in haar minachting, in staat met haar mond te betoveren, met haar ogen te veroveren.

Maar juist zijn geringschatting zette hem aan tot flemerij: over zijn lippen kwamen vleiende woorden, maar in zijn hart bejubelde hij de vernedering van zijn slachtoffer.

Ferrante maakte zich dus op om zijn handen op het lichaam te leggen dat hij (Roberto) nog niet met zijn gedachten had durven beroeren. Zou hij, vijand van alles wat voor Roberto heilig was, van zins zijn hem – nu – zijn Lilia te ontnemen, teneinde haar tot de onnozele minnares van zijn blijspel te maken? Welk een harteleed. En wat een knellende verplichting de onzinnige regels van de Romankunst te moeten aanhouden, die inhoudt dat men moet meevoelen met de afschuwelijkste gevoelens wanneer men – kind van zijn eigen verbeelding – de gehaatste aller hoofdpersonen gestalte moet geven.

Maar er viel niets aan te doen. Ferrante zou Lilia bezitten – een verdichtsel wordt toch immers in het leven geroepen om eraan dood te gaan?

Het was Roberto niet gelukt zich voor te stellen wat er gebeurd was en hoe dat in zijn werk was gegaan (aangezien het hem namelijk nooit gelukt was zelfs maar een poging tot datzelfde te doen). Misschien was Ferrante diep in de nacht de kamer van Lilia binnengedrongen, waarbij hij zich uiteraard vastgreep aan de klimop (met zijn stevige omklemming een nachtelijke verlokking voor alle verliefde harten), die omhoogklom tot aan haar slaapvertrek.

Ziedaar Lilia, die de tekenen van haar gekrenkte deugd dermate zijn aan te zien dat iedereen geloof zou hebben gehecht aan haar verontwaardiging, behalve een man als Ferrante, die geneigd is te geloven dat elk menselijk wezen geneigd is tot bedrog. Ziedaar Ferrante, die voor haar op zijn knieën valt en spreekt. Wat zegt hij? Hij zegt, op huichelachtige toon, alles wat Roberto haar niet alleen had willen zeggen, maar ook daadwerkelijk heeft gezegd, zonder dat ze besefte wie het tegen haar zei.

Hoe kon die onverlaat, vroeg Roberto zich af, de inhoud kennen van de brieven die hij haar had gestuurd? En niet alleen die, maar ook die welke Saint-Savin me in Casale heeft gedicteerd en die ik toch had vernietigd! En zelfs de brieven die ik nu op dit schip aan het schrijven ben! En toch, het lijdt geen twijfel, Ferrante draagt nu op oprechte toon zinnen voor die Roberto zo goed kent:

'Mevrouw, in de wondere architectuur van het Heelal stond al vanaf de geboortedag van de schepping geschreven dat ik u zou ontmoeten en beminnen... Vergeef de hartstocht van een wanhopige, of nee, vermoeit u zich niet, het is immers ongehoord dat soevereinen rekenschap zouden moeten geven van de dood van hun slaven... Hebt u mijn ogen immers niet tot twee alambieken gemaakt om daaruit mijn leven te distilleren en het in helder water te doen verkeren? Ik bid u, wend uw schone hoofd niet af: beroofd van uw blik ben ik blind omdat u mij niet ziet; verstoken van uw woord ben ik stom omdat u niet tot mij spreekt, en ik zal geheugenloos zijn als u zich mij niet herinnert... Oh, moge de liefde mij dan tenminste tot een gevoelloos brokstuk maken, een alruin, een stenen bron die alle benardheid uitschreit!'

Ongetwijfeld beefde de Dame nu. In haar ogen gloeide alle liefde die ze eerst verborgen had gehouden, met de heftigheid van een gevangene die ziet hoe iemand de traliën van haar Terughoudendheid breekt en haar de zijden trap van de Gelegenheid aanbiedt. Hij diende slechts een weinig aan te dringen, en Ferrante beperkte zich niet tot hetgeen Roberto had geschreven, maar kende andere woorden die hij nu in haar betoverde oren deed uitstorten, en betoverde daarmee ook Roberto, die zich niet herinnerde ze ooit geschreven te hebben.

'O mijn bleke zon, bij uw zoete bleekheid verliest de scharlaken dageraad al zijn vuur! O zoete ogen, slechts van u verlang ik ziek te zijn. En het helpt mij niet door velden of bossen te dwalen om u te vergeten. Er is geen bos ter wereld, er verrijst geen plant in het bos, er groeit geen tak aan een plant, er zit geen blad aan een tak, er lacht geen bloem in het gebladerte, er ontspruit geen vrucht aan de bloem waarin ik uw glimlach niet herken...'

En, bij haar eerste blos: 'O Lilia, als u eens wist! Ik heb u liefgehad zonder uw gelaat en uw naam te kennen. Ik zocht u, en wist niet waar u was. Maar op een dag hebt u mij als een engel getroffen... O, ik weet het, u vraagt zich af waarom mijn liefde niet allerzuiverst blijft door woordloos te zijn, kuis door op afstand te blijven... Maar ik sterf, o mijn hart, u ziet het, mijn geest ontglipt mij reeds, laat hem niet in de lucht vervliegen, sta hem toe van uw mond zijn verblijf te maken!'

Ferrantes toon was dermate oprecht dat zelfs Roberto nu verlangde dat ze in die zoetgevooisde val zou lopen. Alleen zo zou hij de zekerheid hebben dat ze van hem hield.

En dus boog Lilia zich voorover om hem te kussen, schroomde vervolgens, bracht haar lippen willig en dan weer onwillig tot driemaal toe naar de begeerde mond, week driemaal terug en riep vervolgens uit: 'O ja, ja, als u mij niet ketent, zal ik nooit vrij zijn, ik zal niet kuis zijn als u mij niet overweldigt!'

En na zijn hand te hebben gepakt en gekust, had ze die tegen haar borst gedrukt; daarna had ze hem naar zich toe getrokken en hem teder van de adem zijner lippen beroofd. Ferrante had zich over dat vat vol verrukkingen gebogen (waaraan Roberto de as van zijn hart had toevertrouwd) en de twee lichamen waren tot een enkele ziel versmolten, de twee zielen tot een enkel lichaam. Roberto wist niet meer wie er in wiens armen lag, aangezien zij dacht dat ze in de zijne lag; en als hij haar Ferrantes mond bood, trachtte hij de zijne terug te trekken, om de ander die kus niet te gunnen.

En zo kon het gebeuren dat, terwijl Ferrante kuste en zij hem terugkuste, die kus in het niets oploste, en Roberto slechts de zekerheid restte dat hij van alles was beroofd. Maar hij kon niet voorkomen dat hij dacht aan datgene waarvan hij zich geen voorstelling wenste te maken: hij wist dat de liefde zich nu eenmaal niet laat beteugelen.

Gekwetst door die teugelloosheid en vergetend dat ze zich aan Ferrante gaf in de mening dat het Roberto betrof – het bewijs waar Roberto zo naar had verlangd – haatte hij Lilia en rende hij jammerend over het schip: 'O ellendige, als ik je "vrouw" zou noemen zou ik je hele kunne beledigen! Wat jij gedaan hebt is meer iets voor een furie dan voor een vrouw, en zelfs de naam "roofdier" zou te veel eer zijn voor zo'n hellebeest! Je bent erger dan het serpent dat Cleopatra vergiftigde, erger dan de hoornadder, die met zijn listen vogels lokt om ze vervolgens aan zijn honger te offeren, erger dan de Cyrenese aspis, die over eenieder die hem aanraakt zoveel venijn uitsproeit dat hij binnen een tel sterft, erger dan de leps, die gewapend met vier giftanden het vlees waarin hij bijt doet bederven, erger dan de pijlslang, die uit de bomen te voorschijn schiet en zijn slachtoffer wurgt, erger dan de adder, die zijn venijn in bronnen spuugt, erger dan de basilisk, die met zijn blikken doodt! Helse Megaera die geen Hemel kent, geen aarde, geen kunne, geen geloof, monster geboren uit een steen, uit een alp, uit een eik!'

Toen stokte hij omdat het nogmaals tot hem doordrong dat ze zich aan Ferrante gaf in de veronderstelling dat hij Roberto was, en dat ze dus niet verdoemd, maar uit deze val gered moest worden: 'Pas op, mijn allerliefste, die man vertoont zich aan jou met mijn gelaat, in de wetenschap dat je niemand anders zou kunnen beminnen dan mijzelve! Wat moet ik nu doen, nu ik om hem te kunnen haten, mezelf moet haten? Kan ik toestaan dat jij bedrogen wordt, terwijl je je verlustigt in zijn omarming daar je denkt dat het de mijne is? Kan ik, die me er al bij had neergelegd dat ik in deze kerker zal moeten leven om mijn dagen en nachten aan jou te kunnen wijden, gedogen dat jij meent mij te kunnen betoveren door je tot willoos slachtoffer van zijn tovenarij te maken? O Lief, Lief, Lief, heb je me niet al genoeg gestraft, is dit niet sterven zonder te sterven?'

30
*e*rotomania

Opnieuw ontvluchtte Roberto twee dagen het licht. In zijn dromen zag hij alleen maar doden. Zijn tandvlees en mond waren ontstoken. Vanuit zijn ingewanden had de pijn zich verspreid naar zijn borst, vervolgens naar zijn rug, en hij braakte zurige klonten, hoewel hij niets had gegeten. De bijtende zwarte gal, die zijn hele lijf aantastte, gistte in zijn braaksel en zag eruit als belletjes in water dat wordt blootgesteld aan intense hitte.

Hij was zonder twijfel ten prooi (en het is niet te geloven dat hij daar toen pas achter kwam) aan hetgeen in de regel Erotieke Melancholie werd genoemd. Had hij die avond bij Arthénice niet verkondigd dat het beeld van de beminde de liefde aanwakkert door als schim de holten van de ogen binnen te dringen, wachters en spionnen van de ziel? Maar daarna laat het mingevoelen zich langzaam door de aderen naar beneden glijden en komt uit bij de lever, waar het een onstuimige begeerte opwekt waartegen het hele lichaam in opstand komt; vervolgens gaat het rechtstreeks naar de sterkte van het hart om die te veroveren, en valt van daaruit de allernobelste vermogens van de geest aan en maakt deze tot slaven.

Je zou kunnen zeggen dat het zijn slachtoffer bijna het hoofd doet verliezen: zijn zintuigen raken van slag, zijn verstand vertroebelt, zijn verbeelding wordt erdoor verdorven en de arme minnaar vermagert, raakt uitgemergeld, zijn ogen vallen in, hij kwijnt weg en vergaat van jaloezie.

Hoe daarvan te genezen? Roberto meende de remedie der remediën te kennen, die hem echter hoe dan ook niet vergund was: de beminde bezitten. Hij wist niet dat dit niet voldoende is, want melancholici worden niet melancholiek uit liefde, maar worden verliefd om uiting te geven aan hun melancholie – en geven de voorkeur aan afgelegen oorden waar ze mijmeren over hun afwezige geliefde en zich uitsluitend bezighouden met de vraag hoe ze in haar aanwezigheid kunnen geraken; maar als ze hun doel eenmaal bereikt hebben, raken ze nog droever gestemd en haken ze weer naar een ander doel.

Roberto trachtte zich te herinneren wat hij gehoord had van mannen der wetenschap die de Erotieke Melancholie onderzocht hadden. Deze scheen veroorzaakt te worden door ledigheid, slapen op de rug en een overmatige ophouding van het zaad. En inderdaad deed hij al te veel dagen noodgedwongen niets, en wat het ophouden van het zaad betreft vermeed hij naar oorzaken te zoeken, of te bedenken wat hij er wellicht aan zou kunnen doen.

Hij had horen vertellen dat men soms vergetelheid zocht in jachtpartijen en besloot dat hij zich met overgave op het zwemmen moest toeleggen, maar zonder op zijn rug uit te rusten; echter, een van de stoffen die de zinnen prikkelen is zout, en van zout krijg je tijdens het zwemmen nogal wat binnen... Bovendien herinnerde hij zich dat hij ooit gehoord had dat de Afrikanen, die altijd blootstaan aan de zon, liederlijker waren dan de Hyperboreeërs.

Waren zijn uit de invloed van Saturnus voortkomende neigingen wellicht aangewakkerd door hetgeen hij gegeten had? De artsen ontrieden wild, ganzelever, pimpernoten, amandelen, truffelen en gember, maar vertelden niet welke vissen men beter niet kon eten. Ze waarschuwden voor te soepel vallende kleding zoals sabelbont en fluweel, alsmede tegen muskus, amber, nootmuskaat en talkaarde; maar wat wist hij van de onbekende kracht van de honderden geuren die uit de kas opstegen, en van de geuren die de winden vanaf het Eiland in zijn richting bliezen?

Hij zou veel van deze verderfelijke invloeden hebben kunnen bestrijden met kamfer, bernagie en klaverzuring, met lavementen, met braakmiddelen van in vleesnat opgelost vitriool en ten slotte met aderlatingen in de middelste ader van de arm of in die van het voorhoofd; en verder door alleen cichorei, andijvie en latuw, en meloenen, druiven, kersen, pruimen en peren te eten, en vooral verse munt... Maar niets van dit alles was op de *Daphne* voorhanden.

Hij waagde zich weer in de golven, waarbij hij probeerde niet te veel zout binnen te krijgen en zo min mogelijk te rusten.

Het verhaal dat hij had opgeroepen bleef natuurlijk door zijn hoofd spelen, maar zijn ergernis ten aanzien van Ferrante werd nu omgezet in aanvallen van roekeloosheid, en hij mat zich met de zee alsof hij, door deze aan zijn wil te onderwerpen, zijn vijand aan zich onderwierp.

Na een paar dagen had hij op een middag voor het eerst de amber-kleur van zijn borsthaar ontdekt en – zoals hij langs allerlei reden-kunstige kronkels optekent – van zijn schaamstreek; en het was tot hem doorgedrongen dat dit zo opviel omdat zijn lichaam bruin was geworden; en ook robuuster, want op zijn armen zag hij spieren heen en weer schieten die hij nog nooit had opgemerkt. Hij zag zichzelf nu als een hercules en verloor elk gevoel voor prudentie. De dag daarop ging hij zonder touw te water.

Hij zou de touwladder loslaten en rechtsom langs de romp naar het roer zwemmen; dan zou hij de achtersteven ronden, langs de andere kant teruggaan en weer onder de boegspriet door zwemmen. En hij had armen en benen krachtig uitgeslagen.

De zee was niet erg kalm en kleine golven duwden hem voortdurend tegen de scheepswand, waardoor hij twee keer zoveel kracht moest zetten om zowel langs het schip vooruit te komen als te proberen er afstand van te houden. Hij ademde zwaar, maar ging onversaagd verder. Totdat hij halverwege was, te weten bij de achtersteven.

Hier kwam hij erachter dat hij aan het eind van zijn krachten was. Hij was niet meer in staat de hele andere kant langs te zwemmen, maar evenmin rechtsomkeert te maken. Hij probeerde zich vast te klampen aan het roer, maar dat bood hem maar heel weinig houvast, bedekt als het was met slijmerige algen, terwijl het krakend kreunde onder de veranderlijke golfslag.

Boven zijn hoofd zag hij de vensters in de spiegel, waarachter zijn veilige einddoel schemerde, te weten zijn hut. Hij bedacht dat als de touwladder aan de voorsteven toevallig was losgeraakt, hij daar, alvorens te sterven, nog urenlang rond zou dobberen, verlangend naar dat dek waar hij zo vaak af had gewild.

De zon ging schuil achter een dik wolkendek en hij begon al te verkleumen. Hij boog zijn hoofd achterover, als om te slapen, en na een tijdje deed hij zijn ogen weer open, draaide om zijn as en zag dat zijn angstige vermoedens bewaarheid werden: de golven maakten dat hij van het schip wegdreef.

Hij vermande zich en zwom terug naar de scheepswand, die hij aanraakte als wilde hij er kracht uit putten. Boven zijn hoofd tekende zich een kanon af dat uit een geschutpoort stak. Als hij zijn touw bij zich had gehad, dacht hij, had hij er een worptouw van kunnen maken en kunnen proberen dat omhoog te gooien teneinde die vuurmond bij de keel te grijpen; vervolgens had hij zich op kunnen hijsen door zich met zijn handen vast te houden aan het touw en zich met zijn voeten tegen het hout af te zetten... Maar niet alleen had hij geen touw, hij zou ook de moed noch de armkracht hebben gehad zo ver omhoog te klimmen... Het was onzinnig zo te sterven, zo vlak bij zijn eigen schuilplaats.

Hij nam een besluit. Nu hij eenmaal om de achtersteven heen was gezwommen, was de afstand die hem van de touwladder scheidde, of hij nu terugging langs de rechterkant of verder langs de linkerkant, even groot. Bijna alsof het lot daarop gevallen was zwom hij linksom, waarbij hij erop lette dat de stroming de afstand tussen hem en de *Daphne* niet te groot maakte.

Hij had gezwommen, zijn tanden op elkaar, zijn spieren gespannen; hij durfde niet te verslappen, vastbesloten als hij was te overleven, al zou het – zei hij bij zichzelf – zijn dood worden.

Met een jubelkreet had hij de boegspriet bereikt, zich aan de voorsteven vastgeklampt en de jacobsladder gegrepen – en moge God, de Heer der heerscharen, Jacob zegenen, en met hem alle aartsvaders uit de Heilige Schrift.

Hij was volkomen uitgeput. Hij was misschien wel een halfuur aan de touwladder blijven hangen. Maar uiteindelijk was het hem gelukt weer aan dek te klimmen, waar hij geprobeerd had de balans van zijn ervaringen op te maken.

Ten eerste, hij kon zwemmen, goed genoeg om van het ene uiteinde van het schip naar het andere te komen en weer terug; ten tweede, een diergelijke onderneming bracht hem aan de uiterste grens van zijn lichaamskrachten; ten derde, aangezien de afstand tussen het schip en de kust vele malen groter was dan de hele omtrek van de *Daphne*, hoefde hij er niet op te hopen dat hij zou kunnen zwemmen totdat hij ergens houvast vond, zelfs niet bij eb; ten vierde, bij eb kwam het vasteland weliswaar dichterbij, maar door de tegenstroom zou hij moeilijker vooruitkomen; ten vijfde, als hij halverwege toevallig niet meer verder zou kunnen, zou hij ook niet meer terug kunnen.

Hij moest dus een touw blijven gebruiken, maar wel een veel langer. Hij zou zo ver naar het oosten gaan als zijn krachten hem toestonden, en vervolgens zou hij zichzelf aan het touw weer binnenhalen. Alleen door dagen achtereen op die wijze te oefenen zou hij het uiteindelijk los kunnen proberen.

Hij koos een rustige middag uit, toen de zon al achter hem stond. Hij was uitgerust met een erg lang touw dat hij stevig aan de grote mast had vastgebonden en dat in een heleboel windingen op het dek lag, klaar om beetje bij beetje af te rollen. Hij zwom kalm voort, zonder zich al te veel te vermoeien, en rustte vaak uit. Hij keek naar het strand en de twee kapen. Pas nu, zo laag in het water, zag hij hoe ver weg die denkbeeldige lijn was die van de noord- naar de zuidkaap liep en waarachter zich de vorige dag bevond.

Omdat hij Pater Caspar verkeerd had begrepen, was hij ervan overtuigd dat de koralen wering pas begon op de plek waar witte golfjes duidden op de eerste rotsen. De koralen begonnen echter eerder, ook bij eb. Anders was de *Daphne* wel dichter bij land voor anker gegaan.

En dus was hij met zijn blote benen tegen iets aan gestoten dat hij pas vagelijk in het water onderscheiden had toen hij er recht boven zwom. Bijna gelijktijdig werd hij getroffen door een beweging van gekleurde vormen onder het wateroppervlak en door een onverdraaglijke brandende pijn in zijn dij en scheenbeen. Het voelde alsof hij gebeten was, of gekrabd. Om bij het rif weg te komen had hij zich afgezet met zijn hiel en had zo ook zijn voet verwond.

Hij had het touw vastgegrepen en zo hard getrokken dat zijn handen, toen hij eenmaal weer aan boord was, helemaal ontveld waren;

maar hij maakte zich meer zorgen over de pijn aan zijn been en zijn voet. Ze zaten vol uiterst pijnlijke bulten. Hij had ze afgespoeld met drinkwater, en dat had het brandige gevoel deels verzacht. Maar 's avonds en de gehele nacht was het brandige gevoel vergezeld gegaan van een stekende jeuk en waarschijnlijk had hij zich in zijn slaap gekrabd, want de volgende ochtend kwam er bloed en wit spul uit de builen.

Daarop had hij zijn toevlucht genomen tot de toebereidselen van Pater Caspar (Spiritus, Olea, Flores), die de ontsteking enigszins hadden doen afnemen, maar hij had nog een hele dag de neiging gehad zijn nagels in die gezwellen te zetten.

Wederom had hij de balans van zijn ervaringen opgemaakt, en hij was tot vier besluiten gekomen: de wering was dichterbij dan de tegenstroom deed vermoeden, en dus zou hij het er nog wel een keer op kunnen wagen; sommige wezens die daar leefden – kreeften, vissen, wellicht koralen, of scherpe stenen – hadden het vermogen hem op een of andere manier pijn te doen; als hij naar die stenen terug wilde, moest hij erheen met zijn schoenen en kleren aan, hetgeen hem in zijn bewegingen zou belemmeren; aangezien hij hoe dan ook niet zijn gehele lichaam zou kunnen beschermen, diende hij onder water te kunnen kijken.

Dit laatste besluit deed hem terugdenken aan die Persona Vitrea, ofwel het masker waarmee je in de zee kon kijken, dat Pater Caspar hem had laten zien. Hij probeerde het ding om zijn nek te gespen en ontdekte dat het zijn aangezicht omsloot en hem in staat stelde naar buiten te kijken, als door een raam. Hij probeerde erin adem te halen, en merkte dat het een klein beetje lucht doorliet. Als het lucht doorliet, zou het ook water doorlaten. Het was dus zaak om als hij het gebruikte zijn adem in te houden – hoe meer lucht erin zou blijven zitten, des te minder water zou er naar binnen dringen – en boven water te komen zodra het masker vol was.

Het was waarschijnlijk geen eenvoudige onderneming geweest en Roberto was drie dagen lang bezig het gebruik ervan uit-en-ter-na te beproeven, waarbij hij wel te water ging maar dicht bij de *Daphne* bleef. Hij had in de buurt van de kooien van de zeelieden een paar zeildoeken slobkousen gevonden, die zijn voeten beschermden zonder dat deze al te zwaar werden, en een lange broek die hij om zijn kuiten kon binden. Het had hem een halve dag gekost om de bewegingen die hem naakt al zo goed afgingen opnieuw aan te leren.

Toen zwom hij met het masker. Op volle zee kon hij niet veel zien, maar hij ontwaarde een school goudkleurige vissen, vele vadems onder hem, alsof ze in een vivarium zwommen.

Drie dagen, zoals gezegd. In de loop waarvan Roberto eerst leerde onder water te kijken terwijl hij zijn adem inhield, vervolgens zich te bewegen terwijl hij keek en ten slotte het masker af te doen terwijl hij zich in het water bevond. Al oefenend leerde hij als vanzelf een nieuwe zwemhouding aan, die erin bestond dat hij zijn borst uitzette en vooruitstak, achteruittrapte alsof hij haastig liep en zijn kin omhoogduwde. Als hij zichzelf op die manier in evenwicht hield, was het echter moeilijker om het masker weer op te zetten en rond zijn nek vast te maken. Bovendien had hij meteen tegen zichzelf gezegd dat als hij, eenmaal op de wering, die rechtstandige houding zou aannemen, hij zich aan de rotsen zou stoten en dat hij als hij zijn gelaat boven water hield niet zou zien waar hij tegenaan schopte. En dus meende hij dat het beter zou zijn het masker niet vast te maken, maar het met beide handen tegen zijn aangezicht te drukken. Waardoor hij echter weer genoodzaakt was zich alleen met zijn benen voort te bewegen, die hij echter wél horizontaal moest houden, omdat hij anders wellicht ergens tegenaan zou trappen; een beweging die hij nog nooit geprobeerd had en waarop hij eindeloos moest oefenen alvorens deze enigszins onder de knie te krijgen.

Tijdens deze oefeningen zette hij elke woedeaanval om in een hoofdstuk van zijn Roman over Ferrante.

En hij had aan zijn verhaal een haatdragender wending gegeven, opdat Ferrante zijn straf niet zou ontlopen.

31
breviarium *Politicorum*

Hij moest trouwens niet langer dralen, en verder gaan met zijn verhaal. Het is waar dat Schrijvers, als ze over een onvergetelijke gebeurtenis hebben verteld, het onderwerp vervolgens enige tijd laten rusten teneinde de lezer in spanning te houden – en daaraan herkennen we de goed geschreven roman; maar het grondverhaal moet niet al te lang onaangeroerd blijven, zodat de lezer de draad kwijtraakt door alle verschillende verwikkelingen. Het was dus zaak terug te keren naar Ferrante.

Roberto Lilia afhandig te maken was slechts een van de twee doelen die Ferrante zich had gesteld. Het andere was Roberto in ongenade te laten vallen bij de Kardinaal. Hetgeen niet eenvoudig was: de Kardinaal was niet eens op de hoogte van Roberto's bestaan.

Maar Ferrante wist elke gelegenheid aan te grijpen. Op een dag las Richelieu in zijn aanwezigheid een brief en zei tegen hem: 'Zeg, Kardinaal Mazarin wijst me hier op een verhaal over de Engelsen, iets met een of ander Poeder van Sympathie. Hebt u daar in Londen ooit iets over gehoord?'

'Waar gaat het over, Eminentie?'

'Heer Pozzo, of hoe u ook heet, leer dat u nooit een vraag met een wedervraag beantwoordt, en al helemaal niet als de vraagsteller uw meerdere is. Als ik wist waar het over ging, zou ik het u niet vragen. Maar goed, hebt u, als u dan niet van dit poeder hebt gehoord, weleens geruchten opgevangen over een nieuw geheim om de lengtecirkels te bepalen?'

'Ik moet bekennen dat ik van dit onderwerp niets af weet. Als Uwe Eminentie mij zou willen inlichten, zou ik misschien...'

'Heer Pozzo, als u niet zo onbeschaamd was, zou u vermakelijk zijn. Ik zou dit land niet regeren als ik anderen zou inlichten over geheimen waarvan ze niet op de hoogte zijn – tenzij die anderen de Koning van Frankrijk zijn, hetgeen me, waar het u betreft, niet het geval lijkt. Doe dus uitsluitend waar u goed in bent: houd uw oren open en achterhaal geheimen waar u niets van af weet. Vervolgens komt u die aan mij vertellen en daarna zorgt u ervoor dat u ze weer vergeet.'

'Dat is wat ik altijd heb gedaan, Eminentie. Of tenminste, dat geloof ik, want ik ben vergeten dat ik het deed.'

'Zo ken ik u weer. U kunt gaan.'

Enige tijd later had Ferrante Roberto, op die gedenkwaardige avond, uitgerekend over dat poeder horen uitweiden. Hij had nauwelijks kunnen geloven dat hij Richelieu kon melden dat een Italiaanse edelman die met die Engelsman d'Igby omging (die, naar algemeen bekend was, in het verleden banden had onderhouden met de hertog van Bouquingan) veel van dat poeder scheen af te weten.

Ferrante moest, op het moment dat hij Roberto zwart begon te maken, evenwel ook zien te bereiken dat hij diens plaats in kon nemen. Hij had de Kardinaal dientengevolge onthuld dat hij, Ferrante, zich uitgaf voor de heer Del Pozzo omdat zijn werk als informant hem dwong incognito te blijven, maar dat hij in werkelijkheid de echte Roberto de La Grive was, die eertijds, bij het beleg van Casale, dapper had gestreden aan de kant van de Fransen. De ander, die zo arglistig over dat Engelse poeder sprak, was een bedrieger en een avonturier die de vruchten plukte van een vage gelijkenis en ook al, onder de naam Mahmoed, als spion voor de Turken in Londen had gewerkt.

Met deze woorden maakte Ferrante de weg vrij voor het moment dat hij, als hij zijn broer eenmaal te gronde had gericht, diens plaats zou kunnen innemen en voor de enige echte Roberto zou kunnen doorgaan, en dat niet alleen in de ogen van zijn op La Griva achtergebleven bloedverwanten, maar ook in de ogen van heel Parijs – alsof de ander nooit had bestaan.

In de tussentijd had Ferrante, die zich met Roberto's gelaat vertoonde om Lilia te veroveren, net als iedereen gehoord dat Cinq-Mars in ongenade was gevallen en had hij zich, nog altijd in de gedaante van Roberto, open en bloot in het gezelschap van de vrienden van die samenzweerder vertoond. Hij zette hiermee natuurlijk zeer veel op het spel, maar hij was bereid zijn leven aan zijn wraakzucht op te offeren.

Daarna had hij de Kardinaal ingefluisterd dat de valse Roberto de La Grive, die zoveel af wist van een geheim dat de Engelsen zo na aan het hart lag, overduidelijk samenspande, en had hij tevens voor getuigen gezorgd die konden bevestigen dat ze Roberto met deze of gene hadden gezien.

Zoals men ziet, een opeenstapeling van leugens en vermommingen die verklaarde hoe het kwam dat Roberto in de val was gelopen. Maar de reden waarom en de wijze waarop Roberto erin was gelopen waren zelfs Ferrante – wiens plannen door de dood van Richelieu in duigen waren gevallen – onbekend.

Wat was er namelijk gebeurd? Richelieu, die uiterst achterdochtig was, had Ferrante gebruikt zonder daar met iemand over te spreken, zelfs niet met Mazarin, die hij duidelijk wantrouwde nu hij zag dat deze zich reeds als een aasgier over zijn zieke lichaam boog. Toen zijn ziekte verergerde, had Richelieu Mazarin evenwel het hoognodige verteld, zonder hem te onthullen wat erachter stak: 'À propos, mijn beste Jules!'

'Ja, Eminentie en zeer beminde Vader...'

'Laat een zekere Roberto de La Grive in de gaten houden. Hij houdt zich 's avonds op bij madame de Rambouillet. Het schijnt dat hij veel af weet van dat Poeder van Sympathie van u... En bovendien houdt de jongeman zich volgens mijn informant op in samenzweerderskringen...'

'Vermoeit u niet, Eminentie. Laat alles maar aan mij over.'

En zo begon Mazarin op zijn eigen houtje een onderzoek naar Roberto, totdat hij het weinige van hem af wist dat hij op de avond van zijn arrestatie had laten doorschemeren. Maar dit alles zonder op de hoogte te zijn van het bestaan van Ferrante.

En intussen stierf Richelieu. Wat kon er met Ferrante zijn gebeurd?

Nu Richelieu dood is, ontbeert hij elke steun, en zit er voor hem niets anders op dan Mazarin te benaderen – de onwaardige is immers een geslepen heliotroop die altijd de kant van de machtigste op draait. Maar hij kan zich niet bij de nieuwe eerste minister aandienen zonder deze een bewijs te leveren van hetgeen hij waard is. Van Roberto ontbreekt elk spoor. Zou hij ziek zijn, afgereisd? Ferrante denkt aan alles, behalve aan de mogelijkheid dat zijn laster vruchten heeft afgeworpen en dat Roberto is gearresteerd.

Ferrante durft zich niet in de gedaante van Roberto te vertonen om geen argwaan te wekken bij mensen die zouden kunnen weten dat deze zich elders bevindt. Wat er ook tussen hem en Lilia mag zijn voorgevallen, hij verbreekt alle betrekkingen met Haar, onbewogen, als iemand die weet dat elke overwinning tijd kost. Hij beseft dat hij de verwijdering tussen hen uit moet buiten; goede eigenschappen verliezen hun glans als ze al te zichtbaar zijn, en de verbeelding reikt verder dan het oog; ook de phoenix neemt zijn toevlucht tot afgelegen plekken om zijn legende levend te houden.

Maar de tijd dringt. Als Roberto terugkomt moet Mazarin hem al verdenken en zijn dood willen. Ferrante raadpleegt zijn handlangers aan het hof en ontdekt dat men Mazarin kan benaderen via de jonge Colbert, die hij vervolgens een brief doet toekomen waarin hij een toespeling maakt op een Engelse dreiging en op het vraagstuk van de lengtecirkels (waarvan hij niets af weet en dat hij slechts een keer door Richelieu heeft horen noemen). In ruil voor zijn onthullingen vraagt hij een aanzienlijke som gelds, en hij krijgt een ontmoeting toegezegd, waarvoor hij zich kleedt als de oude abt met zijn zwarte ooglap.

Colbert is niet gek. De abt heeft een stem die hem bekend voorkomt, de paar dingen die deze hem vertelt klinken verdacht, hij roept twee wachters, loopt op zijn bezoeker toe, rukt hem zijn ooglap en zijn baard af, en wie staat er voor hem? Roberto de La Grive, die hij hoogstpersoonlijk aan zijn mannen had overgedragen opdat ze hem in zouden schepen op het schip van doctor Byrd.

Roberto had plezier in zijn eigen verhaal. Ferrante was uit eigen vrije wil in de val gelopen. 'U, San Patrizio!' had Colbert uitgeroepen. En aangezien Ferrante verbijsterd was en zweeg, had hij hem in een kerker laten werpen.

Het was Roberto een genot zich het onderhoud voor te stellen tussen Mazarin en Colbert, die hem meteen op de hoogte had gebracht.

'Die man moet gek zijn, Eminentie. Dat hij het gewaagd heeft zich aan zijn opdracht te onttrekken, kan ik begrijpen, maar dat hij voornemens was ons de informatiën die wij hem zelf verstrekt hebben terug te verkopen, duidt op krankzinnigheid.'

'Colbert, het is onmogelijk dat iemand zo gek is dat hij mij voor een uilskuiken houdt. En dus speelt onze man een spelletje, in de veronderstelling dat hij de troeven in handen heeft.'

'Hoe bedoelt u?'

'Hij kan bijvoorbeeld scheep zijn gegaan en meteen datgene ontdekt hebben wat wij wilden weten, zodat hij niet langer op het schip hoefde te blijven.'

'Maar als hij ons had willen verraden, was hij naar de Spanjolen of naar de Hollanders gegaan. Dan zou hij niet hierheen zijn gekomen om ons te tarten. En wat wil hij eigenlijk van ons? Hij wist heel goed dat hem, als hij zich loyaal zou opstellen, zelfs een positie aan het hof wachtte.'

'Hij is er duidelijk van overtuigd dat hij een geheim heeft ontdekt dat meer waard is dan een positie aan het hof. Geloof me, ik ken de mens. Er rest ons niets anders dan zijn spelletje mee te spelen. Ik wil hem vanavond zien.'

Mazarin ontving Ferrante terwijl hij eigenhandig de laatste hand legde aan een tafel die hij weelderig voor zijn gasten had laten dekken en die rijkelijk versierd was met voorwerpen die op iets anders leken. Op de tafel flonkerden kaarsepitten die uit bokalen van ijs staken, en flessen waarin de wijn andere kleuren had dan je zou verwachten, tussen manden met latuw, omkranst met geurige kunstbloemen en namaakfruit.

Mazarin, die dacht dat Roberto, dat wil zeggen Ferrante, in het bezit was van een geheim dat hij zo duur mogelijk wilde verkopen, had zich voorgenomen net te doen alsof hij van alles op de hoogte was (van alles wat hij niet wist, wel te verstaan), zodat de ander zich wellicht iets zou laten ontvallen.

Ferrante had daarentegen – tegen de tijd dat hij tegenover de Kardinaal kwam te staan – reeds begrepen dat Roberto in het bezit was van een geheim dat hij, Ferrante, zo duur mogelijk moest zien te verkopen, en hij had zich voorgenomen net te doen alsof hij van alles op de hoogte was (van alles wat hij niet wist, wel te verstaan), zodat de ander zich wellicht iets zou laten ontvallen.

En ziedaar dus twee mannen, die allebei niets af weten van hetgeen ze denken dat de ander weet en die allebei, in een poging de ander te slim af te zijn, allerlei toespelingen maken en beiden tevergeefs hopen dat de ander de sleutel tot het geheim in zijn bezit heeft. Wat een mooi verhaal, dacht Roberto, terwijl hij een uitweg zocht uit de berzie die hij zelf had gewrocht.

'San Patrizio,' zei Mazarin, terwijl hij een bord met levende hommers die eruitzagen alsof ze gekookt waren, neerzette naast een bord met gekookte hommers die eruitzagen of ze nog leefden, 'een week geleden hebben wij u in Amsterdam ingescheept op de *Amarilli*. U kunt niet van die onderneming hebben afgezien: u wist heel goed dat u dat met uw leven had moeten bekopen. Dus hebt u al ontdekt wat u ontdekken moest.'

Voor deze strikreden gesteld, zag Ferrante in dat hij maar beter niet kon opbiechten dat hij van de onderneming had afgezien. Dus restte hem niets anders dan de andere weg in te slaan. 'Met uw permissie, Eminentie,' had hij gezegd, 'in zekere zin weet ik hetgeen Uwe Eminentie wilde dat ik te weten zou komen.' En in zichzelf mompelend had hij daaraan toegevoegd: 'En intussen weet ik dat het geheim zich aan boord van een schip bevindt dat de *Amarilli* heet en dat een week geleden uit Amsterdam is vertrokken.'

'Toe, niet zo bescheiden. Ik weet heel goed dat u meer te weten bent gekomen dan ik verwacht had. Na uw vertrek zijn mij nieuwe informatiën ter ore gekomen, want denkt u maar niet dat u mijn enige spion bent. Ik weet dus dat hetgeen u gevonden hebt veel waard is, en ik ben hier niet gekomen om te marchanderen. Ik vraag me echter af waarom u op zo'n slinkse wijze getracht heeft naar mij terug te keren.' En intussen wees hij zijn bedienden waar ze vlees in visvormige houten vormen moesten neerzetten, waarover hij vervolgens geen vleesnat maar siroop liet gieten.

Ferrante raakte er steeds meer van overtuigd dat het geheim onbetaalbaar was, maar hij dacht bij zichzelf dat het gemakkelijker was een vogel af te schieten die rechtdoor vloog dan een die voortdurend van koers veranderde. Daarom nam hij rustig de tijd om zijn tegenstander te peilen: 'Uwe Eminentie weet dat we, wilden we hoge ogen gooien, slinkse middelen moesten aanwenden.'

'Ah, schavuit,' mompelde Mazarin bij zichzelf, 'je bent er niet zeker van hoeveel je ontdekking waard is en wacht tot ik een prijs noem. Maar dan zal jij toch als eerste je mond open moeten doen.' Hij verplaatste het vruchtenijs, dat zo bewerkt was dat het op perziken leek die nog aan hun tak vastzaten, naar het midden van de tafel en zei hardop: 'Ik weet wat u hebt. U weet dat u het alleen aan mij kunt aanbieden. Lijkt het u gepast mij iets op de mouw te spelden?'

'Ah, sluwe vos,' mompelde Ferrante, 'je weet helemaal niet wat ik zou moeten weten, en het vervelende is dat ik het zelf ook niet weet.' En toen hardop: 'Uwe Eminentie weet zeer goed dat de waarheid somtijds de quintessentie der verbittering kan zijn.'

'Kennis doet geen pijn.'

'Maar kan krenkend zijn.'

'Krenk mij gerust. Ik zal niet meer gekrenkt zijn dan ik was toen ik erachter kwam dat u zich had schuldig gemaakt aan hoogverraad en ik u aan de beul moest uitleveren.'

Ferrante had eindelijk begrepen dat hij, als hij de rol van Roberto bleef spelen, het gevaar liep op het schavot te eindigen. Dan kon hij er maar beter voor uitkomen wie hij werkelijk was, waarbij hij hooguit het risico liep door de lakeien te worden gekastijd.

'Eminentie,' zei hij, 'ik heb er verkeerd aan gedaan u niet meteen de waarheid te vertellen. Colbert heeft mij voor Roberto de La Grive gehouden en zijn vergissing heeft wellicht ook een scherpe blik als die van Uwe Eminentie beïnvloed. Maar ik ben Roberto niet, ik ben slechts zijn natuurlijke broer, Ferrante. Ik had me aangediend om informatie aan te bieden waarvan ik dacht dat Uwe Eminentie er wel belang in zou stellen, aangezien Uwe Eminentie de eerste was die tegenover de ontslapen en onvergetelijke Kardinaal melding maakte van de samenzwering van de Engelsen... Uwe Eminentie weet wel, het Poeder van Sympathie en het vraagstuk van de lengtecirkels...'

Bij het horen van deze woorden had Mazarin een geërgerd gebaar gemaakt, waardoor hij bijna een namaakgouden, met kunstig in glas nagemaakte edelstenen versierde soepterrine omstootte. Hij had een bediende de schuld gegeven en vervolgens tegen Colbert gemompeld: 'Breng deze man terug naar waar hij vandaan kwam.'

Het is werkelijk waar dat de goden degenen die ze in het verderf willen storten met blindheid slaan. Ferrante verkeerde in de mening dat hij Mazarins belangstelling wekte door te tonen dat hij op de hoogte was van de diepste geheimen van de ontslapen Kardinaal en had, met de hoogmoed van de sycofant die wil laten zien dat hij altijd beter op de hoogte is dan zijn heer, zijn hand overspeeld. Maar niemand had Mazarin nog verteld (en het zou zeer moeilijk worden hem daarvan te overtuigen) dat Ferrante en Richelieu betrekkingen hadden onderhouden. Mazarin had iemand tegenover zich die, of hij nu Roberto was of iemand anders, niet alleen wist wat hij tegen Roberto had gezegd, maar ook wat hij Richelieu had geschreven. Van wie had hij dat gehoord?

Toen Ferrante weg was, had Colbert gezegd: 'Gelooft Uwe Eminentie wat die man u heeft verteld? Als ze tweelingen waren, zou dat alles verklaren. Dan zou Roberto nog op zee zitten en...'

'Nee, als die man zijn broer is, valt het allemaal nog minder te verklaren. Hoe kan hij nu weten wat eerst alleen ik, jij en onze Engelse informant wisten, en later Roberto de La Grive?'

'Zijn broer kan hem erover verteld hebben.'

'Nee, zijn broer heeft alles pas op die avond van ons gehoord, en sinds die tijd hebben we hem, tot op het moment dat het schip is afgevaren, niet meer uit het oog verloren. Nee, nee, die man weet te veel zaken die hij niet zou moeten weten.'

'Wat doen we met hem?'

'Gewichtige vraag, Colbert. Als die man Roberto is, dan weet hij wat hij op dat schip heeft gezien, en is het ook zaak dat hij praat. En als hij het niet is, moeten we er tot elke prijs achter zien te komen waar hij zijn informatie vandaan heeft. In beide gevallen kunnen we hem – als we even afzien van de gedachte hem voor een rechtbank te slepen, waar hij te veel zou zeggen, en ten overstaan van te veel mensen – ook niet laten verdwijnen met een lemmer in zijn rug: hij heeft ons nog een hoop te vertellen. Maar als het Roberto niet is, maar, wat zei hij ook weer, Ferrand of Fernand…'

'Ferrante, dacht ik.'

'Wat dan ook. Als hij Roberto niet is, wie staat er dan achter hem? Zelfs de Bastille is geen veilige plaats. Er zijn gevallen bekend van mensen die daarvandaan berichten hebben verzonden of ontvangen. We zullen moeten wachten tot hij praat en de manier moeten vinden om hem zover te krijgen, maar tegelijkertijd moeten we hem opbergen op een plaats die niemand kent en ervoor zorgen dat niemand weet wie hij is.'

En dat was het moment geweest waarop Colbert een heldere, zij het enigszins duistere inval had gekregen.

Een paar dagen daarvoor had een Frans oorlogsschip voor de kust van Bretagne een piratenschip opgebracht. Het was – wat een toeval! – een Hollandse fluit met een naam die vanzelfsprekend onuitspreekbaar was, *Tweede Daphne*, teken – merkte Mazarin op toen hij hoorde wat het betekende – dat er ergens een *Eerste Daphne* moest zijn, hetgeen erop wees dat die protestanten niet alleen weinig geloof hadden, maar ook een gebrekkige verbeelding. Het scheepsvolk bestond uit mannen van allerlei natiën. Ze zouden hen eigenlijk allemaal op moeten hangen, maar het loonde de moeite te onderzoeken of ze in Engelse dienst waren en wie ze dat schip afhandig hadden gemaakt, want wellicht konden ze een voordelige ruil maken met de rechtmatige eigenaars.

En daarom was besloten het schip niet ver van de monding van de Seine aan de ketting te leggen, in een kleine, bijna verborgen baai, waar zelfs de pelgrims van Sint-Jacobus die er, komende uit Vlaanderen, vlak langs trokken, nietsvermoedend voorbijliepen. Op een landtong voor de baai stond een oud fort dat ooit als gevangenis dienst had gedaan, maar nu nog zelden gebruikt werd. En daar werden de piraten in onderaardse kerkers opgesloten, slechts bewaakt door drie mannen.

'Dat moet genoeg zijn,' had Mazarin gezegd. 'Neem tien van mijn lijfwachten, onder het bevel van een goede kapitein die niet gespeend is van prudentie...'

'Biscarat. Op zijn gedrag is, sinds de tijd dat hij met de musketiers om de eer van de Kardinaal duelleerde, nooit iets aan te merken geweest...'

'Uitstekend. Laat de gevangene naar het fort overbrengen en breng hem onder in het verblijf van de wacht. Biscarat zal samen met hem op zijn kamer eten en hem begeleiden als hij gaat luchten. Zet ook 's nachts een wacht voor zijn deur. Een verblijf in de kerker breekt zelfs de koppigste geesten, onze stijfkop zal alleen Biscarat hebben om mee te praten, en het kan zijn dat hij zich wat vertrouwelijke informatiën laat ontvallen. En zorg er vooral voor dat niemand hem kan herkennen, niet tijdens de reis en niet in het fort...'

'Maar als hij naar buiten gaat om te luchten...'

'Kom, Colbert, een beetje meer vernuft. Zijn aangezicht moet bedekt worden.'

'Mag ik een voorstel doen... een ijzeren masker, afgesloten met een slotje waarvan we de sleutel in zee werpen...'

'Hè toe, Colbert, we wonen toch niet in het Land der Romans? Gisteravond hebben we die Italiaanse comedianten gezien, met van die lederen maskers met grote neuzen waardoor hun gelaatstrekken helemaal veranderen maar die hun mond vrijlaten. Zoek er zo een, zorg ervoor dat hij het zo op krijgt dat hij het niet af kan doen en zet een spiegel in zijn kamer, zodat hij zich elke dag doodschaamt. Heeft hij zich willen vermommen als zijn broer? Dan doen wij hem een masker van die Polichinelle voor! En denk eraan: van hier tot aan het fort in een gesloten koets, alleen 's nachts en midden op het open veld pleisteren, en voorkomen dat hij zich op de wisselplaatsen vertoont. Als iemand vragen stelt, moeten ze maar zeggen dat ze een edelvrouwe naar de grens brengen die tegen de Kardinaal heeft samengespannen.'

Belemmerd door zijn koddige vermomming tuurde Ferrante (door een traliewerk dat weinig licht in zijn kamer binnenliet) al dagenlang naar een grijs toneelrond omringd door kale duinen en naar de *Tweede Daphne*, die in de baai voor anker lag.

In Biscarats aanwezigheid beheerste hij zich; soms gaf hij hem te verstaan dat hij Roberto was, en dan weer dat hij Ferrante was, zodat de rapporten die naar Mazarin werden gezonden altijd uiterst verward waren. Soms slaagde hij erin in het voorbijgaan gesprekken van de wachten op te vangen, en zo was hij er achter gekomen dat er in de onderaardse kerkers van het fort piraten zaten vastgeketend.

Omdat hij zich op Roberto wilde wreken voor een onrecht dat hem niet was aangedaan, pijnigde hij zijn hersens af over de mogelijke manieren om een opstand te forceren, die schurken te bevrijden, zich van het schip meester te maken en Roberto achterna te gaan. Hij wist waar hij beginnen moest, in Amsterdam zou hij zeker spionnen vinden die hem iets konden vertellen over het reisdoel van de *Amarilli*. Hij zou het schip achterhalen, ontdekken wat Roberto's geheim was, zijn hinderlijke dubbelganger in zee laten verdwijnen en iets in handen hebben dat hij de Kardinaal zeer duur kon verkopen.

Of misschien niet, misschien zou hij, als hij het geheim eenmaal ontdekt had, kunnen besluiten het aan anderen te verkopen. En trouwens, waarom zou hij het verkopen? Voor zover hij wist zou het geheim van Roberto iets te maken kunnen hebben met de kaart van een schateiland, of met het geheim van de Illuminaten en de Rozenkruisers waar al twintig jaar over gesproken werd. Hij zou zich hetgeen hij ontdekte zelf ten nutte maken, hij zou niet meer voor een heer hoeven spioneren, maar zelf spionnen in dienst hebben. En als hij eenmaal rijkdom en macht vergaard had, zou niet alleen de naam van Roberto's voorvaderen, maar ook de Dame de zijne zijn.

Natuurlijk was Ferrante, tweedrachtig als hij was, niet in staat tot ware liefde, maar, hield Roberto zich voor, er zijn mensen die nooit verliefd zouden zijn geworden als ze niet over de liefde hadden horen praten. Misschien treft Ferrante in zijn kerker een roman aan, leest hij die en praat hij zichzelf aan dat hij liefheeft, om maar het gevoel te hebben elders te zijn.

Misschien had zij Ferrante in de loop van dat eerste samenzijn haar kam gegeven als liefdespand. Nu kuste Ferrante die, en al kussend leed hij, zichzelf vergetend, schipbreuk in de golven van de zeeboezem die door die ivoorblanke steven waren doorkliefd.

Wie weet, misschien kon zelfs een zo liederlijk mens de herinnering aan dat gelaat niet weerstaan... Roberto zag Ferrante nu in het duister voor de spiegel zitten, waarin, voor wie er schuin voor zat, alleen de kaars die ervoor stond weerkaatst werd. Bij het aanschouwen van twee vlammetjes, waarvan de een de ander nabootst, raakt de blik naar binnen gekeerd en de geest in vervoering, en doemen er visioenen op. Als hij zijn hoofd een beetje schuin hield zag Ferrante Lilia, haar maagdelijk wasbleke gelaat, zo badend van licht dat het alle andere lichtstralen indronk en haar bijeengenomen blonde haren in een donkere streng over haar schouders deed stromen, haar borst nauw zichtbaar onder een dun kleed met half open hals...

En toen verlangde Ferrante (eindelijk! jubelde Roberto) té veel van de ijdelheid van een droom en ging hij, onverzadigbaar, recht voor de spiegel zitten, om achter de kaars uitsluitend de weerkaatsing te ontwaren van het johannesbrood dat zijn smoelwerk ontsierde.

Als een beest dat het niet kan verdragen een onverdiend geschenk te hebben verloren, begon hij wederom vuns haar kam te betasten; maar nu, in de walmen van het kaarsstompje, scheen dat voorwerp (dat voor Roberto het aanbiddelijkste aller reliquieën zou zijn geweest) hem een mond vol tanden toe die op het punt stonden zich in zijn verslagenheid vast te bijten.

32
de **t**uin der lusten

Bij de gedachte aan Ferrante die, kijkend naar een *Tweede Daphne* die hij nooit zou bereiken, en gescheiden van zijn Dame, vastzat op dat eiland, voelde Roberto, en het zij hem vergund, een laakbare maar begrijpelijke voldoening, gekoppeld aan een zekere voldoening als verteller, omdat hij er – met een fraaie omstelling – in was geslaagd zijn tegenstander op te sluiten in een beleg dat als een spiegelbeeld verschilde van het zijne.

Jij zult, vanaf jouw eiland, met je lederen masker, het schip nooit bereiken. Ik daarentegen sta op het punt om, vanaf het schip, met mijn glazen masker, mijn Eiland wél te bereiken. Zo hield hij zichzelf (hem) voor, terwijl hij voorbereidingen trof voor een nieuwe tocht door het water.

Hij herinnerde zich op welke afstand van het schip hij zich verwond had en zwom dus eerst rustig voort, met het masker aan zijn riem. Toen hij meende dat hij in de buurt van de wering was gekomen, deed hij het masker voor en maakte hij zich op om de zeebodem te verkennen.

In het begin zag hij alleen vlekken; toen zag hij, als iemand die in een mistige nacht op een schip plotseling een steile rotswand voor zich ziet opdoemen, dat hij boven de rand van een afgrond zwom.

Hij deed het masker af, leegde het, drukte het weer met beide handen tegen zijn aangezicht en ging met langzame beenbewegingen het schouwspel tegemoet waar hij zojuist een glimp van had opgevangen.

Dat waren dus koralen! Zijn eerste indruk was er een van verwarring en verbazing, te oordelen naar zijn aantekeningen. Hij had de indruk dat hij zich in de winkel van een stoffenhandelaar bevond, die onder zijn ogen tabijn en tafzijde drapeerde, en brokaat, ras, damast en fluweel, en strikken, franjes en stalen, en voorts pluvialen, kazuifels, stolen en dalmatieken. Met dien verstande dat deze stoffen leken te leven en bewogen met de zinnelijkheid van oosterse danseressen.

In dat landschap, dat Roberto niet kan beschrijven omdat hij het voor de eerste keer ziet en hij in zijn geheugen geen beelden vindt om het in woorden te kunnen omzetten, drong plotseling een groep wezens binnen die hij wél kon herkennen – of op zijn minst kon vergelijken met iets dat hij al eens gezien had. Het waren vissen die door elkaar heen zwommen als vallende sterren aan een augustushemel; maar het leek alsof de natuur bij het schikken en keuren van de tinten en de tekening van hun schubben had willen laten zien welke verschillende verven er in het heelal bestonden, en hoevele er zich tezamen op één oppervlak konden bevinden.

Er waren er met veelkleurige strepen, sommige in de lengte, andere overdwars, weer andere schuins, en nog weer andere gegolfd. Er waren er die leken ingelegd met uiterst kleine, grillig gerangschikte vlakjes; andere waren gespot of gespikkeld, andere weer bontgevlekt, vol stippen en ragfijne puntjes, of dooraderd als marmer.

Weer andere waren getekend met slingers of door elkaar gevlochten kettingen. Er waren er die ganselijk geglazuurd waren, bezaaid met schilden en rozetten. En een, de mooiste van allemaal, die helemaal omwikkeld leek met biesjes die afwisselend een baan van wijn en een baan van melk vormden; en het was een wonder dat de baan die eronderdoor liep keer op keer weer boven te voorschijn kwam, alsof er een kunstenaar aan het werk was geweest.

Pas op dat moment, toen hij achter de vissen de koraalvormen ontwaarde die hij op het eerste gezicht niet had kunnen thuisbrengen, onderscheidde Roberto trossen bananen, manden met broodjes en korven met bronskleurige mispels, waarboven kanaries, smaragdhagedissen en kolibries zweefden.

Hij bevond zich boven een tuin, nee, geen tuin, nu leek het een versteend bos, bestaand uit brokstukken van paddestoelen – nee, ook niet, hij zag het verkeerd, nu waren het glooiingen, plooiingen, ravijnen, gaten en spelonken, één tuimeling van levende stenen waarop een onaardse plantenweelde groeide, in afgeplatte, ronde of geschubde vormen die een granieten maliënkolder leken te dragen, of knoestig waren, of ineengekronkeld. Maar die, hoe verschillend ook, door hun sierlijkheid en bevalligheid allemaal even schitterend waren, en wel in die mate dat ook die welke ogenschijnlijk slordig, bijna achteloos bewerkt waren, hun plompheid droegen met majesteit, en misgewassen leken, maar mooie misgewassen.

Of (Roberto haalt door en verbetert zichzelf, en slaagt er niet in het weer te geven, zoals iemand die voor het eerst een vierkante cirkel moet beschrijven, een platte helling, een lawaaiige stilte, een nachtelijke regenboog) het waren scharlaken struiken die hij zag.

Misschien was hij, doordat hij zijn adem moest inhouden, beneveld geraakt, maakte het water dat zijn masker binnendrong dat hij vormen en schakeringen wazig zag. Hij had zijn hoofd boven water gestoken om lucht in zijn longen te laten stromen en had zich verder laten drijven langs de rand van de wal, de kloven en breuken volgend waarin zich mergelgangen openden waarvan wijn doortrokken harlekijnen zich naar binnen wurmden. Hij zag een kreeft met een roomkleurige kam, deinend door zijn langzame ademhaling en het bewegen van zijn scharen, uitrusten op een uitsteeksel boven een net van koraal (dat leek op hetgeen hij kende, maar dan gerangschikt als een onuitputtelijke smeltkaas).

Wat hij nu zag was geen vis, maar ook geen blad; het was beslist iets levends, twee grote plakken van een witachtige stof, afgezet met karmozijn en een waaier van veren; en daar waar je de ogen zou verwachten, twee horens van beweeglijke zegellak.

Cyperse poliepen die in hun glibberige gewriemel het vleesrood van één enkele lip lieten zien, streken langs velden vol wittige fallussen met een amarante glans; roze visjes met olijfkleurige spikkeltjes streken langs asgrauwe, met vermiljoen bespatte bloemkolen en getijgerde wortelknollen met gitzwart takwerk. En daarna zag hij de herfsttijlooskleurige, poreuze lever van een groot dier, ofte wel een vuurwerk van kwikzilveren arabesquen, vol met bloed bevlekte stekelborstels die uitliepen in een soort kelk van week paarlemoer...

Vanuit een bepaalde hoek leek die kelk enigszins op een urn en hij bedacht dat het lijk van Pater Caspar tussen die rotsen rustte. Als de werking van het water hem eerst bedekt had met koralijne spruitsels, en als die koralen, na de aardse sappen uit het lichaam te hebben opgezogen, vervolgens de vorm hadden aangenomen van bloemen en tuinvruchten, zou hij niet langer zichtbaar zijn. Misschien zou hij zo dadelijk op de arme man stuiten, verworden tot een schepsel dat zelfs daar beneden buitenissig was: de bol van het hoofd gemaakt van een harige kokosnoot, twee passievruchten voor de wangen, ogen en wenkbrauwen die in twee zure abrikokken waren veranderd, en een neus van knolvormige melkdistel, als de uitwerpselen van een dier; daaronder, in plaats van lippen, gedroogde vijgen, een biet met zijn spitse knoest als kin en een rimpelige kardoen die diende als hals; op beide slapen twee kastanjebolsters bij wijze van haarlokken, en de twee helften van een gekraakte noot voor de oren; als vingers, wortels; een buik van spekmeloen; knieën van kweeperen.

Hoe kon hij, Roberto, zulke sombere gedachten koesteren die tevens zo grotesk waren? De resten van zijn arme vriend zouden op die plek in een heel andere vorm hun profetische 'Et in Arcadia ego' verkondigen...

Kijk, misschien in de doodshoofdvorm van dat kiezelkoraal... Hij had de indruk dat die dubbelganger van een steen al ontworteld was... Deels uit eerbied, ter nagedachtenis aan zijn verdwenen leermeester, deels om de zee ten minste één van haar schatten te ontfutselen, pakte hij hem op. En omdat hij die dag genoeg gezien had, was hij met die prooi tegen zijn borst naar het schip teruggekeerd.

33
Onderaardse
werelden

Roberto had het koraal opgevat als een uitdaging. Nu hij gezien had tot hoeveel vindingrijkheid de Natuur in staat was, voelde hij zich geroepen de strijd met haar aan te binden. Hij kon Ferrante niet in die gevangenis laten zitten en zijn eigen verhaal maar half afmaken: daarmee zou weliswaar zijn zucht naar wraak op zijn rivaal zijn bevredigd, maar niet zijn vertellerstrots. Wat zou hij Ferrante kunnen laten overkomen?

Roberto bedacht het toen hij op een ochtend, zoals gewoonlijk, al vanaf het ochtendgloren op de uitkijk stond om de Oranjekleurige Duif op het Eiland te verrassen. Zo 's ochtends vroeg scheen de zon recht in zijn aangezicht en alhoewel Roberto zo goed en zo kwaad als het ging met een bladzijde uit het scheepsjournaal om het uiteinde van zijn verrekijker een soort kap had gemaakt, zag hij op sommige momenten niets anders dan een verblindend licht. Later, als de zon boven de horizon stond, was de zee net een spiegel en werden alle zonnestralen nog eens verdubbeld.

Maar die ochtend had Roberto zichzelf wijsgemaakt dat hij had gezien dat er iets vanuit de bomen naar de zon was gevlogen en met haar lichtkrans was versmolten. Waarschijnlijk was het zinsbedrog. Elke andere vogel zou in dat licht ook zo hebben geschitterd... Roberto was ervan overtuigd dat hij de duif had gezien en was ontgoocheld dat hij zich vergist had. Ten prooi aan een dergelijke wankele gemoedstoestand voelde hij zich wederom te kort gedaan.

Er was maar weinig voor nodig om iemand als Roberto, die inmiddels het punt had bereikt waarop hij uitsluitend nog afgunstig kon genieten van hetgeen hem ontnomen was, te laten dromen dat Ferrante datgene gekregen had wat hemzelf ontzegd was. Maar aangezien Roberto de schrijver van het verhaal was en hij Ferrante niet al te veel tegemoet wilde komen, besloot hij dat deze alleen te maken zou krijgen met de andere duif, de groenblauwe. En wel omdat Roberto, zonder aanwijsbare grond, besloten had dat het oranjekleurige dier het vrouwtje van het koppel moest zijn, oftewel Zij. Omdat de duif in het verhaal van Ferrante niet het einddoel moest zijn, maar de weg naar bezit, diende Ferrante het voorlopig met het mannetje te stellen.

Kon een groenblauwe duif, die alleen in de gebieden van de zuidelijke zeeën vliegt, op de vensterbank gaan zitten van het raam waarachter Ferrante naar zijn vrijheid haakte? In het Land der Romans wel, ja. En bovendien, de *Tweede Daphne* kon, fortuinlijker dan haar oudere zuster, toch net van die zeeën zijn teruggekeerd en de vogel die nu wegvloog in haar ruim hebben meegevoerd?

Hoe dan ook, Ferrante had geen weet van de Tegenvoeters en kon zichzelf dergelijke vragen niet stellen. Hij had de duif gezien, had hem aanvankelijk gevoerd met wat kruimeltjes brood, louter als tijdverdrijf, en had zich vervolgens afgevraagd of hij hem niet voor zijn doel kon aanwenden. Hij wist dat duiven soms gebruikt werden om boodschappen over te brengen: natuurlijk, als hij dat beest een boodschap toevertrouwde, betekende dat nog niet dat deze daadwerkelijk aan zou komen op de plek waar hij wilde; maar waarom zou hij het niet proberen, hij zat zich immers toch maar te vervelen?

Wie kon hij om hulp vragen, hij die uit vijandigheid jegens eenieder, met inbegrip van zichzelf, slechts vijanden had gemaakt? De paar personen die hem gediend hadden waren onbeschaamde vlegels, die uitsluitend bereid waren hem te volgen als het hem meezat, maar zeker niet als het hem tegenzat. En toen had hij bedacht: ik zal de Dame om hulp vragen, want zij houdt van mij ('hoe kan hij daar nu zo zeker van zijn?' vroeg Roberto, die deze hovaardij verzon, zich jaloers af).

Biscarat had schrijfbenodigdheden bij hem achtergelaten ingeval de nacht hem tot inkeer zou brengen en hij een bekentenis naar de

Kardinaal zou willen zenden. Hij had het papier aan de ene zijde aan de Dame geadresseerd, met de toevoeging dat wie de boodschap zou afleveren een beloning tegemoet kon zien. Daarna had hij op de andere kant vermeld waar hij zich bevond (hij had de cipiers een naam horen noemen) en dat hij het slachtoffer was van een infaam complot van de Kardinaal, en had hij gesmeekt om gered te worden. Daarna had hij het vel opgerold, het aan de poot van de vogel vastgemaakt en deze aangespoord weg te vliegen.

Eerlijk gezegd had hij er verder niet meer over nagedacht, of althans, bijna niet meer. Hoe had hij kunnen denken dat de blauwe duif uitgerekend naar Lilia zou vliegen? Dat zijn dingen die in fabelen gebeuren, en Ferrante was er de man niet naar in fabeltjes te geloven. Misschien was de duif geschoten door een jager, had hij, toen hij tussen de takken van een boom door naar beneden viel, de boodschap verloren...

Wat Ferrante niet wist, was dat hij daarentegen op de lijmstok van een boer terecht was gekomen, die had gemeend zijn voordeel te kunnen doen met hetgeen, naar het zich liet aanzien, een oproep was die naar iemand was verstuurd, misschien wel naar een legercommandant.

De boer had de boodschap, om deze te laten bekijken, naar de enige persoon in het dorp gebracht die kon lezen, te weten de pastoor, en die had alles naar behoren afgewikkeld. Hij had uitgezocht wie de Dame was, een vriend naar haar toe gestuurd om met haar over de afdracht te onderhandelen, en daar een vorstelijke aalmoes voor zijn kerk en een fooi voor de boer aan overgehouden. Lilia had gelezen, had gehuild en had trouwe vrienden om raad gevraagd. De Kardinaal vermurwen? Niets was eenvoudiger voor een mooie hofdame, maar deze dame bezocht regelmatig de salon van Arthénice, die door Mazarin gewantrouwd werd: er deden reeds hekeldichten de ronde over de nieuwe eerste minister en er werd gefluisterd dat ze uit die vertrekken afkomstig waren. Een précieuse die de Kardinaal vraagt mededogen te hebben met een vriend veroordeelt die vriend tot een nog zwaardere straf.

Nee, ze diende een troep dappere mannen bijeen te brengen en hun te vragen een verrassingsaanval te doen. Maar tot wie moest ze zich wenden?

Hier wist Roberto niet meer hoe hij verder moest. Als hij een musketier van de Koning was geweest, of een cadet uit Gascogne, had Lilia zich tot die dapperen kunnen wenden die zo befaamd waren om hun esprit de corps. Maar wie haalt zich de woede van een eerste minister, of wellicht van de Koning, op de hals voor een vreemdeling die omgang heeft met boekverzamelaars en sterrenkundigen? En wat voor boekverzamelaars en sterrenkundigen: hoezeer Roberto zijn roman ook was toegewijd, hij kon zich geen voorstelling maken van de Kanunnik van Digne of de eerwaarde Gaffarel die in vliegende galop op zijn gevangenis afstormden – dat wil zeggen op die van Ferrante, die in ieders ogen inmiddels Roberto was.

Een paar dagen later had Roberto een nieuwe inval gekregen. Hij had het verhaal van Ferrante even gelaten voor wat het was en was verdergegaan met het verkennen van de koralen wering. Die dag volgde hij een school vissen die een gele stormhoed op hun snuit hadden, waardoor ze op voltigerende krijgslieden leken. Ze stonden op het punt te verdwijnen in een gleuf tussen twee stenen torens, die de koralen het aanzien gaven van vervallen paleizen in een verzonken stad.

Het scheen Roberto toe dat die vissen tussen de ruïnen dwaalden van de stad Ys, waarover hij had horen vertellen en die, naar men zei, nog steeds een paar mijl buiten de kust van Bretagne lag, daar waar de golven haar ooit hadden verslonden. Kijk, de grootste vis was de voormalige koning van de stad, gevolgd door zijn hoogwaardigheidsbekleders, en alle menden zij zichzelf op zoek naar hun door de zee opgeslokte schat...

Maar waarom teruggrijpen op een oude legende? Waarom de vissen niet beschouwen als bewoners van een wereld die haar eigen wouden, bergspitsen, bomen en dalen heeft en die geen weet heeft van de wereld aan de oppervlakte? Op eenzelfde wijze leven wij zonder te weten dat het hemelgewelf andere werelden verhult, waar de mensen niet lopen en zwemmen, maar vliegen of door de lucht varen; de voorwerpen die wij dwaalsterren noemen kunnen de kielen van hun schepen zijn waarvan wij alleen de flonkerende onderkant zien, en zo zien de kinderen van Neptunus boven zich alleen de schaduw van onze galjoenen en houden ze deze voor hemellichamen die rondcirkelen in hun waterig firmament.

En als het mogelijk is dat er wezens bestaan die onder water leven, zouden er dan ook wezens kunnen bestaan die onder de aarde leven, salamandervolkeren die in staat zijn via hun gangen het vuur in het binnenste van de aarde te bereiken?

Toen Roberto daar zo over nadacht, herinnerde hij zich een redenering van Saint-Savin: wij denken dat het moeilijk is op de maan te leven, omdat we in de veronderstelling verkeren dat er daar geen water is; maar misschien bevindt het water zich daarginds wel in ondergrondse holen, heeft de natuur op de maan putten gegraven en zijn dat de vlekken die we zien. Wie zegt dat de Maanlingen zich niet in die nissen verschansen teneinde te ontsnappen aan de onverdraaglijke nabijheid van de zon? Leefden de eerste christenen niet ook onder de grond? En ook maanzieken leven altijd in holen, die zij als huiselijk beschouwen.

En het is niet gezegd dat ze in het donker leven. Misschien zitten er ontelbare scheuren in de korst van de omloper van de aarde en valt er door duizenden luchtgaten licht naar binnen, heerst er een nacht die doorsneden wordt door lichtbundels, net zoals in een kerk het geval is, of benedendeks op de *Daphne*. Of nee, misschien bevinden zich aan het oppervlak lichtgevende stenen die overdag het zonlicht opzuigen en dat 's nachts weer afgeven, en verzamelen de maanzieken die stenen bij elke zonsondergang, zodat hun gangen immer schitterender zijn dan die in een koninklijk paleis.

Parijs, had Roberto gedacht. Was het soms niet algemeen bekend dat de grond onder die hele stad, net als in Rome, vergeven was van catacomben waar, naar men zegt, boosdoeners en bedelaars 's nachts hun toevlucht zoeken?

De Bedelaars, die had hij nodig om Ferrante te redden! De Bedelaars, over wie verteld wordt dat ze geregeerd worden door een koning en een stelsel van ijzeren wetten; de Bedelaars, een gemeenschap van grimmig canalje dat leeft van misdaad, diefstal en verdorvenheden, moorden en vergrijpen, ontucht, schurkenstreken en schanddaden, terwijl het voorgeeft te leven van christelijke naastenliefde!

Zoiets kon alleen door een verliefde vrouw worden bedacht! Lilia

– bedacht Roberto – heeft geen hovelingen of ambtsadel in vertrouwen genomen, maar haar laagste kamermeisje, dat ontuchtige omgang heeft met een voerman die de kroegen rond de Notre-Dame kent, waar de schooiers die overdag in de portalen hun hand hebben opgehouden tegen zonsondergang hun heil komen zoeken... Ja, zo moest hij verder.

Haar gids leidt haar diep in de nacht de Saint-Martin-des-Champs-kerk binnen, licht een dekplaat op in het koor en laat haar afdalen in de catacomben van Parijs, alwaar zij, bij het licht van een toorts, op zoek gaat naar de Bedelkoning.

En zo loopt Lilia dus vermomd als lenige, manvrouwelijke edelman door onderdoorgangen, over trappen en door kattegaten, terwijl ze in de duisternis hier en daar afgebeulde lijven in lompen en lorren ontwaart, met aangezichten die getekend zijn door wratten, puisten, belroos, schurft, krentenbaard, etterbuilen en zweren, die haar allemaal met hun uitgestrekte handen aantikken, waarbij niet duidelijk is of ze om een aalmoes vragen of – als waren ze kamerheren – zeggen: 'Loopt u maar door, onze heer verwacht u.'

En daar zat hun meester, in het midden van een zaal, duizend mijlen onder het oppervlak van de stad, gezeten op een vat, terzijde gestaan door zakkenrollers, knevelaars, oplichters en boeventuig dat tot elk soort onrechtmatigheid en verdorvenheid in staat was.

Hoe kon hij de Bedelkoning zijn? Gehuld in een rafelige mantel, een voorhoofd vol bulten, een door wolf aangevreten neus, ogen zo koud als marmer, het ene groen, het andere zwart, met de blik van een marter, overhangende wenkbrauwen, een hazelip die spitse, vooruitstaande wolvetanden liet zien, kroeshaar, een zandgele huidkleur, handen met korte, dikke vingers en gekromde nagels...

Nadat hij de Dame had aangehoord, had hij gezegd dat hij een leger tot zijn beschikking had vergeleken waarmee dat van de koning van Frankrijk maar een garnizoen uit de provincie was. En een stuk minder duur: als zijn mensen met een aanvaardbaar bedrag schadeloos zouden worden gesteld, laten we zeggen het dubbele van hetgeen ze in hetzelfde tijdsbestek bij elkaar hadden kunnen bedelen, zouden ze zich voor een zo gulle opdrachtgever laten vermoorden.

Lilia had een robijn van haar vinger laten glijden (zoals men in dergelijke gevallen pleegt te doen) en op soevereine toon gevraagd: 'Volstaat dit?'

'Dat volstaat,' had de Bedelkoning gezegd, de steen strelend met zijn vosseblik. 'Zeg maar waar.' En toen hij wist waar, had hij eraan toegevoegd: 'Mijn mannen gebruiken geen paarden of koetsen, maar die plek is te bereiken door met schuiten de Seine af te zakken.'

Roberto stelde zich voor hoe Ferrante, die zich tegen zonsondergang op de vervallen toren van het fort met kapitein Biscarat onderhield, hen plotseling had zien aankomen. Eerst waren ze opgedoken op de duinen, om vervolgens uit te waaieren in de richting van de esplanade.

'Pelgrims van Sint-Jacobus,' had Biscarat minachtend opgemerkt, 'en van het ergste, of liever van het ongelukkigste soort, want ze gaan op zoek naar gezondheid terwijl ze al met één been in het graf staan.'

De onafzienbare rij pelgrims kwam inderdaad steeds dichterbij en ze ontwaarden een troep blinden met uitgestrekte handen, verminkten met krukken, leprozen, leepogen, schurftigen en klierlijders, een samenraapsel van in vodden gehulde kreupelen, manken en zonderlingen.

'Ik hoop niet dat ze al te dichtbij komen en onderdak vragen voor de nacht,' had Biscarat gezegd. 'We zouden niets dan vuiligheid binnen onze muren halen.' En hij had wat musketschoten in de lucht laten lossen om duidelijk te maken dat ze in de veste niet welkom waren.

Maar het was of die schoten als lokroep hadden gewerkt. Terwijl er in de verte nog meer volk naderde, kwamen de voorsten steeds dichter bij het fort en waren de dierlijke klanken die zij uitstootten reeds hoorbaar.

'Houd ze op een afstand, godsakkerment,' had Biscarat geschreeuwd, en had brood aan de voet van de muur laten gooien, als om hun te zeggen dat de liefdadigheid van de burchtheer tot zover reikte en dat ze verder niets hoefden te verwachten. Maar de gemene bende, die zienderogen groeide, had haar voorhoede al tot onder de muren voortgestuwd; ze hadden de gift vertrapt en omhooggekeken, alsof ze op zoek waren naar iets beters.

Nu waren ze elk afzonderlijk te zien en ze leken helemaal niet op pelgrims, noch op ongelukkigen die om verlichting van hun schurft vroegen. Het waren natuurlijk arme drommels, zei Biscarat bezorgd – een ongeregeld zootje avonturiers. Of tenminste, dat leken ze nog even, want de schemering zette al in en de esplanade en de duinen waren verworden tot één grijze warrelklomp van rattengebroed.

'Te wapen, te wapen!' had Biscarat geroepen, die eindelijk door had dat het hier geen bedevaart of bedelarij betrof, maar een bestorming. En hij had een aantal schoten laten afvuren op degenen die de muur al aanraakten. Maar het was inderdaad net alsof er op een troep knaagdieren was geschoten: het werden er steeds meer en de voorsten werden steeds verder voortgestuwd, de gevallenen werden vertrapt en als steun gebruikt door degenen die achter hen oprukten; en reeds was te zien dat de voorsten zich met hun handen in de barsten van het oude bouwwerk vastklemden, hun vingers in de reten staken, hun voeten in de spleten zetten, de traliën van de eerste ramen omklemden en hun jichtige ledematen in de schietgaten wrongen. En intussen deinde een ander deel van die bende voort over de grond, op weg om de poort in te beuken.

Biscarat had bevolen deze van binnen te verstevigen, maar de toch zeer dikke planken van de deurvleugels kraakten al onder het gewicht van het gespuis.

De lijfwachten bleven doorschieten, maar de paar belegeraars die vielen werden meteen door nieuwe troepen platgelopen; het was een enorme kaskenade, van waaruit zich op een gegeven moment zoiets als in de lucht geworpen slangen van touw begonnen te verheffen, hetgeen ijzeren haken bleken te zijn waarvan ze er reeds een aantal achter de tinnen hadden weten vast te haken. Zodra een wacht zich een weinig vooroverboog om die klauwijzers los te rukken, bestookten de eersten die zich naar boven hadden gehesen hem met spiesen en stokken, of strikten hem met hun touwen zodat hij naar beneden viel, waar hij verdween in het gedrang van die liederlijke bezetenen, zonder dat het gereutel van de een van het gebrul van de anderen viel te onderscheiden.

Kortom, wie het gebeuren uit de duinen had kunnen gadeslaan, zou bijna geen fort meer hebben gezien, maar slechts het gewriemel van vliegen op een kreng, een zwerm bijen op een raat, een broederschap van hommels.

Inmiddels had onder hen het geraas weerklonken van de poort, die bezweek, en van de beroering op de binnenplaats. Biscarat en zijn lijfwachten begaven zich naar het andere eind van de vervallen toren – en letten niet op Ferrante die zich, onbeducht en voorvoelend dat die mensen op een of andere manier vrienden van hem waren, zo dun mogelijk maakte en zich verschanste in de deuropening die uitkwam op de trap.

Die vrienden hadden inmiddels de trans bereikt en waren eroverheen geklommen, vielen, gul met hun eigen leven, onder de laatste musketschoten en passeerden met ware doodsverachting de haag van ontblote rapieren, de lijfwachten schrik aanjagend met hun gemene ogen en vertrokken gelaten. En de lijfwachten van de Kardinaal, doorgaans mannen van staal, lieten hun wapens vallen en smeekten de hemel om genade voor hetgeen zij voor satansgebroed hielden, en dezen knuppelden hen eerst tegen de grond, wierpen zich vervolgens op de overlevenden en brachten hun vuistslagen en kaakstoten, opstoppers en oorvegen toe, keelden hen met hun tanden, reten hen met hun klauwen uiteen, overmeesterden hen door hun haat de vrije loop te laten en begingen wreedheden jegens degenen die al dood waren – Ferrante zag hoe ze een borst openreten, zich het hart toeëigenden en dat onder luid geschreeuw verorberden.

Biscarat, die gevochten had als een leeuw, bleef als laatste over. Toen hij zag dat hij verloren was, was hij met zijn rug naar de borstwering gaan staan, had met zijn bebloede rapier een streep op de grond getrokken en had geschreeuwd: 'Icy mourra Biscarat, seul de ceux qui sont avec luy!'

Maar op dat moment was er boven in het trapgat een eenoog met een houten been verschenen die met een bijl zwaaide; hij had een teken gegeven en met het bevel Biscarat vast te binden een einde gemaakt aan de slachtpartij. Daarna was zijn oog op Ferrante gevallen; hij had hem herkend aan het masker dat hem onherkenbaar had moeten maken, had hem gegroet met een zwierig gebaar van zijn gewapende hand, alsof hij met de veer van zijn hoed de grond wilde schoonvegen, en had gezegd: 'Heer, u bent vrij.'

Uit zijn kiel had hij een boodschap te voorschijn gehaald met een zegel dat Ferrante meteen had herkend, en hem die overhandigd.

Zij was het; ze zei hem vrijelijk over dat gruwelijke maar betrouwbare leger te beschikken, en daar op haar te wachten, omdat zij daar tegen zonsopgang ook naar toe zou komen.

Na van zijn masker verlost te zijn had Ferrante om te beginnen de piraten vrijgelaten en een pactie met hen gesloten. Het schip diende herwonnen te worden en onder zijn bevel uit te zeilen zonder dat er vragen werden gesteld. Beloning: een deel van een schat die zo groot was als de kookpot van Altopascio. Zoals te doen gebruikelijk was Ferrante in het geheel niet van zins woord te houden. Als hij Roberto eenmaal had gevonden hoefde hij zijn scheepsvolk slechts bij de eerste de beste aanlegplaats aan te geven en zouden ze allemaal worden opgeknoopt, waardoor hij heer en meester van het schip zou worden.

De Bedelaars had hij niet meer nodig en hun aanvoerder zei hem, rechtschapen als hij was, dat ze hun loon voor de onderneming al hadden ontvangen. Hij wilde zo gauw mogelijk weg uit dat gebied. Ze verspreidden zich over het achterland en keerden van dorp tot dorp bedelend naar Parijs terug.

Het was niet moeilijk de sloep te bereiken die in de beschutting van de binnenhaven bij het fort lag, naar het schip te roeien en de twee mannen die het bewaakten overboord te smijten. Biscarat werd vastgeketend in het ruim, want hij was een gijzelaar met wie Ferrante wellicht nog zijn voordeel mee zou kunnen doen. Laatstgenoemde stond zichzelf toe een korte wijle te rusten en ging voor zonsopgang weer aan land, op tijd om een rijtuig op te vangen waaruit Lilia was gestapt, mooier dan ooit met haar mannekapsel.

Roberto meende dat het hem een grotere kwelling zou zijn als hij verzon dat ze elkaar ingehouden begroetten, zonder zich bloot te geven tegenover de piraten die in de waan moesten verkeren dat ze een jongeman inscheepten.

Ze waren aan boord gegaan, Ferrante had gekeken of alles in gereedheid was voor de afvaart en daalde, toen het anker was gelicht, af naar de hut die hij voor zijn gast in orde had laten brengen.

Daar wachtte zij hem op, met ogen die niets anders verlangden dan te worden bemind, met de jubeling van haar nu vrijelijk over haar schouders golvende haren, bereid tot het vreugdevolste aller offers. O aanbiddelijke lokken, aanbeden lokken, vergulde en gekrulde lokken, jullie die dwarrelen en dartelen en dartelend dwalen – smachtte Roberto voor Ferrante.

Hun gelaten waren elkaar genaderd om kiemen van kussen uit het oude zaaigoed der zuchten te oogsten, en op dat ogenblik zag Roberto in gedachten weer die vleesrode lip. Ferrante kuste Lilia, en Roberto verbeeldde zich dat hij het zélf was die dit deed en huiverend in dat waarachtige koraal beet. Maar toen voelde hij dat zij hem als een zuchtje wind ontglipte, verloor hij haar zoelte die hij een ogenblik gemeend had te voelen, en zag hij haar ijzig als in een spiegel, in andere armen, op een ver bruidsbed op een ander schip.

Om de minnenden af te schermen had hij een bedgordijn opgehangen dat karig licht doorliet, en die twee inmiddels ontblote lichamen waren als boeken over zonne-necromantie, waarvan de heilige woorden zich uitsluitend openbaarden aan twee uitverkorenen die ze elkaar, mond op mond, vóórspelden.

Het schip verwijderde zich gezwind, Ferrante kreeg de overhand. In hem beminde zij Roberto, in wiens hart deze beelden neerkwamen als een fakkel op een takkenbos.

34
*A*lleen-*spraak*
over verscheidene werelden in het geheelal

We zullen ons herinneren – hoop ik, want Roberto had van de romanschrijvers van zijn tijd de gewoonte overgenomen zoveel verhalen tegelijk te vertellen dat het vaak moeilijk was de draad weer op te pakken – dat onze held van zijn eerste bezoek aan de wereld der koralen de 'dubbelganger van een steen' had meegenomen die er in zijn ogen uit had gezien als een doodshoofd, misschien wel dat van Pater Caspar.

Nu zat hij dit voorwerp, teneinde het minnespel van Lilia en Ferrante te vergeten, bij zonsondergang op het dek te bekijken en de vorm ervan aan een nader onderzoek te onderwerpen.

Het leek niet op een doodshoofd. Het was eerder een uit onregelmatige veelhoeken opgebouwde minerale bijenkorf. De veelhoeken waren echter niet de bouwstenen van dat weefsel: in het midden van elke veelhoek was een netwerk van ragfijne, naar alle kanten uitstralende draden zichtbaar, waartussen – als je door je oogharen keek – ruimten zaten die misschien weer andere veelhoeken vormden; en als het oog er nog verder in had kunnen doordringen, had het wellicht gezien dat de zijden van die kleine veelhoeken bestonden uit nog weer kleinere veelhoeken, en zo verder, totdat – door de delen in delen van delen te delen – het moment daar was dat díe delen bereikt werden die niet verder op te delen waren, te weten de atomen. Maar aangezien Roberto niet wist of er een grens was aan de deelbaarheid van de stof, was het hem niet duidelijk hoe ver zijn oog – helaas niet dat van een lynx, want hij was niet in het bezit van die lens waarmee Pater

Caspar zelfs de animalculi van de pest had kunnen onderscheiden – in de diepte zou kunnen afdalen en daarbij in de vermoede vormen steeds weer nieuwe vormen zou kunnen ontdekken.

Ook het hoofd van de abt kon, zoals Saint-Savin die nacht tijdens het duel had geroepen, een wereld zijn, namelijk die van zijn luizen – och, hoezeer had Roberto bij die woorden niet gedacht aan de wereld waarop de luizen van Anna Maria (of Francesca) Novarese leefden, gelukzalige insecten! Maar aangezien luizen evenmin atomen zijn, maar grenzeloze heelallen voor de atomen waaruit ze bestaan, zitten er in het lichaam van een luis misschien weer andere, kleinere beestjes die er leven als in een weidse wereld. En misschien zijn mijn eigen vlees en mijn bloed – dacht Roberto – wel niets anders dan samenweefsels van uitermate kleine beestjes die mij door zich te bewegen hun beweging schenken en zich laten leiden door mijn wil, die hun tot koetsier is. En mijn beestjes vragen zich ongetwijfeld af waar ik hen nu mee naar toe neem, nu ik ze afwisselend onderwerp aan de zeekoelte en de zonnehitte, en zij, verloren in deze warreling van wisselvallige weersomstandigheden, even onzeker zijn van hun lot als ik.

En als er in een net zozeer onbegrensde ruimte nu eens andere, nog weer kleinere beestjes zouden rondzweven, die leven in het heelal van die beestjes waar ik het net over had?

Zoiets is toch denkbaar? Heb ik dat alleen maar niet bedacht omdat ik er nooit iets van af geweten heb? Zoals mijn Parijse vrienden al zeiden: iemand die op de toren van de Notre-Dame staat en van veraf naar de voorstad Saint-Denis kijkt, zou nooit kunnen denken dat die vage vlek bewoond wordt door wezens die net zo zijn als wij. Wij zien Jupiter omdat hij heel groot is, maar vanaf Jupiter zien ze ons niet, en ze kunnen zich niet eens voorstellen dat we bestaan. En gisteren nog had ik nooit kunnen bevroeden dat er in de zee – niet op een verre planeet, of in een waterdruppel, maar in een deel van ons eigen heelal – een Andere Wereld bestond.

En trouwens, wat wist ik nog maar enkele maanden geleden van het Zuidland? Ik zou gezegd hebben dat het een bevlieging van ketterse aardrijksbeschrijvers was; en wie weet hebben ze hier op deze eilanden in vervlogen tijden wel een paar van hun wijsgeren verbrand die hadden gebrouwd dat Montferrat en Frankrijk bestonden. En toch ben ik nu hier, en zit er niets anders op dan te geloven dat de Tegenvoeters bestaan – en dat ik, in tegenstelling tot hetgeen beweerd werd door mannen die ooit voor zeer wijs werden gehouden, niet met mijn hoofd naar beneden loop. Het is eenvoudigweg zo dat de bewoners van deze wereld op de achtersteven en wij op de voorsteven van één en hetzelfde vaartuig zitten, waarop we beiden zijn ingescheept zonder ook maar iets van elkaar te weten.

Zo is ook de kunst van het vliegen nog onbekend, en toch zal men – te oordelen naar een zekere heer Godwin, over wie doctor d'Igby me verteld heeft – op een dag naar de maan gaan; net zoals men naar Amerika is gegaan, ook al had vóór Columbus niemand er enig vermoeden van dat dit land bestond of dat het op een dag zo zou kunnen heten.

De zonsondergang had plaats gemaakt voor de avond en toen voor de nacht. Roberto zag dat de maan nu vol aan de hemel stond, en hij kon de vlekken erop ontwaren die kinderen en domme mensen voor de ogen en de mond in een vredig gelaat houden.

Om Pater Caspar te tergen (in welke wereld, op welke planeet der rechtvaardigen bevond de dierbare grijsaard zich nu?) had Roberto met hem over de maanbewoners gesproken. Maar kan de maan werkelijk bewoond zijn? Waarom niet? Het was als met Saint-Denis: wat weten de aardbewoners nu van hetgeen zich daar kan bevinden?

Roberto redekavelde: als je op de maan stond en je gooide een steen in de lucht, zou die dan op de aarde terechtkomen? Nee, hij zou terugvallen op de maan. Dus is de maan, net als elke andere planeet of ster of wat het ook is, een heelal met een eigen middelpunt en een eigen omtrek, en dit middelpunt trekt alle lichamen aan die in de invloedssfeer van die wereld leven. Zoals ook op aarde gebeurt. En waarom zou al het overige dat er op aarde gebeurt dan niet ook op de maan kunnen gebeuren?

De maan wordt omgeven door een dampgewest. Hebben ze me niet verteld dat iemand, veertig jaar terug op Palmzondag, wolken rond de maan heeft gezien? Zie je op die planeet niet sterke trillingen als er een verduistering op handen is? En wat kan dat anders zijn dan

het bewijs dat er daar lucht is? Planeten wasemen, en sterren ook –
wat kunnen de vlekken die er naar men zegt op de zon zitten en
waaruit de zonnevlammen ontstaan, anders zijn?

En er is gewis water op de maan. Hoe zijn de vlekken die je erop
ziet anders te verklaren, als het geen meren zijn (iemand heeft zelfs
geopperd dat deze meren kunstig zouden zijn, welhaast mensenwerk,
zo welgevormd en gelijkmatig verspreid zijn ze)? Trouwens, als de
maan alleen maar ontworpen was als een grote spiegel die dient om
het zonlicht naar de aarde te weerkaatsen, waarom zou de Schepper
die spiegel dan besmeurd hebben met vlekken? Die vlekken zijn dus
geen onvolmaaktheden, maar volmaaktheden, poelen dus, of meren,
of zeeën. En als er daarboven water en lucht is, is er ook leven.

Wellicht een leven dat anders is dan het onze. En wellicht smaakt het
water daar naar (weet ik het?) zoethout, naar kardmom of misschien
wel naar peper. Als er ontallijke werelden zijn, is dat het bewijs van
het oneindige meesterschap van de Bouwmeester van ons heelal,
maar dan kent deze Dichter geen grenzen. Hij kan overal bewoonde
werelden geschapen hebben, met steeds andere schepselen. Misschien
zijn zonbewoners wel zonniger, helderder en verlichter dan aardbewoners, die zwaar zijn door hun stoffelijkheid, en zitten de maanbewoners daar tussenin. Op de zon leven wezens die een en al Vorm
zijn, of Handeling, of hoe je het noemen wilt; op de aarde wezens die
bestaan uit louter Krachten die zich ontwikkelen, en op de maan zijn
ze *in medio fluctuantes*, oftewel erg lunatiek…

Zouden we in de lucht van de maan kunnen leven? Misschien niet,
misschien zouden we er duizelig van worden; anderzijds, vissen kunnen niet in onze lucht leven, en vogels weer niet in die van de vissen.
Die lucht is waarschijnlijk zuiverder dan de onze, en aangezien de onze, door haar dichtheid, werkt als een natuurlijke lens die de zonnestralen zeeft, zullen de Maanlingen de zon heel wat duidelijker zien.
Het ochtendgloren en de avondschemer, die ons verlichten wanneer
de zon er nog niet is, of niet meer is, zijn een geschenk van onze lucht
die, rijk aan onzuiverheid, het licht van de zon opvangt en doorzendt;
het is licht waar we eigenlijk geen recht op hebben, maar dat ons
overvloedig wordt geschonken. Door dit te doen bereiden die stralen

ons beetje bij beetje voor op het verkrijgen en weer verliezen van de zon. Misschien heb je op de maan, omdat de lucht daar dunner is, dagen en nachten die van het ene op het andere moment aanbreken. De zon verrijst onverhoeds aan de horizon, alsof er een toneeldoek opgaat. En dan weer kom je er opeens uit het verblindendste licht in het pikdonker te zitten. En op de maan heb je waarschijnlijk ook geen regenboog, die een gevolg is van met de lucht vermengde dampen. Maar misschien hebben ze er om dezelfde redenen ook geen regen of donder of bliksem.

En hoe zouden de bewoners zijn van de planeten die dichter bij de zon staan? Vurig als de Moren, maar beslist minder stoffelijk dan wij. Hoe groot zou de zon er bij hen uitzien? Hoe kunnen ze het licht ervan verdragen? Zouden de metalen daar soms van nature smelten en stromen als rivieren?

Maar bestaan er echt ontallijke werelden? Een dergelijk vraagstuk had in Parijs tot een duel geleid. De Kanunnik van Digne zei het niet te weten. Of liever, op grond van zijn kennis van de natuurkunde was hij geneigd het te bevestigen, in navolging van de grote Epicurus. De wereld kan niet anders dan oneindig zijn. Atomen die samenklonteren in de ijle ruimte. Dat lichamen bestaan, bewijst ons de zintuiglijke ervaring. Dat de ijle ruimte bestaat, bewijst ons de rede. Hoe en waar zouden de atomen zich anders kunnen bewegen? Als er geen ijle ruimte was, zou er geen beweging zijn, tenzij lichamen elkaar wederzijds binnendringen. Het zou belachelijk zijn te denken dat wanneer een vlieg met zijn vleugel een luchtdeeltje verplaatst, dit weer een ander deeltje verplaatst, en dat weer een ander; dan zou de beweging van een vlooiepootje, door een opeenvolging van verplaatsingen, aan de andere kant van de wereld een bult moeten veroorzaken! Bovendien, als de ijle ruimte oneindig was, en het aantal atomen eindig, zouden laatstgenoemde niet aflaten zich alle kanten op te bewegen, zouden ze nooit op elkaar botsen (net zoals twee personen die door een eindeloze woestijn dwalen elkaar, een onvoorstelbaar toeval daargelaten, nooit zouden tegenkomen) en zouden ze geen samenstelsels vormen. En als de ijle ruimte eindig was en de lichamen oneindig in getal, zou er geen plaats zijn om ze te bevatten.

Natuurlijk zou je ermee kunnen volstaan je een eindige ijle ruimte voor te stellen die bewoond wordt door een eindig aantal atomen. De Kanunnik zei me ooit dat dit het meest prudente standpunt is. Waarom zouden we God willen verplichten ontallijke voorstellingen te geven, als ware Hij de baas van een troep comedianten? Door middel van het scheppen en het onderhouden van één enkele wereld getuigt hij eeuwiglijk van zijn vrijheid. Er zijn geen bewijsredenen tégen de veelvuldigheid van werelden aan te voeren, maar evenmin ervóór. God, die aan de wereld voorafgaat, heeft voldoende atomen geschapen, in een voldoende weidse ruimte, om zijn eigen meesterwerk samen te stellen. Van zijn oneindige volmaaktheid maakt ook het Vernuft van de Beperking deel uit.

Om te zien of er zich in een dood ding ook werelden bevonden, en zo ja hoeveel, was Roberto naar het kleine kabinet van de *Daphne* gegaan en had hij alle dode dingen die hij er had aangetroffen voor zich op het dek uitgestald als even zovele bikkels: verteningen, kiezels, visgraten; hij liet zijn blik van het een naar het ander dwalen en dacht ongericht na over het blote Toeval en zijn toevalligheden.

Maar wie zegt me (zei hij) dat God streeft naar beperking, als de ervaring me voortdurend andere, nieuwe werelden onthult, zowel in de hoogte als in de diepte? Het zou dus zo kunnen zijn dat niet God maar de wereld eeuwig en oneindig is, en altijd geweest is en altijd zal zijn; een oneindige herschikking van haar oneindig vele atomen in een oneindige ijle ruimte, volgens wetten die ik nog niet ken, door onvoorspelbare maar aan regels gebonden afwijkingen van de atomen, die anders zouden dol draaien. En dus zou de wereld God zijn, zou God ontstaan uit de eeuwigheid, een heelal zonder oevers, en zou ik aan zijn wet onderworpen zijn zonder te weten wat deze inhoudt.

Dwaas, zeggen sommigen: je kunt spreken over de oneindigheid van God omdat je niet geroepen bent je deze in de geest voor te stellen, maar er alleen in hoeft te geloven, zoals je in een mysterie gelooft. Maar als het om natuurgeleerdheid gaat zul je je van deze oneindige wereld toch ook een voorstelling moeten maken, en dat kun je niet.

Misschien niet. Maar laten we ons dan indenken dat de wereld vol en eindig is. Laten we dan proberen ons het niets voor te stellen dat er is daar waar de wereld ophoudt. Wanneer we aan dat niets denken, kunnen we ons dat dan voorstellen als een wind? Nee, want het zou werkelijk niets moeten zijn, zelfs geen wind. Is er, in het begrip van de natuurgeleerdheid – en dus niet in het begrip van het geloof – een eindeloos niets voorstelbaar? Het is heel wat eenvoudiger je een wereld voor te stellen die verder gaat dan het oog reikt, zoals dichters zich mensen met horens of vissen met twee staarten kunnen voorstellen door deze samen te stellen uit reeds bekende delen: het is slechts zaak aan de wereld, daar waar wij menen dat deze eindigt, andere delen toe te voegen (een weidse vlakte die ook weer uit water en aarde, sterren en hemelen bestaat) die lijken op die welke we al kennen. Grenzeloos.

Want als de wereld eindig was, maar het niets, omdat het nu eenmaal niets is, dat niet kon zijn, wat zou er zich dan voorbij de grenzen van de wereld bevinden? IJle ruimte. En dan zouden we dus, door het oneindige te ontkennen, het bestaan van de ijle ruimte onderkennen, die immers oneindig moet zijn, anders zouden we ons bij het einde ervan wederom een nieuwe en onvoorstelbare weidse vlakte van niets moeten voorstellen. En dan kun je je maar beter meteen zonder omwegen de ijle ruimte voorstellen en deze bevolken met atomen, in plaats van je deze voor te stellen als ijle ruimte die ijler is dan ijl.

Roberto voelde zich een bevoorrecht mens, waardoor zijn ongeluk in zijn ogen plotseling zin kreeg: hij had het bestaan van andere hemelen aangetoond en tegelijkertijd, zonder op te hoeven stijgen voorbij de hemelsferen, ontdekt dat ook koralen uit vele werelden bestonden. Was het nodig te berekenen hoeveel gestalten de atomen van het heelal konden vormen – en degenen die beweerden dat hun aantal niet eindig was op de brandstapel te verbranden – als je ermee kon volstaan jarenlang over een van deze zeevoorwerpen na te denken om te begrijpen hoe de afwijking van één enkel atoom, of die nu gewild was door God of in de hand gewerkt door het blote Toeval, onvermoede Melkwegen kon doen ontstaan?

De Verlossing? Een oneigenlijke bewijsreden, of liever – wierp Roberto tegen, aangezien hij geen moeilijkheden wilde met de eerstvolgende jezuïet die hij zou tegenkomen – een bewijsreden van iemand die zich de almacht van de Heer niet kan voorstellen. Het was toch immers niet uitgesloten dat in de schepping was voorzien dat de erfzonde tegelijkertijd in alle werelden zou plaatsvinden, op verschillende en onvoorziene manieren, maar wel allemaal op hetzelfde moment, en dat Christus aan het Kruis gestorven is voor allen, én voor de Maanlingen én voor de Syriërs én voor de Koralijnen die op de vezeltjes van deze steen vol gaten leefden toen deze nog levend was?

In werkelijkheid hadden Roberto's eigen bewijsredenen hem niet geheel en al overtuigd; hij stelde een gerecht samen dat uit te veel bestanddelen bestond, oftewel hij perste dingen die hij van verschillende kanten gehoord had samen in één enkele redenering – en hij was niet zo stom dat hij zich daar niet van bewust was. Dus gaf hij, na zijn denkbeeldige tegenstander te hebben verslagen, deze opnieuw het woord en vereenzelvigde zich met diens tegenwerpingen.

Ooit had Pater Caspar hem, met betrekking tot de ijle ruimte, het zwijgen opgelegd met een besluit waarop hij geen antwoord had gehad: de ijle ruimte is niet-zijn, het niet-zijn is niet, ergo de ijle ruimte is niet. De redenering was juist, want deze ontkende het bestaan van de ijle ruimte maar gaf wél toe dat die voorstelbaar was. Dingen die niet bestaan zijn namelijk heel goed voorstelbaar. Kan een hersenschim die zoemt in de ijle ruimte bijbedoelingen eten? Nee, want een hersenschim bestaat niet, in de ijle ruimte hoor je geen enkel gezoem, bijbedoelingen bestaan slechts in de geest en een peer die wordt gedacht kun je niet eten. En toch kan ik me een hersenschim voorstellen, ook als deze hersenschimmig is, en dus niet is. En hetzelfde geldt voor de ijle ruimte.

Roberto herinnerde zich het antwoord van een negentienjarige, die op een dag in Parijs was uitgenodigd op een bijeenkomst van zijn wijsgerige vrienden omdat hij, naar men zei, bezig was een kunstwerk te ontwerpen voor het uitvoeren van rekenkundige bewerkingen. Roberto had niet goed begrepen hoe zo'n bouwsel werkte en had de jongeman (wellicht uit nijd) te grauw, te zwaarmoedig en te beterig voor zijn leeftijd gevonden; zijn libertijnse vrienden probeerden hem namelijk juist bij te brengen dat je ook op een speelse manier wijs kunt zijn. En het was hem helemaal in het verkeerde keelgat geschoten dat de jongeman, toen ze over de ijle ruimte kwamen te spreken, ook zijn woordje had willen doen en met een zekere onbeschaamdheid had gezegd: 'Over de ijle ruimte is zo langzamerhand wel genoeg gepraat. Nu dient deze door middel van proevingen te worden aangetoond.' En hij zei het alsof hém die taak op zekere dag zou wachten.

Roberto had gevraagd wat voor proevingen hij in gedachten had, en de jongen had hem geantwoord dat hij dat nog niet wist. Om hem terecht te wijzen had Roberto hem met alle wijsgerige tegenwerpingen die hij kende om de oren geslagen: als de ijle ruimte bestond zou deze geen stof zijn (want die is vol), geen geest, want je kunt je geen geest voorstellen die ijl is, geen God, want die zou dan zelfs van zichzelf gespeend zijn, geen zelfstandigheid of toevalligheid, ze zou licht doorlaten zonder glasachtig te zijn... Wat kon het dan zijn?

Met neergeslagen ogen had de jongen bescheiden doch zelfverzekerd geantwoord: 'Misschien zou het iets zijn tussen de stof en het niets in, en zou het noch van het ene noch van het andere deel uitmaken. Zou het van het niets verschillen door haar grootte, van de stof door haar onbeweeglijkheid. Zou het bijna een niet-zijn zijn. Geen onderstelling, geen afgeleid begrip. Zou het simpelweg zijn. Zou het (hoe zal ik het zeggen?) een gegeven zijn. Zonder meer.'

'Wat is een gegeven zonder meer, zonder enige bepaling?' had Roberto, die overigens geen vooropgezette mening over het onderwerp had en zelf ook wijsneuzerig uit de hoek wilde komen, met schoolse zelfingenomenheid gevraagd.

'Ik kan dat wat zonder meer is, niet vaststellen,' had de jongeman geantwoord. 'Overigens, mijnheer, hoe zou u het zijn benoemen? Om het te benoemen moeten we zeggen dat het iets is. Dus om het zijn te benoemen moeten we al zeggen "is", en dus in de benoeming de te benoemen term gebruiken. Ik geloof dat er termen zijn die onmogelijk vastgelegd kunnen worden, en misschien is "de ijle ruimte" er wel één van. Maar wellicht heb ik het mis.'

'U hebt het niet mis. De ijle ruimte is als de tijd,' had een van Roberto's libertijnse vrienden opgemerkt. 'Tijd is niet de maat van de beweging, want het is de beweging die van de tijd afhankelijk is, en niet andersom; hij is oneindig, ongeschapen, voortdurend, hij is geen toevallige eigenschap van de ruimte... De tijd is, en daarmee uit. De ruimte is, en daarmee uit. En de ijle ruimte is, en daarmee uit.'

Iemand had bezwaar aangetekend en gezegd dat een ding dat is, en daarmee uit, zonder een benoembare wezenlijkheid te hebben, net zo goed niet had kunnen zijn. 'Mijne heren,' had de Kanunnik van Digne toen gezegd, 'het is waar, ruimte en tijd zijn lichaam noch geest, ze zijn zo u wilt onstoffelijk, maar dat wil niet zeggen dat ze niet werkelijk bestaan. Ze zijn toevalligheid noch zelfstandigheid, en toch waren ze er al vóór de schepping, vóór elke zelfstandigheid en elke toevalligheid, en zullen ze ook na de vernietiging van iedere zelf-standigheid voortbestaan. Ze zijn onveranderbaar en onveranderlijk, wat je er ook voor invulling aan geeft.'

'Maar,' had Roberto tegengeworpen, 'de ruimte is toch zuivere uitgestrektheid, en uitgestrektheid is een eigenschap van lichamen…'

'Nee,' had zijn libertijnse vriend teruggekaatst, 'dat alle lichamen uitgestrekt zijn, betekent nog niet dat alles wat uitgestrekt is ook li-chaam is – zoals een zekere heer wil die zich overigens niet zou ver-waardigen me te antwoorden, omdat hij klaarblijkelijk niet uit Hol-land wil terugkeren. Uitgestrektheid is de gesteldheid van alles wat is. De ruimte is volstrekte, eeuwige, oneindige, ongeschapen, onbe-schrijfbare, onbepaalde uitgestrektheid. Net als de tijd kent ze geen afloop, is ze onophoudelijk, onoplosbaar, een Arabische phoenix, een slang die zich in zijn eigen staart bijt…'

'Mijnheer,' had de Kanunnik gezegd, 'wij stellen de ruimte toch niet in de plaats van God…'

'Mijnheer,' had de libertijn hem geantwoord, 'u kunt ons geen denkbeelden aan de hand doen die we allen voor waar houden, en vervolgens verlangen dat we de verregaandste gevolgtrekkingen daar-van niet onderschrijven. Ik ben bang dat we, als de zaken er zo voor staan, God niet meer nodig hebben, noch zijn oneindigheid, omdat we aan alle kanten al genoeg oneindigen hebben die ons terugbrengen tot een schim die slechts één enkel ogenblik standhoudt en nooit weder-keert. En dus stel ik voor alle vrees uit te bannen en met zijn allen naar de herberg te gaan.'

De Kanunnik had hoofdschuddend afscheid genomen. En ook de jongeman, die erg onthutst leek door hun gesprekken, had zich met gebogen hoofd verontschuldigd en gevraagd of het hem was toege-staan naar huis te gaan.

'Arme jongen,' had de libertijn gezegd, 'hij bouwt kunstwerken om het eindige te berekenen, en wij hebben hem schrik aangejaagd met de eeuwige stilte van te veel oneindigheden. Voilà, ziedaar het einde van een mooie roeping.'

'Hij zal de klap wel niet te boven komen,' had een van de andere pyrronisten gezegd, 'en waarschijnlijk proberen zich met de wereld te verzoenen, om uiteindelijk bij de jezuïeten terecht te komen!'

Roberto dacht nu terug aan dat gesprek. De ijlte en de ruimte waren als de tijd, of de tijd als de ijlte en de ruimte; was het dus niet denkbaar dat er, net zoals er sterrenruimten bestaan waarin onze aarde eruitziet als een mier, en ruimten zoals de werelden van het koraal (mieren van ons heelal) – ruimten die allemaal weer in elkaar passen – dat er dus ook heelallen bestaan die onderworpen zijn aan verschillende tijden? Wordt er niet beweerd dat een dag op Jupiter een jaar duurt? Dus moeten er heelallen zijn die in het tijdsbestek van een ogenblik bestaan en vergaan, of heelallen die verder teruggaan dan de Chinese dynastieën en de tijd van de Zondvloed – iets dat al onze rekenkundige vermogens te boven gaat. Heelallen waarin alle bewegingen en het antwoord op die bewegingen geen uren of minuten in beslag nemen maar duizenden jaren, en andere waarin planeten in een oogwenk ontstaan en vergaan.

Was het soms niet zo dat er, niet al te ver weg, een plek bestond waar de tijd gisteren was?

Misschien had hij al een van deze heelallen betreden, waar er sinds het moment waarop een waterdeeltje was begonnen het buitenste laagje van een koraalgeraamte aan te tasten, dat vervolgens al enigszins was begonnen af te brokkelen, evenveel jaren verstreken waren als er verstreken waren tussen de geboorte van Adam en de Verlossing. En beleefde hij zijn eigen liefde soms niet in deze tijd, een tijd waarin hij over eeuwen van verveling beschikte om Lilia en de Oranjekleurige Duif te veroveren? Maakte hij zich soms niet op om in een oneindige toekomst te leven?

Tot zulke overpeinzingen werd een jonge edelman gedreven die sinds kort de koralen had ontdekt... En god weet waar hij zou zijn uitgekomen als hij de geest van een ware wijsgeer had gehad. Maar Roberto was geen wijsgeer, hij was een ongelukkige minnaar die amper weer was opgedoken na een al met al nog niet geslaagde reis naar een Eiland dat vervloot in de ijzige nevelen van de vorige dag.

Hij was echter een minnaar die, hoewel opgevoed in Parijs, zijn leven op het land niet vergeten was. Daarom kwam hij tot de slotsom dat de tijd waaraan hij dacht, op duizend verschillende manieren uitgerekt kon worden, net als met eierdooiers vermengd meel, hetgeen hij de vrouwen op La Griva had zien doen. Ik weet niet hoe Roberto op deze vergelijking was gekomen – misschien had hij van het vele denken honger gekregen of verlangde hij, beangst door de eeuwige stilte van al die oneindigheden, ernaar dat hij thuis bij zijn moeder in de keuken zat. Maar alras stapte hij over op de herinnering aan andere lekkernijen.

Zoals daar waren pasteitjes gevuld met vogeltjes, haasjes en fazanten, als om te zeggen dat er vele werelden naast elkaar of in elkaar kunnen bestaan. Maar zijn moeder maakte ook van die taarten die ze een Duitse naam gaf, met verschillende lagen vruchten, met daartussen boter, suiker en kaneel. En van dat denkbeeld was hij overgestapt op het bedenken van een hartige taart, waarin hij tussen de verschillende deeglagen nu eens een laag ham deed en dan weer plakjes gekookt ei, of groente. En dit deed Roberto eraan denken dat het heelal een taartvorm zou kunnen zijn waarin tegelijkertijd verschillende verhalen worden gebakken, elk met zijn eigen kooktijd, wellicht allemaal met dezelfde personagen. En net zoals de eieren die in de taart onderop liggen, niet weten wat er voorbij hun eigen deeglaag gebeurt met hun zusters of met de ham die erbovenop ligt, zo wist de Roberto in de ene laag van het heelal niet wat de andere deed.

Accoord, het is geen fraaie wijze van redekavelen, en dan nog wel met de maag! Maar het is duidelijk dat hij al in zijn hoofd had waar hij wilde uitkomen: op het moment dat hij dit dacht zouden een heleboel andere Roberto's andere dingen kunnen doen, wellicht onder andere namen.

Wellicht ook onder de naam Ferrante? En was het soms zo dat het verhaal waarvan hij dacht dat het dat van zijn vijandige broer was, dat hij zelf verzon, zijn eigen duistere waarneming was van een wereld

417

waarin hem, Roberto, andere gebeurtenissen overkwamen dan die welke hij in deze tijd en op deze wereld meemaakte?

Kom nu toch, zei hij bij zichzelf, vanzelfsprekend had je gewild dat jíj had meegemaakt wat Ferrante meemaakte toen de *Tweede Daphne* het ruime sop koos. Maar je weet immers dat dat komt omdat er, zoals Saint-Savin zei, gedachten bestaan waaraan men in het geheel niet denkt, die het hart beïnvloeden zonder dat het hart het merkt (en de geest al evenmin); en het is onvermijdelijk dat sommige van die gedachten – die soms niets anders zijn dan duistere, en ook minder duistere, verlangens – binnendringen in de wereld van een Roman die jij meent te bedenken omdat je er schik in hebt andermans gedachten vorm te geven... Maar ik ben ik, en Ferrante is Ferrante, en nu zal ik het mezelf bewijzen door hem avonturen te laten beleven waarvan ik beslist niet de hoofdpersoon zou kunnen zijn – en die zich, als ze zich al afspelen, afspelen in de wereld van de Verbeelding, die aan geen enkele andere evenwijdig loopt.

En zonder nog aan de koralen te denken vermeide hij zich die hele nacht in het bedenken van een avontuur dat hem echter eens te meer naar de kwellendste der lusten, de kostelijkste der smarten zou voeren.

35
reis

Ferrante had Lilia, die nu bereid was elk verdichtsel dat over die geliefde lippen kwam te geloven, een bijna waar verhaal verteld, met
dien verstande dat híj de plaats van Roberto innam en Roberto de
zijne; en hij had haar overgehaald alle juwelen uit een kistje dat ze bij
zich had te gebruiken om die overweldiger op te sporen en hem een
schrijven afhandig te maken dat deze hém afhandig had gemaakt en
dat van groot gewicht was voor de toekomst van de Staat, zodat hij
het zou kunnen restitueren en de Kardinaal hem wellicht vergiffenis
zou schenken.

Na bij de Franse kust te zijn weggevlucht had de *Tweede Daphne*
als eerste Amsterdam aangedaan. Daar kon Ferrante, die immers dubbelspion was, wel iemand vinden die hem iets zou vertellen over een
schip dat de *Amarilli* heette. Wat hij er ook over gehoord moge hebben: een paar dagen later was hij in Londen naar iemand op zoek. En
de man die hij in vertrouwen zou nemen was natuurlijk net zo'n
trouweloze hond zijn als hijzelf, bereid diegenen te verraden voor wie
hij verried.

En zo stapt Ferrante, na van Lilia een zeer zuivere diamant te hebben gekregen, midden in de nacht een krot binnen, waar hij ontvangen wordt door een wezen van onduidelijke kunne, dat wellicht eunuch was geweest bij de Turken, met een onbehaard gelaat en zo'n
kleine mond dat het als het alleen zijn neus bewoog al leek of het
glimlachte.

Het vertrek waarin het zich schuilhield, maakte door het roet van een stapel botten die lagen te gloeien op een kwijnend vuurtje, een sinistere indruk. Uit de mond van een naakt lijk dat in een hoek aan de voeten was opgehangen, druppelde brandnetelkleurig sap in een geelkoperen bekken.

De eunuch herkende in Ferrante een verwante ziel. Hij hoorde de vraag, zag de diamant en verried zijn bazen. Hij voerde Roberto naar een andere kamer, die wel een apothekerij leek, vol potjes van aardewerk, glas, tin en koper. Er zaten allemaal stoffen in die gebruikt konden worden om er anders uit te zien dan men was, zowel voor hellevegen die mooi en jong wilden lijken als voor schurken die hun uiterlijk wilden veranderen: zalfjes, verzachtingsmiddelen, affodilwortels, dragonbast en andere stoffen die weldadig waren voor de huid, gemaakt van reemerg en kamperfoeliewater. Hij had smeersels om blond haar donker te maken, gemaakt van groene steeneik, rogge, malrove, salpeter, aluin en duizendblad; of om je huidkleur te veranderen, van koe, beer, ezelin, kameel, ringslang, konijn, walvis, roerdomp, damhert, boskat of otter. Alsmede oliën voor het gelaat, van storax, citroen, pijnboompit, olm, lupine, voederwikke en kekererwt, en een plank vol pisblazen om zondaressen maagdelijk te doen lijken. Voor wie iemand in zijn liefdesnet wilde vangen had hij addertongen, kwartelkoppen, ezelhersenen, moerbeziën, dassepoten, stenen uit adelaarsnesten, harten van talk vol met afgebroken naalden, en andere voorwerpen, gemaakt van modder en lood, die weerzinwekkend waren om te zien.

In het midden van het vertrek stond een tafel, met daarop een bekken waar een bebloede lap overheen lag die de eunuch hem met een blik van verstandhouding aanwees. Ferrante begreep hem niet en de man zei hem dat hij bij de enige had aangeklopt die hem kon helpen. Want de eunuch was niemand minder dan de man die de hond van doctor Byrd zijn verwonding had toegebracht en die elke dag, op een afgesproken tijdstip, door de van bloed doordrenkte lap in vitrioolgeest te dopen dan wel dicht bij het vuur te houden, de seinen zond waar doctor Byrd op de *Amarilli* op wachtte.

De eunuch vertelde alles over Byrds reis en de havens die hij beslist moest hebben aangedaan. Ferrante, die werkelijk zo goed als niets af wist van de kwestie van de lengtecirkels, kon zich niet voorstellen dat Mazarin Roberto alleen maar met dat schip had meegestuurd om iets te ontdekken dat hem zo duidelijk leek als wat, en had daaruit afgeleid dat Roberto de Kardinaal in werkelijkheid moest inlichten over de ligging van de Salomonseilanden.

Hij had de indruk dat de *Tweede Daphne* sneller was dan de *Amarilli*, vertrouwde op zijn goede fortuin en dacht dat hij het schip van Byrd zonder veel moeite in zou kunnen halen, om vervolgens, als het bij de Salomonseilanden lag afgemeerd, de bemanning op de wal te verrassen, een kopje kleiner te maken (met inbegrip van Roberto) en dan naar believen over dat gebied te beschikken waar hij op dat moment de enige ontdekker van zou zijn.

Het was de eunuch die hem de manier aan de hand deed om onderweg niet uit koers te geraken: ze hoefden alleen maar een tweede hond te verwonden, waarna hij elke dag een handeling zou verrichten met een monster van diens bloed, zoals hij al deed met de hond op de *Amarilli*, waardoor Ferrante dagelijks dezelfde boodschappen zou door krijgen als Byrd.

'Ik vertrek meteen,' had Ferrante gezegd; en op de waarschuwing van de ander dat hij eerst een hond moest vinden, had hij veelbetekenend uitgeroepen: 'Een hond, die heb ik nog wel aan boord.' Hij had de eunuch mee naar het schip genomen en zich ervan vergewist dat er tussen het scheepsvolk een barbier zat die kundig was op het gebied van aderlating en aanverwante zaken. 'Ik, kapitein,' had een man gezegd die aan honderd stroppen en duizend folterkoorden was ontsnapt. 'Toen we nog kapers waren heb ik bij mijn maten meer armen en benen afgezet dan ik er daarvoor, bij mijn vijanden, had verwond!'

Ferrante was afgedaald in het ruim, had Biscarat aan twee kruiselings opgestelde palen vastgeketend en hem vervolgens eigenhandig met een mes in zijn zij gesneden. Terwijl Biscarat het uitbrulde, had de eunuch het bloed opgevangen op een lap en die in een zak gedaan. Daarna had hij de barbier uitgelegd hoe deze het aan moest leggen om de wond de hele reis lang open te houden zonder dat de gewonde eraan stierf, maar ook zonder dat hij genas.

Na deze nieuwe euveldaad had Ferrante het bevel gegeven de zeilen te hijsen en koers te zetten naar de Salomonseilanden.

Vol walging had Roberto dit hoofdstuk van zijn roman beëindigd; hij voelde zich moe en afgemat door de inspanning die al die wandaden hem hadden gekost.

Hij wilde zich het vervolg niet meer voorstellen en schreef liever een smeekbede aan de Natuur, opdat deze – als een moeder die, omdat ze wil dat haar kind gaat slapen, een doek over de wieg hangt en die bedekt met een kleine nacht – de grote nacht over de aardkloot zou uitspreiden. Hij bad dat de nacht, door hem het zien onmogelijk te maken, zijn ogen zou noden zich te sluiten; dat, tegelijk met de duisternis, de stilte in zou treden; en dat, zoals leeuwen, beren en wolven (die, net als dieven en moordenaars het licht schuwen) bij het krieken van de dag terugsnellen naar hun holen in de grotten om daar een veilig heenkomen te zoeken, dat net zo, maar dan omgekeerd, al het geraas en tumult van zijn gedachten zou ophouden wanneer de zon zich in het westen zou hebben teruggetrokken. Dat, als het licht eenmaal verstorven was, de geesten die in het licht opleefden uit hem zouden wegvloeien en dat er rust en stilte zou neerdalen.

Bij het uitblazen van de olielamp werden zijn handen slechts beschenen door een straal maanlicht die van buiten af naar binnen drong. Uit zijn maag steeg een nevel op naar zijn hersenen, die vervolgens op zijn oogleden viel en deze sloot, zodat er aan zijn geest geen voorwerpen meer verschenen die hem konden afleiden. En niet alleen zijn ogen en zijn oren sliepen, maar ook zijn handen en voeten – maar niet zijn hart, dat nooit rust.

Slaapt als je slaapt ook je ziel? Helaas niet nee, ze is wakker, maar trekt zich terug achter een gordijn en speelt toneel: er verschijnen schimmige potsenmakers voor het doek, die een blijspel opvoeren, maar dan een blijspel zoals dat zou worden opgevoerd door een gezelschap van declamerende dronkelappen of gekken, zó onherkenbaar uitgedost zijn de figuren, zo vreemd hun kleren en schandelijk hun gedragingen, ongepast de verwikkelingen en buitenissig de samenspraken.

Hetzelfde gebeurt wanneer een duizendpoot in verschillende stukken wordt gesneden en de bevrijde delen elk zomaar blindelings wegrennen omdat ze, behalve het voorste, dat zijn kop nog heeft, niets zien; elk stuk afzonderlijk gaat er op de vijf of zes poten die het nog overheeft als een kakkerlak vandoor en neemt dát stukje ziel met zich mee dat van hem is. Net zo zie je in dromen uit een bloemstengel de hals van een kraanvogel ontspruiten die uitloopt in een bavianekop met vier slakachtige voelhorens die vuur spuwen, of op de kin van een oude man een pauwestaart bloeien bij wijze van baard; een ander heeft weer armen die op ineengedraaide wijnstokken lijken, en ogen als lichtjes in de schaal van een weekdier, of een neus als een schalmei...

Roberto, die sliep, droomde dus het vervolg van de reis van Ferrante, maar dan als een droom in een droom.

Een openbarende droom, zou ik willen zeggen. Het heeft er bijna de schijn van dat Roberto, na zijn gepeins over de ontallijke werelden, geen zin meer had in het bedenken van een avontuur dat zich afspeelde in het Land der Romans, maar de voorkeur gaf aan een waar gebeurd verhaal uit een echt land, waarin hij ook zelf woonde, met dien verstande dat zijn verhaal zich – aangezien het Eiland zich in de voltooid verleden tijd bevond – in een nabije toekomst zou kunnen afspelen waarin zijn verlangen naar ruimten die minder eng waren dan die waartoe zijn schipbreuk hem veroordeelde, bevredigd zou worden.

Waar hij begonnen was Ferrante ten tonele te voeren als een gelegenheidspersonage, een Jago die het voortbrengsel was van zijn wrok wegens een nooit ondergane vernedering, nam hij nu, omdat hij het niet kon verdragen de Ander aan de zijde van zijn Lilia te zien, diens plaats in en kwam hij er – het wagend gehoor te geven aan zijn duistere overdenkingen – rond voor uit dat Ferrante en hij een en dezelfde waren.

Roberto was er inmiddels van overtuigd dat de wereld vanuit ontallijke zichtpunten ervaren kon worden, en terwijl hij eerst verkozen had met schaamteloze blik Ferrantes wedervaren te volgen in het Land der Romans, of in een verleden dat ook het zijne was geweest (maar dat, zonder dat hij daarvan iets had gemerkt, langs hem heen was gegaan en zijn heden had bepaald), werd hij nu de blik van Ferrante. Hij wilde tezamen met zijn tegenstander genieten van de avonturen die het lot eigenlijk alleen hém had moeten toebedelen.

En nu snelde het vaartuig dus voort over de vloeibare velden, en de piraten hielden zich gedeisd. Ze waakten over de reis van de twee gelieven en hielden zich slechts onledig met het ontdekken van zeemonsters, en voordat ze de Amerikaanse kust bereikten hadden ze een Triton gezien. Uit hetgeen boven water uitstak viel op te maken dat hij de vorm van een mens had, behalve dat zijn armen te kort waren in verhouding tot zijn lichaam: zijn handen waren bijzonder groot, zijn haar grijs en dik, en hij had een lange baard tot op zijn buik. Hij had grote ogen en een ruwe huid. Toen ze dichterbij kwamen leek hij geen weerstand te bieden en bewoog zich in de richting van het net. Maar nauwelijks voelde hij dat ze hem naar de boot toe trokken – en nog voordat hij zijn onderlijf had getoond en ze konden zien of hij een zeemeerminnenstaart had – of hij trok het net met één enkele ruk kapot en was weer verdwenen. Later zagen ze hem zonnen op een rots, waarbij hij het onderste gedeelte van zijn lichaam echter nog altijd verborgen hield. Terwijl hij naar het schip keek, bewoog hij zijn armen alsof hij applaudisseerde.

Eenmaal in de Zuidzee aangekomen waren ze op een eiland beland waar de leeuwen zwart waren, de kippen wol droegen, de bomen alleen 's nachts bloeiden, de vissen vleugels hadden, de vogels schubben, stenen bleven drijven en hout zonk, vlinders 's nachts schitterden en het water dronken maakte als wijn.

Op een tweede eiland ontwaarden ze een paleis dat was opgetrokken uit rottend hout en geschilderd in kleuren die pijn deden aan je ogen. Ze gingen er binnen en bevonden zich in een zaal die behangen was met kraaieveren. In alle wanden zaten nissen waarin, in plaats van stenen borstbeelden, mannetjes met uitgeteerde aangezichten waren te zien die door een speling der natuur zonder benen geboren waren.

Op een allersmerigste troon zat de Koning, die met een handgebaar een concerto in gang had gezet van hamers, van boren die op vloerstenen knersten en van messen die op porceleinen borden krasten, bij het horen waarvan er zes mannen waren verschenen die vel over been waren en er met hun loense ogen gruwelijk uitzagen.

Tegenover hen hadden zich vrouwen opgesteld die dikker dan dik waren: nadat ze elkaar met een knikje hadden begroet, hadden ze een dansje ingezet dat hun verminkingen en misvormingen nog beter deed uitkomen. Daarna stormden er zes krachtpatsers binnen die allen uit een en dezelfde buik leken te zijn voortgekomen, met zulke grote neuzen en monden en zulke gebochelde schouders dat ze niet zozeer schepselen als wel loocheningen der natuur leken.

Aangezien onze reizigers nog geen woord hadden horen spreken en zij in de mening verkeerden dat men op het eiland een andere taal sprak dan de hunne, trachtten zij na de dans vragen te stellen door middel van gebaren, een universele taal waarmee je zelfs met Wilden kunt spreken. Maar de man antwoordde in een taal die veeleer leek op de verloren Taal der Vogels en bestond uit trillers en gekwinkeleer, en zij begrepen hem alsof hij hun eigen taal had gesproken. Zo kwamen ze te weten dat ze, terwijl men op alle andere plekken waardering had voor schoonheid, in dat paleis uitsluitend buitenissigheid op prijs stelden. En dat ze hetzelfde konden verwachten als ze hun reis voortzetten naar landen waar dát onder was wat elders boven is.

Nadat ze hun reis hadden hervat hadden ze een derde eiland aangedaan dat verlaten leek, en Ferrante was er, alleen met Lilia, diep in doorgedrongen. Terwijl ze zo voortliepen hoorden ze een stem die hen maande te vluchten: dit was het Eiland van de Onzichtbare Mensen. Op dat moment stonden er een heleboel om hen heen en wezen de twee bezoekers na, die zich zonder enig schaamtegevoel aan hun blikken blootstelden. Dit volk was namelijk van mening dat je, als je bekeken werd, aan iemands blik ten prooi viel en je eigen aard verloor, waardoor je veranderde in het tegendeel van jezelf.

Op een vierde eiland troffen ze een man aan met holle ogen, een zachte stem en een gelaat vol rimpels maar fris van kleur. Zijn baard en haren waren fijn als katoenpluis, zijn lichaam was zo stijf dat hij, als hij zich wilde omkeren, helemaal om zijn as moest draaien. Hij zei dat hij driehonderdveertig jaar oud was en dat hij in dat tijdsbestek tot drie keer toe aan een nieuwe jeugd was begonnen door te drinken van de Boraxwaterbron die zich op dat eiland bevond en het leven verlengde, maar niet langer dan driehonderdveertig jaar; hij zou dus binnenkort sterven. En de oude man drong er bij de reizigers op aan niet naar de bron te zoeken: drie keer leven, waarbij je eerst het dubbele en vervolgens het driedubbele van jezelf wordt, gaf aanleiding tot zeer veel smart en uiteindelijk wist je niet meer wie je was. En dat niet alleen: het was een bezoeking drie keer dezelfde ellende door te maken, maar het was een nog grotere bezoeking ook dezelfde vreugden te moeten ervaren. Levensvreugde ontspruit aan het gevoel dat zowel geneugte als harteleed van korte duur zijn, en wee de mens die weet dat hij eeuwig gelukzalig zal zijn.

Maar de Wereld van de Tegenvoeters was mooi in haar verscheidenheid, en na nog eens duizend mijl gevaren te hebben stuitten ze op een vijfde eiland, dat wemelde van de vijvers; elke bewoner zat zichzelf de hele dag op zijn knieën te bekijken, in de mening dat wie niet gezien wordt niet bestaat en dat hij zou sterven als hij zijn blik zou afwenden en zichzelf niet langer in het water zou zien.

Daarna meerden ze aan bij een zesde eiland, nog meer naar het westen, waar iedereen onophoudelijk met elkaar sprak en waar de mensen elkaar vertelden wat zij wilden dat de ander was en deed. Die eilandbewoners konden namelijk alleen maar leven als ze verteld werden; en als een spelbreker onaangename verhalen over de anderen vertelde, waardoor hij hen dwong die ook daadwerkelijk te beleven, vertelden de anderen niets meer over hem en ging hij dus dood.

Het lastige voor iedereen was echter om telkens weer een ander verhaal te bedenken: als iedereen namelijk hetzelfde verhaal had, zouden ze niet meer van elkaar te onderscheiden zijn, omdat ieder van ons datgene is wat zijn wedervaren van hem heeft gemaakt. Dat was de reden waarom ze op het dorpsplein een groot rad hadden neergezet, dat ze Cynosura Lucensis noemden. Het bestond uit zes schijven die onafhankelijk van elkaar om dezelfde as konden draaien. De kleinste was verdeeld in vierentwintig vakjes of vensters, de tweede in zesendertig, de derde in achtenveertig, de vierde in zestig, de vijfde in tweeënzeventig en de buitenste in vierentachtig. In de verschillende vakjes hadden ze, aan de hand van een criterium dat Lilia en Ferrante in zo korte tijd niet hadden kunnen doorgronden, handelingen opgeschreven (zoals gaan, komen of sterven), gevoelens (zoals haten, liefhebben of het koud hebben), en voorts wijzen (zoals goed en slecht, treurig of vrolijk) en plaatsen en tijden (zoals thuis of de volgende maand).

Door deze schijven te laten draaien, ontstonden er verhalen als: 'Hij ging gisteren naar huis, kwam zijn vijand tegen die pijn had, en hielp hem', of: 'Zij zag een dier met zeven hoofden en doodde het.' De bewoners beweerden dat ze met die machine zevenhonderdtweeentwintig miljoen maal miljoen verschillende verhalen konden schrijven of bedenken, en dat er genoeg was om het leven van iedereen in de komende eeuwen inhoud te geven. Hetgeen Roberto deugd deed, want ook hij zou zo'n rad kunnen maken en door kunnen gaan met het bedenken van verhalen, zelfs al zat hij nog tienduizend jaar op de *Daphne.*

Talrijk en wonderlijk waren de landen die Roberto verder nog had willen ontdekken. Maar op een gegeven moment verlangde hij in al zijn dromerij voor de twee gelieven toch een wat minder dichtbevolkte plek waar zij hun liefde zouden kunnen smaken.

En zo liet hij hen een zevende, allerlieflijkst strand bereiken dat werd verluchtigd door schaduwrijk struweel dat tot aan de zeeoever reikte. Ze liepen erdoorheen en kwamen terecht in een vorstelijke tuin waarin, langs een lommerrijke laan die met bloemperken opgeluisterde grastapijten doorsneed, velerlei fonteinen verrezen.

Roberto liet hen echter, alsof de twee een nog verscholener toevluchtsoord zochten – en hij nieuwe kwellingen – doorlopen naar een bebloeisemde boog waarachter zich een kleine vallei ontrolde waar rietpluimen ruiselden in een briesje dat een mengeling van geuren verspreidde – en uit een meertje welde droppelsgewijze een helder glanzende, als een parelsnoer zo klare waterstroom op.

Hij wilde – en zijn enscenering lijkt me geheel volgens de regelen der kunst – dat de schaduw van een dichtbebladerde eik de gelieven noodde toe te tasten, en hij voegde daar vrolijke platanen, ootmoedige haagappelbomen, stekende jeneverbessen, tedere tamarisken en buigzame linden aan toe, ter bekroning van een weide die versierd was als een oosters wandtapijt. Waarmee kon de natuur, schilderes van de wereld, dit fijntjes verlucht hebben? Met violieren en narcissen.

Hij liet de twee gelieven zich in elkaar verliezen, terwijl een tere klaproos haar dommelende kopje ophief uit haar diepe vergetelheid om zich aan die bedauwde zuchten te laven. Maar vervolgens verkoos hij, in verlegenheid gebracht door zoveel schoonheid, haar purperrood van schroom en schaamte te laten worden. Net als Roberto zelf, overigens – en we mogen wel stellen dat het zijn eigen schuld was.

Om niet langer het tafereel te hoeven zien waarin hij zo graag zelf gezien had willen worden, verhief Roberto zich in zijn morpheïsche alwetendheid boven het eiland, alwaar de fonteinen het liefdeswonder waarvan zij de paranymfen wilden zijn, van kanttekeningen voorzagen.

Er waren zuiltjes, ampullen, fiolen waar maar één enkele straal uit kwam of vele uit vele kleine pijpjes, andere waar een soort ark bovenop stond, met vensters waaruit een watervloed naar buiten stroomde die in zijn val een huilende treurwilg vormde. Uit de top van weer een andere fontein, die bestond uit een enkele ronde schacht, stak een aantal kleinere pijpen die alle kanten uit wezen, waardoor ze op een casematte leek, of op een fort of een oorlogsschip met vuurmonden waarmee waterbeschietingen werden uitgevoerd.

Er waren fonteinen met een verentooi, met manen en met baarden, in evenveel soorten als er in kerststallen sterren van Bethlehem zijn, die met hun waterstraaltjes de staart daarvan nabootsten. Op een ervan stond een beeldje van een jongetje dat met zijn rechterhand een parapluie ophield met baleinen waaruit even zovele straaltjes kwamen en met zijn linkerhand zijn roedeke richtte, waardoor zijn water in een wijwatervat samenvloeide met het water dat vanaf de koepel neerdaalde.

Op een andere rustte op het kapiteel een bontgestaarte vis die eruitzag of hij net Jonas had verslonden, en die uit zijn bek en uit twee gaten boven zijn ogen water spoot. En op hem zat een kleine Amor met een drietand. Een bloemvormige fontein hield in haar straal een bal omhoog; weer een andere leek op een boom wiens talrijke bloemen elk een bol deden ronddraaien, waardoor het net leek of een heleboel planeten zich in een krans van water om elkaar heen bewogen. Er waren er waarvan de bloembladen gevormd werden door water dat door een gleuf rondom een op de zuil geplaatste schijf omhoogspoot.

Er waren er als orgelpijpen waarin de lucht vervangen was door water, en die geen klanken uitstootten maar vloeibare zuchten, en er waren er als kandelaars waarin het water het vuur verving en waarin vlammetjes binnen in de middenzuil licht wierpen op het overal opborrelende schuim.

Weer een andere leek op een pauw met een kuif op zijn kop en een wijd uitgezette staart, waaraan de hemel kleur gaf. Om nog maar te zwijgen van een aantal fonteinen die op staanders van een pruikenmaker leken en getooid gingen met neerkletterende haardossen. In één fontein ontvouwde zich een louter door rijp omrande zonnebloem. En een andere had het fijnbesneden gelaat van de zon zelf, met rondom een rist tuitjes, zodat er van het hemellichaam geen zonnestralen afdropen maar koelte.

Op één fontein draaide een buis rond die door een reeks spiraalvormige gleuven water spoot. Er waren er met de bek van een leeuw of van een tijger, met de muil van een griffioen, de tong van een slang, of zelfs in de vorm van een vrouw die weende, zowel uit haar ogen als uit haar borsten. En verder was het één groot spuwen van faunen, gorgelen van gevleugelde wezens, spetteren van zwanen, sproeien van nijlolifanteslurven, overlopen van albasten amforen en aderlaten van hoornen des overvloeds.

Stuk voor stuk visioenen waardoor Roberto welbeschouwd van de regen in de drup kwam.

Intussen hoefden de inmiddels voldane gelieven in de vallei nog slechts hun hand uit te strekken om van een bladerrijke wijnstok het geschenk zijner schatten in ontvangst te nemen; en alsof zij bedoelde te huilen van ontroering over de gadegeslagen echtverbintenis plengde een vijg tranen van honing, terwijl in een amandelboom, die helemaal in bloemen was uitgebot, de Oranjekleurige Duif koerde…

Waarna Roberto badend in het zweet wakker werd.

'Hoe kan dat nu,' zei hij, 'ik ben gezwicht voor de verleiding in Ferrantes plaats te leven, maar nu merk ik dat Ferrante in mijn plaats heeft geleefd en dat hij, terwijl ik in hoger sferen was, daadwerkelijk datgene beleefde wat ik hem toestond te beleven!'

Om zijn woede te koelen en iets te zien dat aan Ferrante niet was voorbehouden – dat was tenminste nog wat – had hij zich bij het krieken van de dag, met het touw om zijn middel en de Persona Vitrea voor zijn aangezicht, naar zijn koralijne wereld begeven.

36
bereiding
tot het
einde

Toen Roberto de rand van het rif had bereikt laveerde hij met zijn aangezicht onder water tussen de eeuwige holten door, maar het lukte hem niet die levende stenen in alle rust te bewonderen, want een Medusa had hem in levenloze rots doen verkeren. In zijn droom had Roberto de blikken gezien die Lilia had voorbehouden aan haar overweldiger: hadden die blikken hem in zijn droom nog in vuur en vlam gezet, nu, in zijn herinnering, deden ze hem verijzen.

Hij wilde zich zijn Lilia weer toeëigenen en hij zwom met zijn gelaat zo diep mogelijk in het water, alsof die omarming met de zee hem de zegepalm kon schenken die hij in zijn droom aan Ferrante had gelaten. Geoefend als hij was in het verbeelden van begrippen, kostte het hem niet veel moeite zich in de golvende deining van dat verzonken park Lilia voor te stellen, haar lippen te zien in elke bloem waarin hij zich als een gulzige bij zou willen verliezen. In doorschijnende moestuinen hervond hij het floers dat de eerste nachten Haar gelaat had bedekt, en hij strekte zijn hand uit om die sluier op te lichten.

In deze bedwelming van de rede betreurde hij het dat zijn ogen niet zo konden ronddwalen als zijn hart zou willen, en hij zocht de koralen af naar de armband van zijn beminde, naar haar haarnet, de hanger aan haar vertederende oorlel, de weelderige kleinodiën die haar zwanehals tooiden.

Helemaal opgaand in zijn jacht liet hij zich op een gegeven moment verlokken door een halssnoer dat hij in een spleet ontwaarde; hij deed zijn masker af, kromde zijn rug, trok met kracht zijn benen op en dook naar de bodem. Hij had te hard afgezet, wilde zich vast-klampen aan een richel en stond op het punt zijn vingers te sluiten rond een korstige steen, die naar het hem toescheen een dik, slaperig oog opsloeg. In een flits herinnerde hij zich dat doctor Byrd hem ver-teld had over een Steenvis, die zich in de koraalgrotten nestelt om elk levend wezen met het gif uit zijn schubben te overrompelen.

Te laat: hij had zijn hand op het Ding gelegd en een hevige pijn schoot door zijn arm naar zijn schouder. Door vliegensvlug weg te draaien had hij op miraculeuze wijze kunnen voorkomen dat hij met zijn aangezicht en zijn borst tegen het Monster stootte, maar in zijn vaart had hij er onwillekeurig met het masker tegenaan geslagen. Dat was bij de botsing gebroken, maar hij zou het hoe dan ook achter heb-ben moeten laten. Door zich met zijn voeten krachtig tegen de onder-liggende rots af te zetten was hij weer aan de oppervlakte gekomen, terwijl hij de Persona Vitrea nog een paar tellen lang in de peilloze diepte had zien wegzinken.

Zijn rechterhand en zijn hele onderarm waren opgezet, zijn schou-der gevoelloos; hij was bang dat hij flauw zou vallen. Hij vond het touw en slaagde er met zeer veel moeite in langzaam aan, met slechts één hand, er stukje bij beetje langs naar het schip terug te keren. Hij klom de touwladder op, bijna net zoals in de nacht van zijn aankomst, zonder te weten hoe, en liet zich net als die nacht op het dek vallen.

Maar nu stond de zon al hoog. Klappertandend herinnerde Ro-berto zich dat doctor Byrd hem verteld had dat de meesten het na hun ontmoeting met de Steenvis niet gered hadden; een paar hadden het overleefd, en niemand wist of er een tegengif bestond. Hoewel zijn blik beneveld was, trachtte hij de wond te onderzoeken: het was niet meer dan een schram, maar dat was kennelijk voldoende geweest om de dodelijke stof in zijn aderen te laten doordringen. Hij viel in zwijm.

Toen hij wakker werd was de koorts gestegen en voelde hij grote behoefte om te drinken. Hij begreep dat hij het op dat gedeelte van het schip, blootgesteld aan de elementen, ver van voedsel en drinkwa-ter, niet lang zou maken. Hij sleepte zich naar het benedendek en bereikte de plek waar de provisiekamer overging in de kippenren. Hij dronk gulzig uit een vaatje water, maar voelde toen hoe zijn maag zich samentrok. Hij viel opnieuw flauw, met zijn mond naar beneden in zijn eigen braaksel.

In een onrustige nacht vol onheilsdromen schreef hij zijn lijdensweg toe aan Ferrante, die hij nu verwarde met de Steenvis. Waarom wilde deze hem beletten naar het Eiland en de Duif te gaan? Was dat de reden dat hij hem achterna was gekomen?

Hij zag zichzelf liggen en naar een ander zelf kijken dat tegenover hem zat, naast een kachel, gekleed in een kamerjas, bezig uit te maken of de handen waarmee hij zichzelf betastte en het lichaam dat hij voelde van hemzelf waren. Terwijl hij naar de ander keek, voelde hij zich in die kleren alsof hij in brand stond, ofschoon de ánder gekleed was en hij naakt – en hij begreep niet langer wie van hen tweeën het waken beleefde en wie het slapen, en dacht dat ze beiden aan zijn geest ontsproten moesten zijn. Hij niet, want hij dacht, dus hij was.

De ander (maar welke?) stond op een gegeven moment op, maar het was waarschijnlijk de Kwade Geest die zijn wereld in een droom te veranderde, want nu was híj het al niet meer, maar Pater Caspar. 'U bent teruggekomen!' had Roberto gefluisterd, zijn armen naar hem uitstrekkend. Maar de man had niet geantwoord, had zich niet verroerd. Hij keek naar hem. Het was onmiskenbaar Pater Caspar, maar het leek alsof de zee hem, toen zij hem teruggaf, gefatsoeneerd en verjongd had. Zijn baard was verzorgd, zijn gelaat vlezig en roze als dat van Pater Emanuele, zijn pij vertoonde geen scheuren en modderspatten. Toen had hij, nog steeds zonder zich te bewegen, als een toneelspeler die declameert, en in de vlekkeloze taal van een volleerd redenaar, met een droeve glimlach gezegd: 'Het heeft geen zin je te verdedigen. De hele wereld heeft nu nog maar één doel, en dat is de hel.'

Hij was op luide toon verdergegaan, alsof hij in een kerk vanaf de kansel sprak: 'Ja, de hel, waarvan jullie weinig weten, jij en al die anderen mét jou die er met lichte tred en onnozele geest naar op weg zijn! Jullie dachten in de hel rapieren aan te treffen, en ponjaards, raderen, scheermessen, zwavelstromen, dranken van vloeibaar lood, bevroren wateren, ketels en roosters, zagen en knuppels, priemen om ogen uit te steken, tangen om tanden uit te rukken, hekels om flanken open te rijten, ketenen om botten te verbrijzelen, beesten die

knagen, martelwerktuigen die uitrekken, riemen die worgen, pijn-
banken, kruisen, haken en beulsbijlen? Nee! Dat zijn meedogenloze
kwellingen, dat wel, maar zo dat de menselijke geest ze nog kan bedenken, aangezien we ook bronzen stieren, ijzeren maagden of het
doorboren van nagels met puntige stokken hebben bedacht... Jullie
hoopten dat de hel een wering was die uit Steenvissen bestond. Nee,
de kwellingen van de hel zijn andere, want ze ontspruiten niet aan
onze eindige geest, maar aan de oneindige geest van een toornige en
wraakzuchtige God die zich gedwongen ziet met veel vertoon uiting
te geven aan zijn woede en duidelijk te maken dat zijn goedertierenheid bij het vergeven weliswaar groot is, maar dat zijn rechtvaardigheid bij het straffen daar niet voor onderdoet! En dus zullen de kwellingen van dien aard zijn dat we daaraan het onmetelijke verschil tussen onze onmacht en zijn almacht kunnen aflezen!'

'Jullie zijn eraan gewend,' vervolgde die boodschapper der peni-
tentie, 'dat er in deze wereld voor elke kwaal een remedie voorhanden
is en dat er geen wond is waarvoor geen smeersel bestaat, geen venijn
zonder triakel. Maar denk maar niet dat het in de hel net zo is. De
brandwonden zijn er – dat is waar – uiterst onaangenaam, maar er is
geen leniging die ze verzacht. De dorst brandt, maar er is geen water
dat hem lest; de honger is verschrikkelijk, maar er is geen voedsel dat
hem stilt; de schaamte is ondraaglijk, maar er is geen kleed dat haar
bedekt. Was er dan ten minste een dood, die een einde maakte aan al
die ellende, een dood, een dood... Maar dat is nog het ergste, dat jullie daar nooit hoeven te hopen op genade, die overigens slechts in het
droeve lot zou bestaan uitgewist te worden. Jullie zullen de dood zoeken in al haar vormen, jullie zullen de dood zoeken en nooit het geluk
hebben haar te vinden. Dood, Dood, waar ben je (zullen jullie voortdurend roepen), welke duivel zal zo barmhartig zijn ons die te geven?
En dán zullen jullie begrijpen dat je daar nooit uit je lijden verlost
zult worden!'

Daarop wachtte de oude man even en strekte zijn armen ten hemel, zacht fluisterend alsof hij een vreselijk geheim opbiechtte dat het
kerkschip niet mocht verlaten. 'Nooit uit je lijden verlost worden?
Wilt u beweren dat we zullen lijden totdat een distelvinkje, dat eens
per jaar een druppel komt drinken, alle zeeën heeft drooggelegd? Lan-

ger. *In saecula*. Zullen we lijden totdat een plantemijt, die slechts eens per jaar een hapje komt nemen, alle bossen heeft verslonden? Langer. *In saecula*. Zullen we dan lijden totdat een mier, die slechts een stapje per jaar zet, de hele aarde rond is gegaan? Langer. *In saecula*. En als het ganse heelal één grote zandwoestijn was en er elke eeuw een korrel van zou worden weggenomen, zouden we dan uit ons lijden verlost zijn als het ganse heelal leeg was? Ook niet. *In saecula*. Stel dat een verdoemde na miljoenen eeuwen slechts enkele tranen plengt, zal hij dan nog steeds lijden als zijn tranen zijn aangezwollen tot een zondvloed die groter is dan die waarin ooit de hele mensheid verloren ging? Toe zeg, laten we hiermee ophouden, we zijn toch geen kinderen! Als jullie willen dat ik het jullie zeg: *in saecula, in saecula* zullen de verdoemden moeten lijden, *in saecula*, oftewel ontelbare eeuwen, eindeloos, mateloos.'

Nu leek het gelaat van Pater Caspar op dat van de karmeliet van La Griva. Hij sloeg zijn ogen ten hemel als om er een sprankje barmhartigheid te vinden. 'Maar,' zei hij met de stem van een deerniswekkende boeteling, 'maar lijdt God niet bij de aanblik van ons lijden? Zal het niet zo zijn dat Hij iets als bezorgdheid ervaart, zal het niet zo zijn dat Hij zich uiteindelijk aan ons vertoont, zodat we tenminste getroost worden door zijn tranen? Ach, wat zijn jullie toch onnozel! God zal zich helaas aan jullie vertonen, maar hoe, daar kunnen jullie je nog geen voorstelling van maken! Wanneer wij onze ogen ten hemel slaan, zullen we zien dat Hij (moet ik het zeggen?), dat Hij, die voor ons een Nero is geworden, ons – niet uit onrechtvaardigheid maar uit gestrengheid – niet alleen niet zal willen troosten, of helpen, of beklagen, maar dat Hij zelfs met onvoorstelbare voldoening zal lachen! Denk je dus eens in welk een waanzin er waarschijnlijk in ons zal losbarsten! Wij branden, zullen we zeggen, en God lacht? Wij branden, en God lacht? O allerwreedste God! Waarom pijnig je ons niet met je bliksemstralen in plaats van ons te beledigen met je gelach? Verdubbel onze vlammen maar, meedogenloze, maar ontleen er geen vreugde aan! Ach, lach die ons bitterder is dan ons eigen geween! Ach, vreugde die ons smartelijker is dan onze eigen ellende! Waarom heeft onze hel geen afgronden waarin we kunnen wegvluchten voor het gelaat van een God die lacht? Te zeer misleidde degene ons die ons vertelde dat onze straf erin zou bestaan dat we het gelaat van een vertoornde God zouden moeten aanschouwen. Van een lachende God, had hij ons moeten zeggen, van een lachende God... Om die lach niet te hoeven zien en horen zouden we willen dat de bergen op ons hoofd vielen of dat de aarde onder onze voeten verzonk. Maar nee, want helaas zullen we datgene wat ons pijn doet, zien en zullen we voor alles blind en doof zijn, behalve voor hetgeen waarvoor we doof en blind zouden willen zijn!'

Roberto rook de ranze geur van het kippevoer in de spleten van het hout, en van buiten af bereikte hem het gekrijs van zeevogels, dat hij voor de lach van God hield.

'Maar waarom kom ik in de hel,' vroeg hij, 'en waarom alle anderen? Christus heeft ons toch verlost opdat slechts een enkeling in de hel zou komen?'

Pater Caspar had gelachen, zoals de God van de verdoemden: 'Wanneer heeft hij jullie dan verlost? Op welke planeet, in welk heelal denk je eigenlijk dat je leeft?'

Hij had Roberto's hand gepakt, had hem ruw van zijn kooi gelicht en hem meegesleurd door de meanders van de *Daphne*, terwijl de zieke een knagend gevoel in zijn gedarmte gewaar werd en de indruk had dat er een heleboel echappementen in zijn hoofd zaten. De uurwerken, dacht hij, de tijd, de dood...

Caspar had hem meegetrokken naar een berghok met vale muren dat hem nooit eerder was opgevallen, waar een gesloten catafalque stond met aan de zijkant een rond oog. Vóór het oog stond, in een gegleufde lat, een houten lijst waarin over de gehele lengte ogen van dezelfde grootte waren uitgesneden, met ruitjes die ogenschijnlijk ondoorschijnend waren. Door de lijst te verschuiven kon je telkens een oog laten samenvallen met dat in de kist. Roberto herinnerde zich dat hij in de Provence al eens een kleiner model van een dergelijk bouwsel had gezien dat, naar men zei, in staat was het licht te laten leven door middel van de schaduw.

Caspar had de kist aan één kant opengemaakt, zodat er een grote tuitlamp op een driepoot zichtbaar werd waaraan, aan de kant tegenover de pit, in plaats van een handvat een ronde spiegel met een speciale kromming was bevestigd. Als de lampepit werd aangestoken, kaatste de spiegel de lichtstralen in een buis, een korte verrekijker waarvan de buitenste lens het oog in de kist was. Vandaar schenen de stralen (zodra Pater Caspar de kist weer had dichtgedaan) door het glas in de lijst, waarbij ze zich kegelvormig verwijdden en op de wand gekleurde beelden deden verschijnen die in Roberto's ogen bezield leken, zo levensecht en nauwkeurig waren ze.

Het eerste plaatje stelde een man met een duivels gelaat voor die was vastgeketend aan een rots midden in zee en gegeseld werd door de golven. Roberto kon zijn ogen niet meer van die verschijning losmaken en deed deze versmelten met de plaatjes die erna kwamen (en die Pater Caspar een voor een vertoonde door de lijst te verschuiven); hij maakte er één geheel van – droom in de droom – zonder onderscheid te maken tussen hetgeen hem gezegd werd en hetgeen hij zag.

Een schip, waarin hij de *Tweede Daphne* herkende, naderde de rots, Ferrante kwam van boord en bevrijdde de veroordeelde. Alles was duidelijk. Tijdens zijn zeereizen had Ferrante Judas ontmoet, die – zoals de legende wil – gevangen op volle zee boette voor zijn verraad.

'Dank je,' zei Judas tegen Ferrante – maar voor Roberto kwam de stem natuurlijk van de lippen van Pater Caspar. 'Sinds ik hier gekneveld ben, vandaag op het negende uur, hoopte ik mijn zonde nog te kunnen goedmaken… Ik dank je, broeder…'

'Ben je hier dan pas een dag, of nog minder?' vroeg Ferrante. 'Maar jouw zonde is begaan in het drieëndertigste jaar na de geboorte van Onze Heer, en dus zestienhonderdtien jaar geleden…'

'Ach, onnozele,' antwoordde Judas, 'het is weliswaar zestienhonderdtien van jullie jaren geleden dat ik hier op deze rots werd neergezet, maar dat is bij lange na nog niet – en zal dat ook nooit zijn – één dag van mijn jaren. Jij weet niet dat je, door de zee te betreden die dit eiland van mij omgeeft, een ander heelal bent binnengegaan dat naast en binnen in jullie heelal loopt; hier draait de zon rond de aarde als een schildpad die bij elke stap traagzamer gaat dan daarvoor. Zo duurde in mijn wereld mijn dag aanvankelijk tweemaal zo lang als die van jullie, en daarna drie, en daarna steeds langer, zodat ik nu, na zestienhonderdtien van jullie jaren, nog steeds pas bij het negende uur ben. En binnenkort zal de tijd nog trager gaan, en dan nog trager, en zal ik altijd leven in het negende uur van het jaar drieëndertig sinds de nacht van Bethlehem...'

'Maar waarom?' vroeg Ferrante.

'Omdat God heeft gewild dat mijn straf erin bestond dat ik altijd op Goede Vrijdag zou leven en altijd en elke dag het lijden zou celebreren van de man die ik verraden heb. Terwijl voor de andere mensen de avondschemering nabij kwam, en vervolgens de nacht, en vervolgens het ochtendgloren van de zaterdag, was er voor mij op de eerste dag van mijn boetedoening een atoom van een atoom van een minuut van het negende uur van die vrijdag verstreken. Maar omdat de baan van de zon gedurig weer vertraagde, herrees Christus bij jullie, en was ik nog steeds maar één stap voorbij het tijdstip van mijn zonde. En nu er voor jullie eeuwen en eeuwen verstreken zijn, heb ik dat moment nog steeds maar nét achter mij gelaten...'

'Maar toch beweegt die zon van jou en zal de dag komen, ook al is het over meer dan tienduizend jaar, dat jouw zaterdag zal ingaan.'

'Ja, en dat zal nog erger zijn. Dan zal ik mijn vagevuur verlaten om mijn hel te betreden. De smart om die dood die ik heb veroorzaakt zal niet voorbij zijn, maar ik zal niet langer de mogelijkheid hebben die mij nu nog wel rest, namelijk ervoor te zorgen dat hetgeen gebeurd is ongedaan wordt gemaakt.'

'Hoe dan?'

'Jij weet niet dat niet ver hiervandaan de meridiaan van de tegenvoeters loopt. Voorbij die lijn is het, zowel in jouw als in mijn heelal, een dag vroeger. Als ik – stel dat ik nu bevrijd word – die lijn zou kunnen overschrijden, zou ik me weer op Witte Donderdag bevinden, want dit scapulier dat je op mijn rug ziet zitten is de band die mijn zon verplicht mij als mijn schaduw te vergezellen en ervoor te zorgen dat haar tijd even traag verstrijkt als de mijne, waar ik ook ga. Dus zou ik op een eindeloos lange donderdag naar Jeruzalem kunnen reizen en daar aankomen voordat mijn verraad gepleegd werd. En zo mijn Meester behoeden voor zijn noodlot.'

'Maar,' had Ferrante tegengeworpen, 'als je het Lijden verhindert, zal er nooit een Verlossing zijn geweest en zal de wereld tot op de dag van vandaag gebukt gaan onder de erfzonde.'

'Ach,' had Judas wenend geroepen, 'ik dacht weer alleen aan mezelf! Maar wat moet ik dan doen? Als ik mijn handelen niet ongedaan maak, blijf ik verdoemd. Als ik mijn fout goedmaak, werk ik het plan Gods tegen en zal ik gestraft worden met verdoemenis. Stond het dan vanaf het begin der tijden geschreven dat ik gedoemd zou zijn verdoemd te worden?'

Bij het geween van Judas was de beeldenstoet gedoofd, omdat de lampolie op was. Nu sprak Pater Caspar weer, met een stem die Roberto niet als de zijne herkende. Door een reet in de wand viel nu schaars licht dat slechts de helft van zijn gelaat verlichtte, waardoor zijn neuslijn vervormd werd en zijn baard een onbestemde kleur kreeg, spierwit aan de ene en donker aan de andere kant. Zijn ogen waren twee holle gaten, want ook het oog waar het licht op viel leek zich in de schaduw te bevinden. En Roberto zag nu pas dat het bedekt was met een zwarte lap.

'En het is daar,' zei hij, die nu onmiskenbaar de abt van Morfi was, 'het is op dát moment dat je broer het meesterstuk van zijn Vernuft heeft gewrocht. Als hij de reis zou maken die Judas voor ogen stond, zou hij het Lijden, waardoor ons vervolgens de Verlossing ten deel zou vallen, kunnen voorkomen. Geen Verlossing, iedereen slachtoffer van dezelfde erfzonde, iedereen voorbestemd voor de hel, je broer een zondaar, maar net als alle mensen, en dus gerechtvaardigd.'

'Maar hoe had hij dat gekund, zou hij het kunnen, kon hij het?' vroeg Roberto.

'O,' glimlachte de abt nu met wreedaardige vrolijkheid, 'daar was niet zoveel voor nodig. Hij hoefde alleen nog maar de Allerhoogste te misleiden, die nu eenmaal niet in staat is zich van elke vermomming van de waarheid een voorstelling te maken. Hij hoefde alleen nog maar Judas te doden – zoals hij daar op die rots dan ook meteen deed – diens scapulier om te hangen, ervoor te zorgen dat mijn schip de andere kant van het Eiland eerder bereikte dan ikzelf, hier in vermomming aan te komen teneinde te voorkomen dat jij de zwemkunst machtig zou worden, zodat je het Eiland nooit eerder zou kunnen bereiken dan ik, en je te dwingen samen met mij de Waterklok te bouwen zodat ik wél in staat zou zijn naar het Eiland te gaan.' En terwijl hij sprak, legde hij, om het scapulier te laten zien, langzaam

439

zijn kleed af, waaronder hij piratenkledij bleek te dragen. Vervolgens trok hij net zo langzaam zijn baard los en ontdeed zich van zijn pruik; en het kwam Roberto voor dat hij zichzelf in een spiegel zag.

'Ferrante!' had Roberto uitgeroepen.

'In hoogsteigen persoon, broederlief. Ik die – terwijl jij spartelde als een hond of een kikker – op de andere oever van het Eiland mijn schip terugvond, op mijn lange Witte Donderdag naar Jeruzalem zeilde, daar de andere Judas aantrof die op het punt stond zijn verraad te plegen en die ik aan een vijgeboom ophing, hem aldus belettend de Zoon des Mensen uit te leveren aan de Zonen der Duisternis; ik die met mijn getrouwen de Hof van Olijven binnendrong en Onze Heer ontvoerde, hem aldus behoedend voor de Kruisweg! En jij, ik, wij allemaal leven nu in een wereld die nooit verlost is!'

'Maar Christus, waar is Christus dan nu?'

'Weet je dan niet dat de oude geschriften al zeiden dat er vuurrode duiven bestaan omdat de Heer, alvorens gekruisigd te worden, een scharlakenrood kleed droeg? Heb je het nu nog niet begrepen? Sinds zestienhonderdtien jaar zit Christus gevangen op het Eiland, vanwaar hij probeert weg te vluchten in de gedaante van een Oranjekleurige Duif! Maar hij kan die plek, waar ik het scapulier van Judas bij de Specula Melitensis heb achtergelaten en waar het dus altijd en eeuwig dezelfde dag is, niet verlaten. Nu hoef ik alleen jou nog te doden om vrij te kunnen leven in een wereld waar berouw is uitgebannen en eenieder de hel wacht, maar waar ik op een dag zal worden onthaald als de nieuwe Lucifer!' En hij had een ponjaard getrokken en was op Roberto toegelopen om de laatste van zijn wandaden te begaan.

'Nee,' had Roberto geschreeuwd, 'daar komt niets van in! Ik zal jou doden en Christus bevrijden. Ik kan heus nog wel met een rapier overweg, en jou heeft mijn vader niet zijn geheime stoten geleerd!'

'Ik heb maar één vader en één moeder gehad, te weten jouw ontaarde geest,' had Ferrante met een treurige glimlach gezegd. 'Jij hebt me uitsluitend geleerd te haten. Denk je nu werkelijk dat je me een plezier deed toen je me in het leven riep om in jouw Land der Romans de Argwaan te belichamen? Zolang jij leeft en van mij vindt wat ik van mezelf moet vinden, zal ik niet ophouden mezelf te verachten. Dus of jij mij nu doodt of ik jou, het komt op hetzelfde neer.

Laten we er een eind aan maken.'

'Vergiffenis, broeder,' had Roberto huilend geroepen. 'Ja, laten we er een eind aan maken, een van ons tweeën moet sterven!'

Wat wilde Roberto? Sterven, Ferrante bevrijden door hem te laten sterven? Ferrante beletten de Verlossing te voorkomen? We zullen het nooit weten, want hij wist het zelf ook niet. Maar zo zitten dromen in elkaar.

Ze waren naar het dek gegaan, Roberto had naar zijn wapen gezocht en had het (zoals we ons zullen herinneren) gehavende rapier teruggevonden; maar hij riep dat God hem kracht zou geven, en een goed schermer moest ook kunnen strijden met een gebroken lemmer.

De twee broers gingen voor de eerste keer tegenover elkaar staan om aan hun laatste treffen te beginnen.

De hemel had besloten die broedermoord te seconderen. Een rossige wolk had plotseling een bloedige schaduw over het schip en de hemel uitgegoten, alsof iemand daarboven de Paarden van de Zon had gekeeld. Er was een groot concerto van donder en bliksem losgebarsten, gevolgd door stortregens, en hemel en zee verdoofden de twee duellisten, verblindden hen en striemden hun handen met ijskoud water.

Maar terwijl de bliksemstralen rondom hen insloegen, draaiden de twee om elkaar heen en vielen naar elkaar uit met finta's en riversa's, weken plotseling terug, klampten zich aan een kabel vast om, bijna vliegend, een stoccada te ontwijken, riepen elkaar beledigingen toe en zetten elke uitval kracht bij met gebulder, dat vervloog in het gebulder van de wind die om hen heen floot.

Op dat glibberige opperdek vocht Roberto opdat Christus aan het Kruis kon worden genageld, en hij riep de hulp in van God; Ferrante opdat Christus niet zou hoeven lijden, en híj riep alle duivels aan.

Het was op het moment dat hij Astharoth vroeg hem bij te staan dat de Indringer (die inmiddels ook was binnengedrongen in de plannen van de Voorzienigheid) zich ongewild blootstelde aan de Meeuwestoot. Of misschien wílde hij het wel, om een einde te maken aan die droom zonder kop of staart.

Roberto had gedaan of hij viel, de ander had zich op hem gestort om hem af te maken, hij had zich met zijn linkerhand opgedrukt en zijn gehavende rapier tegen Ferrantes borst geduwd. Hij had zich niet opgericht met de behendigheid van Saint-Savin, maar Ferrante had al te veel vaart en kon niet voorkomen dat hij als vanzelf met zijn borstbeen aan het afgebroken lemmer werd geregen, of liever, erin wegzonk. Roberto was gestikt in het bloed dat zijn stervende vijand uit de mond liep.

Hij proefde de smaak van bloed in zijn mond en had in zijn koortswaan waarschijnlijk op zijn tong gebeten. Nu zwom hij in het bloed dat van het schip tot het Eiland reikte; hij wilde niet verdergaan, uit angst voor de Steenvis, maar had alleen nog maar het eerste gedeelte van zijn missie volbracht; Christus wachtte op het Eiland om Zijn bloed te kunnen plengen, en hij, Roberto, was overgebleven als zijn enige Messias.

Wat deed hij nu in zijn droom? Met de ponjaard van Ferrante was hij begonnen een zeil in lange repen te snijden, die hij vervolgens met behulp van touwen aan elkaar knoopte; met strikken had hij benedendeks de sterkste reigers, of ooievaars of wat het dan ook waren, gevangen en nu bond hij ze bij hun poten aan elkaar, als strijdrossen voor zijn vliegende tapijt.

Met dat luchtschip had hij koers gezet naar het Eiland, dat nu bereikbaar was. Aan de voet van de Specula Melitensis had hij het scapulier gevonden en het vernietigd. Toen hij de tijd zo weer ruimte had gegeven, had hij boven zich de Duif zien neerdalen en hij was verrukt haar nu in al haar glorie te zien. Maar natuurlijk – of liever, bovennatuurlijk – was ze in zijn ogen nu niet langer oranjekleurig, maar spierwit. Het kon geen duif zijn, want die vogel past het niet de Tweede Persoon te vertegenwoordigen; misschien was het een liefderijke Pelikaan, zoals de Zoon wel moet zijn. Zodat hij uiteindelijk niet goed kon onderscheiden welke vogel zich aan hem had aangeboden als genadige spriet van dat gevleugelde schip.

Hij wist alleen nog maar dat hij omhoogvloog, en de beelden volgden elkaar op zoals dat gaat bij kluchtige drogbeelden. Ze vlogen nu naar alle ontallijke en ontelbare werelden, naar elke planeet en elke ster, zodat de Verlossing zich op elk daarvan bijna gelijktijdig zou voltrekken.

De eerste planeet die ze hadden aangedaan was de heldere maan geweest, in een nacht die verlicht werd door de aardse middagzon. En op de horizon stond daar de aarde, als een enorme, dreigende, onmetelijke maïspolenta, die nog kookte aan de hemel en bijna boven op hem viel, bobbelend van rillerig rillende en rillige rillingen, trillerig trillend in trillingen die trilden van trillerigheid, opborrelend in borrelende borrelingen, plop, plop, plop... Want als je koorts hebt, word je zelf polenta en komen de lichten die je ziet allemaal voort uit het geborrel in je hoofd.

En daar op de maan met de Duif...

We hebben, moet ik bekennen, in hetgeen ik tot nu toe heb weergegeven niet naar samenhang en waarschijnlijkheid gestreefd, want het betrof de nachtmerrie van iemand die vergiftigd was door een Steenvis. Maar wat ik nu ga vertellen, overtreft onze stoutste verwachtingen. Roberto's hart, of geest, of in elk geval zijn *vis imaginativa*, maakte zich op voor een heiligschennende gedaantewisseling: hij zag zichzelf nu niet op de Maan met de Heer, maar met de Dame, Lilia, die hij Ferrante eindelijk weer had afgepakt. Roberto kreeg bij de meren van de Maan datgene terug wat zijn broer hem bij de vijvers van het fonteineneiland ontnomen had. Hij kuste haar gelaat met zijn ogen, bekeek haar met zijn mond, zoog, beet en beet opnieuw, en hun verliefde tongen verlustigden zich in een steekspel.

Pas toen kwam Roberto, wiens koorts wellicht aan het zakken was, weer tot zichzelf, maar de vervoering over hetgeen hij beleefd had bleef, zoals gebeurt na een droom die niet alleen onze geest maar ook ons lichaam in verwarring achterlaat.

Hij wist niet of hij moest huilen van geluk om zijn hervonden liefde, of van spijt dat hij – met de koorts, die de Wetten der Vertelkunst niet kent, als handlanger – zijn Heilig Heldendicht in een Libertijnse Comedie had doen verkeren.

Nu zal me werkelijk de hel wachten, hield hij zichzelf voor, want ik ben beslist niet beter dan Judas, noch beter dan Ferrante – sterker nog, ik ben niet anders dan Ferrante en ik heb tot op heden niet anders gedaan dan zijn slechtheid gebruiken teneinde te kunnen dromen dat ik datgene gedaan heb wat mijn lafheid me altijd belet heeft te doen.

Misschien zal niet ik geroepen worden om me voor mijn zonde te verantwoorden, omdat niet ík gezondigd heb, maar de Steenvis die me op zijn manier heeft laten dromen. Echter, als ik al zo zwak van geest ben, is dat onmiskenbaar een teken dat ik op het punt sta te sterven. En er was een Steenvis voor nodig om me ertoe te brengen over de dood na te denken, terwijl dit toch de eerste taak van elke goede christen is.

Waarom heb ik nooit over de dood nagedacht, en over de toorn van een lachende God? Omdat ik de leer volgde van mijn wijsgeren, voor wie de dood een natuurlijke noodzaak was, en God degene die in de wanorde van de atomen de Wet heeft geïntroduceerd die deze samenvoegt tot de eenstemmigheid des Werelds. En kon een dergelijke God, meester in de meetkunst, de wanorde van de hel voortbrengen, al was het dan uit rechtvaardigheid, en lachen om die misdaad tegen alle misdaden?

Nee, God lacht niet, dacht Roberto. Hij buigt voor de Wet die hij zelf heeft gewild en die wil dat de orde van ons lichaam vervalt, net zoals mijn lichaam in dit verval ongetwijfeld al aan het vervallen is. En hij zag de wormen vlak bij zijn mond, die echter niet het gevolg van zijn koortswaan waren, maar wezens die vanzelf ontstaan waren tussen de vuiligheid van de kippen, nakomelingen van hun uitdijgsel.

Hij heette die herauten der ontbinding welkom, omdat hij begreep dat de versmelting met die glibberige brij ervaren diende te worden als het einde van elk lijden, in overeenstemming met de wil van de Natuur en de Hemel die haar bestiert.

Ik zal nog even moeten wachten, mompelde hij alsof hij bad. Binnen enkele dagen zal mijn nu nog gave lichaam van kleur veranderen en vaal worden als een kekererwt, en vervolgens zal het van top tot teen zwart worden en overdekt raken door een donkere gloed. Daarna zal het beginnen op te zwellen, en op die zwelling zal een stinkende schimmel ontstaan. En het zal niet lang duren of mijn buik zal hier een barst en daar een scheur gaan vertonen, waaruit etter naar buiten gulpt; en hier zul je een half wormstekig oog zien dobberen, en daar een flard lip. In dit slijk zal vervolgens een hoeveelheid kleine vliegjes en andere beestjes ontstaan die in mijn bloed zullen samenklonteren en me stukje bij beetje zullen verslinden. Een deel van deze wezens zal door mijn borst naar buiten komen; een ander deel, dat iets onbestemd slijmerigs heeft, zal uit mijn neusgaten druipen; andere zullen, vastgekleefd in dat rot, door mijn mond in- en uitgaan en de meest verzadigde zullen via mijn keel weer naar beneden borrelen... En dit alles terwijl de *Daphne* gaandeweg het domein van de vogels wordt, en van het Eiland afkomstige kiemen er op dieren gelijkende planten zullen doen groeien die wortel zullen schieten in de durk en zich vervolgens zullen voeden met mijn lijkwater. Als ten slotte van mijn hele lichamelijke bedrijf in de loop der maanden en jaren – of wellicht eeuwen – nog louter gebeente over zal zijn, zal ook dit langzaam verworden tot poeder van atomen, waarop de levenden zullen lopen zonder te beseffen dat de gehele aardkloot, met zijn zeeën, woestijnen, wouden en dalen, niets anders is dan een levende begraafplaats.

Er is niets dat de genezing zozeer bevordert als een Oefening in Zalig Sterven, die ons tot rust brengt door ons te laten berusten. Dit had de karmeliet hem op een dag gezegd, en dat moest zo zijn, want Roberto merkte dat hij honger en dorst had. Hoewel hij zwakker was dan toen hij droomde dat hij op het dek aan het vechten was, voelde hij zich minder zwak dan toen hij zich had uitgestrekt naast de kippen, en had hij de kracht om een ei leeg te slurpen. Het vocht dat hem door de keel vloeide was lekker. En het sap van een kokosnoot die hij openmaakte in de proviandkamer was nog lekkerder. Na zoveel over zijn dode lichaam te hebben nagedacht, liet hij nu in zijn lichaam, dat weer gezond moest worden, de gezonde lichamen afsterven die de natuur elke dag het leven schenkt.

Dat was zeker de reden dat niemand op La Griva hem geleerd had over de dood na te denken – een enkele waarschuwing van de karmeliet daargelaten. Als de gezinsleden met elkaar spraken, hetgeen bijna altijd gebeurde onder het middag- en het avondmaal (wanneer Roberto was wedergekeerd van zijn onderzoekingstochten in het oude huis, waar hij wellicht getalmd had in een grote schaduwrijke kamer, in de geur van appels die op de grond lagen te rijpen), werd er slechts gepraat over de grootte van de meloenen, het maaien van het graan en de verwachtingen voor de wijnoogst.

Roberto herinnerde zich het moment dat zijn moeder hem leerde hoe hij gelukkig en zorgeloos zou kunnen leven als hij alle overvloed die La Griva hem bood zou benutten: 'En denk erom dat je niet vergeet een voorraad gezouten rundvlees, ooi- of ramsvlees, kalfsvlees en varkensvlees aan te leggen, want dat blijft lang goed en komt altijd van pas. Je moet het vlees in niet al te grote stukken snijden, het in een kom doen met veel zout erop, het acht dagen laten staan en het dan aan de balken in de keuken bij de haard hangen, zodat het in de rook kan drogen; en doe dit bij droog, koud weer als de noordenwind waait, na Sint-Maarten, want dan zal het net zo lang goed blijven als nodig is. Dan komen in september de vogeltjes, en de lammeren voor de hele winter, en verder de kapoenen, de oude hennen, de eenden en dergelijke. Versmaad ook de ezel die een poot breekt niet, want daarvan maak je ronde worstjes, die je vervolgens met je mes insnijdt en braadt, en dan eet je als een vorst. En voor de Vasten moeten er altijd paddestoelen zijn, en soepjes, noten, druiven, appelen en verder alles wat God je geeft. En je moet er altijd voor zorgen dat er tijdens de Vasten rapen klaarstaan, en moeskruiden die, door het meel gehaald en in de olie gebakken, lekkerder zijn dan een lamprei; en dan moet je flensjes maken van deeg dat bestaat uit olie, meel, rozenwater, saffraan en suiker, met een scheutje malvezij; je moet ze rond uitsnijden, als vensterglazen, en vullen met broodkruim, honing, kruidnagel en fijngestampte noten; vervolgens bak je ze met een snufje zout in de oven, en dan zul je lekkerder eten dan een prior. Na Pasen komen de geitjes, de asperges, de duifjes... Nog weer later de hangop en de verse kaas. Maar vergeet ook de geweekte erwten of bonen niet, die je door het meel haalt en bakt, en die allemaal overheerlijke verrijkingen van de dis zijn... Mijn zoon, als je zult leven zoals onze voorouders hebben geleefd, zul je een gelukkig, onbekommerd leven leiden...'

Ja, op La Griva werden geen gesprekken gevoerd die te maken hadden met dood, oordeel, hel of paradijs. Pas in Casale was Roberto met de dood in aanraking gekomen, en pas in de Provence, en later in Parijs, had hij zich ertoe kunnen brengen erover na te denken, tussen de deugdzame en liederlijke verhandelingen door.

Ik zal zeker sterven, dacht hij, zo niet nu, door toedoen van de Steen-vis, dan toch zeker later, aangezien het duidelijk is dat ik niet meer van dit schip af zal komen, nu ik – door het verlies van de Persona Vitrea – ook de kans heb verspeeld heelhuids de wering te bereiken. En wat heb ik mezelf eigenlijk aldoor wijsgemaakt? Ik zou net zo goed gestorven zijn – zij het misschien later – als ik níet op dit wrak was terechtgekomen. Ik heb het leven betreden in de vaste weten-schap dat ik het weer zou moeten verlaten. Zoals Saint-Savin al zei, je speelt je eigen rol, de een voor langere tijd, de ander voor kortere tijd, en je gaat weer af. Velen zijn mij voorgegaan, anderen zullen míj voor zien gaan en zullen hetzelfde schouwspel opvoeren voor dege-nen die na hen komen.

Bovendien, hoeveel tijd ben ik al niet geweest, en hoe lang zal ik niet meer zijn! In het gapende gat van de tijd neem ik maar heel wei-nig ruimte in. Dit kleine tussenspel zal me niet in staat stellen me te onderscheiden van het niets waarin ik zal moeten verdwijnen. Ik ben slechts als bijfiguur ter wereld gekomen. Ik had zo'n kleine rol, dat ook als ik tussen de toneelschermen was blijven staan, iedereen toch gezegd zou hebben dat de voorstelling volmaakt was. Het is als in een storm: sommigen verdrinken meteen, anderen slaan te pletter op een rots, weer anderen klampen zich vast aan een los stuk hout, maar ook zij maken het niet lang. Het leven dooft vanzelf uit, als een kaars die zijn brandstof heeft verbruikt. En we zouden eraan gewend moeten zijn, want vanaf het eerste moment dat we ontvlamd zijn beginnen we net als een kaars atomen te verstrooien.

Nu ja, dat we deze dingen weten getuigt niet van grote wijsheid, zei Roberto bij zichzelf. We zouden ze moeten weten vanaf het mo-ment dat we geboren worden. Maar doorgaans denken we alleen maar na over de dood van anderen. Het is waar, we hebben allemaal genoeg kracht om andermans ellende te verdragen. Maar dan komt het mo-ment dat we over de dood na moeten denken omdat het onze eigen ellende is, en dan vermerken we dat we de zon noch de dood recht aan kunnen kijken. Tenzij we goede leermeesters hebben gehad.

Die heb ik gehad. Iemand heeft me ooit gezegd dat weinigen weten wat de dood werkelijk is. Gewoonlijk wordt zij ondergaan uit domheid of gewoonte, niet omdat we het willen. We sterven omdat we niet anders kunnen. Slechts de wijsgeer kan de dood zien als een plicht die hij gaarne en zonder angst vervult: zolang wij er zijn, is de dood er nog niet, en als de dood komt, zijn wij er niet meer. Waartoe zou ik zoveel tijd hebben verdaan met praten over wijsbegeerte, als ik nu niet in staat zou zijn om van mijn dood het meesterstuk van mijn leven te maken?

Hij begon weer op krachten te komen. Hij dankte zijn moeder, want de herinnering aan haar had hem ertoe gebracht niet langer over zijn einde na te denken. En hoe kon het anders; zij had hem immers het begin geschonken.

Hij begon na te denken over zijn geboorte, waarover hij nog minder wist dan over zijn dood. Hij zei bij zichzelf dat het wijsgeren eigen is na te denken over de oorsprong. Voor een wijsgeer valt de dood gemakkelijk te rechtvaardigen: dat we in de duisternis moeten verzinken staat als een paal boven water. Wat de wijsgeer kwelt is niet de vanzelfsprekendheid van het einde, maar het mysterie van het begin. De eeuwigheid die na ons zal komen kan ons onverschillig zijn, maar we kunnen ons niet onttrekken aan de beklemmende vraag welke eeuwigheid ons is voorgegaan: de eeuwigheid van de stof of de eeuwigheid van God?

Daarom was hij op de *Daphne* geworpen, dacht Roberto. Want alleen in de rust van die vreedzame afzondering zou hij op zijn gemak hebben kunnen nadenken over de enige vraag die ons, door ons over te leveren aan de verbijstering over het zijn, bevrijdt van elke angst voor het niet-zijn.

37

merkwaardige
oefening
van hoe

Stenen
denken

Hoe lang was hij ziek geweest? Dagen, weken? Of had er in de tussentijd een storm over het schip geraasd? Of had hij zich er, nog voordat hij op de aan de zee of aan zijn Roman ontleende Steenvis was gestuit, geen rekenschap van gegeven wat er allemaal rondom hem gaande was? Hoe lang al zag hij de dingen niet zoals ze waren?

De *Daphne* was een ander schip geworden. Het dek was smerig en het water lekte uit de vaten die in duigen begonnen te vallen; een aantal zeilen was losgeraakt en hing in flarden langs de masten, als maskers die grijnzend door hun gaten gluurden.

De vogels piepten klaaglijk en Roberto holde er meteen naar toe om hen te verzorgen. Enkele waren al dood. Gelukkig waren de planten gegroeid, gevoed door de regen en de lucht, en waren sommige de kooien binnengedrongen, waar ze de meeste vogels tot voer hadden gediend – de insecten, die zich vermenigvuldigd hadden, zorgden voor de rest. De dieren die nog leefden hadden zich zelfs voortgeplant, en voor de paar dode dieren waren een heleboel levende in de plaats gekomen.

Het Eiland was nog steeds eender; behalve dat het in de ogen van Roberto, die zijn masker kwijt was, een eind door de stromingen leek te zijn meegesleurd. De wering was, nu hij wist dat deze door de Steenvis verdedigd werd, onneembaar geworden. Roberto zou nog wel kunnen zwemmen, maar uitsluitend om het zwemmen zélf, en ver weg van de rotsen.

'O menselijke machinaties, wat zijn jullie ongerijmd,' mompelde hij. 'Als de mens slechts een schaduw is, zijn jullie rook. Als hij slechts een droom is, zijn jullie schimmen. Als hij slechts een nul is, zijn jullie punten. Als hij slechts een punt is, zijn jullie nullen.'

Zoveel gebeurtenissen, hield Roberto zichzelf voor, om me te doen inzien dat ik een nul ben. Sterker nog, een nog grotere nul dan ik al was toen ik hier volkomen hulpeloos aankwam. De schipbreuk had me dooreengeschud en gedwongen voor mijn leven te vechten; nu heb ik niets meer om voor of tegen te vechten. Ik ben veroordeeld tot een eindeloos nietsdoen. Ik ben hier niet om de leegte van de ruimten te aanschouwen, maar die van mijzelf: en daar zal uitsluitend verveling, somberheid en wanhoop uit voortkomen.

Over niet al te lange tijd zal niet alleen ik, maar ook de *Daphne* er niet meer zijn. Worden zij en ik tot versteningen, net als dat koraal.

Want de koraaldoodskop lag nog op het dek, onaangetast door het algehele verval en dientengevolge – want ontrukt aan de dood – het enige levende voorwerp.

Uit de uitheemse vorm putte onze onderlegde schipbreukeling de kracht om, uitsluitend door de verrekijker van het woord, in gedachten nieuwe gebieden te ontdekken. Als dat koraal iets levends was, zei hij, was dat het enige waarlijk denkende wezen in de enorme baaierd van alle gedachten. Het kon uitsluitend over zijn eigen geordende samengesteldheid nadenken, waar het echter al alles van af wist, zonder bang te hoeven zijn dat zijn architectuur onvoorziene veranderingen zou ondergaan.

Kunnen dingen leven of denken? De Kanunnik had hem op een dag gezegd dat er, om het leven en zijn ontwikkelingen te rechtvaardigen, in elk ding stoffelijke bloemen moesten zitten, sporen, kiemen. Deeltjes zijn verbintenissen van volgens een bepaald patroon gerangschikte atomen, en daar God de baaierd van de atomen aan wetten heeft gebonden, kunnen hun samenstelsels uitsluitend diergelijke samenstelsels voortbrengen. Is het mogelijk dat de stenen die wij kennen nog dezelfde stenen zijn als die welke de Zondvloed hebben overleefd, dat ook zij geen afgeleiden zijn en dat daaruit geen andere zijn voortgekomen?

Als het heelal niets meer is dan een samenstelsel van enkelvoudige atomen die tegen elkaar opbotsen om hun onderlinge verbintenissen voort te brengen, dan is het onmogelijk dat die atomen – als die verbintenissen eenmaal tot stand zijn gebracht – ophouden te bewegen. Hun voortdurende beweging zal derhalve in elk voorwerp gehandhaafd blijven: kolkend in de winden, vloeiend en regelmatig in de lichamen van dieren, traag maar onontkoombaar in gewassen, en nog trager, maar niet afwezig, in mineralen. Ook dat koraal verheugde zich, toen zijn koralijne leven ten einde was, in de onderhuidse beroering die stenen eigen is.

Roberto dacht na. Laten we aannemen dat elk lichaam uit atomen bestaat, ook de lichamen die louter en alleen uitgestrektheid zijn – die waar de Meetkundigen het over hebben – en dat die atomen ondeelbaar zijn. Het staat vast dat elke rechte lijn in twee gelijke delen kan worden verdeeld, ongeacht haar lengte. En omdat de lengte er niet toe doet, kan het dus ook gebeuren dat je een rechte lijn die uit een oneven aantal ondeelbaren bestaat, in tweeën moet delen. Hetgeen – als je niet wilt dat je twee ongelijke delen krijgt – zou betekenen dat het middelste ondeelbare in tweeën is gedeeld. Maar aangezien dit ondeelbare op zijn beurt weer uitgestrekt is en dus op zijn beurt weer een rechte lijn is – zij het van een onwaarneembare kortheid – zou het op zijn beurt weer in twee gelijke delen deelbaar moeten zijn. En ga zo maar door.

De Kanunnik zei dat het atoom weliswaar altijd is samengesteld uit delen, maar dat het zo hecht is dat we het nooit voorbij zijn eigen grens zouden kunnen opdelen. Wij niet. Maar anderen?

Er bestaat geen vast lichaam dat zo hecht is als goud, en toch kunnen we een ons van dat metaal nemen, zal een goudpletter duizend velletjes bladgoud uit dat ene ons slaan en zal de helft van die velletjes voldoende zijn om het gehele oppervlak van een zilverstaaf mee te bedekken. En mensen die boordsels van goud- en zilverdraad maken, zullen datzelfde ons goud met hun trekijzers terug kunnen brengen tot de dikte van een haar, en dat draadje zal dan een kwart mijl lang zijn, en misschien nog wel langer. De ambachtsman zal op een gegeven moment stoppen omdat hij niet over het juiste gereedschap beschikt en hij de draad die hij zou krijgen niet langer met het blote oog zou kunnen zien. Maar insecten – die zo klein zijn dat wij hen niet kunnen zien, en zo ijverig en bekwaam dat ze alle ambachtslieden van onze soort in vaardigheid overtreffen – zouden in staat kunnen zijn die draad zo lang te maken dat hij van Turijn tot Parijs reikt. En als er insecten van die insecten bestonden, hoe dun zouden zij diezelfde draad dan wel niet kunnen maken?

Als ik met een Argusoog kon binnendringen in de veelhoeken van dat koraal, en in de herfstdraden die daarin uitwaaieren, en in de herfstdraden waar die herfstdraden uit bestaan, zou ik tot in het oneindige op zoek kunnen gaan naar het atoom. Maar als een atoom tot in het oneindige deelbaar was, waarbij steeds kleinere vezeltjes worden verkregen die steeds opnieuw deelbaar zijn, zou ik op een gegeven moment een stof verkrijgen die niets anders zou zijn dan oneindige deelbaarheid, en zouden alle hardheid en volheid van die stof simpelweg steunen op dit evenwicht tussen ijle ruimten. In plaats van de ijle ruimte te verafschuwen zou de stof deze aanbidden en eruit bestaan, zou ze in zichzelf ijl zijn, volstrekte ijlte. De volstrekte ijlte zou zich midden in het hart van een ondenkbaar meetkunstig punt bevinden, en dat punt zou niets anders zijn dan het eiland Utopia, waarvan wij dromen, in een altijd en uitsluitend uit water bestaande zee.

Als je dus uitgaat van een stoffelijke uitstrekking die bestaat uit atomen, blijken er uiteindelijk geen atomen meer over te blijven. Wat zou er dan overblijven? Draaikringen. Met dien verstande dat die draaikringen geen zonnen en planeten zouden meesleuren, dichte stof die zich tegen hun wind teweerstelt, want zonnen en planeten zouden zelf ook draaikringen zijn die kleinere draaikringen in hún draaikringen zouden meesleuren. In het middelpunt van de allergrootste draaikring, die de Melkwegen doet draaien, zouden zich dus andere draaikringen bevinden, en dat zouden weer draaikringen zijn van draaikringen, draaikolken bestaande uit andere draaikolken, en de afgrond van de grote draaikolk van draaikolken van draaikolken zou verzinken in het oneindige, steunend op het Niets.

En wij, bewoners van het grote wereldkoraal, zouden denken dat het atoom (dat we niet kunnen zien) dichte stof is, terwijl het daarentegen, net als al het andere, een ajourwerk van ijlten in de ijle ruimte zou zijn; en we zouden die wemeling van tegenstrijdigheden, die oneindige uitgestrektheid die op één lijn staat met het volstrekte niets, en die vanuit het eigen niet-zijn de waan van het al oproept, verdicht en zelfs eeuwig 'zijn' noemen.

Betekent dit dat ik hier in de waan van de waan van een waan leef, als waan van mezelf? En moest ik alles verliezen, en op deze bij de Tegenvoeters verdwaalde schuit terechtkomen, om te begrijpen dat er niets te verliezen viel? Maar win ik door dat te begrijpen wellicht niet alles, omdat ik het enige denkende punt word waarin het heelal zijn eigen waan onderkent?

Maar als ik denk, betekent dat dan niet dat ik een ziel heb? O, wat een verwarring. Het al bestaat uit niets, en toch moet je, om het te begrijpen, een ziel hebben die, hoe gering ook, niet niets is.

Wat ben ik? Als ik 'ik' zeg, in de zin van Roberto de La Grive, dan doe ik dat omdat ik de herinnering ben van al mijn voorbije momenten, de som van alles wat ik me herinner. Als ik 'ik' zeg, in de zin van dat iets dat op dit moment hier is en dat niet de grote mast of dat koraal is, dan ben ik de som van hetgeen ik nu voel. Maar wat is dat wat ik nu voel? Dat is het geheel van betrekkingen tussen veronderstelde ondeelbaren die in dat stelsel van betrekkingen, in de ongemene orde die mijn lichaam is, gerangschikt zijn.

En dus is mijn geest niet, zoals Epicurus dacht, een stof die bestaat uit lichaampjes die fijner zijn dan de andere, een met warmte vermengde ademtocht, maar de wijze waarop die betrekkingen zich betrekkingen voelen.

Welk een ijle verdichting, welk een verdichte ontastbaarheid! Ik ben niets meer dan de samenhang tussen mijn delen, delen die elkaar waarnemen terwijl ze zich tot elkaar verhouden. Maar aangezien die delen op hun beurt weer deelbaar zijn in andere betrekkingen (enzovoort), zou elk stelsel van betrekkingen, aangezien het zich van zichzelf bewust is, of liever zijn eigen bewustheid is, een denkende kern zijn. Ik denk mij, mijn bloed, mijn zenuwen; maar al mijn bloeddruppels denken op hun beurt weer zichzelf.

Zouden die zichzelf denken zoals ik mezelf denk? Zeer zeker niet, in de natuur ervaart de mens zichzelf als zeer doorwrocht, het dier doet dat in mindere mate (het is in staat tot honger, bijvoorbeeld, maar niet tot berouw), en een plant voelt zichzelf groeien, en voelt het beslist als ze haar afsnijden, en misschien zegt ze wel 'ik', maar op een veel duisterder wijze dan ik dat doe. Elk ding denkt naar gelang zijn eigen doorwrochtheid.

Als dat zo is dan denken stenen ook. Ook deze steen hier, die geen steen is maar een plant was (of een dier?). Hoe zal die denken? Steens. Als God, die de grote samenhang is van alle samenhangen van het heelal, Zichzelf denkend denkt, zoals de wijsgeren zeggen, zal deze steen zichzelf slechts stenend denken. God denkt de gehele werkelijkheid, met inbegrip van de ontallijke werelden die hij schept en door zijn denken laat voortbestaan; ik denk aan mijn ongelukkige liefde, aan mijn eenzaamheid op dit schip, aan mijn overleden ouders, aan mijn zonden en aan mijn op handen zijnde dood, en deze steen denkt misschien alleen: ik steen, ik steen, ik steen. Of misschien kan hij zelfs geen 'ik' denken; denkt hij: steen, steen, steen.

Wat moet dat eentonig zijn. Of misschien ben ik het zelf die het als eentonig ervaart, ik die meerdere dingen kan denken, en is hij (of zij) daarentegen geheel en al tevreden met zijn eigen steen-zijn, zo gelukkig als God – want God verheugt zich in het Al-zijn en die steen verheugt zich in het bijna-niets-zijn, maar schept, aangezien hij geen andere wijze van zijn kent, eeuwig met zichzelf voldaan, behagen in zijn eigen zijn...

Maar is het wel waar dat een steen niets anders voelt dan zijn steenheid? De Kanunnik zei me dat zelfs stenen lichamen zijn die onder bepaalde omstandigheden branden en tot iets anders worden. Een steen die in een vuurberg valt, versmelt door de verzengende hitte van die vuurpast die de Ouden magma noemden, met andere stenen, wordt één grote witgloeiende brij, zet zich in beweging en blijkt enige tijd (of veel) later deel uit te maken van een grotere steen. Het kan niet anders of hij voelt, als hij ophoudt die eerste steen te zijn en een andere steen wordt, zijn eigen verhitting, en daarmee de nabijheid van zijn eigen dood.

De zon brandde op het dek, een lichte bries bracht enige verkoeling, het zweet op Roberto's huid droogde op. Nu hij al zo lang bezig was zichzelf als een steen te zien die versteend was door de zoete Medusa die hem in haar blikken had verstrikt, besloot hij tevens te proberen te denken zoals stenen denken, wellicht om te wennen aan de dag waarop hij nog slechts een witte hoop knoken zou zijn, blootgesteld aan diezelfde zon, aan diezelfde wind.

Hij kleedde zich helemaal uit en ging liggen, met gesloten ogen en met zijn vingers in zijn oren, om niet door enig geluid gestoord te worden, aangezien ook stenen, die immers geen zintuigen hebben, geen geluiden horen. Hij trachtte al zijn herinneringen, elke behoefte van zijn menselijke lichaam uit te wissen. Als hij gekund had, had hij zijn eigen vel uitgewist, en omdat hij dat niet kon, dwong hij zichzelf dit zo ongevoelig te maken als maar mogelijk was.

Ik ben een steen, ik ben een steen, zo zei hij tegen zichzelf. En daarna, om zelfs te vermijden dat hij tegen zichzelf sprak: steen, steen, steen.

Wat zou ik voelen als ik echt een steen was? Ten eerste de beweging van de atomen waaruit ik besta, oftewel het bestendige trillen van de plekken die de delen van mijn delen van mijn delen ten opzichte van elkaar innemen. Ik zou het suizen horen van mijn gesteen. Maar ik zou geen 'ik' kunnen zeggen, want om 'ik' te zeggen moeten er anderen zijn, iets anders waartegen ik me kan afzetten. In beginsel kan de steen niet weten dat er buiten hemzelf nog iets anders is. Hij suist, steent zichzelf al stenend, en heeft van de rest geen weet. Hij is een wereld. Een wereld die in haar eentje wereldt.

En toch, als ik dit koraal aanraak, voel ik dat het oppervlak aan de bovenkant de zonnewarmte heeft vastgehouden, terwijl de kant die op het dek lag kouder is; en als ik het doormidden zou slaan, zou ik wellicht voelen dat de warmte van boven naar beneden toe afneemt. Welnu, in een warm lichaam bewegen de atomen wilder en dus moet deze steen, als die zichzelf als beweging ervaart, in zijn binnenste wel verschillende bewegingen voelen. Als hij eeuwig onbeweeglijk aan de zon blootgesteld bleef, zou hij misschien een onderscheid kunnen gaan maken tussen een boven en een onder, al was het alleen maar in de vorm van twee verschillende soorten beweging. Omdat hij niet weet dat die ongelijkheid door een werking buiten hem veroorzaakt wordt, zou hij denken dat hij nu eenmaal zo was, dat die beweging hem eigen was. Maar als er een aardverschuiving plaats zou vinden en de steen zou omlaagrollen en andersom komen te liggen, dan zou hij voelen dat zijn delen die daarvóór traag waren, nu bewogen, terwijl die welke eerst snel waren nu een tragere vaart aanhielden. En ook als de grond verzakt (en dat zou uiterst traag kunnen verlopen) zou hij voelen dat de hitte, oftewel de beweging die daaruit voortvloeit, zich graad voor graad van het ene naar het andere gedeelte in hemzelf verplaatst.

Zo denkend stelde Roberto traag verschillende kanten van zijn lichaam aan de zonnestralen bloot, waarbij hij over het dek wentelde, totdat hij op een schaduwplek terechtkwam en lichtelijk bewolkte, zoals de steen waarschijnlijk ook overkomen zou zijn.

Wie weet, vroeg hij zich af, of de steen bij deze bewegingen zo niet van plaats, dan toch ten minste van deel besef begint te krijgen, en in elk geval natuurlijk van verandering. Niet van lijding, echter, want hij kent zijn tegengestelde, de handeling, niet. Of misschien toch. Want hij voelt voortdurend dat hij een aldus samengestelde steen is, terwijl hij afwisselend voelt dat hij nu eens hier warm is en dan weer daar koud. Dus op een of andere wijze is hij in staat zichzelf te onderscheiden als zelfstandigheid van zijn eigen toevalligheden. Of niet: want als hij zichzelf als samenhang voelt, zou hij zichzelf als samenhang tussen verschillende toevalligheden voelen. Zou hij zich zelfstandigheid in wording voelen. En wat betekent dat? Voel ik mijzelf, op een andere wijze? Wie weet denken stenen wel als Aristoteles of als de Kanunnik. Over dit alles zouden ze hoe dan ook waarschijnlijk duizenden jaren doen, maar dat is de vraag niet: de vraag is of de steen wel iets heeft aan die achtereenvolgende gewaarwordingen van zichzelf. Want als hij zich eerst warm aan de bovenkant en dan koud aan de onderkant voelt, en vervolgens andersom, maar zich in die laatste toestand niets meer herinnert van de eerste, dan zou hij altijd denken dat zijn inwendige beweging een en dezelfde was.

Maar waarom zou hij, als hij zichzelf gewaar kon worden, geen geheugen hebben? Het geheugen is een vermogen van de geest, en hoe klein de geest van de steen ook is, hij zal geheugen in evenredigheid hebben.

Een geheugen hebben betekent besef hebben van het voor en het na, anders zou ik altijd denken dat de smart of de vreugde die ik me herinner, er nog zouden zijn op het moment dat ik ze me herinner. Ik weet echter dat het gewaarwordingen uit het verleden zijn, want ze zijn zwakker dan de huidige. Dus gaat het erom tijdsbesef te hebben. Hetgeen ook ik weleens niet zou kunnen hebben, als tijd iets is dat je leren moet. Hield ik mezelf dagen, of maanden geleden, voordat ik ziek werd, niet voor dat tijd de voorwaarde is voor beweging, en niet het gevolg? Als de deeltjes van de steen in beweging zijn, zal die beweging een op-en-neer hebben dat, ook al is het onhoorbaar, als het geluid van een uurwerk zal zijn. De steen zou zijn eigen uurwerk zijn. Voelen dat je beweegt wil zeggen dat je je eigen tijd hoort voort-tikken. De aarde, die grote steen in de hemel, voelt de tijd van haar beweging, de tijd van de ademtocht van haar getijden, en wat zij voelt, lees ik af aan haar besterde gelaat: de aarde voelt de tijd die ik zie.

En dus weet de steen wat tijd is, sterker nog, hij weet dit nog vóórdat hij de veranderingen in zijn graad van warmte waarneemt als beweging in de ruimte. Voor zover ik weet zou het hem niet eens hoeven opvallen dat die veranderingen samenhangen met zijn plaats in de ruimte: hij zou het kunnen opvatten als een verschijnsel van het verstrijken van de tijd, net als de overgang van slapen naar waken, van krachtig naar vermoeid, zoals ik nu merk dat mijn linkervoet slaapt omdat ik zo stil blijf liggen. Maar nee, als hij beweging voelt waar eerst rust was, en rust waar eerst beweging was, moet hij ook de ruimte voelen. Dan kan hij dus 'hier' en 'daar' denken.

Maar laten we ons nu eens voorstellen dat iemand deze steen opraapt en hem tussen andere stenen inpast om een muur te bouwen. Als hij zich daarvóór bewust was van zijn eigen inwendige plekken, was dat omdat hij voelde dat zijn atomen hun uiterste best deden om zich te schikken als de cellen van een honingraat: de ene dicht tegen de andere, en allemaal tegen elkaar aan geklemd, zoals de stenen in een kerkgewelf zich moeten voelen, waar de ene de andere opduwt en ze allemaal in de richting van de sluitsteen duwen, terwijl de stenen die zich het dichtst bij de sluitsteen bevinden, de andere naar beneden en naar buiten duwen.

Maar aangezien het gewelf aan die voortdurende druk en tegen-druk gewend is, zou het zich als geheel, in de onzichtbare beweging van zijn tegen elkaar aan drukkende stenen, gewelf moeten voelen; net zo zou het de krachtsinspanning moeten voelen die iemand zich getroost om het stuk te slaan, en moeten door hebben dat het op-houdt gewelf te zijn op het moment dat de muur met steunberen waarop het rust omvalt.

Dus moet de steen, wanneer deze op zodanige wijze tussen andere stenen zit vastgeklemd dat hij op het punt staat te breken (en als de druk groter was zou barsten), die beperking voelen, een beperking die hij daarvoor niet voelde, een druk die op een bepaalde wijze van invloed moet zijn op zijn innerlijke beweging. Zal dat niet het moment zijn waarop de steen de aanwezigheid van iets buiten hemzelf gewaar wordt? Dan zou de steen zich dus bewust zijn van de Wereld. Of misschien zou hij denken dat de kracht die op hem drukt iets is dat sterker is dan hijzelf, en zou hij de Wereld gelijkstellen met God.

Maar zou de steen op de dag waarop die muur zou instorten en de beperking zou wegvallen een gevoel van Vrijheid ervaren – zoals ík zou ervaren, als ik ertoe besloot me te onttrekken aan de beperking die ik mijzelf heb opgelegd? Met dien verstande dat ik kan willen ophouden me in mijn toestand te bevinden, en de steen niet. Dus is vrijheid iets dat wordt geleden, terwijl de wil om vrij te zijn een handeling is, en is dat het verschil tussen mij en de steen. Ik kan willen. De steen kan er hooguit (en waarom niet?) naar streven weer net zo te worden als hij vóór de muur was, en welbehagen gevoelen als hij weer vrij wordt, maar hij kan niet besluiten te handelen teneinde datgene wat hem welbehagen schenkt te bewerkstelligen.

Maar kan ik werkelijk willen? Op dit moment voel ik het welbehagen van het steen-zijn, de zon verwarmt me, de wind maakt de hitte van mijn lichaam draaglijk, ik heb geen enkele neiging op te houden steen te zijn. Waarom niet? Omdat het me behaagt. Ook ik ben dus slaaf van een lijding, en die raadt me af vrijelijk mijn eigen tegengestelde te willen. Maar als ik wil, zou ik kunnen willen. En toch doe ik het niet. Hoeveel vrijer ben ik dan een steen?

Er is, met name voor de wijsgeer, geen gruwelijker gedachte dan die van de vrije wil. Uit wijsgerige lafhartigheid verjoeg Roberto die als een te moeilijke gedachte – voor hem, zonder meer, en al helemaal voor een steen die hij weliswaar gevoelens had toebedeeld, maar tevens elke mogelijkheid tot handelen onthouden had. Maar goed, ook zonder zich af te kunnen vragen hoe hij zichzelf eventueel vrijwillig schade zou kunnen berokkenen, had de steen al vele zeer nobele vermogens verkregen, meer dan de mensheid hem ooit had toebedacht.

Roberto vroeg zich nu veeleer af of de steen zich, op het moment dat hij in de vuurberg viel, bewust was van zijn eigen dood. Natuurlijk niet, want hij had nooit geweten wat sterven inhield. Maar als hij helemaal in het magma verdwenen was, zou hij dan beseffen dat zijn dood was ingetreden? Nee, want dat bepaalde samenstelsel 'steen' bestond niet langer. Bovendien, heeft iemand ooit gehoord van een mens die merkte dat hij dood was? Als er iets was dat zichzelf zou denken, was dat nu het magma: ik magma, ik magma, ik magma, sjloef, sjlaf, ik stroom, stort, spuit, guts, gulp, plup, plof, sploep, borrel, bobbel in bloppende bubbels, sijfel, suis, sis, spat, blop, blup. En zichzelf magma veinzend kwijlde Roberto als een hondsdolle hond en trachtte zijn gedarmte rommelingen te ontlokken. Hij moest er bijna van afgaan. Hij was er niet voor gemaakt magma te zijn, hij kon maar beter weer als een steen gaan denken.

Maar wat kan het wijlen de steen schelen dat het magma zichzelf magmerend magmaat? Er is voor stenen geen leven na de dood. Dat is er voor niemand, ook niet voor diegenen die het beloofd en vergund is dat ze na hun dood terug mogen keren als plant of als dier. Wat zou er gebeuren als ik stierf en al mijn atomen zich – nadat mijn vlees geheel en al door de aarde was opgenomen en langs wortels naar beneden was gesijpeld – zouden herschikken tot een mooie palm? Zou ik dan zeggen 'ik palm'? Dat zou de palm zeggen, die niet minder denkt dan een steen. Maar als de palm 'ik' zou zeggen, zou hij dan 'ik Roberto' bedoelen? Het zou onjuist zijn hem het recht te onthouden 'ik palm' te zeggen. En wat voor palm zou hij zijn als hij 'ik Roberto ben palm' zou zeggen? Het samenstelsel dat 'ik Roberto' kon zeggen, omdat het zich als zodanig ervoer, bestaat niet meer. En als het niet langer bestaat, zal het niet alleen zijn waarnemingsvermogen, maar ook de herinnering aan zichzelf hebben verloren. Ik zou niet eens kunnen zeggen: 'Ik palm was Roberto.' Als dat mogelijk was, zou ik nu moeten weten dat ik Roberto, ooit een… tja, wát was? Iets. Maar daar herinner ik me helemaal niets meer van. Wat ik hiervoor was weet ik niet meer, net zoals ik niet in staat ben me die vrucht te herinneren die in de buik van mijn moeder zat. Ik weet dat ik een vrucht ben geweest, want dat hebben anderen me verteld, maar wat mij betreft had ik er net zo goed nooit geweest kunnen zijn.

Mijn God, ik zou me in mijn ziel kunnen verheugen, en daar zouden zelfs stenen zich in kunnen verheugen, en uitgerekend door de ziel van de stenen leer ik dat mijn ziel mijn lichaam niet zal overleven. Waarom denk ik dit toch allemaal en speel ik dat ik een steen ben, als ik straks geen weet meer van mezelf zal hebben?

Maar wat is op de keper beschouwd deze ik waarvan ik geloof dat hij mij denkt? Zei ik niet dat deze niets anders zal zijn dan de mate waarin de ijle ruimte, die hetzelfde is als de uitgestrektheid, zich in dit bepaalde samenstelsel van zichzelf bewust is? Dus ben ík het niet die denkt, maar ben ik de ijle ruimte, of de uitgestrektheid, die mij denken. En dus is dit samenstelsel een toevalligheid waarin de ijle ruimte en de uitgestrektheid een oogwenk getalmd hebben om zich vervolgens weer anders te kunnen denken. In deze grote ijlte van de ijle ruimte is de verwording tot ontelbare vergankelijke samenstelsels het enige werkelijke... Samenstelsels van wat? Van het enige grote niets, te weten de Zelfstandigheid van het al.

Deze wordt geregeld door een majesteitelijke noodzaak die haar noopt werelden te scheppen en te verwoesten, en onze bleke levens te weven. Als ik die Zelfstandigheid aanvaard, als ik in staat ben die Noodzaak lief te hebben, daarnaar terug te keren en me te buigen voor haar toekomstige verlangens, dan is dat de Gelukzaligheid. Uitsluitend door me aan haar wet te onderwerpen zal ik mijn vrijheid vinden. Met Haar samenvloeien zal de Redding zijn, het ontvluchten van de lijdingen om uit te komen bij die enige lijding: de Verstandelijke liefde voor God.

Als het me werkelijk zou lukken dit te begrijpen zou ik de enige mens zijn die de Ware Wijsheid heeft gevonden en zou ik alles af weten van de God die zich verborgen houdt. Maar wie zou lust hebben de wereld over te gaan en deze wijsheid te verkondigen? Dit is het geheim dat ik met me mee zal nemen in mijn graf bij de Tegenvoeters.

Ik heb het al gezegd, Roberto was niet uit wijsgeerhout gesneden. Uitgekomen bij deze Epifanie, waaraan hij had geslepen met de nauwkeurigheid waarmee een lenzenslijper zijn lens polijst, beving hem – niet voor de eerste keer – een door liefde ingegeven geloofsverzaking.

Aangezien stenen niet beminnen ging hij rechtop zitten, waardoor hij weer een minnende man werd.

Maar, zo stelde hij, als wij allen moeten terugkeren naar de uitgestrekte zee van de grote en enige zelfstandigheid, daarginds, of daarboven, of waar die zee ook is, dan zal ik geheel met de Dame versmelten! We zullen beiden deel en geheel zijn van dezelfde macrocosmos. Ik zal haar zijn, en zij mij. Is dat niet de diepere betekenis van de fabel van Hermaphroditus? Lilia en ik, één lichaam en één gedachte...

En ben ik niet al op die gebeurtenis vooruitgelopen? Al dagen (weken, maanden?) laat ik haar leven in een wereld die geheel de mijne is, al is het dan bij de gratie van Ferrante. Zij is reeds gedachte van mijn gedachte.

Misschien is dat wel Romans schrijven: leven door middel van je eigen personages, maken dat zij in onze wereld leven en jezelf en je eigen scheppingen doorgeven aan de gedachten van hen die na ons zullen komen, zelfs als wij niet meer in staat zullen zijn 'ik' te zeggen...

Maar als dat zo is, kan ik zélf besluiten Ferrante voor altijd uit mijn wereld te bannen, zijn verdwijning te laten bestieren door de goddelijke gerechtigheid, en zodanige omstandigheden te scheppen dat ik me met Lilia kan herenigen.

Vol nieuw vuur besloot Roberto het laatste hoofdstuk van zijn verhaal te bedenken.

Hij wist niet dat Romans vaak – en helemaal als hun schrijvers al besloten hebben te sterven – zichzelf schrijven en hun eigen weg gaan.

38
de stand der doden

Roberto vertelde zichzelf dat Ferrante, die niet in staat was zich het sein dat de eunuch naar de wond van Biscarat zond ten nutte te maken, van eiland naar eiland dwaalde – waarbij hij meer op zoek was naar vertier dan naar de juiste koers – en ten slotte in het geheel niet meer wist waar hij zich bevond.

Het schip voer dus maar voort, de weinige levensmiddelen waren bedorven en het water stonk. Om te zorgen dat het scheepsvolk het niet zou merken mochten ze van Ferrante elk slechts één keer per dag in het ruim afdalen om in het donker het weinige te pakken dat nodig was om te overleven en waarvan niemand de aanblik zou kunnen verdragen.

Alleen Lilia was zich nergens van bewust; zij onderging alle ontberingen gelijkmatig en leek te leven van een druppel water en een kruimeltje beschuit, zozeer verlangde ze dat de onderneming van haar geliefde zou slagen. Maar haar liefde liet Ferrante onberoerd, zij het dat hij er een zeker genot aan ontleende. Hij liet niet af zijn scheepslieden aan te sporen, waarbij hij hun, begerig als ze waren, allerlei schitterende rijkdommen voorspiegelde. En zo leidde een door wrok verblinde blinde tien andere door hebzucht verblinde blinden, terwijl hij een blinde schoonheid in zijn strikken gevangen hield.

Bij veel bemanningsleden echter zwol het tandvlees door de hevige dorst reeds op en begon de tanden te bedekken; hun benen kwamen vol te zitten met etterbuilen en de pestilente sappen stegen op naar hun vitale delen.

En zo kon het gebeuren dat Ferrante even voorbij de vijfentwintigste zuiderbreedtegraad te maken kreeg met muiterij. Hij had deze met behulp van vijf van zijn trouwste kapers (Andrapodos, Boris, Ordoño, Safar en Asprando) neergeslagen, en de muiters waren met een armzalig beetje voedsel in de sloep gezet. Maar daardoor had de *Tweede Daphne* haar reddingsvaartuig verspeeld. Wat deed het ertoe, zei Ferrante, binnenkort zullen we op de plek zijn waar onze verfoeilijke gouddorst ons heen sleurt. Er waren echter niet genoeg manschappen meer over om het schip te besturen.

Ze hadden daar trouwens ook geen zin meer in, want omdat zij hun leider de helpende hand hadden geboden wilden ze nu zijn gelijken zijn. Een van de vijf had de geheimzinnige edelman bespied die zo zelden aan dek kwam, en was erachter gekomen dat het een vrouw was. En dus hadden die laatst overgebleven roffianen Ferrante voor het blok gezet en de reizigster voor zich opgeëist. Ferrante, die om te zien een Adonis, maar in zijn hart een Vulcanus was, hechtte meer aan Pluto dan aan Venus, en het was een geluk dat Lilia hem niet kon horen toen hij tegen de muiters fluisterde dat ze het wel eens zouden worden.

Roberto kon Ferrante niet toestaan deze laatste schanddaad te begaan. Hij verzon dus dat Neptunus zich op dat moment kwaad zou maken omdat iemand het waagde door zijn gebied te trekken zonder zijn toorn te vrezen. Of, om de gebeurtenis niet op zo'n heidense, zij het vindingrijke wijze weer te geven: hij verbeeldde zich dat het ondenkbaar was (als een roman tenminste ook nog een moraal moest uitdragen) dat de Hemel dat trouweloze vaartuig niet zou straffen. En hij verlustigde zich in de gedachte dat Notus, Aquilo en Austrus, die niet-aflatende vijanden van een kalme zee – ofschoon ze het tot dan toe aan de milde Zephyrus hadden overgelaten het pad schoon te blazen waarlangs de *Tweede Daphne* haar weg vervolgde – zich in de beslotenheid van hun onderaardse vertrekken al ongedurig begonnen te roeren.

Hij liet hen plotsklaps allemaal losbarsten. Onder het gesteun van de scheepsbekleding weerklonk als een brombas het geweeklaag van de scheepslieden, de zee braakte over hen heen en zij braakten in de zee, en soms omsloot een golf hen op zo'n manier dat iemand dat dek vanaf de kust zou hebben kunnen verwarren met een ijzige baar waaromheen bliksemschichten ontvlamden als votiefkaarsen.

In het begin stelde de storm wolken tegenover wolken, wateren tegenover wateren, winden tegenover winden. Maar al snel was de zee buiten haar voorgeschreven grenzen getreden en rees zwellend omhoog naar de hemel, een kolkende regen viel neer, water vermengde zich met lucht, vogels leerden zwemmen en vissen vliegen. Het was niet langer een gevecht tussen de natuur en de schepelingen, maar een strijd tussen de elementen onderling. Er was geen atoom lucht dat niet veranderd was in een hagelsteen, en Neptunus steeg op om de weerlichten in de handen van Jupiter te doven en hem zo de lust te ontnemen die mensen te verbranden, die híj juist wilde laten verdrinken. De zee groef een graf in haar eigen borst om hen aan de aarde te ontrukken, en toen zij zag dat het vaartuig stuurloos op een rots afstevende, deed zij het met een onverwachte oplawaai van richting veranderen.

Het schip verdween beurtelings met zijn achter- en voorsteven onder water, en elke keer wanneer het omlaagging leek het alsof het van een toren naar beneden vloog: de achtersteven verdween tot aan de galerij in de diepte en bij de voorsteven leek het water de boegspriet op te willen slokken.

Andrapodos, die poogde een zeil vast te zetten, werd van de ra losgerukt; hij stortte in zee, raakte in zijn val Boris, die bezig was een schoot aan te halen en scheidde diens hoofd van zijn romp.

Nu weigerde het schip de stuurman Ordoño te gehoorzamen en bij een volgende windstoot brak plotsklaps de bezaansroede af. Aangespoord door een luid vloekende Ferrante deed Safar verwoede pogingen om de zeilen te strijken, maar hij had de mars bij de grote ra nog niet bereikt of het schip was dwars komen te liggen en had drie golven over zich heen gekregen, die zo hoog waren dat Safar overboord was geslingerd. De grote mast was plotseling afgeknapt en in zee gestort, niet zonder eerst het dek te hebben verwoest en Asprando's schedel te hebben verbrijzeld. En ten slotte was het roer in stukken geslagen en was Ordoño door een klap van de dolle kolderstok van het leven beroofd. Nu had die houten tobbe geen bemanning meer, en de laatste ratten stortten zich overboord en vielen in het water waaraan ze trachtten te ontsnappen.

Het lijkt onvoorstelbaar dat Ferrante in deze heksenketel aan Lilia dacht, want van hem zouden we verwachten dat hij zich alleen om zijn eigen hachtje bekommerde. Ik weet niet of Roberto bedacht had dat hij de wetten der waarschijnlijkheid schond, maar om de vrouw aan wie hij zijn hart had verpand niet te laten vergaan, moest hij ook Ferrante een hart schenken – zij het voor even.

Ferrante sleurt Lilia dus aan dek, en wat doet hij? De ervaring had Roberto geleerd dat hij haar stevig op een plank moest vastbinden, haar in zee moest laten zakken en erop moest vertrouwen dat zelfs de roofdieren van de Diepte een dergelijke schoonheid genadig zouden zijn.

Daarna grijpt Ferrante zelf ook een stuk hout en maakt aanstalten zichzelf erop vast te binden. Maar op dat moment verschijnt – god weet hoe hij door de in het ruim ontstane chaos is losgekomen van zijn kruishout, zijn handen nog aan elkaar geketend, meer dood dan levend, maar met ogen die de haat nieuw leven heeft ingeblazen – Biscarat.

Biscarat, die, net als de hond op de *Amarilli*, de hele reis zieltogend in het blok had gelegen, terwijl zijn wond elke dag opnieuw geopend en vervolgens oppervlakkig verzorgd werd; Biscarat, die in al die maanden slechts aan één ding had gedacht: zich wreken op Ferrante.

Als een deus ex machina duikt hij plotseling op achter Ferrante, die al met één voet op de regeling staat; hij heft zijn armen, haalt ze, van de ketting een strop makend, voor Ferrantes aangezicht langs en klemt hem de strot af. En met de kreet 'Eindelijk, met mij, met mij naar de hel!' zien we – voelen we bijna – hoe hij zo hard trekt dat Ferrantes nek breekt, waarbij diens tong tussen zijn godslasterlijke lippen naar buiten komt en zijn laatste woedekreet vergezelt. Totdat het ontzielde lichaam van de terechtgestelde ten slotte in zee stort en het nog levende van zijn scherprechter, die de kolkende baren zegevierend en met een eindelijk vredig hart tegemoet gaat, als een mantel met zich meesleurt.

Het lukte Roberto niet zich voor te stellen wat Lilia voelde bij deze aanblik, en hij hoopte dat ze niets had gezien. Aangezien hij zich niet meer herinnerde wat er met hemzelf was gebeurd toen hij door de maalstroom werd meegevoerd, kon hij zich ook niet voorstellen wat er met Haar gebeurd kon zijn.

In werkelijkheid werd hij zo in beslag genomen door de gedachte dat Ferrante zijn straf niet mocht ontlopen, dat hij besloot eerst diens lotgevallen in het hiernamaals te volgen. En hij liet Lilia achter in de weidse wielingen.

Het levenloze lichaam van Ferrante was intussen op een verlaten strand aangespoeld. De zee was kalm, als water in een kopje, en aan de oever viel geen enkele branding te bespeuren. Alles ging gehuld in een lichte nevel, zoals het geval is wanneer de zon al onder is maar de nacht nog geen bezit heeft genomen van de hemel.

Vlak achter het strand, zonder dat bomen of struiken het einde daarvan aangaven, was een geheel minerale vlakte zichtbaar, waar zelfs dat wat uit de verte cypressen leken loden obelisken bleken te zijn. Aan de einder, in westelijke richting, verrees een bergrug, die nu donker toonde, afgezien van enkele vlammetjes op de hellingen die het geheel het aanzien gaven van een kerkhof. Maar boven dat rotsgevaarte hingen lange zwarte wolken met een buik van dovende kooltjes, stevig en hecht van vorm, zoals zeeschuim dat je op sommige schilderijen of tekeningen ziet en dat, als je er schuin naar kijkt, vervormt tot een doodshoofd. Tussen de wolken en de berg waren nog blas gele kleurflarden zichtbaar – en dit zou het laatste stukje lucht kunnen zijn dat nog door de verstervende zon werd beroerd, ware het niet dat het leek of die laatste poging tot zonsondergang nooit een begin had gehad en nooit een einde zou krijgen.

Daar waar de vlakte begon af te lopen ontwaarde Ferrante een kleine groep mensen, en hij liep op hen toe.

Uit de verte leken het mensen, of in elk geval menselijke wezens, maar toen Ferrante dichterbij kwam zag hij dat ze, als het mensen waren geweest, nu eerder lijdende voorwerpen waren geworden – of bezig waren te worden – van een anatomische les. Zo wilde Roberto dat ze eruitzagen, want hij herinnerde zich dat hij ooit een plek had bezocht waar een groep artsen in donkere kleren, met hoogrode gelaten en vurige adertjes op hun neus en wangen, in wat een beulshouding leek rondom een lijk stonden om dat wat er binnenin zat voor het oog zichtbaar te maken en in de doden naar de geheimen van de levenden te zoeken. Ze verwijderden de huid, sneden in het vlees, legden botten bloot, maakten aanhechtingen van pezen los, ontwarden spierbundels, openden zintuigen, scheidden alle vliezen, verbrijzelden al het kraakbeen en haalden de ingewanden eruit. Toen elke vezel beschouwd, elke ader gescheiden, al het merg blootgelegd was, toonden ze de aanwezigen de werkplaatsen van het leven. Kijk, zeiden ze, hier wordt het eten gekookt, hier het bloed gezuiverd, hier het voedsel verdeeld, hier worden de sappen aangemaakt, hier de zinnen gehard... En iemand naast Roberto had zachtjes opgemerkt dat de natuur, na onze aardse dood, niet anders zou doen.

Maar nu Ferrante hen van nog dichterbij zag, bleek een God-anatoom de bewoners van dat eiland op een andere wijze te hebben bewerkt.

De eerste was een lichaam zonder huid, met strakke spierbundels, de armen gespreid in een gebaar van hulpeloosheid, het gekwelde gelaat, een en al schedel en jukbeenderen, ten hemel geheven. Bij de tweede hing het vel van de handen aan het uiterste puntje van de vingertoppen naar beneden, binnenstebuiten, als een handschoen, en bij de benen was het onder de knie omgeslagen, als een zachte laars.

Bij een derde waren eerst de huid en vervolgens de spieren op zo'n wijze opengelegd dat het gehele lichaam, en met name het gelaat, een open boek leek. Alsof dat drie keer menselijke en drie keer sterfelijke lichaam tegelijkertijd huid, vlees en botten wilde laten zien; maar het leek meer op een insect, en die lappen leken op vleugels die in de wind op en neer gingen. Echter, er stond geen wind op het eiland, en de vleugels bewogen niet door toedoen van de in die schemering roerloze lucht, maar deinden nauw merkbaar mee met de bewegingen van dat krachteloze lichaam.

Even verderop leunde een geraamte op een spade, wellicht om zijn eigen graf te graven, zijn oogkassen naar de hemel gericht, een grijns in de gewelfde boog van zijn tanden, de linkerhand opgeheven als om medelijden en gehoor af te smeken. Een ander voorovergebogen geraamte toonde Ferrante zijn gekromde ruggegraat terwijl het schokkerig voortliep, zijn benige handen voor zijn afgewende gelaat.

Eén, die Ferrante alleen van achteren zag, had nog een lange haardos op zijn ontvleesde schedel, als een soort hoofddeksel dat er met kracht was op gedrukt. Maar de rand (bleekroze als een zeeschelp), het vilt waarop die vacht vastzat, bestond uit de huid, die ter hoogte van de hals was losgesneden en binnenstebuiten was gekeerd.

Er waren er een paar die bijna helemaal waren leeggehaald en gebeeldhouwd leken uit louter zenuwen; en op de stomp van hun inmiddels koploze nek wapperden de zenuwen waar ooit hersenen aan vast hadden gezeten. Hun benen leken een vlechtwerk van wilgetenen.

Er waren anderen van wie de onderbuik openlag, waarin tijlooskleurige darmen lagen te kloppen; ze leken net bedroefde veelvraten die zich hadden volgepropt met slecht verteerde pens. Daar waar ooit hun roede had gezeten, die nu geschild was zodat er nog slechts een steeltje over was, hingen alleen nog hun verdorde teelballen.

Ferrante zag er ook die nog slechts aderen en arteriën waren, de wandelende werkplaats van een alchimist, buisjes en pijpjes, voortdurend in beweging om het bloedeloze bloed van die gedoofde glimwormpjes te distilleren in het licht van een afwezige zon.

Alle lichamen waren in een diepe, smartelijke stilte gehuld. Bij sommige vielen de tekenen van een uiterst trage gedaanteverwisseling te bespeuren, die hen langzamerhand van standbeelden van vlees omvormde tot standbeelden van vezels.

De laatste van hen, gevild als een Heilige Bartholomeus, hield in zijn rechterhand zijn nog bloederige huid omhoog, die slap was als een afgelegde mantel. Er viel nog een aangezicht in te herkennen, met de gaten van de ogen en de neus, en de holte van de mond; het zag eruit als een wasmasker dat was blootgesteld aan plotselinge hitte en bijna helemaal was gesmolten.

En die man (oftewel de tandeloze en misvormde mond in zijn huid) praatte tegen Ferrante.

'Wees onwelkom,' zei hij hem, 'in het Land der Doden dat wij het Eiland Vesalia noemen. Binnenkort zal ook jou ons lot ten deel vallen, maar je moet niet denken dat elk van ons vergaat met de rapheid die vergund is aan hen die begraven worden. Naar gelang onze veroordeling wordt elk van ons in een eigen graad van ontbinding gebracht, als

468

om ons te laten proeven van de volstrekte uitwissing, die voor ons allen de grootste vreugde zou betekenen. O, welk een blijdschap ons hersenen voor te stellen die bij de geringste aanraking tot pap zouden worden, longen die bij de eerste zucht die hen nog verder verzwakt zouden openbarsten, huid die nergens tegen bestand zou zijn, week vlees dat zou verweken, vet dat op zou lossen! Maar nee, wij hebben de staat waarin je elk van ons ziet bereikt zonder het te merken, door een onwaarneembare verandering in de loop waarvan elk van onze vezels in een tijdsbestek van duizenden en duizenden en duizenden jaren is vergaan. En niemand weet tot op welk punt het ons gegeven is te vergaan; zodat degenen die je daar verderop ziet en die nog slechts uit botten bestaan er nog op hopen een beetje te kunnen sterven, terwijl ze dit uitputtende wachten wellicht nog duizenden jaren zullen moeten volhouden. Anderen, zoals ik, zien er al ik weet niet hoe lang zo uit – want in deze immer op handen zijnde nacht hebben wij elk besef van tijd verloren – maar ook ik hoop nog dat het mij vergund zal zijn uiterst langzaam tot niets te vergaan. Zo haakt elk van ons naar een ontbinding die – dat weten we heel goed – nooit volkomen zal zijn, en hopen we altijd dat de Eeuwigheid voor ons nog niet begonnen is, terwijl we daarnaast ook bang zijn dat we er sinds onze ontscheping op dit stuk land, heel lang geleden, al middenin zitten. Toen we nog leefden dachten we dat de hel de plek was van de eeuwige wanhoop, want dat hadden ze ons verteld. Helaas, het is de plek van een onuitblusbare hoop die elke dag erger maakt dan de vorige, omdat deze dorst die we altijd voelen nooit gelest wordt. Omdat we nog altijd een schijn van lichaam hebben en elk lichaam geneigd is te groeien of te sterven, blijven we altijd hopen – en zo heeft onze Rechter gevonnist dat we moesten lijden, *in saecula.*'

Ferrante had gevraagd: 'Maar waarop hopen jullie?'

'Waar jij zelf ook op zult hopen... Je zult hopen dat een zuchtje wind, de minste stijging van het tij, de komst van één enkele uitgehongerde bloedzuiger, ons atoom voor atoom teruggeeft aan de grote ijlte van het heelal, alwaar we nog op een of andere wijze zullen kunnen deelnemen aan de kringloop van het leven. Maar hier roert de lucht zich niet, blijft de zee onbeweeglijk, voelen we nooit koude of warmte, kennen we zonsopgang noch zonsondergang en brengt de aarde, die doder is dan wijzelf, geen enkel bezield leven voort. O wormen, die de dood ons ooit in het vooruitzicht stelde! O dierbare wormpjes, moeders van onze geest die nog herboren zou kunnen worden! Door onze gal op te zuigen zouden jullie ons barmhartig besprenkelen met de melk van de onschuld! Door aan ons te knagen zouden jullie onze knagende schulden genezen, door ons met jullie liefkozingen des doods te wiegen zouden jullie ons nieuw leven schenken, want het graf zou ons evenveel waard zijn als een moederschoot... Maar niets van dit alles zal gebeuren. We weten het, en toch vergeet ons lichaam het elk moment weer.'

'En God,' had Ferrante gevraagd, 'God, lacht God?'

'Helaas niet,' had de gevilde geantwoord, 'want zelfs vernedering zou ons al in vervoering brengen. Zagen we maar een lachende God die de draak met ons stak! Wat zou het schouwspel van de Heer die ons in gezelschap van zijn heiligen vanaf zijn troon bespotte al een afleiding voor ons betekenen. We zouden andermans vreugde zien, hetgeen even opbeurend is als de aanblik van andermans gramschap. Nee, hier is niemand vertoornd, lacht niemand, laat niemand zich zien. God is hier niet. Hier is alleen doelloze hoop.'

'Godallemachtig, mogen alle heiligen vervloekt zijn,' trachtte Ferrante opstandig uit te roepen. 'Als ik verdoemd ben, heb ik toch zeker het recht mijzelf het schouwspel van mijn woede voor te houden!' Maar hij merkte dat zijn stem zwak uit zijn borst opklonk; zijn lichaam lag op de grond en hij was zelfs niet meer in staat tot razernij.

'Zie je,' had de ontvelde hem gezegd, zonder dat hij erin slaagde zijn mond tot een glimlach te plooien, 'je lijden is al begonnen. Het is je zelfs niet meer vergund te haten. Dit eiland is de enige plek in het heelal waar het niet is toegestaan te lijden, waar krachteloze hoop zich in niets onderscheidt van bodemloze verveling.'

En zo had Roberto Ferrante aan zijn einde laten komen, terwijl hij zich nog steeds op het dek bevond, naakt, zoals toen hij een steen had willen worden. Inmiddels had de zon zijn gelaat, borst en benen verbrand, zodat hij weer dezelfde koortsige gloed voelde als die waaraan hij pas kort geleden was ontkomen. Nu hij eenmaal bereid was niet alleen de Roman en de werkelijkheid door elkaar te halen, maar ook het vuur van zijn hart en dat van zijn lichaam, voelde hij zijn liefde weer ontbranden. En Lilia? Wat was er met Lilia gebeurd, terwijl het lijk van Ferrante op weg was naar het eiland der doden?

Roberto sloeg – een trekje dat niet ongebruikelijk is bij romanschrijvers die hun ongeduld niet weten te beteugelen en niet langer de eenheid van tijd en plaats eerbiedigen – een aantal gebeurtenissen over en hervond Lilia enkele dagen later, vastgesnoerd op de plank, voortdobberend over een inmiddels kalme zee die schitterde onder de zon; ze dreef (en dit, mijn beste lezer, had u wellicht nooit kunnen bevroeden) in de richting van de oostkust van het Salomonseiland, terwijl de *Daphne* aan de westkust voor anker lag.

Aan de oostkant waren de stranden, had Roberto van Pater Caspar gehoord, minder vriendelijk dan aan de andere kant. De plank was begonnen te kantelen, was tegen een rotspunt aangestoten en in stukken geslagen. Lilia was wakker geworden en had zich aan de rots vastgeklampt, terwijl de brokstukken van het vlot in de stroom verdwenen.

Nu zat ze daar, op een steen die nauwelijks groot genoeg voor haar was, en een strook water – maar in haar ogen was het een eindeloze zeevlakte – scheidde haar van de kust. Door elkaar geschud door de wervelstorm, verzwakt door het vasten, nog erger geteisterd door de dorst, was ze niet bij machte zich van de rotspunt naar het zand te slepen, waarachter ze met haar befloerste blik bleke plantaardige levensvormen vermoedde.

Maar de rots brandde onder haar tere heup en terwijl ze met moeite ademhaalde zoog ze de droogte van de lucht op in plaats van haar innerlijke droogte te verkwikken.

Ze hoopte dat er even verderop watervlugge beekjes aan schaduwrijke rotswanden ontsprongen; dit verlangen lenigde haar dorst echter niet, maar wakkerde deze juist aan. Ze wilde de Hemel om hulp vragen, maar haar droge tong bleef tegen haar gehemelte geplakt zitten en haar woorden werden tot stokkende zuchten.

De tijd verstreek, de gesel van de wind reet haar open met zijn roofdiernagels, en meer dan te sterven vreesde ze te moeten leven totdat de werking van de elementen haar misvormd zou hebben en ze, niet langer voorwerp van liefde, verworden zou zijn tot een voorwerp van walging.

Had ze bij een poel, een beek met stromend water kunnen komen, dan zou ze, als ze haar lippen ernaar toe had gebracht, gezien hebben dat haar ogen, eens levendige sterren die leven beloofden, nu twee afschrikwekkende verduisteringen waren geworden; en dat haar gelaat, waar liefdesgodjes ooit schertsend verblijf hielden, nu tot een afschuwelijk spookhuis was geworden. Maar als ze een vijver had bereikt, zouden haar ogen er, uit medelijden met haar eigen toestand, meer druppels in hebben geplengd dan haar lippen eraan onttrokken zouden hebben.

Dit liet Roberto Lilia tenminste over zichzelf denken. Maar hij was er niet gelukkig mee. Hij was er niet gelukkig mee dat zij, die dra zou sterven, zich zorgen maakte over haar schoonheid, zoals in Romans te doen gebruikelijk is; en hij was er niet gelukkig mee dat hijzelf zijn stervende geliefde niet aan kon kijken zonder grootspraak van de geest.

Hoe was Lilia er op dat moment werkelijk aan toe? Hoe zou ze eruitzien als hij haar van dat uit woorden geweven doodskleed zou ontdoen?

Door de ontberingen van de lange reis en van de schipbreuk waren haar haren wellicht tot vlas geworden, doorsneden met witte draden; haar boezem had ongetwijfeld zijn lelieblankte verloren, haar gelaat was gegroefd door de tijd. Haar keel en borst waren gerimpeld.

Maar nee, als hij haar zou verheerlijken terwijl ze verwelkte, verliet hij zich wederom op het dichterlijke kunstwerk van Pater Emanuele... Roberto wilde Lilia zien zoals ze werkelijk was. Haar achterovergegooide hoofd, haar opengesperde ogen die, klein geworden door de pijn, te ver van de wortel van de – inmiddels puntig toelopende – neus leken af te staan en verzwaard werden door wallen, haar ooghoeken een waaier van rimpeltjes, als door een mus achtergelaten sporen op het zand. Haar neusgaten een beetje opengesperd, het ene iets vleziger dan het andere. De amethistkleurige mond vol kloven, twee gebogen lijnen aan de zijkanten, de bovenlip iets vooruitstekend, opgetrokken, waardoor twee niet langer ivoren tandjes zichtbaar waren. De huid van haar gelaat enigszins uitgezakt, twee slappe plooien onder de kin die de halslijn ontsierden...

En toch, hij had deze verdorde vrucht niet willen ruilen voor alle engelen van de hemel. Hij beminde haar zo ook, en toen hij haar ooit, op een avond lang geleden, had bemind zoals ze was, ongeacht hoe ze er achter het doek van haar zwarte sluier uit zou zien, had hij niet kunnen weten dat ze anders was.

Hij had zich tijdens de dagen van zijn schipbreuk op een dwaalspoor laten brengen, had verlangd dat ze harmonieus was als het stelsel der hemelsferen; maar inmiddels was hem verteld (en ook dit had hij Pater Caspar niet durven opbiechten) dat de planeten hun tocht misschien wel niet langs een volmaakte cirkelbaan rond de zon afleggen, maar langs een toegeknepen baan.

Als schoonheid helder is, is de liefde geheimzinnig: hij ontdekte dat hij niet de lente liefhad, maar elk der jaargetijden van zijn beminde, die des te begeerlijker was in haar herfstige verval. Hij had haar altijd bemind om hetgeen ze was en zou kunnen zijn, en alleen zo was beminnen het wegschenken van jezelf, zonder er iets voor in ruil te verwachten.

Hij had zich laten afleiden door zijn in de golven verklankte ballingschap, waarin hij altijd op zoek was geweest naar een andere ik: een zeer slechte ik in Ferrante, een zeer goede ik in Lilia, in wier glorie hij had willen gloriëren. Maar Lilia beminnen betekende dat hij haar moest willen zoals hij ook zelf was, overgeleverd aan de tand des tijds. Tot dan toe had hij haar schoonheid gebruikt om zijn bezoedelde geest te prikkelen. Hij had haar laten spreken door haar de woorden in de mond te leggen die híj wilde en waarover hij toch ontevreden was. Nu zou hij willen dat ze bij hem was, verliefd als hij was op haar kwijnende schoonheid, haar zinnelijke uitgeteerdheid, haar vale gratie, haar verzwakte lieftalligheid, haar magere naaktheid, om haar zorgzaam te liefkozen en te luisteren naar haar woord, het hare, niet dat wat hij haar had geschonken.

Wilde hij haar bezitten, dan moest hij zich van zichzelf ontdoen.

Maar het was al te laat voor een passend eerbetoon aan zijn zieke aanbedene.

Aan de andere kant van het Eiland stroomde door Lilia's aderen, vloeibaar, de Dood.

39

reis in *Zielsverrukking*

Was dat nu de manier om een Roman te beëindigen? Romans wakkeren niet alleen onze haatgevoelens aan, zodat we aan het einde kunnen zwelgen in de nederlaag van degenen die we haten, maar nodigen evenzeer uit tot medelijden, om ons uiteindelijk te onthullen dat degenen van wie we houden buiten gevaar zijn. Romans die zo slecht afliepen had Roberto nog nooit gelezen.

Tenzij de Roman nog niet af was en er een geheime Held achter de hand werd gehouden die in staat was tot een daad die alleen voorstelbaar is in het Land der Romans.

Uit liefde besloot Roberto deze daad te verrichten, en zo stapte hij zijn eigen verhaal binnen.

Als ik nu op het Eiland was geweest, zo zei hij, zou ik haar kunnen redden. Het is uitsluitend mijn luiheid geweest die me hier heeft gehouden. Nu zitten we beiden gevangen op zee, elk verlangend naar de andere kust van hetzelfde eiland.

En toch is niet alles verloren. Ik zie haar op ditzelfde moment de geest geven, maar als ik op ditzelfde moment het Eiland zou bereiken, zou ik daar een dag eerder aankomen dan zij, op tijd om haar op te wachten en in veiligheid te brengen.

Het geeft niet dat ik haar van de zee terugkrijg terwijl ze op het punt staat haar laatste adem uit te blazen. Het is namelijk bekend dat hevige ontroering het lichaam, als het die laatste ademtocht nadert, hernieuwde levenskracht kan inblazen, en er zijn wel stervenden geweest die, toen ze hoorden dat de oorzaak van hun ongeluk was weggenomen, weer begonnen op te bloeien.

En is er voor die stervende vrouw een overweldigender ontroering denkbaar dan haar geliefde levend weer te zien? Want ik zou haar niet hoeven onthullen dat ik niet dezelfde ben als degene die ze liefhad. Ze had zich immers aan mij, en niet aan de ander gegeven; ik zou eenvoudigweg de plaats innemen die me altijd al toekwam. En dat niet alleen: zonder het te beseffen zou Lilia in mijn blik een ander soort liefde voelen, ontdaan van iedere wellust, vol sidderende verering.

Is het mogelijk, zal eenieder zich afvragen, dat Roberto er niet bij had stilgestaan dat die herovering hem alleen vergund zou zijn als hij het Eiland werkelijk díe dag nog zou bereiken, of op zijn laatst in de heel vroege ochtenduren van de volgende dag, iets dat, gezien zijn jongste ervaringen, onwaarschijnlijk was? En is het mogelijk dat hij niet besefte dat hij voornemens was daadwerkelijk naar het Eiland te gaan en er te zoeken naar een vrouw die daar uitsluitend ingevolge zijn verhaal was beland?

Maar waar Roberto aanvankelijk, zoals we al zagen, een Land der Romans had bedacht dat in niets op zijn eigen wereld leek, had hij die twee werelden uiteindelijk moeiteloos in elkaar doen overlopen en hun beider wetten met elkaar verward. Hij dacht dat hij het Eiland kon bereiken omdat hij het zich kon voorstellen, en dat hij zich haar aankomst kon voorstellen op het tijdstip dat hij daar al zou zijn omdat hij dat zo wilde. Bovendien hevelde Roberto de vrijheid om gebeurtenissen te willen en verwezenlijkt te zien, die Romans zo onvoorspelbaar maakt, over naar zijn eigen wereld: eindelijk zou hij dan op het Eiland aankomen, om de eenvoudige reden dat hij, als hij daar niet aankwam, niet meer wist wat hij zichzelf nog vertellen moest.

Over dat voornemen, dat eenieder die ons niet tot hier gevolgd had voor dwaasheid zou houden, of voor zotternij, of hoe men het ook wil noemen (of toentertijd noemde), dacht hij nu op wiskunstige wijze na, zonder ook maar een van de mogelijkheden die zijn verstand of zijn prudentie hem ingaven over het hoofd te zien.

Zoals een generaal, die de nacht voor de veldslag vaststelt welke bewegingen zijn troepen de volgende dag zullen uitvoeren, zich niet alleen een voorstelling maakt van de moeilijkheden die zouden kunnen rijzen en van de onvoorziene gebeurtenissen die zijn opzet in de war zouden kunnen sturen, maar zich ook vereenzelvigt met de vijandige generaal teneinde een voorspelling te kunnen doen aangaande diens bewegingen en tegenbewegingen, en de toekomst te kunnen bepalen door te handelen ingevolge hetgeen de ander zou kunnen besluiten ingevolge de gevolgen daarvan – zo woog ook Roberto middelen en doelen, oorzaken en gevolgen, voors en tegens.

Het voornemen om naar de wering te zwemmen en eroverheen te klimmen moest hij laten varen. Hij kon niet langer onder water kijken om mogelijke doorgangen te zoeken, en zou het uitstekende gedeelte niet kunnen bereiken zonder op onzichtbare en ongetwijfeld dodelijke hinderlagen te stuiten. En ten slotte was het niet gezegd dat hij, zelfs al zou hij de wering kunnen bereiken – of die nu boven of onder water lag – er met zijn kwetsbare slobkousen overheen zou kunnen lopen en dat er geen verborgen scheuren in zaten waar hij in zou vallen en niet meer uit los zou kunnen komen.

En dus kon hij het Eiland alleen bereiken door dezelfde route af te leggen als de sloep, dat wil zeggen door zuidwaarts en min of meer in het verlengde van de *Daphne* langs de kust van de baai te zwemmen om vervolgens, na de zuidkaap te hebben gerond, naar het oosten af te buigen tot hij bij de wik kwam waarover Pater Caspar hem had verteld.

Dit was echter niet haalbaar, en wel om twee redenen. Ten eerste had hij tot op heden amper de kracht gehad om tot aan de wering te zwemmen; het lag daarom niet erg voor de hand te denken dat hij een afstand zou kunnen overbruggen die minstens vier tot vijf keer zo groot was – en zonder touw, niet zozeer omdat hij geen touw had dat zo lang was, maar omdat hij deze keer ging om te gaan en het, als hij het niet haalde, zinloos was terug te keren. Ten tweede: als hij zuidwaarts wilde gaan moest hij tegen de stroom in zwemmen; en aangezien hij inmiddels wist dat hij net genoeg kracht had om dat hooguit een paar slagen vol te houden, zou hij onherroepelijk naar het noorden worden meegesleurd, langs de noordkaap, en steeds verder van het Eiland wegdrijven.

Nadat hij deze mogelijkheden uit-en-ter-na had gewogen (en had ingezien dat het leven kort is, de kunst lang, de gelegenheid vluchtig en de uitkomst twijfelachtig), had hij zichzelf voorgehouden dat het een edelman onwaardig was zich te verliezen in dergelijke kleingeestige berekeningen, als ware hij een burgerman die berekende wat zijn kansen waren als hij met zijn spaarduitjes zou gaan dobbelen.

Met andere woorden, had hij gezegd, er moet een berekening worden gemaakt, maar die moet, als de inzet hoog is, van hoog gehalte zijn. Wat was de inzet van deze wedschap? Het leven. Maar daar hij nog nooit in staat was geweest het schip te verlaten had zijn leven niet veel om het lijf, zeker nu niet, nu zijn eenzaamheid vergroot zou worden door het besef dat hij haar voor altijd verloren had. Wat zou hij echter winnen als hij de proeve doorstond? Alles, de vreugde haar weer te zien en haar te redden, of in elk geval te sterven op haar dode lichaam, dat hij zou bedekken met een lijkwade van kussen.

Het is waar, het was geen eerlijke wedschap. Het was waarschijnlijker dat hij in de poging zou blijven dan dat hij het strand zou bereiken. Maar ook in dat geval was het risico aanvaardbaar: alsof ze hem verteld hadden dat hij duizend kansen had een onbeduidende som gelds te verliezen tegen één enkele kans onmetelijke rijkdom te verwerven. Wie zou zo'n kans niet met beide handen aangrijpen?

Ten slotte was hem iets ingevallen dat het risico danig verkleinde, sterker nog, dat hem in beide gevallen tot winnaar zou maken. Stel nu dat de stroom hem in tegenovergestelde richting zou meesleuren. Welnu, als hij eenmaal de andere kaap voorbij zou zijn (dat wist hij omdat hij met de plank de proef op de som had genomen), zou hij door de stroom meegevoerd worden, de meridiaan langs…

Als hij zich door het water zou laten dragen, met zijn ogen naar de hemel, zou hij de zon nooit meer zien bewegen: dan zou hij op die drempel tussen vandaag en de vorige dag blijven drijven, buiten de tijd, op een eeuwig middaguur. En omdat de tijd voor hem bleef stilstaan, zou die ook op het Eiland stilstaan, waardoor haar dood tot in het oneindige werd uitgesteld, omdat Lilia uitsluitend iets kon overkomen als hij, de verteller, dat wilde. En zolang hij tijdeloos was, waren ook de gebeurtenissen op het Eiland tijdeloos.

Bovendien was het een zeer snege kruisstelling. Zij zou zich in dezelfde omstandigheid bevinden als die waarin hij zich, op een paar el van het Eiland, nu al een onvoorstelbaar lange tijd had bevonden; en wegdobberend over de zee zou hij haar zijn vervlogen hoop ten geschenke geven en haar laten hunkeren op de rand van een oneindig verlangen. Zij beiden, zonder toekomst en dus zonder uitzicht op de dood.

Daarna had hij zich overgegeven aan voorstellingen over het verloop van zijn reis, een reis die naar hij meende – omdat hij inmiddels had bepaald dat werelden konden versmelten – ook de reis van Lilia was. Roberto's wonderbaarlijke lotgevallen zouden ook haar een onsterfelijkheid waarborgen die haar in het eigenlijke verhaal over de lengtecirkels niet ten deel zou zijn gevallen.

Hij zou rustig doch gestaag noordwaarts drijven: rechts en links van hem zouden de dagen en nachten, de jaargetijden, de verduisteringen en de getijden elkaar opvolgen, zouden nieuwe sterren de hemel doorsnijden en pestilenties en staatsomwentelingen veroorzaken, zouden vorsten en pausen grijs worden en als stofwolkjes verwaaien, zouden alle wervelingen van het heelal hun windvoortbewogen omwentelingen volbrengen, zouden uit het brandoffer van de sterren weer nieuwe sterren ontstaan... Rondom hem zou de zee razen en weer inbinden en zouden de passaatwinden hun rondedans maken, maar voor hem zou er in die vreedzame vore niets veranderen.

Zou er aan zijn reis ooit een einde komen? Van wat hij zich van de kaarten herinnerde, lag er op die lengtecirkel, ten minste tot op het punt waar deze zich op de Pool bij alle andere voegde, geen enkel ander land dan het Salomonseiland. Maar als een schip met een macht aan zeilen er vóór de wind maanden en maanden en maanden over deed de tocht te volbrengen die hij zou ondernemen, hoe lang zou híj daar dan wel niet over doen? Het zou wellicht jaren duren voordat hij daar zou komen waar hij er geen weet meer van zou hebben wat er van dag of nacht en van het verstrijken der eeuwen zou worden.

Maar in de tussentijd zou hij zich verpozen in een zo zuivere liefde dat het hem onverschillig was als hij zijn lippen, handen en ogen verloor. Zijn lichaam zou zich ontdoen van alle sappen, bloed, gal en slijm, het water zou door al zijn poren binnenstromen, zijn oren binnendringen en zijn hersenen verzilten, het glasvocht in zijn ogen vervangen, zijn neusgaten binnenspoelen en elk spoor van het element aarde oplossen. Tegelijkertijd zouden de zonnestralen hem voeden met vuurdeeltjes die het vocht zouden verdunnen tot één enkel waas van lucht en vuur, dat vervolgens door krachten van sympathie zou worden opgestuwd. En hij zou zich, licht en vluchtig reeds, verheffen om zich eerst met de lucht- en daarna met de zonnegeesten te verenigen.

En hetzelfde zou er met haar gebeuren, in het strakke licht van die klip. Zij zou worden tot het dunste blaadje bladgoud.

Zo zouden ze zich allengs in eenstemmigheid verenigen. Hoe langer hoe meer aan elkaar geklonken, gelijk een passer met tweelingen van benen, zouden ze elk bewegen in antwoord op de beweging van hun gade, zou de een meer overhellen naarmate de ander verder weg was, en weer rechtop komen als de ander zich bij hem voegde.

Dan zouden beiden hun reis voortzetten in het heden, recht naar de ster die hen opwachtte, stofregen van atomen tussen de andere deeltjes van het heelal, draaikring tussen draaikringen, eeuwig als de wereld, borduursel van ijlte. Verzoend met hun lot, omdat het draaien van de aarde kwaad en angst met zich meebrengt, terwijl de siddering der sferen onschuldig is.

Hij zou dus hoe dan ook als winnaar uit de wedschap te voorschijn komen. Het was nu zaak niet te dralen. Maar alvorens over te gaan tot zijn glorieuze offer moest hij de nodige ceremoniën in acht nemen. Roberto vertrouwt het papier de laatste taken toe die hij voornemens is te volbrengen, zonder al te zeer uit te weiden over handelingen, duur en voortgang.

Als eerste bevrijdende loutering hield hij zich bijna een uur onledig met het deels verwijderen van het traliewerk dat het bovendek scheidde van het benedendek. Daarna ging hij naar beneden om de kooien open te zetten. Hoe meer biezen hij lostrok, des te meer werd hij omgeven door één groot geklapwiek van vleugels, waartegen hij zich moest beschermen door zijn handen voor zijn aangezicht te houden; tegelijkertijd echter riep hij: 'Kss, kss', en moedigde de gevangenen aan, terwijl hij de hennetjes die rondfladderden zonder de uitgang te vinden zelfs een handje hielp.

Totdat hij, weer terug op het bovendek, zag hoe de bonte vlucht zich tussen het mastwerk verhief, en het hem toescheen dat de zon een paar tellen bedekt was met alle kleuren van de regenboog, waar de zeevogels, die nieuwsgierig waren toegevlogen om in dat feest te delen, witte strepen doorheen trokken.

Vervolgens had hij alle uurwerken in zee gegooid, zonder dat hij ook maar enigszins het gevoel had dat hij kostbare tijd verspilde: hij wiste de tijd uit om een reis tegen de tijd voorspoedig te laten verlopen.

En ten slotte had hij, om zichzelf elke kans op lafheid te ontnemen, op het dek onder het grootzeil stammetjes, plankjes en lege tonnen opgestapeld, die met de olie uit alle lampen overgoten en in brand gestoken.

Er had zich een eerste vlammetje opgericht, dat meteen aan de zeilen en het want had gelikt. Toen hij er zeker van was dat het vuur zichzelf verder voedde, had hij zich opgemaakt voor het afscheid.

Hij was nog steeds bloot, al sinds hij begonnen was te sterven door in een steen te veranderen. Nu ook ontbloot van het ankertouw, dat zijn reis niet meer mocht beknotten, was hij in zee afgedaald.

Hij had zich met zijn voeten tegen het hout afgezet, waardoor hij loskwam van de *Daphne*; en na de achtersteven te hebben gerond was hij er voor altijd van weggezwommen, op weg naar een van de twee gelukzaligheden die hem zeker wachtte.

Voordat het lot, en het water, zich over hem zouden ontfermen, zou ik willen dat hij, af en toe rustend om op adem te komen, zijn ogen van de *Daphne*, die hij groette, naar het Eiland liet dwalen.

Daarginds, boven de door de boomtoppen getekende lijn, zou hij met zijn nu o zo scherpe blik een pijl naar de zon hebben moeten zien schieten: de Oranjekleurige Duif.

40
Colophon

Zo. En wat er verder van Roberto is geworden weet ik niet, en ik denk dat we dat ook nooit te weten zullen komen.

Hoe is het mogelijk een roman te baseren op een verhaal dat weliswaar romanesk is, maar waarvan we het einde – of liever, het echte begin – niet kennen?

Tenzij de te vertellen geschiedenis niet die van Roberto is, maar die van zijn papieren – hoewel we ons ook in dat geval moeten verlaten op gissingen.

Als die papieren (die overigens fragmentarisch zijn en waaraan ik een verhaal, of een reeks verhalen, heb ontleend die elkaar kruisen of in elkaar overlopen) bewaard zijn gebleven, is dat omdat de *Daphne* niet helemaal verbrand is, dat lijkt me duidelijk. Wie weet, misschien heeft het vuur de masten enigszins aangetast maar is het, op die windstille dag, vervolgens uitgegaan. En het is geenszins uitgesloten dat er enkele uren later een stortbui is gevallen die de vuurhaard heeft gedoofd…

Hoe lang heeft de *Daphne* daar gelegen voordat iemand haar ontdekte en Roberto's geschriften vond? Ik opper twee hypothesen, die beide aan mijn fantasie ontsproten zijn.

Zoals ik al gezegd heb, had Abel Tasman, enkele maanden voorafgaand aan deze hele geschiedenis, in februari 1643 om precies te zijn – na in augustus 1642 uit Batavia te zijn vertrokken, te hebben aangelegd in Van Diemensland, dat later Tasmanië zou worden, Nieuw-

Zeeland uitsluitend in de verte te hebben zien liggen en koers te hebben gezet naar de Tonga-eilanden (die al in 1615 waren aangedaan door Van Schouten en Le Maire, die ze Kokoseilanden en Verraderseilanden hadden gedoopt) – noordwaarts koersend een reeks eilandjes ontdekt die omgeven waren door zand en waarvan hij de ligging vaststelde op 17°19′ graden zuiderbreedte en 201°35′ graden oosterlengte. We zullen hier geen discussie aangaan over de lengtegraad, maar die eilanden, die hij Prins Willemseilanden had genoemd, zouden als mijn hypothesen juist zijn niet ver van het Eiland uit ons verhaal moeten liggen.

Tasman beëindigt zijn reis naar hij zegt in juni, en dus vóór de *Daphne* in dat gebied kon zijn gearriveerd. Maar het is niet gezegd dat Tasmans journalen waarheidsgetrouw zijn (en bovendien bestaat het origineel niet meer).[1] Laten we ons dus proberen voor te stellen dat hij, ingevolge een van die onvoorziene koersafwijkingen die zo kenmerkend zijn voor zijn reis, naar die contreien is teruggekeerd, laten we zeggen in september van dat jaar, en dat hij daar de *Daphne* heeft aangetroffen. Geen enkele mogelijkheid om haar te kalefateren, aangezien ze inmiddels waarschijnlijk geen mast of zeil meer overhad. Hij was aan boord gegaan om te kijken waar ze vandaan kwam, en had Roberto's papieren gevonden.

[1] Eenieder kan gemakkelijk nagaan of ik de waarheid spreek in P. A. Leupe, 'De handschriften der ontdekkingsreis van A. J. Tasman en Franchoys Jacobsen Vissche 1642-3', in: *Bijdragen voor Vaderlandsche Geschiedenis en Oudheidkunde*, N.R. 7, 1872, blz. 254-293. De documenten die verzameld zijn onder de naam *Generale Missiven*, die een uittreksel bevatten van het 'Daghregister van het Casteel Batavia' van 10 juni 1643, waarin melding wordt gemaakt van Tasmans terugkeer, zijn zonder meer onweerlegbaar. Maar als de hypothese die ik wil opperen overtuigend is, is er niet veel voor nodig om te veronderstellen dat er, om een geheim als dat van de lengtebepaling te bewaren, ook met een dergelijke akte geknoeid was. Tussen het moment dat de communiqués uit Batavia werden verzonden en het moment dat ze in de Republiek aankwamen lag soms een periode van twee maanden, áls ze al aankwamen. Bovendien ben ik in het geheel niet zeker van dat Roberto pas in augustus in die contreien is terechtgekomen, en niet eerder.

Hoewel hij weinig Italiaans kende, had hij eruit opgemaakt dat er iets in stond over het vraagstuk van de lengtebepaling, hetgeen die papieren tot een uiterst vertrouwelijk document maakte dat hij diende af te geven aan de Vereenigde Oostindische Compagnie. En daarom zwijgt hij in zijn journaal over de hele geschiedenis, misschien vervalst hij zelfs de data om elk spoor van het voorval uit te wissen, en komen Roberto's papieren in een of ander geheim archief terecht. Vervolgens ondernam Tasman het jaar daarop weer een reis, en God weet of hij toen daarheen is gegaan waar hij zegt te zijn heen gegaan.[2]

We kunnen ons het gezicht wel voorstellen van de Nederlandse geografen die de papieren onder ogen kregen. Wij weten immers dat er niets belangwekkends in stond, behalve dan misschien de hondemethode van doctor Byrd, waar verschillende spionnen, naar ik vermoed, al langs andere wegen over gehoord hadden. Er wordt melding in gemaakt van de Specula Melitensis, maar ik zou erop willen wijzen dat er na Tasman honderddertig jaren verstrijken voordat Cook die eilanden opnieuw ontdekt, en met behulp van de aanwijzingen van Tasman zouden ze onmogelijk terug te vinden zijn geweest.

En ten slotte maakt de uitvinding van de *time keeper* van Harrison, ruim een eeuw na ons verhaal, een einde aan de koortsachtige zoektocht naar het *Punto Fijo*. Het probleem van de lengtebepaling op zee is niet langer een probleem, en een of andere archivist van de Compagnie die de kasten graag leeg wil hebben gooit Roberto's papieren, die inmiddels nog slechts een curiosum voor liefhebbers van handschriften zijn, weg, of doet ze cadeau, of verkoopt ze – god zal het weten.

De tweede hypothese is uit romanesk oogpunt overtuigender. In mei 1789 trekt er een fascinerende figuur door die gebieden. Het is kapitein Bligh, die door de muiters van de *Bounty* met twaalf getrouwen in een sloep was gezet en aan de genade van de golven was overgeleverd.

[2] Van deze tweede reis bestaan in het geheel geen scheepsjournalen. Waarom niet?

Deze buitengewone man – want dat was hij, wat zijn slechte karaktertrekken ook geweest mogen zijn – ziet kans meer dan zesduizend kilometer af te leggen en uiteindelijk Timor te bereiken. Op deze reis vaart hij voorbij de Fiji-eilanden, rakelings langs Vanua Levu en door de Yasawa-groep. Hetgeen impliceert dat hij, als hij ook maar enigszins naar het oosten was afgeweken, heel goed in de buurt van Taveuni had kunnen uitkomen, waar ik ons Eiland bij voorkeur situeer, aangezien mij is verzekerd – als bewijzen tenminste van enigerlei waarde zouden kunnen zijn in kwesties die betrekking hebben op geloven, en willen geloven – dat een Oranje Duif, of Orange Dove, of Flame Dove, of beter nog *Ptilinopus victor*, alleen dáár voorkomt; met dien verstande dat, en hier riskeer ik het hele verhaal te ontkrachten, de oranjekleurige het mannetje is.

Nu zou een man als Bligh, als hij de *Daphne* ook maar in enigszins redelijke staat had aangetroffen, al het mogelijke hebben gedaan om haar weer op te lappen, daar hij zelf slechts de beschikking had over een eenvoudige sloep. Maar er was inmiddels bijna anderhalve eeuw verstreken. Stormen hadden de romp nog verder geteisterd, het anker was afgebroken en het schip was tegen het koraalrif geslagen – of nee, het was op drift geraakt, door de stroom meegevoerd naar het noorden en op weer andere zandbanken of op de klippen van een naburig eiland geworpen, waar het was blijven liggen, blootgesteld aan weer en wind.

Waarschijnlijk is Bligh aan boord gegaan van een spookschip, met boorden waar schelpen en het groen van algen aan vastgekoekt zaten, en met stilstaand water in het opengereten ruim, toevluchtsoord voor weekdieren en giftige vissen.

Misschien was het achterschip nog zo'n beetje intact en heeft Bligh in de kajuit de droge en stoffige, of wellicht juist vochtige en slappe, maar nog leesbare papieren van Roberto gevonden.

De tijden waarin men zich druk maakte over de lengtebepaling op zee waren voorbij, maar misschien werd zijn aandacht getrokken door de in een onbekende taal gestelde verwijzingen naar de Salomonseilanden. Bijna tien jaar eerder had een zekere Buache, geograaf van de Franse koning en van de Franse marine, voor de Academie van Wetenschappen een verhandeling gehouden over het Bestaan en de Ligging van de Salomonseilanden; hij had beweerd dat deze niets anders waren dan de baai van Choiseul, die in 1768 was aangedaan door Bougainville (wiens beschrijving ervan bleek overeen te komen met de al bestaande van Mendaña), en de Terres des Arsacides, in 1769 aangedaan door Surville. En terwijl Bligh nog op zee verkeerde, stond een anonymus, waarschijnlijk de heer van Fleurieu, zelfs op het punt een boek te publiceren met de titel *Decouvertes des François en 1768 & 1769 dans les Sud-Est de la Nouvelle Guinée*.

Ik weet niet of Bligh kennis had genomen van de aanspraken van de heer Buache, maar in het Engelse zeewezen werd beslist met woede gesproken over dat staaltje van arrogantie van hun Franse neven, die zich erop lieten voorstaan dat ze het onvindbare gevonden hadden. De Fransen hadden gelijk, maar het kon zijn dat Bligh dat niet wist, of niet wilde weten. Hij had dus wellicht de hoop opgevat dat hij de hand had gelegd op een document dat niet alleen de aanspraken van de Fransen logenstrafte, maar tevens zou bevestigen dat hij de herontdekker van de Salomonseilanden was.

Ik stel me zo voor dat hij eerst Fletcher Christian en de andere muiters in gedachten had bedankt voor het feit dat ze hem zo wreed het pad der glorie hadden gewezen, en dat hij vervolgens als goed patriot besloten had zijn uitstapje naar het oosten en zijn ontdekking voor iedereen te verzwijgen en de papieren in de grootste heimelijkheid over te dragen aan de Britse admiraliteit.

Maar ook in dat geval kan iemand van oordeel zijn geweest dat ze weinig belangwekkend en gespeend van elke bewijskracht waren, en zal deze ze – opnieuw – verbannen hebben naar stoffige bundels paperassen voor kamergeleerden. Bligh laat de Salomonseilanden voor wat ze zijn, neemt er genoegen mee dat hij tot admiraal wordt benoemd vanwege zijn andere onmiskenbare verdiensten als zeevaarder, en zal ten slotte als een tevreden man sterven, zonder te weten dat Hollywood ervoor zou zorgen dat het nageslacht hem zou verafschuwen.

Maar stel dat een van mijn hypothesen aanleiding zou geven tot een vervolg op mijn vertelling, dan nog zou deze geen einde hebben dat de moeite waard was verteld te worden en zou elke lezer er een ontevreden en onbevredigd gevoel aan overhouden. En ook in dat geval zouden we aan het wedervaren van Roberto geen moraal kunnen ontlenen – en zouden we ons blijven afvragen hoe het komt dat hem is overkomen wat hem overkomen is – met als conclusie dat de dingen in het leven gebeuren omdat ze gebeuren, en dat ze uitsluitend in het Land der Romans lijken te gebeuren met een of ander doel, of door toedoen van de voorzienigheid.

Want als ik er een conclusie uit zou willen trekken, zou ik tussen Roberto's papieren op zoek moeten gaan naar een aantekening die kennelijk geschreven is in een van de nachten waarin hij zich nog afvroeg of er mogelijkerwijs een Indringer aan boord was. Die avond keek Roberto weer naar de lucht. Hij herinnerde zich hoe zijn leermeester, de karmeliet, die ooit in de Oriënt was geweest, toen de huiskapel op La Griva van ouderdom was ingestort had geadviseerd dat kleine oratorium weer op te bouwen op de Byzantijnse manier – rond van vorm met een koepel in het midden – die helemaal niets weg had van de stijl die men in Montferrat gewend was. En omdat de oude Pozzo aan kunst of geloofszaken een broertje dood had, had hij de adviezen van die heilige man klakkeloos opgevolgd.

Toen hij de hemel van de tegenvoeters zag besefte Roberto dat het hemelgewelf boven La Griva, dat aan alle kanten omringd was door heuvels, hem aan de koepel van dat oratorium had doen denken, duidelijk begrensd door de licht gebogen lijn van de horizon, met één of twee sterrenbeelden die hij kon herkennen. Ofschoon hij wist dat het schouwspel van week tot week veranderde, was het, aangezien hij altijd vroeg ging slapen, nooit tot hem doorgedrongen dat het zelfs binnen het tijdsbestek van een enkele nacht veranderde. En dus had die koepel hem altijd onveranderlijk en rond toegeschenen, en dientengevolge had hij gedacht dat de hele wereld onveranderlijk en rond was.

In Casale, dat midden in een vlakte lag, had hij begrepen dat de hemel weidser was dan hij dacht, maar Pater Emanuele had hem ervan overtuigd dat hij zich de sterren meer moest voorstellen zoals ze werden weergegeven in denkbeelden, dan te kijken naar die welke boven zijn hoofd stonden.

Nu ontwaarde hij, toeschouwer aan gene zijde van die uitgestrekte zeevlakte, een onbegrensde horizon. En boven zijn hoofd zag hij sterrenbeelden die hij nog nooit had gezien. Die op zijn halfrond herkende hij omdat anderen de afbeelding ervan al hadden vastgelegd: hier de veelhoekige spiegeling van de Wagen, daar de letterlijke nauwkeurigheid van Cassiopea. Maar op de *Daphne* had hij geen van tevoren vastgelegde figuren en kon hij elk punt met elk ander punt verbinden, er de afbeeldingen uit aflezen van een slang, een reus, een haardos of de staart van een giftig insect, om ze vervolgens weer op een heel andere wijze samen te voegen.

In Frankrijk en Italië had hij ook aan de hemel een landschap gezien waarin de hand te herkennen viel van een vorst die had vastgelegd langs welke lijnen straten en postdiensten liepen, waartussen hij stukken had opengelaten voor bossen. Hier daarentegen was hij pionier in een onbekend land en moest hij beslissen welke paden een bergtop met een meer verbonden zonder zijn keuze ergens op te kunnen funderen, want er waren nog geen steden en dorpen aan de uitlopers van de eerste of op de oevers van het laatste. Roberto keek niet naar sterrenbeelden: hij was ertoe veroordeeld ze zelf te vormen en was ontsteld als hij zag dat iets het aanzien had van een spiraal, een slakkehuis, een draaikolk.

En dan herinnert hij zich een gloednieuwe kerk die hij in Rome heeft gezien – en het is de enige keer dat hij ons laat merken dat hij die stad bezocht heeft, wellicht vóór zijn reis naar de Provence. Die kerk leek in zijn ogen in het geheel niet op de koepel van La Griva, noch op de geometrisch in ogiefbogen en kruisgewelven geordende kerkschepen die hij in Casale had gezien. Nu begreep hij waarom: het was alsof het gewelf van die kerk een zuidelijke hemel was, die het oog noodde steeds weer nieuwe vluchtlijnen te volgen zonder ooit op één punt te blijven rusten. Als je in die koepel omhoogkeek, had je, waar je ook stond, altijd het gevoel dat je aan de rand ervan stond.

Nu besefte hij dat hij dat gevoel van niet-vergunde rust op een vagere, minder theatrale manier ervaren had doordat hij, eerst in de Provence en later in Parijs, keer op keer voor verrassingen kwam te staan, aangezien iedereen zijn zekerheden op een of andere manier ondermijnde en hem weer een nieuwe wijze aan de hand deed om zijn wereldkaart te tekenen, terwijl hetgeen hem van verschillende kanten ter ore kwam niet versmolt tot één welbepaald beeld.

Hij hoorde over kunstwerken die de natuurlijke orde der dingen konden veranderen, zodat het zware omhoog neigde en het lichte loodrecht naar beneden viel, vuur nat was en water brandde, alsof de schepper van het heelal zichzelf nog kon verbeteren en niet alleen planten en bloemen kon dwingen tegen de jaargetijden in te gaan, maar zelfs de jaargetijden kon dwingen om de strijd aan te binden met de tijd.

Als het voor de Schepper aanvaardbaar was van mening te veranderen, bestond er dan nog een orde die Hij het heelal had opgelegd? Misschien had Hij er van meet af aan vele opgelegd, misschien was Hij bereid ze keer op keer te veranderen, misschien bestond er een geheime orde die aan dat veranderen van orden en invalshoeken ten grondslag lag, maar was het ons niet vergund deze ooit te ontdekken en waren wij veeleer voorbestemd het veranderlijke spel te volgen van deze schijnbare orde, die bij elke nieuwe ervaring opnieuw geordend werd.

En zo zou het verhaal van Roberto de La Grive slechts het verhaal zijn van een ongelukkige minnaar die gedoemd is onder een overdreven hemel te leven en er niet in geslaagd is zich te verzoenen met de gedachte dat de aarde zich langs een ellips beweegt waarvan de zon slechts een van de brandpunten is.

Hetgeen, zoals velen met me eens zullen zijn, niet toereikend is voor een verhaal met een begin en een eind.

Als ik, ten slotte, van dit verhaal een roman zou willen maken, zou ik eens te meer aantonen dat je een hervonden manuscript slechts als palimpsest kunt gebruiken – zonder er ooit in te slagen je te onttrekken aan de Angst voor Beïnvloeding. Evenmin zou me de kinderlijke nieuwsgierigheid van de lezer bespaard blijven, die zou willen weten of Roberto die bladzijden waarover ik al te veel heb uitgeweid werkelijk heeft geschreven. Eerlijkheidshalve zou ik hem moeten antwoorden dat het niet onmogelijk is dat ze door iemand anders geschreven zijn die het wilde doen voorkomen alsof hij de waarheid vertelde. En zo zou het hele romaneske effect verloren gaan: want in romans veinst men weliswaar dingen te vertellen die waar zijn, maar dient men niet naar waarheid te vertellen dat men veinst.

Ik zou ook niet kunnen bedenken langs welke weg de brieven uiteindelijk in handen kunnen zijn gekomen van degene die ze vervolgens weer aan mij gegeven zou moeten hebben, na ze uit een stapel verbleekte en gehavende handschriften te voorschijn te hebben getrokken.

'De auteur is onbekend,' verwacht ik echter dat hij gezegd zou hebben, 'het schrift is sierlijk, maar zoals u ziet is het verbleekt, en de bladen zitten zo langzamerhand vol vochtvlekken. En wat de inhoud betreft: te oordelen naar het weinige dat ik ervan gezien heb, zijn het stijloefeningen. U weet hoe ze in die tijd schreven... Die mensen hadden geen ziel.'

Inhoud